MŒURS
ET SEXUALITÉ
EN OCÉANIE

COLLECTION TERRE HUMAINE
DIRIGÉE PAR JEAN MALAURIE

MŒURS
ET SEXUALITÉ
EN OCÉANIE

*Traduit de l'américain
par GEORGES CHEVASSUS*

MARGARET MEAD

PLON

*Ouvrages parus en langue américaine
sous les titres :*

I. SEX AND TEMPERAMENT
IN THREE PRIMITIVE SOCIETIES
© 1935 *by Margaret Mead*

II. COMING OF AGE IN SAMOA
© 1928 *by William Morrow and Co, Inc.*

La présente édition reproduit dans son intégralité le texte original, à l'exception des illustrations hors-texte et des index.
L'édition complète dans TERRE HUMAINE est toujours disponible. Le lecteur trouvera en fin de volume la liste des titres de la collection TERRE HUMAINE.

© Librairie Plon, 1963.

ISBN : 2 - 266 - 01189 - 8

LIVRE I

TROIS SOCIÉTÉS PRIMITIVES

DE NOUVELLE-GUINÉE

(Région du Sepik)

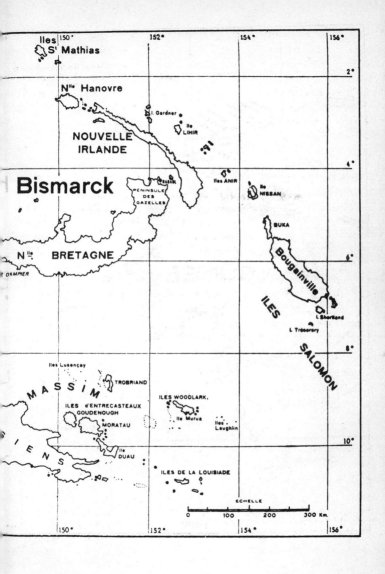

INTRODUCTION

On ne peut manquer d'admirer, lorsqu'on étudie les sociétés primitives, l'extrême diversité des démarches de l'imagination humaine, qui, s'emparant d'un nombre limité de données essentielles, a su construire ces magnifiques édifices que nous nommons civilisations. C'est tout d'abord le milieu naturel qui impose à l'homme le spectacle de ses contrastes et de ses phénomènes périodiques : le jour et la nuit, le cycle des saisons, la lune qui, inlassablement, croît et décroît, le frai des poissons, les migrations des oiseaux. Son propre corps lui parle d'âge et de sexe, de consanguinité, de naissance, de maturité et de vieillesse. Il voit les animaux différents les uns des autres, de même les individus : le féroce et le tendre, le vaillant et le rusé, l'ingénieux et le lourdaud. De là, il parviendra aux idées de rang et de caste, de prêtrise, d'oracle et d'art. C'est à partir d'indications aussi élémentaires, et aussi universelles, que l'homme a tissé la trame de civilisations qui confèrent à la vie humaine un caractère de dignité, aussi bien dans sa forme que dans sa signification. Il n'est plus seulement un animal comme les autres, qui s'accouple, combat pour sa nourriture, et meurt. Il a un nom, une place dans la société, un dieu. Chaque peuple ourdit cette trame de façon différente, comme s'il choisissait certains fils à l'exclusion des autres, et ne met en relief qu'un aspect des virtualités humaines. Ainsi chez les uns, tout s'organise autour du moi vulnérable, prompt à saisir l'insulte ou à périr de honte. Pour les autres, c'est le courage inflexible, tels les Cheyennes qui ont inventé pour les craintifs une position sociale de statut particulièrement complexe, à seule fin de ne pas admettre qu'il y ait des poltrons parmi eux. Chaque civilisation primitive et homogène ne peut donner carrière qu'à quelques-unes des capacités de l'homme. Elle interdit ou pénalise toutes celles qui sont trop opposées ou trop étrangères à son orientation principale. Les valeurs qu'elle respecte et qui ont été, à l'origine, adoptées par certains tempéraments, ignorées des autres, elle les incorpore de façon de plus en plus solide et durable à sa structure même, à son organisation politique et religieuse, à son art, à sa littérature. Et chaque nouvelle génération se trouve façonnée, fermement et définitivement, selon la tendance dominante.

Chaque civilisation crée donc une contexture sociale qui lui est propre, et qui apporte à l'individu non seulement la sécurité mais des conditions d'existence intelligibles. Le comportement type peut ne tenir compte ni de l'âge, ni du sexe, ni de dispositions particulières qui tiendraient à une différenciation quelconque. Ou, au contraire, l'évidence de l'âge, du sexe, de la force, de la beauté peut imposer les thèmes culturels dominants, comme le peut aussi une propension naturelle aux visions et aux rêves. Ainsi, dans l'organisation de sociétés telles que celles des Masai et des Zoulous, la classification des individus par âges est fondamentale. De même, c'est un événement capital chez les Akikiyu d'Afrique orientale que l'éviction cérémonielle d'une génération par la suivante. Chez les aborigènes de Sibérie, le nerveux, l'instable, devenait un *Chaman;* ses paroles, qu'on tenait pour inspirées, faisaient loi pour les autres membres de la tribu, mieux équilibrés mentalement pourtant. Cas extrême, sans doute, celui de toute une population qui s'incline devant la parole d'un individu, que nous rangerions parmi les anormaux; mais la signification nous en paraît claire. L'imagination des Sibériens a fait fonds sur une déviation humaine; elle a donné une importance sociale à un dément, c'est-à-dire à un être qui, chez nous, relèverait sans doute de l'asile.

Chez les Mundugumor, n'est artiste de plein droit que celui qui est né avec le cordon ombilical autour du cou. Ici, non seulement a-t-on élevé au rang d'institution une singularité, qui pour nous est une anomalie – comme dans le cas du *Chaman* sibérien –, mais on a arbitrairement associé deux phénomènes qui n'ont aucun rapport l'un avec l'autre : les circonstances de la naissance, et la capacité de peindre des motifs compliqués sur des morceaux d'écorce. Allons plus loin et nous apprendrons que seuls ont quelque talent ceux qui sont nés avec le cordon autour du cou, l'enfant né normalement ne pouvant jamais, quelque effort qu'il fasse, devenir un virtuose. Telle est la force de rapprochements aussi artificiels, une fois qu'ils sont solidement ancrés dans la culture.

Point n'est besoin de s'attarder sur des cas aussi singuliers pour constater le rôle joué par l'imagination dans la transfiguration de simples faits biologiques. Certains peuples considèrent que le premier-né est différent, en espèce, de ses cadets. Nous-mêmes, par tradition historique, n'hésitons pas à voir dans l'aîné un être « naturellement » un peu plus important que ses frères. Et cependant, si nous apprenons que, chez les Maoris, le premier fils d'un chef était tellement sacré que seules certaines personnes pouvaient couper ses boucles d'enfant sans risquer la mort à leur contact, alors nous admettons que, dans ce cas, l'homme a, de lui-même, fondé une superstructure hiérarchique sur un phénomène aussi contingent que la primogéniture. Qu'importe, d'ailleurs, que l'on estime doués de pouvoirs précieux ou maléfiques le premier ou le dernier-né, le septième fils du septième fils, les jumeaux ou l'enfant né coiffé : notre détachement critique, notre capacité à sourire de ces débordements de l'imagination restent intacts.

Mais pour qu'ils s'évanouissent, il suffit qu'abandonnant ces trop évidentes constructions de l'esprit primitif, nous nous penchions sur les aspects communs à ces civilisations et aux nôtres, nous cessions d'être spectateurs pour devenir acteurs. C'est sans doute imagination pure que de réserver l'aptitude à peindre à celui qui est né le cordon autour du cou, ou le talent d'écrire à un jumeau. Choisir les chefs ou les oracles parmi les êtres anormaux ou bizarres – qui chez nous seraient rangés parmi les fous – n'est pas affaire d'imagination pure; mais le principe, au moins, du choix est différent, puisqu'il est fait appel à une capacité naturelle de la race humaine, que nous n'utilisons ni ne respectons. Il ne nous vient pas à l'esprit, cependant, de faire la part de l'imagination lorsque nous décelons mille et une différences innées entre hommes et femmes – différences dont beaucoup n'ont pas plus de rapport immédiat avec les faits biologiques sexuels que n'en a la vocation de peintre avec la manière d'être né. Souligner d'autres particularités encore, dont la corrélation avec le sexe n'a rien d'universel ou de nécessaire – comme c'est le cas lorsqu'on associe la crise d'épilepsie au don religieux –, cela, nous ne le considérons pas non plus comme la création de l'imagination, avide de donner un sens à l'existence humaine.

L'étude qui suit ne cherche pas à déterminer s'il existe, ou non, entre les sexes, des différences réelles et universelles, qualitatives ou quantitatives. Son but n'est pas d'établir la plus grande variabilité des femmes par rapport aux hommes – ce que l'on prétendait avant que la doctrine de l'évolution n'eût attiré l'attention sur la variabilité –, ni leur moindre variabilité, ce qu'on affirma par la suite. Ce n'est pas non plus un traité sur le droit des femmes, ni une enquête sur les fondements du féminisme. Mon intention est, tout simplement, d'exposer dans quelle mesure, chez trois populations primitives, les manifestations sociales du tempérament sont fonction des plus évidentes différences entre les deux sexes. Pourquoi étudier ce problème chez les sociétés primitives? C'est parce que là, nous trouvons le drame de la civilisation écrit en petit, un microcosme social semblable en espèce, sinon en dimensions, aux structures sociales complexes de peuples qui, comme le nôtre, sont tributaires d'une tradition écrite, et de l'intégration d'un grand nombre de traditions historiques et contradictoires. Voilà donc ce que j'ai voulu étudier chez les doux montagnards Arapesh, les féroces cannibales Mundugumor, les gracieux chasseurs de têtes Chambuli. Comme toute société humaine, chacune de ces tribus avait donné à la différence entre les sexes une interprétation sociale particulière. En comparant ces interprétations, il est possible de discerner plus clairement la part des constructions de l'esprit par rapport à la réalité des faits biologiques sexuels.

Le thème sexuel tient une place de premier plan dans notre propre structure sociale. Un rôle différent est assigné à chaque sexe, et cela, dès la naissance. Chacun courtise, se marie, a des enfants, selon un type de comportement qu'on croit être inné, et par conséquent être propre à son sexe. Nous savons, d'une façon confuse, que ces rôles ont varié, même dans le courant de notre histoire. Des études telles que *la Dame* de Mrs. Putman (1) nous montrent la femme comme un mannequin infiniment malléable, que chaque époque habille à sa façon, effacée, impérieuse, coquette ou sauvage. L'accent est mis non sur la personnalité sociale relative de chaque sexe, mais sur le comportement superficiel assigné aux femmes. Encore ne s'agit-il pas le plus souvent de toutes les femmes, mais seulement de celles de la haute société. On crut pouvoir dire que ces dernières étaient les marionnettes d'une culture en voie d'évolution, mais c'était troubler plus que clarifier le problème; cela ne jetait aucune lumière sur le rôle assigné aux hommes. On se contentait de considérer ceux-ci comme suivant leur voie propre, façonnant les femmes selon leur caprice du moment, et une représentation, sans cesse changeante, de la féminité. Débattre de la place de la femme dans la société, de son caractère, de son tempérament, de son asservissement ou de son émancipation, c'est ignorer le fond du problème – c'est ignorer que les rôles assignés aux sexes varient selon la trame culturelle particulière

(1) E.J.S. Putman, *The Lady*, Sturgis & Walton, 1910.

qui détermine les relations humaines, c'est ignorer par exemple que le garçon, aussi bien que la fille, se développe et mûrit selon des lois spécifiques et locales.

Les Vaërting ont abordé la question dans leur ouvrage *le Sexe dominant* (1), mais leur imagination critique reste teintée de tradition européenne. Ils savent que dans certaines parties du monde existaient ou existent encore des institutions matriarcales donnant aux femmes une liberté d'action, une indépendance, qu'historiquement la civilisation européenne n'accorde qu'aux hommes. Ils inversent simplement les termes familiers et échafaudent une interprétation du matriarcat où les femmes sont froides, fières, dominatrices, et les hommes faibles et soumis. Ce qui est le propre des femmes en Europe, ils se contentent de le reporter sur les hommes des sociétés matriarcales. Image simpliste qui n'ajoute réellement rien à notre compréhension du problème, puisqu'elle repose sur cette conception étroite : que si un sexe est de personnalité dominante, l'autre doit, *ipso facto*, subir sa loi. L'erreur des Vaërting consiste à reprendre les opinions toutes faites sur les contrastes entre les personnalités des deux sexes, à ne connaître qu'une seule variation au thème du mâle dominateur, celle du mari dont la femme porte culotte.

Mais de récentes études de peuples primitifs nous ont rendus plus exigeants (2). Nous savons maintenant qu'il est impossible de partager simplement, sur un point quelconque, les civilisations en deux catégories ; nous savons qu'en revanche, une société peut ignorer complètement un problème auquel deux autres ont donné des solutions opposées. Qu'un peuple honore les vieillards peut signifier qu'il se soucie peu des enfants. Mais un autre, tels les Ba Thonga d'Afrique du Sud, peut n'avoir d'égards ni pour les vieillards ni pour les enfants, ou, au contraire, comme les Indiens des Plaines, respecter le

---

(1) Mathilde et Mathis Vaerting, *The Dominant Sex*, Doran, 1923.
(2) Voir en particulier Ruth Benedict, *Patterns of Culture*, Houghton Miffin, 1934.

petit enfant à l'égal du grand-père. Les Manus enfin, et
certains pays de l'Amérique moderne estiment que les
enfants constituent le groupe le plus important de leur
société. Si l'on ne raisonne que par contraires – si l'on
décide qu'une démarche de la vie sociale, pour n'être pas
spécifiquement sacrée est obligatoirement profane, que si
les hommes sont forts, les femmes doivent être faibles –
on ne tient pas compte du fait que les sociétés jouissent
d'une liberté de choix beaucoup plus grande à l'égard des
aspects de la vie, qu'elles peuvent minimiser, souligner ou
ignorer complètement. Chaque société a, d'une façon ou
d'une autre, codifié les rôles respectifs des hommes et des
femmes, mais cela n'a pas été nécessairement en termes
de contrastes, de domination et de soumission. Aucune
civilisation ne s'est dérobée à l'évidence de l'âge et du
sexe : chez une certaine tribu des Philippines, il est
convenu qu'aucun homme n'est capable de garder un
secret; pour les Manus, seuls les hommes sont censés
aimer jouer avec les petits enfants; les Toda considèrent
que presque tous les travaux domestiques revêtent un
caractère trop sacré pour être confiés aux femmes; les
Arapesh sont persuadés que la tête des femmes est plus
forte que celle des hommes. Dans la répartition du
travail, la façon de s'habiller, le maintien, les activités
religieuses et sociales – parfois dans tous ces domaines,
parfois dans certains d'entre eux seulement – hommes et
femmes sont socialement différenciés et à chaque sexe,
en tant que tel, contraint de se conformer au rôle qui lui a
été assigné. Dans certaines sociétés, ces rôles s'expriment
principalement dans le vêtement ou le genre d'occupation sans que l'on prétende à l'existence de différences
tempéramentales innées. Les femmes portent les cheveux
longs et les hommes, courts. Ou bien les hommes ont des
boucles et les femmes se rasent la tête. Les femmes
portent la jupe et les hommes des pantalons, ou bien les
hommes la jupe et les femmes des pantalons. Les femmes
tissent et les hommes ne tissent pas, ou inversement. De
simples associations comme celles-ci entre le vêtement
ou les occupations, et le sexe sont aisément enseignées à

chaque enfant et ne dépassent pas ses capacités d'assimilation.

Il en est autrement dans les sociétés qui distinguent avec netteté le comportement des hommes de celui des femmes en termes qui présupposent une différence réelle de tempéraments. Chez les Indiens Dakota des Plaines, l'homme se définissait par son aptitude à supporter tout danger ou privation. Dès l'instant qu'un enfant atteignait cinq ou six ans, tout l'effort conscient d'éducation de la part de la famille tendait à faire de lui un mâle incontestable. Qu'il pleurât, qu'il montrât quelque timidité, qu'il cherchât à saisir une main protectrice, qu'il eût envie encore de jouer avec de jeunes enfants ou avec les filles, c'étaient autant de signes qu'il n'allait pas devenir un vrai homme. Aussi n'est-il pas surprenant de trouver dans une telle société le *berdache*, l'homme qui a volontairement cessé de faire effort pour se conformer au rôle masculin, qui s'habille comme une femme, s'adonne aux occupations des femmes. L'institution du *berdache*, à son tour, servait d'avertissement à chaque père. La crainte de voir son fils devenir un *berdache* donnait à son énergie éducatrice quelque chose de désespéré, et l'enfant n'en était que davantage contraint à ce choix redouté. L'inverti, dont l'inversion n'a aucune base physique discernable, intrigue depuis longtemps les spécialistes de la sexualité : lorsque aucune anomalie glandulaire n'est observable, on a recours à des théories de conditionnement précoce ou d'identification avec le parent de sexe opposé. Au cours de cette enquête, nous aurons l'occasion d'examiner la femme « masculine » et l'homme « féminin » tels qu'on en rencontre chez ces tribus, et de rechercher si c'est toujours une femme de nature dominatrice qui est considérée comme masculine, ou un homme doux, docile, aimant les enfants ou la broderie, qui est tenu pour être féminin.

Dans les chapitres qui suivent, nous traiterons du comportement sexuel du point de vue du tempérament, nous examinerons les postulats culturels selon lesquels certaines attitudes tempéramentales sont « naturellement » masculines, d'autres « naturellement » féminines. En ce domaine les peuples primitifs semblent être, en apparence, plus sophistiqués que nous. Ils savent que les dieux, les habitudes de nourriture, les coutumes de mariage de la tribu voisine diffèrent des leurs, mais ils ne considèrent pas qu'une forme est vraie et naturelle et que l'autre ne l'est pas. De même ils savent souvent que les propensions tempéramentales qu'ils considèrent comme naturelles chez les hommes et les femmes de leur tribu diffèrent de celles qui sont également estimées naturelles par leurs voisins. Néanmoins, dans un cadre plus étroit, et avec moins de prétention à la validité biologique ou religieuse de leurs formes sociales que nous ne l'avançons souvent, les populations de chaque tribu observent des attitudes bien définies à l'égard du tempérament; elles ont une théorie de ce que sont naturellement les êtres humains – hommes ou femmes, ou les deux; elles connaissent une norme aux termes de laquelle elles jugent et condamnent ceux qui s'en écartent.

Deux des tribus que nous étudions ici n'imaginent pas que les hommes et les femmes puissent être de tempéraments différents. Sans doute reconnaissent-elles à chaque sexe un rôle économique et religieux distinct, des compétences particulières, une vulnérabilité spéciale aux maléfices et aux influences surnaturelles. Les Arapesh croient que la peinture en couleurs est le partage exclusif des hommes, et les Mundugumor considèrent la pêche comme une tâche essentiellement féminine. Mais toute idée est absente chez elles que des traits tempéramentaux de l'ordre de la domination, de la bravoure, de l'agressivité, de l'objectivité, de la malléabilité puissent être inaliénablement associés à un sexe – en opposition avec l'autre. Voilà qui peut paraître étrange à notre civilisation qui, dans sa sociologie, sa médecine, son argot, sa poésie, son obscénité, admet les différences socialement définies entre les sexes comme ayant un fondement inné dans le tempérament, et explique toute déviation du rôle socialement déterminé comme une anomalie qui trouve son origine dans l'hérédité et les acquisitions de la première

enfance. Et ce fut pour moi-même une surprise, car j'avais
été accoutumée à penser en termes de « type mêlé »,
d'hommes à tempérament « féminin », de femmes à l'esprit « masculin ». Je m'étais fixé pour tâche une étude du
conditionnement de la personnalité sociale de chaque
sexe, dans l'espoir qu'elle jetterait quelque lumière sur la
différence entre hommes et femmes. Je partageais la
croyance générale de notre société qu'il existait un tempérament lié au sexe, et qui pouvait, au plus, n'être que
déformé ou détourné de son expression normale. J'étais
loin de soupçonner que les tempéraments que nous
considérons comme propres à un sexe donné peuvent
n'être que de simples variantes du tempérament humain,
et que c'est l'éducation qui, avec plus ou moins de succès
et selon les individus, permet aux hommes ou aux femmes, ou aux deux, de s'en approcher.

... qui ... pour ... sur ...

PREMIÈRE PARTIE

LES MONTAGNARDS ARAPESH

CHAPITRE PREMIER

LA VIE DANS LA MONTAGNE

Les tribus de langue arapesh occupent un territoire triangulaire qui, de la mer, s'élève jusqu'à une triple chaîne de montagnes escarpées, pour redescendre vers les plaines herbeuses du bassin du Sepik. Les habitants de la côte sont restés en esprit des gens de la brousse. Ils ont emprunté aux îles voisines l'art de construire les pirogues; mais la mer ne les attire pas, et ils pêchent beaucoup plus volontiers dans les eaux calmes des marécages à sagoutiers. Ils ont horreur du sable de mer, et construisent de petits abris en palmes pour se protéger de ses envahissements. Ils plantent des bâtons à l'extrémité fourchue pour y accrocher les sacs de portage afin qu'ils ne touchent pas le sable. De même, pour ne pas s'asseoir directement sur le sable, qu'ils considèrent comme malpropre, ils tressent de petites nattes en feuilles de palmier. Les gens de la montagne ne prennent pas tant de précautions, qui s'asseoient communément dans la boue, sans avoir le moindre sentiment qu'elle est sale. Les Arapesh de la côte habitent de grandes cases de quinze à vingt mètres de long, bâties sur pilotis, avec des sortes de vérandas fermées, et des pignons décorés. Ils se groupent en gros villages, à proximité de leurs jardins et des bosquets de sagoutiers. Ces gens sont rebondis et bien nourris, au rythme d'une vie lente et paisible. Aux pirogues qui passent, faisant le commerce côtier, ils achètent pots et paniers, ornements de coquillage, nouvelles danses.

Mais tout change dès que l'on commence à monter par
les sentiers étroits et glissants qui se ramifient en véritables réseaux le long des pentes raides de la montagne. Il
n'y a plus de grands villages, mais seulement de petites
agglomérations de dix à douze cases où vivent trois ou
quatre familles. Ces cases sont bâties parfois sur pilotis,
parfois à même le sol, et alors si fragilement qu'elles
méritent à peine le nom d'habitations. La terre est nue et
stérile, le sagoutier devient rare. Il doit être planté au lieu
de pousser naturellement dans de grands marécages. Les
ruisseaux ne donnent que quelques crevettes, qui ne
valent pas souvent la peine qu'on les pêche. On trouve
de grandes étendues de brousse, sans jardins, qui sont
réservées à la chasse au kangourou arboricole, au wallaby, à l'opossum, au casoar. Mais le gibier, pourchassé
depuis de nombreuses générations, est rare, et il vaut
mieux ne pas trop compter dessus. Les jardins s'accrochent, précaires, au flanc de la montagne. Les enclore
est un problème presque insoluble que les indigènes
tentent à peine de résoudre. Ils se résignent, tout simplement, aux ravages des porcs qui se sont échappés dans la
brousse.

Les cochons du village ne sont pas gras comme ceux de
la côte; efflanqués, le dos tranchant, ils sont si mal nourris
qu'ils meurent souvent. Quand un cochon meurt, la
femme qui en prenait soin est blâmée pour sa gourman-
dise : elle a, dit-on, mangé non seulement tout le taro,
mais aussi les pelures et n'en a donné aucune part à
l'animal. Les jardins, les plantations de sagoutiers, les
terrains de chasse sont plus éloignés du village que sur la
côte. Les gens augmentent encore la difficulté en choisissant de travailler par petits groupes, tantôt chez l'un,
tantôt chez l'autre : d'où des marches sans fin par les
sentiers glissants, des appels incessants de sommet à
sommet pour transmettre des messages d'un membre
d'une famille à un autre.

La pente est si abrupte qu'il y a rarement la place de
bâtir tout un village, si petit soit-il. Le village le plus
important de la montagne était Alitoa – où nous avons

vécu de nombreux mois. Il se composait de vingt-quatre
cases qu'avaient droit d'habiter quatre-vingt-sept personnes. Mais ce droit ne s'exerçait que de façon sporadique
et trois familles seulement avaient à Alitoa leur demeure
principale. Les maisons avaient beau être peu nombreuses, certaines d'entre elles avaient dû être bâties en
surplomb, au-dessus des pentes rapides qui dévalent de
chaque côté du village. Lorsqu'on donne une fête (1), il y
a trop de visiteurs pour la capacité de logement de
l'agglomération; enfants et chiens débordent, certains
doivent dormir sur le sol humide au-dessous des cases
parce qu'il n'y a pas assez de place à l'intérieur. Quand un
Arapesh, sur le mode oratoire, parle d'une fête, il dit :
« Nous avons été brûlés par le soleil, lavés par la pluie;
nous avons eu froid, nous avons eu faim, mais nous
sommes venus vous voir. »

Il est également difficile de rassembler suffisamment
de nourriture et de bois pour subvenir aux besoins d'un
grand nombre de personnes en un même endroit. Depuis
des générations on ramasse tout le bois qu'on peut
trouver sur les hauteurs avoisinantes; les jardins sont
loin, et les femmes doivent peiner des journées entières
pour apporter les provisions nécessaires à une seule
journée de fête. En de telles occasions, les hommes ne
transportent rien à l'exception des lourdes charges de
viande – des porcs en particulier – et du gros bois dont
on fait des feux au centre du village pour y allumer les
cigarettes. Pour amener les porcs, ils se relaient à plusieurs, les perches de portage meurtrissant leurs épaules
peu accoutumées à ce genre d'effort. Les femmes, elles,
montent, descendent les sentiers avec des charges de
trente kilos et davantage accrochées à leur front, et
quelquefois en plus, un nourrisson à la mamelle dans une
écharpe d'écorce. Les mâchoires serrées sous la pression
des bandeaux de portage, elles ont une expression dure,
rébarbative qu'on ne leur voit jamais autrement, et qui
contraste avec la gaieté des hommes qui transportent les

(1) J'emploie le présent pour les actes habituels.

porcs, éveillant la brousse de leurs cris et de leurs chants. Mais il sied que les femmes portent de plus lourds fardeaux que les hommes, parce que leur tête, dit-on, est tellement plus dure et plus forte.

A observer les mœurs des gens de la montagne, on se rend compte immédiatement que ce n'est pas un pays habitué aux incursions des chasseurs de têtes. Les femmes vaquent sans escorte à leurs occupations, des petits enfants, par couples, s'éloignent sur le sentier, chassant les lézards avec un arc et des flèches minuscules, des fillettes dorment seules dans des villages déserts. Un groupe de visiteurs venus en visite d'un village voisin demande d'abord du feu; on le leur donne immédiatement; puis, à voix basse, commence une conversation animée. Les hommes se serrent autour d'un feu en plein air; tout près, souvent aussi en plein air, les femmes font la cuisine, dans de hauts pots noirs posés sur d'énormes pierres. Çà et là, les enfants sont assis, somnolents, satisfaits de leur sort, suçant leurs doigts, ou remontant leurs petits genoux pointus jusqu'à leur bouche. Que l'on raconte le moindre incident, et les rires fusent au plus léger trait d'humour, rires faciles, heureux, tumultueux. La nuit tombe et l'humidité froide de la montagne pousse chacune plus près du feu; assis autour des braises, l'on entonne des chansons venues de tous les horizons, qui reflètent les canons musicaux de peuples très divers. Un gong résonne dans le lointain et l'on se met à lancer les suppositions les plus gratuites : on aura tué un cochon ou un casoar; des visiteurs sont arrivés et l'hôte absent en est prévenu; quelqu'un meurt, est mort ou vient d'être enterré. Toutes les explications sont présentées comme également valables, et personne ne cherche à les approfondir. Le soleil se couche et, bientôt, hôtes et invités se retirent dans les petites cases; celui qui a de la chance dormira près du feu, et celui qui n'en a pas « ne dormira rien ». Il fait si froid que souvent l'on s'approche trop des bûches qui se consument dans l'âtre de terre, geste instinctif qui se paie d'un réveil dû à une jupe de fibres brûlée ou d'un jet d'étincelles sur la peau du bébé. Le matin, on

Fig. 1.
Grande case cérémonielle à Maprik; la façade a 18 mètres de haut.

demande toujours aux visiteurs de rester, même s'il doit
s'ensuivre qu'on aura faim le lendemain, car la réserve de
nourriture baisse et le plus proche jardin est à une
demi-journée de marche. Si les visiteurs refusent l'invitation, on les accompagne jusqu'au bout du village, et, au
milieu des cris et des rires, on promet de rendre bientôt
la visite.

Dans ce pays escarpé, raviné, où deux points à portée
de voix l'un de l'autre peuvent être séparés par une
descente puis une montée de cinq cents mètres, toute
terrasse est considérée comme « un bon endroit », et le
reste – le sol inégal, les pentes raides, les à-pic – comme
« de mauvais endroits ». De chaque village, le sol descend
vers ces « mauvais endroits », où l'on trouve les enclos
pour les porcs et les lieux d'aisance. Là aussi sont
construites les huttes qu'habitent les femmes au moment
de leurs menstruations et des accouchements car leur
sang serait dangereux pour le village, « bon endroit »
dont l'absence de pente est associée à l'idée de nourriture. Au centre de l'agglomération, parfois en deux points,
si elle est trop étirée, se trouve l'*agehu*, où se déroulent
fêtes et cérémonies. Autour de l'*agehu* se dressent quelques pierres qui sont vaguement associées aux ancêtres
et dont les noms sont masculins comme tout ce qui se
rapporte aux hommes (1). Quand le four divinatoire est
construit pour découvrir l'origine de la sorcellerie dont
un villageois se meurt, l'une de ces pierres est placée
dans le feu. Mais l'*agehu* est un lieu « bon » plutôt que
sacré; là les enfants jouent et s'ébattent, là le bébé fait ses
premiers pas, là un homme ou une femme s'assiéront
pour enfiler des dents d'opossum ou tresser un bracelet.
Parfois les hommes élèvent sur l'*agehu* de petits abris en
feuilles de palmiers pour y demeurer à l'occasion des

(1) Les Arapesh parlent une langue qui contient treize catégories de
noms, ou genres. Chacun se distingue par un ensemble particulier de
suffixes et de préfixes pronominaux et adjectivaux. Il y a un masculin, un
féminin, un autre genre qui groupe les objets de genre indéterminé ou
mixte, et dix autres catégories dont le contenu ne saurait être aussi
précisément défini.

averses. C'est là encore que les gens affectés d'un mal de tête, leurs souffrances signalées par un bandeau serré sur le front, viennent déambuler et tirer consolation de la sympathie qu'on leur exprime. Là enfin, on pile les ignames pour les festins, on déploie les rangées de grands plats noirs, et les petits bols de terre peints de couleurs vives, que l'on remplit de belles croquettes blanches de noix de coco – mets dont la technique récemment importée ne va pas sans fierté de la part des montagnards.

Tout ce luxe, ces raffinements, chansons, pas de danses, nouveaux plats, nouvelles coiffures, nouvelles formes de jupes de fibre, tout cela est importé, par lentes étapes, des villages de la côte, qui, eux-mêmes, les ont achetés aux peuples qui commercent par mer. La côte, dans l'esprit des gens de la montagne, évoque tout ce qui est mode et joie de vivre. De la côte est venue l'idée de porter des vêtements, idée qui, lors de mon séjour chez les Arapesh, n'avait pas encore pénétré jusqu'aux villages les plus reculés de la montagne. D'ailleurs ce n'est pas là pour les hommes un de leurs soucis majeurs, à en juger par la désinvolture avec laquelle ils attachent leur cache-sexe d'écorce, au scandale des gens de la côte. Quant aux femmes, elles ont importé leurs modes petit à petit et au hasard. Leur tablier de fibre pend mollement d'un cordon accroché au niveau le plus large des hanches, tandis que, complètement distincte, et n'ayant rien à soutenir, une ceinture serre leur taille. C'est de la côte encore que provient la coiffure des hommes : les cheveux tirés en arrière, passés dans un large anneau de vannerie puis noués en deux longues boucles. Rien n'est plus incommode qu'une telle coiffure pour poursuivre le gibier dans la brousse, aussi chacun l'abandonne ou la reprend selon qu'il a envie ou non de chasser – ce qui ne dépend que de lui. Seuls ceux qui font de la chasse leur occupation principale portent leurs cheveux coupés courts.

Toutes ces importations de la côte font partie d'ensembles dont une danse est l'élément central, et qui se vendent de village à village. Chaque village ou chaque groupe de hameaux s'organise pendant une longue période préliminaire pour rassembler les porcs, le tabac, les plumes et les anneaux de coquillage (qui sont la monnaie arapesh) avec quoi acheter une de ces danses à un village situé plus près de la côte, et qui s'en est lassé. Avec la danse sont vendues de nouvelles façons de s'habiller, de nouvelles magies, chansons et tours divinatoires. Tout comme les chansons qui s'élèvent le soir autour du feu – chansons qui sont les restes de danses depuis longtemps oubliées – ces nouvelles acquisitions n'ont que peu de rapport les unes avec les autres; quelques années passent et l'on achète un nouveau tour divinatoire, une nouvelle manière de se coiffer ou un nouveau style de bracelet; on en jouit avec enthousiasme pendant quelques mois, puis le souvenir s'en perd, rappelé parfois par quelque objet, abandonné sur une étagère poussiéreuse. Inspirant tout ce commerce, on trouve la croyance que tout ce qui vient de la côte est supérieur, plus évolué, plus beau et que, un jour, les gens de la montagne, en dépit de leurs terres pauvres et de leurs porcs maigres, rattraperont les habitants de la côte et auront une vie cérémonielle aussi gaie et aussi complexe que la leur. Mais toujours ils restent loin en arrière, et, au bord de la mer, on hausse les épaules lorsqu'un village de montagne achète une nouvelle danse et l'on insinue, par exemple, que telle plaque frontale en écaille de tortue, qui aurait dû se vendre avec la danse, ne quittera jamais la côte parce que ces pauvres montagnards n'auront jamais de quoi la payer. Et cependant, génération après génération, les gens de la montagne épargnent pour pouvoir importer ces belles choses – non en tant qu'individus mais en tant que villages, si bien que chaque habitant puisse chanter la nouvelle chanson et se vêtir à la mode nouvelle.

Ainsi les Arapesh considèrent la côte comme une source de joie. Sans doute existe-t-il certains souvenirs de rencontres hostiles avec les tribus maritimes plus belliqueuses, lorsque les montagnards descendaient chercher de l'eau de mer pour en garder le sel. Mais ce qui importe avant tout, ce sont les danses. Et l'on parle des « villages mères » sur la côte et des « villages filles » qui s'égrènent dans la montagne directement derrière eux. Villages mères et filles sont reliés les uns aux autres par des sentiers qui s'entrelacent et qui constituent trois systèmes de voies : la « route du gong », la « route de la vipère », et la « route du couchant ». C'est le long de ces voies que les danses pénètrent dans la montagne. Sur les sentiers qui les forment le voyageur isolé peut cheminer en toute sécurité, de la demeure d'un ami à celle d'un autre. Entre ces amis se pratique un échange de dons dénué de caractère cérémoniel, qui permet aux montagnards de s'approvisionner en haches de pierre, arcs et flèches, paniers, ornements de coquillages – et aux tribus côtières d'obtenir du tabac, des plumes, des poteries et des sacs en filet. Bien que ces échanges comportent des outils et des ustensiles absolument essentiels à la vie quotidienne, ils ne s'expriment jamais autrement que comme dons volontaires. On n'en tient aucune comptabilité exacte; il n'y a ni réclamations ni reproches. Et pendant tout mon séjour chez les Arapesh, je n'ai jamais assisté à aucune discussion sur cet échange de dons; je n'en ai pas entendu parler non plus.

Les montagnards ne produisent ni tabac ni objets fabriqués, au-delà de leur consommation – si ce n'est quelques écuelles en bois, des sacs en filet tout simples, des cuillers grossières faites en coque de noix de coco et des oreillers de bois tout à fait inaptes à l'usage auquel ils les destinent. Aussi doivent-ils, en échange de ce qu'ils reçoivent de la côte, fournir du tabac et des objets fabriqués qu'ils reçoivent des gens des Plaines (1) qui vivent au-delà de la montagne. Le bénéfice de l'opération, qui permet au montagnard d'obtenir ce qui lui est indispensable, provient théoriquement du transport. Un homme de la montagne fera une journée de marche pour recevoir un sac en filet d'un ami des Plaines, et deux autres pour aller en faire don à un ami de la côte. C'est ce

____

(1) Pour distinguer les Arapesh des Plaines des autres tribus qui vivent dans les plaines, j'écris le mot « Plaine » avec une majuscule lorsqu'il s'agit des premiers.

que les Arapesh appellent « faire de la marche pour trouver des anneaux », occupation à laquelle les hommes s'intéressent inégalement. Mais le système est si amical, si peu formel que, fort souvent, l'on verra un homme prendre la direction opposée à celle qui lui serait le plus profitable – tel l'habitant de la côte qui se rend en montagne pour y recevoir un sac en filet plutôt que d'attendre que son ami de la montagne vienne le lui apporter.

Si la côte est synonyme de gaieté, de nouveauté, de pittoresque, le pays des plaines au-delà de la dernière chaîne a une signification très précise pour les montagnards. Y vivent des gens qui parlent leur langue mais sont d'un caractère et d'un aspect physique très différents. Tandis qu'eux-mêmes ont une apparence frêle, la tête petite et le poil rare, les hommes des Plaines sont courtauds, plus lourds, ont la tête énorme et une barbe fournie qui frange leur menton rasé. Ils combattent avec des lances et n'usent pas des arcs et des flèches communs aux montagnards et aux habitants du littoral. Les hommes sont nus, et leurs femmes, qu'ils surveillent jalousement, sont nues aussi jusqu'au mariage, pour ne porter ensuite que de minuscules cache-sexe. Le rôle que jouent les tribus côtières pour les montagnards est rempli, pour les Arapesh des Plaines, par la tribu des Abelam, chasseurs de têtes gais et artistes, qui occupent la grande savane sans arbre du bassin du Sepik. Aux Abelam les Arapesh des Plaines ont emprunté le style de leurs hauts temples triangulaires qui dominent de vint à vingt-cinq mètres la place centrale carrée des gros villages, avec leur faîtage très incliné et leurs façades peintes de couleurs vives. Avec les Abelam et autres peuples des savanes, les Arapesh des Plaines ont en commun la pratique de la sorcellerie, qui leur permet de terroriser leurs voisins de la montagne et de la côte.

Les Arapesh des Plaines sont complètement coupés de la mer et entourés d'ennemis. Ils ne peuvent compter que sur leur récolte de tabac et la fabrication d'anneaux de coquillage – qu'ils font avec des coquilles de bénitiers – pour tout leur commerce avec les Abelam. De cette

Fig. 2.
Danseur avec un tambour portatif;
les ornements sur la poitrine du danseur sont faits en dents de chien
(région du golfe Huon).

dernière tribu ils obtiennent des sacs en filet, des poignards gravés en os de casoar, des lances, des masques et différents accessoires pour les danses. Les coquilles de bénitiers viennent de la côte et il est important que les hommes des Plaines puissent traverser sans risque la montagne pour aller les chercher. C'est grâce à la sorcellerie qu'ils peuvent passer par le pays des montagnards, hautains, arrogants, sans craindre personne. Il suffit, croit-on, qu'un sorcier des Plaines soit en possession d'une parcelle infime des déchets d'un individu, d'un morceau de nourriture à moitié mangé, d'un bout d'étoffe usée, mais mieux encore d'un peu de sécrétion sexuelle pour qu'il puisse rendre malade sa victime et la faire mourir. Si un homme de la montagne se met en colère contre un voisin, lui dérobe un peu de « chose sale » (1) et le remet à un sorcier, celui-ci tient désormais le voisin entièrement à sa merci. Les deux hommes peuvent se réconcilier, mais la « chose sale » reste entre les mains du sorcier. Et c'est parce que l'on croit qu'il est ainsi maître de la vie de nombreux montagnards qu'il peut circuler sans crainte parmi eux, de même que ses frères, ses cousins et ses fils. De temps à autre, il fait un peu de chantage, et la victime paie, de peur qu'il ne remette sur le feu à sortilèges le morceau de « chose sale » soigneusement conservé. Des années après la querelle initiale, la mort de la victime sera attribuée à l'homme des Plaines insuffisamment satisfait des résultats de son chantage, ou à la malveillance de quelque ennemi nouveau et inconnu qui aura soudoyé le sorcier. Ainsi les Arapesh de la montagne

---

(1) L'expression « chose sale » (*dirt* en pidgin-english) s'applique sur toute l'étendue du Territoire sous mandat à tout « déchet » utilisé dans les pratiques de sorcelleries. Les Arapesh en distinguent deux espèces. La première comprend des reliefs de repas, mégots, pieds de canne à sucre, etc., auxquels ils appliquent l'adjectif qui signifie « externe » ou « extérieur ». L'autre comprend ce qui émane du corps tout en paraissant lui rester étroitement lié : sueur, salive, croûtes, sperme, sécrétion vaginale. Sauf dans le cas des très jeunes enfants, les excréments n'en font pas partie et sont désignés par un autre terme. Les Arapesh éprouvent un dégoût prononcé à l'égard de ces sécrétions et il semble logique de conserver le terme de « chose sale », utilisé en pidgin-english.

vivent-ils dans la crainte de cet ennemi à leurs portes et parviennent-ils à oublier que c'est un ami ou un parent qui les a livrés au sorcier. Car voisins et parents ne sont pas sans provoquer parfois colère ou peur, et il est si facile de dérober un os d'opossum à moitié rongé et de le remettre à un homme des Plaines. S'il n'y avait pas de sorciers, s'ils ne traversaient pas constamment le pays, racolant des clients, attisant les petites querelles, suggérant la possibilité d'une vengeance, alors, disent les Arapesh, il n'y aurait pas de mort par magie noire. Comment pourrait-il y en avoir, demandent-ils, alors que les gens de la montagne et du littoral ne connaissent pas de charmes meurtriers?

Non seulement la maladie et la mort, mais toute infortune est l'ouvrage des sorciers des Plaines : l'accident de chasse, la maison brûlée, l'abandon de l'épouse. Car pour provoquer ces petits désastres, il n'est pas nécessaire qu'il possède la « chose sale » de la victime elle-même; il lui suffit de fumer celle d'un autre habitant du même village en marmottant ses incantations maléfiques.

Sans les gens de la côte, il n'y aurait ni plaisir, ni stimulant nouveaux; ni occasion de prélever sur les maigres ressources de la montagne pour se procurer quelques jours de gaieté. Sans les gens des Plaines, il n'y aurait pas de peur, on vivrait mieux, et l'on mourrait sans dents, décrépit, après une vie douce et respectée. Sans les influences qui viennent des plaines et du littoral, il ne resterait que la calme aventure de la vie en montagne, pays si peu fertile qu'aucun voisin n'en envie la possession, si peu hospitalier qu'aucune armée ne pourrait l'envahir et y trouver de quoi survivre, si accidenté que la vie ne peut y être que difficile et astreignante.

Alors que les Arapesh se rendent compte qu'ils doivent aux autres leurs plus grandes joies comme leurs principales tribulations, ils ne se sentent cependant ni pris au piège, ni persécutés, ni victimes de la pauvreté de la terre qu'ils habitent. Pour eux, au contraire, vivre, c'est l'aventure de faire grandir quelque chose, élever des enfants, des cochons, faire pousser des ignames, des taros, des

cocotiers et des sagoutiers, avec foi, avec soin, en observant toutes les règles. Arrivés à un certain âge, ils se
retirent heureux, après des années passées à élever des
enfants et planter assez de palmiers pour pourvoir ces
enfants pendant toute leur vie.

Pour faire croître quoi que ce soit, il suffit d'obéir à des
règles simples. Il y a au monde deux biens incompatibles :
ceux associés au sexe et à la fonction reproductrice des
femmes, et ceux associés à la nourriture, à la croissance, à
la chasse et au jardinage, qui concernent les hommes,
sont tributaires de puissances surnaturelles, de la pureté
et des propriétés fructifiantes du sang mâle. Il ne saurait
y avoir de contact trop étroit entre les uns et les autres.
Le devoir de l'enfant est de grandir, celui de chaque
homme et de chaque femme d'observer les règles de
façon que poussent les enfants comme la nourriture qui
leur est nécessaire. Les hommes sont donc, tout autant
que les femmes, entièrement engagés dans cette aventure.
On peut dire que le rôle des hommes, comme celui des
femmes, est maternel.

CHAPITRE II

UNE SOCIÉTÉ SOLIDAIRE

Cette coopération des hommes et des femmes – tout différents qu'ils soient sur le plan physiologique et dans leurs capacités respectives – dans une aventure commune à caractère altruiste, au bénéfice de la génération suivante, voilà le thème central en fonction duquel s'organise la vie arapesh. C'est un mode de vie où hommes et femmes accomplissent des tâches différentes dans un même but: l'homme n'y est pas censé obéir à certains mobiles, et la femme à d'autres; et si l'homme y est investi d'une plus grande autorité, c'est parce que l'autorité est un mal nécessaire que quelqu'un – en l'occurrence le partenaire le plus libre – doit supporter. Si les femmes sont exclues des cérémonies, c'est pour leur bien, et non pour affirmer une supériorité masculine; car les hommes font l'impossible pour garder par-devers eux les dangereux secrets qui rendraient malades leurs femmes et difformes leurs enfants à naître. Pour l'homme, exercer une responsabilité, commander, paraître en public, feindre l'arrogance, constituent de lourds devoirs qui ne peuvent lui être qu'imposés et auxquels il est trop heureux d'échapper dès que son fils aîné atteint la puberté. Pour comprendre un ordre social où la sympathie et l'attention à l'égard des soucis et des besoins d'autrui se substituent à l'agressivité, à l'initiative personnelle, à l'émulation, à l'instinct de possession – mobiles habituels de notre civilisation – il est nécessaire d'examiner dans le détail l'organisation de la société arapesh.

Il n'existe pas d'unités sociales d'ordre politique. Les groupes de villages définissent une localité; ces localités, comme leurs habitants, ont chacune un nom, que l'on retrouve dans la rhétorique des fêtes, ou qui sert à désigner la région; mais sans que ce nom recouvre un symbole d'unité politique. Entre hameaux et groupes de hameaux, et en fonction de limites traversant les ensembles locaux, s'arrangent les mariages, s'organisent les fêtes et parfois s'échangent les coups. Chaque hameau appartient théoriquement à une lignée familiale à descendance masculine, qui a elle-même un nom particulier. Les familles patrilinéaires ou les petits clans locaux possèdent aussi des terres de chasse et de jardinage. Quelque part sur ces terres de chasse, il existe un trou d'eau, une dune de sable mouvant ou une cascade qui est habité par leur *marsalai*, être surnaturel qui se présente sous la forme d'un serpent ou d'un lézard mythique aux couleurs bizarres, parfois sous celle d'un animal plus gros. Là où demeure le *marsalai*, et le long des limites des terres ancestrales vivent les esprits des morts du clan, y compris ceux des épouses des hommes du clan, qui restent près de leur mari au lieu de retourner à leurs propres terres claniques.

Les Arapesh ne considèrent pas que ces terres leur appartiennent, mais plutôt qu'ils appartiennent eux-mêmes à ces terres. Rien, dans leur attitude, ne suggère le propriétaire terrien qui défend vigoureusement ses droits contre tous. La terre, le gibier, les grands arbres dont on fait des charpentes, les sagoutiers, et particulièrement les arbres à pain, que l'on considère comme très vieux et chers aux esprits – tout appartient à ces derniers. Leurs réactions, leurs sentiments sont symbolisés par ceux du *marsalai*. Celui-ci n'est ni un ancêtre ni sa négation. Les Arapesh ne sauraient pousser la précision jusqu'à répondre à une question de ce genre. Ils savent que le *marsalai* est particulièrement exigeant sur certains points rituels. Il déteste les femmes au moment de leurs menstruations, les femmes enceintes, ainsi que les hommes qui viennent d'avoir des rapports avec leur épouse. Sous peine de voir les femmes tomber malades et mourir, ou rester stériles, il doit être apaisé par le simulacre d'une offrande, une canine de porc, une enveloppe de noix de bétel, une feuille de taro. Un des esprits ancestraux viendra, tel un oiseau ou un papillon, se poser sur l'offrande et en absorber l'essence.

Ce sont les esprits qui sont les vrais habitants des terres; un homme qui vient d'hériter s'annonce par son nom et son degré de parenté avec eux : « C'est moi, ton petit-fils, de Kanehoibis. Je suis venu couper quelques poteaux pour ma maison. Accepte ma présence, et permets-moi de couper un arbre. Sur mon chemin de retour, éloigne les ronces de mes pas, et recourbe les branches pour que je marche sans peine. » C'est ainsi qu'il doit s'exprimer même s'il est seul à fouler le sol de ses ancêtres. Le plus souvent, il sera accompagné d'un parent ou d'un beau-frère qui chasse avec lui, ou se propose de venir établir un jardin sur cette terre. Alors les présentations sont de rigueur : « Voyez, mes grands-pères, voici mon beau-frère, le mari de ma sœur. Il vient jardiner ici avec moi. Traitez-le comme votre petit-fils. Que sa présence ne vous déplaise pas. Il est bon. » S'il néglige de prendre ces précautions, un ouragan abattra sa case, un glissement de terre détruira son jardin. Le vent, la pluie, les éboulements sont envoyés par les *marsalais* pour châtier ceux qui oublient de se comporter comme il convient vis-à-vis de la terre. A aucun moment, l'Arapesh ne s'exprime en propriétaire, fier de souhaiter la bienvenue à un étranger sur son sol, ou de couper un arbre parce qu'il lui appartient.

Le village d'Alipinagle, sur une hauteur voisine, était cruellement dépeuplé. Il n'y aurait bientôt plus assez de monde pour occuper la terre. Les gens d'Alitoa soupiraient : « Hélas, pauvre Alipinagle, lorsque ceux qui l'habitent aujourd'hui seront disparus, qui prendra soin de la terre, qui sera là sous les arbres? Il faut leur donner des enfants à adopter pour que la terre et les arbres aient des gens lorsque nous ne serons plus. » Une telle générosité avait naturellement comme conséquence pratique d'avan-

tager un enfant ou deux. Mais on ne l'exprimait jamais de
cette façon-là : les Arapesh veulent ignorer les mots qui
traduisent l'idée de propriété terrienne. Il n'y avait
qu'une famille dans la localité qui eût ce sens de la
propriété, et personne ne comprenait son attitude. Gerud,
fils aîné de cette famille, était un jeune devin, fort prisé
dans le village. Un jour, interprétant un vol de « chose
sale », il prétendit que l'accusé avait fait des difficultés
pour envisager de céder aux enfants d'un nouveau venu
au village une part de ses terrains de chasse. La communauté considéra ce raisonnement comme confinant à la
folie. Assurément, les gens appartenaient à la terre et non
la terre aux gens. Cette manière de voir explique d'ailleurs pourquoi les Arapesh sont plutôt indifférents en ce
qui concerne l'endroit où ils habitent; il n'est pas rare que
les membres d'un clan demeurent non pas dans leur
hameau ancestral mais dans celui de cousins ou de
beaux-frères. Rien ne les en empêche, puisqu'il n'existe
aucune organisation politique ni de règles sociales fixes
et arbitraires.

Il en est de même pour les jardins. Ceux-ci sont de deux
sortes. Il y a d'abord les jardins à taros et les banane-
raies : les hommes défrichent le terrain, ébranchent les
arbres, posent les palissades; les femmes plantent, sarclent et récoltent. Il y a, d'autre part, les jardins à
ignames; là, si les femmes donnent quelque assistance
pour sarcler et transporter la récolte, ce sont les hommes
qui en ont entièrement la charge. Chez de nombreuses
tribus de Nouvelle-Guinée, chaque couple marié défriche
et enclôt une parcelle de terre, et la cultive plus ou moins
seul, avec l'aide de ses jeunes enfants et parfois celle de
parents appelés au moment de la récolte. C'est dans ce
sens qu'un jardin, en Nouvelle-Guinée, devient un lieu
privé – presque aussi privé qu'une case. Il arrive souvent
que mari et femme y copulent : ils sont chez eux. Chaque
jour, l'un ou l'autre s'y rend, pour réparer les brèches
dans la clôture et ainsi protéger les plantations contre les
animaux de la brousse. Si l'on ne tient compte que des
conditions matérielles de la vie arapesh, ces méthodes de

jardinage devraient parfaitement leur convenir. Les distances sont longues et les chemins difficiles. Souvent les gens doivent rester dormir dans leur jardin parce qu'ils sont trop éloignés de tout autre abri. Ils construisent alors de petites huttes au toit précaire, bien peu confortables, qui sont édifiées sur le sol même, car cela ne vaut pas la peine d'édifier sur pilotis pour un an. Les pentes raides accusent la fragilité des palissades et les porcs parviennent constamment à pénétrer dans ces jardins. La nourriture est rare et médiocre : il semblerait normal que, dans des conditions aussi difficiles, les Arapesh eussent à l'égard de leurs jardins un vigilant sentiment de propriété. Et pourtant il n'en est rien. Ils ont élaboré un système différent, et des plus extraordinaires, qui exige de chacun beaucoup de temps et d'efforts, mais qui, en revanche, suscite une atmosphère de coopération et de cordialité qui, pour eux, est plus importante que tout le reste.

Tout homme cultive, non pas un jardin, mais plusieurs, et chacun en coopération avec des membres différents de sa famille. Dans l'un de ces jardins, il est hôte, dans les autres, il est invité. Mais partout la scène est la même : trois à six hommes, chacun avec une ou deux épouses, parfois une ou deux filles déjà grandes, travaillent ensemble, posent ensemble les clôtures, défrichent ensemble, sarclent ensemble, récoltent ensemble, et, s'ils ont mis en train quelque besogne importante, dorment ensemble, entassés sous le maigre toit qui dégoutte sur le dos de la moitié d'entre eux. Ces groupes de travail agricole sont instables. Si la récolte est mauvaise, la tentation est forte d'en rejeter la responsabilité sur les compagnons de jardinage et de rechercher de nouvelles alliances pour l'année suivante. Il est possible, d'ailleurs, que, cette année-là, on choisisse, pour en faire un jardin, une parcelle de terre depuis longtemps en friche, qui sera trop éloignée pour rassembler les mêmes cultivateurs. Quoi qu'il en soit, la nourriture dont disposera chacun ne dépendra pas du seul jardin dont il est directement responsable, mais aussi de ceux qui, chez des parents et sous les yeux des ancêtres, l'appellent un jour à une lieue dans une direction, le lendemain, à deux lieues dans l'autre.

Les conséquences d'une telle méthode de travail sont diverses. Il n'y a pas deux jardins qui soient plantés en même temps : c'est pourquoi les Arapesh ne connaissent pas la « période de faim » si caractéristique des peuples mangeurs d'ignames où tous les jardins sont ensemencés en même temps. Dans un pays où plusieurs hommes travaillent ensemble pour défricher et clore un jardin, puis se disposent pour aller défricher et clore d'autres jardins, les récoltes se succèdent nécessairement. Aucun besoin de travaux collectifs ne justifie une telle méthode. Les grands arbres sont simplement cernés et non abattus, les branches coupées pour donner de la lumière – ce qui donne aux jardins l'aspect d'une armée de fantômes blancs se détachant sur le vert foncé de la brousse environnante. Les palissades sont faites de jeunes troncs qu'un adolescent pourrait couper sans aide. Mais les Arapesh préfèrent travailler en petits groupes joyeux dont l'un d'eux est l'hôte, et qu'il peut régaler d'un peu de viande – s'il en trouve. C'est ainsi qu'ils gravissent ou dévalent les sentiers de montagne, allant d'un jardin à l'autre, sarclant ici, plantant des échalas, récoltant ailleurs, appelés d'un côté et de l'autre selon les exigences de cultures parvenues à des stades différents de maturité.

On retrouve cette même absence d'individualisme dans la plantation des cocotiers. Un homme plante ces arbres à l'intention de ses jeunes fils, mais non sur ses propres terres. Il fera peut-être dix kilomètres pour aller mettre en terre une pousse de cocotier devant la case de son oncle ou de son beau-frère. Si l'on dénombre les cocotiers de n'importe quel village, on trouvera qu'une quantité incroyable d'entre eux appartient à des habitants d'agglomérations fort éloignées et n'ont aucune relation avec les gens du lieu. De même, deux amis planteront ensemble des sagoutiers et, à la génération suivante, leurs fils travailleront côte à côte.

A la chasse, un homme ne saurait non plus aller seul. Il y part toujours avec un compagnon, parfois un frère, le plus souvent un cousin ou un beau-frère. La terre où ils chassent, les esprits et le *marsalai*, appartiennent à l'un d'eux. Celui, hôte ou invité, qui voit le gibier le premier, y a droit. Il convient seulement d'avoir assez de tact pour ne pas voir le gibier beaucoup plus souvent que les autres. Ceux qui se font une habitude de toujours prétendre avoir vu le gibier les premiers, on les laisse chasser seuls. Ils feront sans doute de bien meilleurs chasseurs, mais avec un caractère de moins en moins sociable. C'était le cas de Sumali, qui s'était désigné lui-même comme mon « père ». En dépit de son adresse, il était peu estimé dans les entreprises communes. C'est lui dont le fils avait donné comme mobile d'une sorcellerie la mesquinerie d'un villageois au sujet de ses terrains de chasse. Quand la case de Sumali fut accidentellement détruite par un incendie, il attribua la chose à la jalousie suscitée par une affaire de terre. Ses pièges prenaient plus de gibier que ceux de n'importe qui d'autre dans la région, il savait, mieux que quiconque, suivre un animal à la trace, il visait juste; mais il chassait seul, ou avec ses jeunes fils et faisait don de son gibier aux gens de sa famille avec autant de formalisme que s'il se fût agi d'étrangers.

Le comportement des Arapesh est encore le même lorsqu'ils doivent construire une maison. Les cases sont si petites qu'elles n'exigent, en réalité, que fort peu de travail de la part de la communauté. On utilise les matériaux d'une ou plusieurs cases en ruine pour en refaire une nouvelle; on démonte une case dans le seul but de la rebâtir selon une orientation différente; on n'essaie nullement de couper les chevrons de longueur égale, ou de scier la poutre de faîte si elle est trop longue pour la maison en construction. Si elle ne convient pas à celle-ci, elle conviendra, sans aucun doute, à une autre. Mais il n'est personne qui construise seul, sauf celui qui n'aide jamais les autres. Un homme annonce son intention d'élever une case, et peut-être donne-t-il une petite

Fig. 3.
Entrée d'une case à Maprik; murs de construction hâtive, portes étroites.

fête à l'occasion de la mise en place de la grande poutre.
Puis ses frères, ses cousins, ses oncles, au hasard de leurs
randonnées dans la brousse, pensent à cette maison qui
n'est pas terminée. Ils s'arrêtent, l'un pour ramasser des
lianes qui serviront à fixer le toit, l'autre pour rassembler
des feuilles de sagoutier qui couvriront la case. Ces
matériaux, ils les apportent à la nouvelle maison quand il
leur arrive de passer par là; et peu à peu, sans qu'il y
paraisse, la maison s'édifie, par le travail non comptabi-
lisé d'un grand nombre.

Ce travail en commun et l'absence de méthode qui le
caractérise, même dans les tâches quotidiennes de jardi-

nage et de chasse, ont pour conséquence d'empêcher quiconque a un projet de lui consacrer un grand nombre d'heures consécutives. L'homme est, à cet égard, beaucoup moins à même de s'adonner à une entreprise suivie que la femme; celle-ci ne saurait oublier qu'elle doit, de toute façon, s'occuper des repas, apporter le bois et l'eau. Les hommes passent plus des neuf dixièmes de leur temps à se prêter aux propositions des autres, à cultiver le jardin des autres, à suivre la chasse des autres. La vie économique arapesh est axée de façon insistante sur la participation de chacun à des entreprises que d'autres ont conçues. Les propositions d'initiative personnelle sont rarement suggérées, et cela même avec crainte.

C'est là un des facteurs qui expliquent l'absence de toute organisation politique. Lorsque tous sont accoutumés à participer spontanément à l'exécution d'un projet quelconque, et qu'un ostracisme sans rigueur suffit à rallier le paresseux, la notion de commandement se présente sous un aspect foncièrement différent de celui qu'elle assume dans une société où chacun mesure sa propre agressivité à celle des autres. S'il est quelque affaire d'importance dont il faut décider, qui par exemple entraîne le hameau ou le groupe de hameaux dans une querelle, ou l'amène à formuler une accusation de sorcellerie, les résolutions sont prises de façon calme, indirecte, tout à fait caractéristique de la culture arapesh. Supposons qu'un jeune homme découvre qu'un porc venant d'un village éloigné s'est aventuré dans son jardin. L'animal est en faute, la viande est rare : il voudrait bien le tuer. Mais est-ce sage? On ne peut en juger qu'en tenant compte de toutes les relations que l'on peut avoir avec les propriétaires du porc. Y a-t-il une fête en préparation? Un mariage est-il sur le point de se conclure? Un membre du groupe a-t-il besoin du possesseur du porc pour l'aider à accomplir quelque cérémonie? De tout cela, le jeune homme ne saurait décider seul. Il va trouver son frère aîné. Si celui-ci ne voit aucune objection à ce que l'animal soit tué, les deux frères iront cependant demander l'avis de parents mâles plus âgés. On en arrivera, finalement, à

consulter l'un des hommes les plus anciens et les plus
respectés du village. Il en existe toujours un ou deux dans
chaque localité de cent cinquante à deux cents habitants.
Si le sage donne son approbation, on tue le porc, on le
mange, le jeune homme n'encourra aucun blâme de ses
aînés, et ceux-ci, au contraire, se tiendront les coudes
pour justifier ce petit braconnage légal.

La guerre est pratiquement inconnue des Arapesh. Ils
ignorent les traditions des chasseurs de têtes, ils n'ont pas
le sentiment que, pour être brave et viril, il soit nécessaire de tuer. En fait, ceux qui ont tué des hommes sont
considérés avec une certaine gêne – comme des individus
légèrement à part. Ce sont eux qui doivent accomplir les
cérémonies par lesquelles tout nouveau meurtrier doit se
purifier. Les sentiments que l'on éprouve à l'égard d'un
assassin ou à l'égard de celui qui a tué au combat ne sont
pas essentiellement différents. Le brave ne porte aucun
signe distinctif. Il existe peu de magies protectrices à
l'usage de ceux qui vont se battre : sinon gratter un peu
de poussière sur les ossements de leur père et l'absorber
avec de la noix d'arec et des herbes magiques. Les
Arapesh ne font pas la guerre, c'est-à-dire n'organisent
pas d'expéditions pour piller, tuer, conquérir ou se couvrir de gloire. Mais il y a entre villages des querelles et
des rixes, particulièrement à propos des femmes. Le
système matrimonial est tel que la fuite d'une fiancée ou
d'une épouse est obligatoirement interprétée comme un
enlèvement. Or un enlèvement est un acte inamical, et
doit être vengé. Les Arapesh ressentent profondément ce
besoin de rétablir un équilibre, de rendre le mal pour le
mal, les représailles étant à la mesure exacte du préjudice
subi. Dans l'événement qui provoque les hostilités, ils ne
voient qu'un accident malheureux. Un enlèvement de
femme est l'aboutissement d'une mésentente conjugale et
de la formation de nouveaux liens personnels : ce ne sont
pas là des actes inamicaux de la part d'une communauté
voisine. Voyez ce qui se passe pour les porcs : chacun
essaie de les garder chez soi; si un porc s'égare, c'est un
accident; mais s'il est tué, sa perte doit être vengée.

Tous les conflits de ce genre entre hameaux commencent par un échange de propos irrités. Le groupe qui se sent lésé arrive en armes, mais non disposé à combattre, au village coupable. Une altercation s'ensuit. Les délinquants tenteront peut-être d'excuser ou de justifier leur conduite; ils diront n'avoir jamais entendu parler de l'enlèvement, ou ne pas connaître le propriétaire du porc : on ne lui avait pas encore coupé la queue, comment pouvait-on savoir si ce n'était pas un porc sauvage? Si la partie lésée proteste plus pour la forme que par colère réelle, la rencontre peut se solder seulement par quelques paroles un peu dures. Il se peut aussi que, le reproche attirant l'insulte, les têtes s'échauffent et qu'une sagaie soit lancée par celui qui a la tête le plus près du bonnet. Mais ce n'est pas le signal d'une mêlée générale. Chacun note soigneusement l'endroit où la sagaie a frappé, – elle n'est jamais lancée pour tuer – et, du camp adverse, part une autre sagaie à l'adresse de celui qui a lancé la première. Le coup est de nouveau noté, et l'on renvoie une autre sagaie. Chaque riposte a un objectif bien défini : « Alors Yabinigi a lancé une sagaie. Elle a atteint mon cousin-croisé au poignet. Je me suis mis en colère parce que mon cousin avait été frappé et j'ai lancé une sagaie qui a touché Yabinigi à la cheville. Alors le frère de la mère de Yabinigi, furieux que le fils de sa sœur ait été blessé, a ramené son bras en arrière et lancé sur moi une sagaie, qui m'a manqué » et ainsi de suite. Cet échange de sagaies, soigneusement dosé, dont le but est d'atteindre légèrement, jamais de tuer, continue jusqu'à ce que quelqu'un soit grièvement blessé, sur quoi les attaquants se sauvent à toutes jambes. Plus tard, on fera la paix en échangeant des anneaux, chacun donnant un anneau à celui qu'il a blessé.

Il arrive parfois, au cours d'une de ces rencontres, que quelqu'un soit tué. On cherche alors, par tous les moyens, à nier qu'il y ait eu intention meurtrière : la main du coupable a glissé, c'est de la sorcellerie des gens des Plaines. Presque toujours ceux du parti opposé sont appelés en termes de parenté et, bien sûr, personne ne songerait à tuer un membre de sa famille. Si la victime est un proche parent, oncle ou cousin germain, tout le monde admet que le geste à été involontaire et qu'il a fallu que la sorcellerie s'en mêle. On s'apitoie sur le sort du meurtrier et on l'autorise à pleurer tout son saoul, avec les autres, sa victime. S'il s'agit d'un parent plus éloigné et que la préméditation soit plus probable, le meurtrier peut aller se réfugier au sein d'une autre communauté. Il ne s'ensuivra aucune vendetta, bien qu'on puisse tenter d'utiliser contre lui la sorcellerie des Plaines. Mais en général toute sorcellerie entraînant la mort se venge par une autre sorcellerie, également meurtrière. Les crimes qui ont lieu dans la localité, ou à une distance telle que la vengeance soit possible, sont considérés comme trop anormaux, trop inattendus et inexplicables pour que la communauté s'en mêle. Tout blessé, de plus, doit payer l'amende, remboursant à ses oncles maternels et à leurs fils le prix de son propre sang qui a été versé. Le sang vient de la mère; il est, par conséquent, la propriété du groupe maternel. Le frère de la mère a le droit de verser le sang du fils de sa sœur; c'est lui qui doit débrider un furoncle, scarifier l'adolescente. Ainsi le blessé souffre non seulement dans sa personne mais dans ses biens : il doit payer pour s'être trouvé sur les lieux où il a été blessé. Ce principe s'étend aux blessures reçues à la chasse et amène à devoir une compensation pour s'être mis dans une situation honteuse.

La société arapesh punit celui qui est assez inconsidéré pour se trouver mêlé à une scène de violence ou impliqué dans une affaire déshonorante, qu'il ait manqué de prudence au point de se blesser à la chasse, ou de jugement jusqu'à devenir la cible de l'insulte publique du fait de sa femme. Cette société qui tient chacun pour doux et serviable et qui veut ignorer la violence ne connaît pas de sanction contre celui qui en use. Mais elle veut agir contre ceux qui, par ignorance ou stupidité, la provoquent. Quand l'offense est bénigne – comme lorsqu'un homme a été mêlé à une rixe de voisinage – seul son oncle maternel viendra demander paiement. Après tout, ce pauvre enfant de sa sœur n'a-t-il pas déjà souffert d'une blessure et perdu son sang? Mais si, au contraire, il s'est querellé d'une façon indigne avec sa femme en public, ou avec un jeune parent qu'on a pu l'entendre insulter, alors c'est le groupe entier des hommes du hameau ou du groupe de hameaux qui prend l'affaire en main, toujours poussé par les oncles maternels, exécuteurs officiels du châtiment. Les hommes prennent les flûtes sacrées, voix du *tamberan* – le monstre surnaturel qui est l'objet du culte masculin – et, à la nuit, vont jouer de ces flûtes devant la case du délinquant jusqu'à ce que l'homme et sa femme aient quitté les lieux. Ils pénètrent alors dans la maison, répandent sur le sol feuilles et détritus, abattent un aréquier ou deux, et s'en vont. Si l'homme est réellement tombé dans l'estime de la communauté, s'il a manqué aux lois de l'entraide, s'il s'est adonné à la sorcellerie, s'il a mauvais caractère, ils prendront le foyer et le jetteront dehors avant de partir : cela équivaut en pratique à dire qu'ils peuvent se dispenser de sa présence – pendant un mois au moins. La victime, profondément humiliée par ce procédé, va se réfugier auprès de parents éloignés et ne revient que lorsqu'il dispose d'un porc dont régaler la communauté et ainsi effacer sa faute.

Mais contre l'homme réellement violent, la communauté n'a aucun recours. De tels hommes remplissent leurs semblables d'une sorte de crainte atterrée. Contrariés, ils menacent de brûler leur propre maison, de casser pots et anneaux, et de quitter pour toujours la région. Leurs parents et voisins, consternés à l'idée d'être ainsi abandonnés, supplient l'homme de ne pas partir, de ne pas les quitter, de ne pas détruire ses propres biens – et l'apaisent en lui donnant tout ce qu'il désire. C'est seulement parce que toute l'éducation des Arapesh tend à minimiser la violence et à en confondre les mobiles que la société peut subsister, en châtiant ceux qui provoquent la violence et ceux qui en souffrent plutôt que ceux qui, en réalité, la commettent.

Le travail étant organisé sur une base d'aimable coopération et la guerre si légèrement organisée, la communauté n'a besoin de chefs que pour mettre en scène les grandes cérémonies. Sans chefs, sans autre satisfaction que le plaisir quotidien de manger un peu de nourriture et d'entonner quelques chansons avec ses compagnons, l'Arapesh pourrait mener une vie confortable, mais sans connaître fêtes ni cérémonies. Aussi conçoit-il l'autorité comme une nécessité sociale, et non pas destinée à mettre un frein à l'agressivité et aux appétits individuels; dans son esprit, elle doit obliger quelques-uns des plus capables et des plus doués de la communauté à assumer, souvent contre leur gré, assez de responsabilités pour organiser, tous les trois ou quatre ans, ou même plus rarement, une cérémonie qui remue vraiment les cœurs. On tient pour établi que personne ne désire réellement être un chef, un haut personnage. Les chefs doivent prévoir, organiser des échanges, se pavaner, prendre des airs importants, parler haut, se vanter de ce qu'ils ont fait et de ce qu'ils feront : c'est un comportement que les Arapesh considèrent comme ingrat, difficile à tenir, et qu'aucun homme normal ne se permettrait s'il pouvait l'éviter. Mais c'est un rôle que la société sait imposer à quelques-uns.

Alors que les garçons n'ont guère dépassé quinze ans, leurs aînés observent leurs talents et supputent les possibilités de chacun de devenir un haut personnage. Il y a, en gros, trois catégories : d'abord « ceux dont les oreilles sont ouvertes et la gorges ouverte », qui ont le plus d'aptitudes. Ce sont ceux-là qui comprennent le mieux les tendances profondes de leur communauté et sont capables d'exprimer ce qu'ils comprennent. Viennent ensuite « ceux dont les oreilles sont ouvertes et la gorge fermée », hommes tranquilles mais utiles, qui ont de la sagesse, mais sont timides et ne parlent guère. Un troisième groupe, enfin, comprend les moins utiles, qui se subdivisent en « ceux dont les oreilles sont fermées et la gorge ouverte » et « ceux dont les oreilles et la gorge sont également fermées ». A un garçon de la première catégorie, on assigne, dès l'adolescence, un *buanyin* (ou partenaire d'échanges) choisi parmi les jeunes hommes d'un clan où l'un de ses parents mâles a déjà un *buanyin*. Les deux jeunes gens appartiennent à des clans différents et, de préférence, également à des moitiés opposées de l'organisation dualiste, à l'hérédité assez lâche. La relation qui est établie entre eux a pour but de les amener à échanger des fêtes. Cette institution encourage l'agressivité et un esprit d'émulation, qui sont par ailleurs si rares. Les *buanyin* ont le devoir de s'insulter chaque fois qu'ils se rencontrent. L'un doit demander à l'autre en ricanant s'il a jamais l'intention de faire quelque chose dans sa vie : n'a-t-il pas de porcs, n'a-t-il pas d'ignames, n'a-t-il pas de chance à la chasse, de relations d'échanges, ni de famille, qu'il ne donne jamais de fête ni de cérémonie ? Est-il né la tête la première comme un homme normal, ou est-il sorti les pieds en avant des entrailles de sa mère ? Ainsi les *buanyin* s'entraînent-ils à cette sorte de dureté qui doit être celle du haut personnage mais que l'Arapesh ordinaire considère comme peu enviable.

L'institution des *buanyin* tranche sur le comportement général des Arapesh en matière d'échanges de nourriture. Accoutumés qu'ils sont à déguiser ces échanges sous la forme de cadeaux offerts volontairement et sans méthode précise, ils ignorent toute comptabilité. Les échanges entre parents ont le même caractère que ceux de village à village. L'idéal de la répartition de la nourriture est que chacun mange des taros cultivés par un autre, du gibier tué par un autre, de la viande de porcs qui non seulement ne lui appartiennent pas mais ont été engraissés par des gens habitant si loin qu'on ignore même leur nom. Aussi l'Arapesh ne chasse-t-il que pour envoyer son gibier au frère de sa mère, à son cousin ou à son beau-père. C'est l'homme le moins considéré de la communauté, l'homme dont on croit qu'il est tellement inaccessible à toute morale que ce n'est pas la peine de lui faire entendre raison, c'est celui-là qui mange son propre gibier – même si ce n'est qu'un tout petit oiseau, à peine une bouchée.

Rien n'encourage l'individu à produire plus d'ignames

qu'il n'est nécessaire – alors qu'il s'agit d'une récolte sûre, dont l'accroissement d'année en année dépend seulement de la conservation de la semence. Quiconque a une récolte d'ignames manifestement plus abondante que celle de son voisin est autorisé à donner un *abûllû*. Il peint ses ignames de couleurs vives, les dispose devant une mesure de rotin, qu'il pourra conserver comme trophée, et distribue toutes ces ignames pour être des semences. Parents et voisins lui apportent de leur propre récolte et repartent chacun avec un sac de semences. De ces ignames, il ne doit jamais manger, même lorsqu'elles se sont multipliées – et l'on en tient un compte exact. De cette façon, la chance ou les talents d'un homme ne tournent pas à son avantage exclusif, mais sont socialisés : le stock de semences de la communauté s'en trouve accru.

Les relations des *buanyin* contrastent avec cette socialisation de la nourriture, avec ces échanges aimables, où n'entre aucune rivalité, aucune âpreté. Car en elles sont précisément encouragées les vertus contraires, celles de la compétition et du juste compte. Un *buanyin* n'attend pas l'aiguillon de l'insulte proférée dans la colère : c'est pour lui chose naturelle d'insulter son partenaire. Il ne se contente pas de partager avec lui dans l'abondance : il chasse, il élève des porcs spécialement pour les lui donner en public et avec le plus d'ostentation possible, en accompagnant son cadeau de quelques insultes bien choisies où il est suggéré que son *buanyin* est bien incapable de lui rendre la politesse. On tient un compte exact de chaque morceau de porc ou quartier de kangourou sur des nervures de feuilles de cocotier : on les produira dans les altercations publiques au cours desquelles les partenaires se harcèlent mutuellement de leurs réclamations. Plus étonnante encore est l'avarice convenue qui règne entre *buanyin*. Un *buanyin* généreux mettra de côté un panier de tripes de choix, et sa femme le donnera en cachette à l'épouse de son partenaire : car, pour cela, aucun don en retour n'est exigé. Mais tandis que partout ailleurs dans la société arapesh, on attend de

Fig. 4.
Ignames décorées pour la Fête des Ignames (région de Maprik).

chacun qu'il se conduise avec complaisance, on s'est fait à l'idée que les *buanyin* négligent toute générosité de cet ordre.

Ainsi, dans une communauté où la norme est la douceur, le désintéressement, la coopération, où personne ne suit ses créances, où chacun chasse pour que les autres puissent manger, il existe une formation particulière destinée à provoquer un comportement opposé chez les « hauts personnages ». Les jeunes gens qui suivent cette voie sont continuellement en butte aux exigences de leurs aînés, qui ne le cèdent en rien à celles de leur *buanyin*.

On les presse d'organiser les fêtes préliminaires à une grande cérémonie d'initiation, ou l'achat d'une nouvelle danse aux gens de la côte. Quelques-uns cèdent à cette pression, apprennent à frapper du pied, à compter leurs porcs, à cultiver de nouveaux jardins, à organiser des chasses, à dresser et à respecter pendant plusieurs années consécutives le long programme des préparatifs nécessaires à une fête qui, elle, ne durera pas plus d'un jour ou deux. Mais quand son fils aîné atteint l'âge de la puberté, le « haut personnage » se retire; il n'a plus besoin de crier et de frapper du pied, il ne lui est plus nécessaire d'aller de fête en fête, en cherchant l'occasion d'insulter son *buanyin*. Il a le droit maintenant de rester tranquillement chez lui à jardiner, à élever ses enfants, à arranger leur mariage. Il peut laisser à d'autres cette vie d'initiative et de rivalités dont la société admet, avec raison le plus souvent, qu'elle est éminemment étrangère à sa nature et à ses goûts.

CHAPITRE III

NAISSANCE CHEZ LES ARAPESH

Pour un Arapesh, procréer ne se borne pas à féconder. Il ne saurait imaginer, en effet, qu'une fois accompli l'acte initial établissant sa paternité physiologique, il puisse s'en aller et revenir neuf mois plus tard retrouver sa femme heureusement accouchée d'un enfant. Une telle forme de paternité est, à ses yeux, impossible, choquante même. Car l'enfant n'est pas le fruit des transports d'un instant. Il est une œuvre commune qui, du père aussi bien que de la mère, exige application et temps. Les Arapesh distinguent deux sortes d'activités sexuelles : l'une est jeu, qui n'aboutit pas à la conception; l'autre est travail, qui est intentionnelle et a pour but de procréer un enfant, le nourrir et lui donner forme pendant les premières semaines qu'il vit dans le sein de sa mère. La tâche du père ne le cède en rien à celle de la mère : l'enfant est le produit du sperme paternel et du sang maternel, qui se fusionnent en égales quantités au départ, pour former un nouvel être humain. Quand apparaissent les premiers signes caractéristiques de la grossesse, que les seins gonflent et se décolorent, alors seulement l'enfant est dit achevé : œuf parfait, il doit maintenant reposer dans le sein de sa mère. Désormais tous rapports sexuels sont interdits. L'enfant ne saurait être troublé dans son sommeil; il doit absorber paisiblement une nourriture bienfaisante. Le calme, la douceur sont de règle. La femme qui veut concevoir doit mener une vie aussi passive que

possible. Gardienne de l'enfant en gestation, elle est
tenue de prendre certaines précautions. Elle ne doit pas
manger de péromèle sous peine de mourir en mal d'enfant, car le péromèle se terre trop profondément. Elle ne
doit pas non plus manger de grenouilles – sinon l'enfant
naîtrait trop soudainement, ni d'anguilles – car il viendrait au monde avant terme. Lui sont interdits également
le sagou qui vient d'un lieu *marsalai*, et les noix d'un
cocotier taboué par le *tamberan*, objet surnaturel du culte
des hommes. Si elle veut que l'enfant soit un garçon, elle
ne devra jamais rien couper en deux, sinon – les autres
femmes le lui diront – elle aura une fille.

Les femmes arapesh ignorent les nausées matinales de
la grossesse. Pendant les neuf mois, l'enfant dort. Il se
développe, dit-on, comme le poussin dans l'œuf : il n'y a
d'abord que le sang et le sperme, puis apparaissent les
bras et les jambes, et finalement la tête. Quand celle-ci se
dégage, l'enfant naît. Il n'est pas admis qu'un enfant
montre des signes de vie avant le moment où il se
retourne et provoque les premières douleurs de l'accouchement.

Le père ne peut assister à la naissance, en raison des
croyances arapesh concernant la nature antithétique des
fonctions physiologiques de la femme et de celles, magiques et alimentaires, de l'homme. Le sang de la naissance,
comme le sang menstruel, est dangereux, et l'enfant doit
naître à bonne distance du village. Néanmoins l'expression « mettre au monde » s'emploie indifféremment en
parlant de l'homme ou de la femme. L'on croit en effet
que le rôle du père est aussi pénible que celui de la mère
en raison, particulièrement, de l'intense activité sexuelle
exigée de lui au cours des premières semaines qui suivent
l'arrêt des menstruations. Pendant l'accouchement, le
père attend, à portée de voix, que la sage-femme lui
annonce, de loin, le sexe de l'enfant. La réponse est
brève : « Lave-le » ou : « Ne le lave pas. » S'il dit « lave-le »,
c'est que l'enfant doit vivre. Il arrive en effet que lorsque
naît une fille et qu'il y en a déjà plusieurs dans la famille,
on ne la garde pas. On la laisse alors dans la cuvette

d'écorce de la délivrance, sans la laver, sans couper le cordon. Les Arapesh préfèrent les garçons, car ceux-ci restent près de leurs parents et sont la joie et le réconfort de leur vieillesse. Une famille qui compte déjà une ou deux filles, et qui décide d'en garder encore une autre, recule d'autant ses chances d'avoir un fils. Ainsi parfois, ignorants des procédés anticonceptionnels, les Arapesh ont recours à l'infanticide. Il peut en être de même lorsqu'on sent que la santé ou l'avenir du nouveau-né est compromis : si la nourriture se fait rare, si les enfants sont déjà nombreux, ou si encore le père est mort.

Le nouveau-né une fois lavé, on se débarrasse du placenta et du cordon que l'on place en général assez haut dans un arbre pour qu'ils ne soient pas mangés par un porc – car celui-ci deviendrait alors un voleur de jardins. Puis la mère et l'enfant sont ramenés au village et hébergés dans une petite case à même le sol. Le sol du village est un lieu intermédiaire entre le « mauvais endroit » d'une part, et le plancher des cases habitées, d'autre part, ce dernier ne pouvant être foulé par certaines personnes : parents d'un nouveau-né ou d'un mort, quiconque a versé le sang d'autrui, etc. Le père vient maintenant aider sa femme à s'occuper du bébé. Il apporte des feuilles douces comme de la flanelle pour garnir le petit sac en filet dans lequel on suspend l'enfant lorsqu'il ne dort pas, les genoux sous le menton dans la position prénatale. Il apporte aussi, dans une coque de noix de coco, de l'eau pour baigner le bébé, et certaines feuilles à l'odeur âcre pour écarter de la case les influences malignes. Il apporte aussi le petit appuie-nuque en bois qui permet aux hommes de protéger leur coiffure compliquée pendant le sommeil, et il s'étend aux côtés de sa femme. Comme disent les Arapesh, il est « couché en train d'avoir un enfant ». La jeune vie est maintenant aussi étroitement liée à la sienne qu'à celle de sa mère. Le souffle de vie qui soulève doucement la poitrine de l'enfant et qui lui restera jusqu'à la vieillesse, à moins qu'une magie noire ou le mépris de quelque *marsalai* l'attire hors d'elle, et, dans un spasme, l'arrache au corps

– ce souffle vital peut provenir aussi bien du père que de la mère. Plus tard, les gens regarderont le visage de l'enfant, le compareront à celui de ses parents et sauront lequel des deux a donné la vie.

Le père, donc, reste tranquillement couché près du nouveau-né et donne, de temps à autre, quelques petits conseils à la mère. Tous les deux jeûnent ensemble le premier jour. Ils ne peuvent ni boire ni fumer. A plusieurs reprises, ils accomplissent des rites magiques qui doivent assurer le bien-être de l'enfant et leur permettre d'y veiller. Ce sont les épouses de l'oncle paternel qui, pour le moment, ont officiellement la charge du bébé. Elles apportent le nécessaire pour la magie. C'est d'abord une longue baguette écorcée. Le père appelle quelques-uns des enfants qui traînent près de la hutte, cherchant à apercevoir le nouveau-né. Il frotte la baguette sur leurs petits dos vigoureux, puis il en frotte le dos de son propre enfant, en récitant ce charme :

> Je te donne des vertèbres,
> une d'un porc,
> une d'un serpent,
> une d'un homme,
> une d'un serpent d'arbre,
> une d'un python,
> une d'une vipère,
> une d'un enfant.

Puis il casse la baguette en six morceaux, qu'il suspend dans la case. Ainsi, même si le père écrase une brindille en marchant, le dos de l'enfant n'en souffrira pas. Puis il prend une grosse igname et la coupe en tranches; à chacune il donne le nom d'un petit garçon du hameau : Dobomugau, Segenamoya, Midjulamon, Nigimarib. C'est alors au tour de la mère : elle reprend les rondelles d'igname dans l'ordre inverse et donne à chacune le nom d'une petite fille : Amus, Yabiok, Anyuai, Miduain, Kumati. Enfin le père jette les morceaux de l'igname. Il est assuré maintenant que le bébé sera plus tard hospitalier et généreux : c'est pourquoi l'on a choisi le nom des enfants du voisinage.

Le père d'un premier enfant se trouve dans une situation délicate, plus délicate que celle même de la mère. Pour celle-ci, le cérémonial est identique, que ce soit son premier ou son cinquième enfant, que ce soit un garçon ou une fille. Mais le comportement du père est tenu de varier selon les cas. Lorsqu'il vient d'avoir son premier enfant, sa condition est comparable à celle du garçon qui vient d'être initié ou de l'homme qui a, pour la première fois, tué au combat. Il peut être purifié seulement par quelqu'un qui est déjà père et qui devient son « parrain » en accomplissant les rites prescrits. Pendant cinq jours sa femme et lui observent une stricte réclusion; il ne touche pas le tabac de ses mains, il ne se gratte qu'avec un bâton, il ne prend ses aliments qu'avec l'aide d'une cuillère. Puis on le mène au bord de l'eau, où l'on a bâti une petite hutte de feuillage, égayée de fleurs rouges et des herbes réservées à la magie des ignames. La hutte a été construite au bord d'une mare, au fond de laquelle on a déposé un grand anneau blanc, rituellement appelé « anguille ». Le père du nouveau-né et son « parrain » s'approchent de l'eau. Le père se nettoie rituellement la bouche avec un anneau que lui tend son parrain. Il boit de l'eau de la mare, dans laquelle on a fait infuser des herbes aromatiques et il s'y lave tout le corps. Il entre dans l'eau et se saisit de « l'anguille » qu'il remet à son parrain. « L'anguille » est étroitement liée au symbole phallique et est un tabou particulier aux garçons pendant leurs périodes de croissance et d'initiation. On peut dire que par ce cérémonial le père retrouve sa masculinité, après la part importante qu'il vient de prendre aux fonctions féminines. Mais si tel est le sens originel de ces coutumes, les indigènes n'en sont plus conscients et ne les considèrent plus que comme une suite nécessaire de détails rituels. Le « parrain » enduit de peinture blanche le front du père ainsi que celui d'un adolescent. Le père fait maintenant partie de ceux qui ont, avec succès, mis au monde un enfant.

Mais ses tâches maternelles ne sont pas pour autant terminées. Pendant les quelques jours qui suivent, il accomplit avec sa femme les rites qui doivent les libérer de tous les tabous, excepté celui qui interdit de manger de la viande. Ils distribuent du tabac et des noix d'arec à tous ceux qui viennent voir le bébé – le père aux hommes, la mère aux femmes – et toutes les personnes qui reçoivent ces présents des mains des nouveaux parents s'engagent de ce fait à les aider dans leurs entreprises à venir, ce qui est une garantie supplémentaire apportée au bien-être de l'enfant. L'épouse doit ensuite se soumettre à un rite particulier afin de s'assurer qu'après l'épreuve qu'elle vient de subir elle peut encore préparer la nourriture. Elle fait une sorte de gâteau de légumes avec des herbes sauvages et non comestibles, et le jette aux cochons. Finalement mari et femme reviennent chez eux et, au bout d'environ un mois, donnent une fête qui permet de lever le tabou sur la viande. Ils réunissent en même temps l'accoucheuse et les autres femmes qui les ont nourris pendant leur retraite. Le père et la mère peuvent maintenant circuler librement; mais il n'est pas bon de sortir le bébé avant qu'il n'ait ri. Quand il sourira en regardant son père, on lui donnera un nom, celui d'un membre du clan paternel.

Cependant la santé de l'enfant dépend encore de la vigilance constante du père aussi bien que de celle de la mère. Le père doit chaque nuit dormir avec la mère et le bébé. Il est tenu d'observer un tabou sévère en ce qui concerne ses rapports sexuels, non seulement avec la mère de l'enfant mais aussi avec sa seconde épouse, s'il en a une. Les relations extra-maritales sont également dangereuses. Car s'il est considéré nécessaire au développement de l'enfant que ses parents aient des rapports fréquents pendant les premières semaines de sa vie prénatale, on estime au contraire que tout contact sexuel du père comme de la mère lui est nuisible depuis le moment où il est censé être complètement formé dans le sein de sa mère jusqu'à environ un an après sa naissance. Qu'un enfant soit chétif et souffreteux, que ses os soient faibles et qu'il ne puisse encore marcher à l'âge normal, la faute en est aux parents qui n'ont pas respecté l'interdit. Mais on croit rarement, semble-t-il, que ce soit le cas. Car en décidant de garder l'enfant, ils connaissent les devoirs qui leur incombent. On raconte l'histoire d'une mère qui avait voulu garder son enfant contre la volonté de son mari. Cela pouvait se comprendre, observe-t-on, à l'époque mythique des *marsalais*; mais, à présent, ce serait folie; l'enfant ne pourrait vivre que si le père aussi s'en occupait activement. Et alors, pourquoi la mère sauverait-elle la vie de l'enfant au départ, pour le voir périr par absence de sollicitude paternelle?

Les Arapesh observent le tabou sur les rapports sexuels jusqu'à ce que l'enfant ait fait ses premiers pas. On le considère alors comme suffisamment vigoureux pour être capable de ne pas souffrir du contact avec la sexualité de ses parents. La mère continue d'allaiter l'enfant jusqu'à l'âge de trois ou quatre ans, à moins qu'elle ne se trouve être enceinte à nouveau. Le tabou est levé après une période d'isolement dans la hutte menstruelle. La mère revient et, avec son mari, jeûne pendant un jour. Après quoi, ils peuvent avoir des rapports, et l'homme peut aussi coucher avec son autre épouse, s'il le désire. Il n'est plus indispensable pour l'enfant que son père soit près de lui chaque nuit. (Parfois, naturellement, le père a dû s'absenter, appelé à des expéditions trop lointaines et trop dangereuses pour que la mère et l'enfant puissent l'accompagner; dans ce cas la santé de ce dernier n'est nullement compromise. Il n'en serait pas de même si l'éloignement du père était motivé par des raisons d'ordre sexuel.) Les Arapesh se rendent parfaitement compte que ces tabous sont importants pour modérer le rythme des naissances. Il vaut mieux que les femmes n'aient pas d'enfants trop rapprochés; cela leur est pénible et, de plus, oblige à un sevrage prématuré. Il est souhaitable que l'enfant apprenne lentement, graduellement, à manger des aliments solides, et que s'il recherche le sein de sa mère, ce soit de moins en moins souvent pour se nourrir, mais par affection ou pour y trouver refuge ou consolation, jusqu'à ce que, finalement, seules la peur ou la douleur le jettent dans les bras de sa mère. Mais il se peut qu'un enfant soit sevré dès l'âge de deux ans si sa mère se trouve enceinte. Elle s'enduit alors de boue les mamelons et explique avec force grimaces de dégoût qu'il s'agit d'excréments. J'ai pu observer les résultats de cette pratique sur deux enfants, deux garçons. L'un, âgé de deux ans et demi, s'était complètement retourné vers son père, qui en assumait presque toute la charge. L'autre, Naguel, s'était tellement détaché de son père et de sa mère qu'à sept ans il errait à la recherche de parents de substitution, avec un air malheureux et pathétique que l'on ne rencontre que bien rarement chez les enfants arapesh. On ne saurait, naturellement, tirer de conclusion de deux cas isolés. Cependant, il convient de le souligner, les parents arapesh considèrent qu'il est cruel de sevrer brusquement un enfant, et que cela risque de porter préjudice à sa croissance. Ils se sentent coupables. Et ce sentiment même est susceptible d'altérer les relations entre parents et enfants. Tel père, comme par exemple Bischu, peut ainsi faire preuve, à l'égard de son enfant, d'un excès de sollicitude; tel autre, au contraire, se montrera par trop sévère et rigoureux, comme c'était le cas de Kule vis-à-vis du pauvre petit Naguel. D'ailleurs, les parents qui, par la stricte discipline qu'ils s'imposent, assurent à leur enfant tout ce qu'il peut attendre du sein maternel, ont le sentiment du devoir accompli et se sentent la conscience tranquille. Si elle sèvre son enfant petit à petit, la mère ne se sent pas en faute lorsqu'elle dit à son solide bébé de trois ans : « Toi, tu as eu assez de lait. Regarde, je n'en peux plus de te nourrir. Et tu es bien trop lourd pour que je te porte tout le temps avec moi. Tiens, mange ce taro et cesse de pleurer. »

Lorsqu'on demande aux Arapesh comment ils se partagent le travail, ils répondent : cuire la nourriture de tous les jours, apporter le bois pour le feu, et l'eau, sarcler, transporter les fardeaux – voilà le travail des femmes; cuire la nourriture cérémonielle, apporter les porcs et les lourdes bûches, construire les cases, coudre la couverture végétale des toits, défricher et enclore, sculpter le bois, chasser, cultiver les ignames – voilà le travail des hommes et des femmes. Si la tâche de l'épouse est urgente – qu'il n'y ait pas de légumes verts pour le repas du soir ou qu'il faille porter un quartier de viande au village voisin – c'est le mari qui reste à la maison et s'occupe du bébé. Il est tout aussi fier de son enfant que sa femme. A un bout du hameau, un enfant hurle de rage, et le père de se rengorger : « Voyez, mon fils crie tout le temps, il est fort, il est solide, tout comme moi. » Cependant, à l'autre extrémité du même hameau, un petit de deux ans se laisse stoïquement arracher une écharde du front; l'opération est douloureuse et l'enfant ne dit mot; le père remarque, avantageux : « Voyez, mon fils ne crie jamais, il est fort, tout comme moi. »

Un père se montre aussi peu embarrassé que la mère devant les selles du très jeune nourrisson, et il a autant de patience qu'elle pour faire avaler sa soupe au petit enfant avec l'une de ces cuillères en noix de coco qui sont toujours trop grandes pour la petite bouche. Les soins minutieux que, jour après jour, réclament les jeunes enfants, les moments d'énervement, les pleurs que l'on ne sait comment interpréter, tout cela est, chez les Arapesh, aussi familier aux hommes qu'aux femmes. Et quelle est la récompense de l'homme pour tous ces soins, quelle est sa récompense pour sa contribution initiale à la vie de l'enfant? Si quelqu'un remarque d'un homme d'âge mûr qu'il a encore belle allure, on répond : « Belle allure? Ou-oui? Mais vous auriez dû le voir avant qu'il ait tous ces enfants. »

CHAPITRE IV

LA PREMIÈRE ENFANCE :
FORMATION DU CARACTÈRE

Quelle formation l'enfant reçoit-il, dès la mamelle, qui le prépare à devenir cet adulte doux, sensible et serviable? Quels sont les facteurs déterminants de sa toute première éducation, qui le marqueront comme un être paisible, satisfait de son sort, ignorant agressivité, goût du risque et jalousie, comme un être débonnaire, tendre et confiant? Sans doute, dans toute société primitive homogène, les enfants manifestent-ils, lorsqu'ils ont atteint l'âge adulte, les mêmes traits de caractère que leurs parents. Mais il ne s'agit pas là de simple imitation. Il existe un rapport plus précis et plus subtil entre le tempérament de l'adulte et la façon dont, enfant, il a été nourri, couché, discipliné, choyé, puni, encouragé. De plus, chez n'importe quel peuple, la manière dont hommes et femmes traitent leurs enfants est l'une des caractéristiques les plus significatives de la personnalité adulte, et l'un des points sur lesquels les contrastes entre les deux sexes ressortent le plus nettement. Nous ne pouvons comprendre les Arapesh et le tempérament généreux et maternel des hommes et des femmes de chez eux que si nous comprenons leur enfance.

Pendant ses premiers mois, l'enfant ne reste jamais bien éloigné des bras de quelqu'un. Quand la mère se déplace, elle porte le nourrisson dans un sac de filet dont la poignée est tendue sur son front, ou en bandoulière dans une étoffe d'écorce. Cette dernière méthode est celle de la côte, tandis que le porte-bébé en filet appartient aux Plaines. Les femmes de la montagne usent de l'un et de l'autre procédés, selon la santé de l'enfant. S'il est nerveux, agité, on le porte toujours en écharpe pour pouvoir lui offrir le réconfort du sein le plus rapidement possible. Un enfant qui pleure, c'est une tragédie qu'il faut éviter à tout prix. La période la plus pénible pour la mère est celle où l'enfant a trois ans environ et est trop vieux pour qu'on le console en lui donnant le sein, trop jeune pour exprimer clairement ce qui le fait pleurer. On tient beaucoup les enfants, et surtout debout pour qu'ils puissent s'arc-bouter avec leurs pieds contre les bras ou les jambes de la personne qui s'en occupe. Aussi les enfants peuvent-ils se tenir debout, en se retenant avec les mains, avant de pouvoir rester assis. Voici donc un bébé à qui l'on donne à téter dès qu'il pleure, qu'on ne laisse jamais loin de quelque femme qui puisse lui donner le sein si nécessaire, qui dort habituellement en étroit contact avec le corps de sa mère, soit dans le mince sac en filet sur son dos, soit recroquevillé dans son bras ou sur ses genoux pendant qu'elle cuisine ou fait de la vannerie : il ne cesse d'être enveloppé d'une chaude atmosphère de sécurité. Il n'est soumis qu'à deux chocs, qui ont d'ailleurs de lointaines répercussions. Passées les premières semaines pendant lesquelles il est lavé avec précaution dans de l'eau tiède, on le douche sous un jet d'eau froide que l'on fait tomber sur lui d'un bambou. Les petits enfants ont tous horreur de cela, et continuent de détester le froid et la pluie toute leur vie (1). D'autre part, quand un bébé urine ou décharge son ventre, la personne qui le tient l'écarte vivement pour ne pas être salie. Cette secousse interrompt le cours normal de l'excrétion et irrite l'enfant. Or, les Arapesh adultes sont connus pour une certaine asthénie du sphincter anal et considèrent son complet relâche-

---

(1) Je ne veux pas dire que l'aversion des Arapesh à l'égard du froid et de la pluie soit entièrement ou surtout due à cette pratique; mais il est intéressant de noter que les enfants Chambuli, qu'on baigne dans le lac, dont l'eau reste tiède même après le coucher du soleil, ne détestent pas la pluie, et l'affrontent sans mauvaise humeur toute la journée.

ment comme une réaction normale aux situations qu'ils ressentent vivement.

Pour tout le reste, la vie du petit enfant est douillette et parfaitement heureuse. On ne le laisse jamais seul; toujours près de lui il trouve la chaleur d'un contact humain, le réconfort d'une voix humaine. Garçonnets et fillettes adorent les bébés, si bien qu'il y a toujours quelqu'un pour tenir le nourrisson. Quand la mère va jardiner, elle emmène un petit garçon ou une petite fille avec elle pour s'occuper du bébé, au lieu de le laisser sur un morceau d'écorce ou accroché toute la matinée dans son petit sac en filet. Le garçonnet tiendra l'enfant dans ses bras, la fillette le portera sur son dos.

Quand l'enfant commence à marcher, le rythme tranquille de sa vie change quelque peu. Il est trop lourd maintenant pour que sa mère puisse l'emmener avec elle lorsqu'elle va jardiner au loin, et il peut rester une heure ou deux sans téter. Aussi le laisse-t-on au village avec son père ou quelque autre membre de la famille. Quand elle revient du jardin ou d'être allée chercher du bois, la mère retrouve souvent son enfant en train de pleurer et de méchante humeur. Repentante, désireuse de se racheter de son absence, elle s'assied et lui donne le sein pendant une heure. Ainsi commence le nouveau rythme de vie de l'enfant. C'est d'abord une heure d'absence compensée d'une heure de tétée, puis ces périodes s'allongent et, vers trois ans, il lui arrive d'être privé de sa mère pendant une journée entière (on lui donne naturellement d'autres aliments). Mais alors, il passe la journée suivante avec elle, assis sur ses genoux, à téter lorsqu'il en a envie, à jouer avec les seins, à téter de nouveau, bref à recouvrer un sentiment de sécurité. Cette journée comble la mère autant que l'enfant. Dès que celui-ci est assez vieux pour jouer avec le sein, la mère joue un rôle actif dans la tétée. Tenant son sein dans la main, doucement elle en fait vibrer le bout entre les lèvres du nourrisson. Elle souffle dans son oreille, la lui gratte, ou gentiment lui tapote le sexe ou chatouille ses doigts de pied. De ses menottes, le bébé tambourine sur le corps de sa mère, sur le sien, joue

Fig. 5.
Mère portant son enfant dans un sac de filet (golfe Huon).

avec un sein tandis qu'il tète l'autre, joue avec son sexe, rit et gazouille, et fait de sa tétée un jeu qu'il prolonge à plaisir. Ainsi se nourrir est-il pour le bébé un acte particulièrement affectif et devient-il un moyen de développer sa sensibilité aux caresses sur toutes les parties de son corps. Nous sommes loin de notre nourrisson tout enveloppé dans ses langes à qui l'on donne une bouteille impersonnelle, dure au toucher, qu'il lui faut boire sur-le-champ, et qui, aussitôt après, doit dormir pour soulager le bras de sa mère. Bien au contraire, chez les Arapesh, l'allaitement reste un jeu charmant, qui garde toute sa signification affective, et qui forme le caractère des individus pour la vie.

Cependant l'enfant grandit, et il s'initie à de nouveaux plaisirs pour remplacer le sein de sa mère dont les absences vont en se prolongeant. Il apprend à jouer avec ses lèvres. Tous les autres enfants, plus âgés que lui, s'adonnent à de tels passe-temps et ce sont eux, qui en jouant avec ses lèvres, lui apprennent ce dérivatif de la solitude et de la faim. Il est intéressant de noter qu'aucun enfant arapesh ne suce jamais son pouce ni, continuellement, un de ses doigts (1). Mais il s'adonne à presque toutes les façons imaginables de jouer avec la bouche et les lèvres. Il donne une chiquenaude à sa lèvre supérieure avec son pouce, avec son index, avec son médius; il gonfle les joues et fait sortir l'air en les tapotant, il fait vibrer ses lèvres avec la paume ou le dos de sa main; il chatouille de sa langue l'intérieur de sa lèvre inférieure; il lèche ses bras et ses genoux. Ses aînés connaissent une centaine de façons de jouer avec la bouche, et il les apprend peu à peu.

Ces jeux assurent la continuité de la vie affective de l'enfant : de la sécurité et du bonheur qu'il trouve dans les bras de sa mère, il passera ainsi à la joie paisible des longues soirées au coin du feu parmi des aînés et finalement à une vie sexuelle calme et satisfaite. Les Arapesh eux-mêmes voient dans ces jeux de lèvres un symbole de l'enfance. Aux jeunes garçons et aux fillettes qui disent des légendes réservées en principe aux adultes, on conseille de jouer avec leurs lèvres de peur que leurs cheveux ne grisonnent avant l'âge. Le garçon qui vient d'être initié n'a plus droit à son passe-temps favori : il n'est plus un enfant. Mais on lui permet, en revanche, de chiquer le bétel et de fumer, de façon que ses lèvres,

(1) Il est probable que l'habitude de sucer le pouce – que l'on n'observe presque nulle part chez les peuples primitifs – se contracte au cours des tout premiers mois de la vie, période pendant laquelle, chez les primitifs, on donne presque toujours le sein à l'enfant chaque fois qu'il pleure.

habituées depuis toujours à être constamment occupées, ne restent pas inactives. Les filles, au contraire, peuvent jouer de leurs lèvres jusqu'à ce qu'elles aient eu un enfant; nous verrons, d'ailleurs, que c'est l'explication couramment donnée à la lenteur de leur évolution par rapport à celle des hommes.

A son petit enfant sur ses genoux, rayonnant de la chaleur de sa tendresse, la mère peu à peu apprend à faire confiance à la vie, à faire bon accueil à la nourriture comme aux chiens et aux porcs, comme aux personnes. Elle tient un morceau de taro dans la main, et, tandis que l'enfant tète, remarque d'une voix chantante : « Bon taro, bon taro, veux-tu manger, veux-tu manger, veux-tu manger, un peu de taro, un peu de taro, un peu de taro? » Et quand l'enfant s'arrête un instant de téter, elle lui glisse un morceau de taro dans la bouche. Le chien ou le petit porc apprivoisé vient-il à passer son museau curieux sous le bras de la mère, celle-ci l'y maintient, frotte la peau de l'enfant contre celle de l'animal, berce doucement l'un et l'autre et murmure : « Bon chien, bon enfant, bon chien, bon, bon, bon. » De la même façon elle apprend à l'enfant à faire confiance à tous les membres de la famille et elle donne aux termes de parenté un contenu de bien-être. Avant même que le bébé ne puisse comprendre ce qu'elle lui dit, elle commence à murmurer dans son oreille, s'arrêtant pour y souffler doucement entre les mots : « C'est ton autre mère (la sœur de la mère), autre mère, autre mère, regarde ton autre mère, elle est bonne, elle t'apporte à manger, elle sourit, elle est bonne. » Si parfaite est cette formation, si rassurants les mots eux-mêmes que l'enfant agit sous leur contrainte même contre le témoignage de ses sens. Ainsi, lorsqu'un petit de deux ans s'enfuyait en hurlant à mon approche – moi, inconnue au visage de couleur inconnue – la mère calmait ses frayeurs en prétendant que j'étais la sœur de sa mère, ou de son père, ou sa grand-mère. L'enfant, un instant auparavant pantelant de terreur, venait s'asseoir tranquillement sur mes genoux et se blotissait contre moi, ayant retrouvé un monde où il se sentait en sécurité.

On ne contraint pas l'enfant à adopter des comportements différents selon les personnes et les circonstances.
On lui demande seulement de savoir reconnaître les différences d'âge. Ainsi, on lui dira de courir plus vite s'il va
faire une commission pour son grand-père que si c'était
pour son père. Il entendra son grand-père remarquer,
avec dans sa voix, plus douce encore que d'habitude, une
note de fière satisfaction : « Je reste à la maison maintenant, et mes petits-enfants sont tous là, au pied de mon
échelle. » Il verra mentionner souvent le fait qu'il est le
deuxième ou le troisième enfant. « Voyez, le deuxième
mange bien, et le premier joue avec sa nourriture », ou
bien : « Le second va travailler maintenant et le premier
reste tranquillement à la maison. » De telles remarques
sur sa position dans la famille et sur la position relative
de ses aînés contribuent à souligner le seul point de
différenciation auquel les Arapesh accordent quelque
importance. Pour le reste, l'enfant apprend à faire confiance à tous ceux qu'il rencontre, à les aimer, et à se
reposer sur eux de ses soucis. Il n'est personne qu'il
n'appelle oncle, frère ou cousin, ou des termes identiques
s'appliquant à des femmes. Et parce que ces termes sont
employés dans un sens large, qu'ils ne tiennent aucun
compte de la succession des générations, même les différences d'âge qu'ils impliqent sont estompées. L'enfant
dans les bras de sa mère est déjà habitué à ce qu'on lui
prenne le menton et qu'on l'appelle, pour rire, « mon
petit grand-père » ou « mon gros petit oncle ». Il faut
aussi compter avec la désinvolture arapesh qui permet à
un homme d'appeler l'aîné d'un groupe de frères et sœurs
« oncle », la seconde « grand-mère » et le troisième « fils »,
selon qu'il considère telle relation de parenté ou telle
autre. Ainsi un même homme appellera une femme
« sœur » et son mari « grand-père ». Dans un monde où
n'est prescrit aucun comportement particulier entre cousins ou entre beaux-frères, où personne ne doit se sentir
embarrassé devant personne, où toutes les relations de
parenté sont teintées de confiance et d'affection mutuelles, où sont assurés les dons de nourriture et l'aide de

chacun, il est naturel que le jeune enfant n'établisse pas de distinctions très nettes.

Bien que dans sa terminologie, la différence des sexes soit claire, elle s'estompe dans le comportement. L'enfant n'apprend pas qu'il est réservé à son père et sa mère de pouvoir dormir seuls sous un même toit, tandis qu'une tante ou un cousin se déroberait à un contact aussi intime avec un parent de sexe opposé. Les Arapesh ne connaissent pas de telles distinctions. Au jeune Arapesh ses parents disent : « Quand tu voyages, dans toute maison où il y a une sœur de ta mère, ou une sœur de ton père, ou une cousine, ou une nièce, ou une belle-sœur, ou une belle-fille, ou une nièce par alliance, là tu peux dormir en sécurité. » Le point de vue opposé – selon lequel il vaut mieux ne pas laisser seules ensemble les personnes entre lesquelles les relations sexuelles sont interdites – est si étranger à la mentalité des Arapesh qu'il ne saurait leur venir à l'idée.

Filles et garçons vont complètement nus jusqu'à quatre ou cinq ans. Ils apprennent à accepter leurs différences physiologiques sans gêne, sans fausse pudeur. On n'exige pas d'eux qu'ils fassent leurs besoins en se cachant des autres; les adultes eux-mêmes ne vont guère plus loin que le bout du village. Les femmes dorment nues et les hommes, comme nous l'avons dit, ne s'occupent guère de la façon dont est attaché leur pagne et n'hésitent pas à l'écarter pour se gratter. Pour apprendre aux enfants les règles de la propreté, on ne fait appel à aucun sentiment de honte, on manifeste simplement quelque expression de dégoût. Le procédé est efficace : j'ai vu des enfants de quatre à cinq ans s'écarter avec horreur de substances d'eux inconnues telles que la colle, ou une moisissure verte sur du cuir. Les enfants ne font que peu de rapprochement entre les fonctions d'excrétion et les parties génitales, et ne semblent pas, par conséquent, porter un intérêt très vif aux différences sexuelles.

Il n'est pas non plus exigé des petits enfants qu'ils aient vis-à-vis d'autres enfants une conduite différente selon le sexe de ceux-ci. A quatre ans, ils peuvent se bousculer, se rouler ensemble sur le sol sans que personne ne s'inquiète des contacts physiques qui en résultent. C'est ainsi que, insouciants, au hasard de leurs jeux, les enfants apprennent à connaître la physiologie des sexes, sans qu'il s'ensuive aucun sentiment de gêne : bien au contraire, cette découverte s'enrichit pour eux de la chaleur, de la plénitude du contact physique.

L'enfant grandit : ses parents ne sont plus maintenant seuls à en assurer la garde. On « prête » en effet les enfants à droite et à gauche. Une tante vient en visite et retourne chez elle avec le petit garçon de quatre ans; une semaine plus tard, elle le confiera à quelque autre parent pour le remmener chez son père et sa mère. Ainsi le monde se peuple-t-il pour lui de parents et cesse d'être un endroit où tout ce dont dépend sa sécurité et son bien-être est conditionné par la présence constante de son propre père et de sa propre mère. Il élargit le cercle de sa confiance sans, pour cela, disperser son affection à l'excès. Il n'est pas constamment en compagnie d'une demi-douzaine de pères et de mères, ce qui pourrait l'entraîner à oublier la prééminence de ses propres parents. C'est donc près de ceux-ci qu'il vit surtout, mais il en voit d'autres, successivement, dans l'étroite intimité des petits groupes familiaux. Ce passage de l'un à l'autre est facilité par la rapidité remarquable avec laquelle il réagit aux démonstrations d'affection. Câlinez un enfant arapesh pendant une demi-heure et il vous suivra où vous voudrez. Déjà habitué à se sentir partout en sécurité, il suit, tout heureux, le dernier habitant de ce monde bienveillant qui lui a chatouillé l'estomac ou gratté son petit dos qui toujours lui démange. Se traînant par terre, il passe d'un adulte ami à un autre, pour finalement se fixer près de celui qui semble lui accorder un peu plus d'attention.

Il n'est pas indispensable, estime-t-on, qu'un enfant fasse des progrès rapides, ou acquière des aptitudes ou des talents particuliers. La même liberté, la même absence de méthode règne en ce qui concerne son développement physique. On le laisse se risquer à des gestes très au-dessus de ses forces. Il tentera de grimper à une échelle et perdra courage au milieu; il jouera avec un couteau, et se fera mal si on ne le surveille constamment. Il n'y a qu'une exception : on apprend peu à peu aux petites filles à porter des fardeaux. Un petit sac en filet, plus encombrant que lourd, est accroché à leur tête, alors qu'elles sont encore si petites qu'elles passent elle-mêmes la moitié de leur temps dans le grand sac sur le dos de leur mère. On leur permet aussi – faveur insigne – de porter les affaires de leurs parents. Elles s'habituent à considérer que porter est le privilège des filles qui grandissent. A cette seule exception, l'entraînement physique des enfants se fait sans méthode. On voit un bébé essayer de grimper le long du tronc entaillé qui sert d'échelle à la case paternelle; paralysé d'effroi, il se met à hurler : quelqu'un se précipite pour le recevoir dans ses bras. Qu'il trébuche, on le ramasse, on l'embrasse, on le console. L'enfant grandit avec le sentiment qu'il doit sa sécurité aux soins des autres et non à ses propres capacités. Ce monde est froid, mouillé, plein de traquenards, de racines cachées qui barrent le sentier, de cailloux où se heurtent les petits pieds. Mais il y a toujours une main secourable, une voix douce pour vous consoler. Tout ce qu'il faut, c'est avoir confiance en ceux qui vous entourent; ce que l'on fait soi-même a bien peu d'importance.

On retrouve plus tard, dans l'imperfection technique de l'adulte, les conséquences de cette attitude à l'égard des outils et de la discipline du geste. Les Arapesh ne connaissent aucune technique bien précise. Les nœuds mêmes qui assujettissent les différentes parties de la case sont tous différents les uns des autres. Quand on mesure quelque chose, il est de règle qu'on se trompe; bien loin de rectifier l'erreur, on se contente de lui adapter le reste de la construction. Aussi les cases ont-elles un aspect négligé, dissymétrique. Les produits de l'artisanat, nattes et paniers, ceintures et bracelets en sparterie, sont frustes et imparfaits. Les Arapesh ne cessent d'importer des modèles de belle facture. Mais ils en mutilent le dessin en les copiant grossièrement, ou s'en désintéressent complètement. La main ni l'œil n'ont été disciplinés.

La peinture est peut-être ce qu'ils font de mieux. Ils décorent, dans un style impressionniste, de grandes plaques d'écorce. Il arrive que l'un d'eux, exceptionnellement doué, parvienne, de lui-même, à réaliser quelques dessins charmants. Mais le talent d'un homme a peu d'influence sur le manque de foi des gens en leurs propres aptitudes : ils demeurent tributaires de l'art d'autres peuples parce qu'ils se croient incapables. Tout au plus apprend-on aux enfants à admirer, à trouver quelque plaisir éphémère lorsqu'ils sont en présence d'une couleur vive, d'une nouvelle mélodie. En cela, ils ne font qu'imiter les adultes : devant une page en couleurs d'un magazine, ceux-ci ne demandent pas : « Qu'est-ce que c'est ? » mais ils disent toujours : « Comme c'est joli ! »

Les déplacements continuels de leurs parents ne sont pas sans répercussions sur la vie des enfants. Les communautés ne sont pas assez nombreuses pour que les jeux de groupe soient possibles. L'enfant se cramponne à un adulte, à un frère ou une sœur aînés. Les longues marches d'un jardin à l'autre, ou de la hutte du jardin au village, l'épuisent. Au bout du voyage, tandis que la mère prépare le dîner et que le père bavarde avec les autres hommes, il reste assis dans un coin, à jouer avec ses lèvres et sa bouche. Les petits enfants ne sont autorisés à jouer les uns avec les autres, qu'autant qu'ils ne se chamaillent pas. Dès la moindre dispute, un adulte intervient. L'agresseur – ou chacun des deux si l'autre montre quelque rancune – est emmené et gardé de près. L'enfant qui fait une colère peut donner des coups de pied, crier, se rouler dans la boue, jeter des pierres ou des morceaux de bois de tous côtés, mais il ne doit pas toucher à un autre enfant. On retrouve plus tard cette habitude de passer sa colère sur ce qui est à portée de la main. Tel homme, en rage, tapera pendant une heure sur un tambour ; tel autre s'acharnera avec une hache sur l'un de ses cocotiers.

Les enfants sont dressés non pas à maîtriser leurs

Fig. 6.
*Retour des champs : femmes portant des filets de patates douces
(Noudage, vallée de la Wabigi, Papouasie).*

émotions, mais à veiller à ce que leurs manifestations ne
nuisent à nul autre qu'à eux-mêmes. Chez les filles, on
cherche à tempérer ces explosions de colère plus tôt que
chez les garçons. Les mères leur font de jolies jupes
d'herbes, qui seront complètement abîmées si dans un
accès de rage, elles vont se rouler dans la boue. On
accroche aussi à leur tête un petit sac en filet, dont il
serait évidemment dommage de répandre le contenu.
Aussi les petites filles maîtrisent-elles leurs emporte-
ments assez vite. Mais on voit des garçons de quatorze ou
quinze ans qui ne semblent pas avoir honte de se rouler
dans la boue en poussant des hurlements. La différence
des sexes se précise en ce domaine de deux autres
manières. Vers quatre ou cinq ans, les garçonnets ont

tendance à s'attacher plus particulièrement à leur père;
ils le suivent pas à pas, dorment la nuit dans ses bras, lui
demandent tout ce dont ils ont besoin. Mais il est bien
plus difficile à un homme d'emmener partout avec soi un
enfant qu'une femme. Aussi le petit garçon est-il souvent
provisoirement délaissé par l'être auquel il est le plus
attaché, et on le voit pleurer à chaudes larmes chaque
fois que son père part en déplacement. Quelques années
plus tard, son père le laissera parfois à la garde non de sa
mère ou de l'autre épouse (que l'enfant appelle aussi
« mère »), mais d'un de ses grands frères. Alors l'enfant a
encore davantage le sentiment d'être abandonné. Que
l'aîné le taquine quelque peu, que surtout il lui refuse
quoi que ce soit à manger, et le petit éclatera en sanglots,
bientôt suivis d'une crise de colère. Voilà de nouveau le
traumatisme de naguère – lorsque la mère le laissait seul
pendant plusieurs heures consécutives – et, en déchaî-
nant sa colère d'enfant, il cherche à retrouver la compensation attendue : la tendresse d'un parent repentant. Et il
faut dire qu'il y parvient dans une certaine mesure, car
tous, y compris les frères qui le taquinent, restent consternés devant sa détresse, et font de leur mieux pour le
consoler.

Il en va autrement avec les petites filles. Elles prennent
part plus tôt au travail familial; elles sont davantage
absorbées par le soin des jeunes enfants et, comme elles
s'attachent moins passionnément à leur père, elles n'ont
pas à endurer ce second « sevrage ». Il est à remarquer
que les trois fillettes qui avaient des accès de colère
dignes de garçons n'avaient pas de frères; leur père les
traitait comme si elles eussent été ses fils. Inévitablement
arrivait le jour où il devait s'absenter, que ce fût pour
chasser ou commercer, ou encore pour rechercher le
sorcier dont les charmes étaient en train de faire mourir
un parent. Alors les fillettes mettaient en pièces leur jupe
d'herbes et se roulaient dans la boue avec autant de cœur
que l'eussent fait leurs frères si elles en avaient eu. Le cas
est cependant assez rare, mais il arrive qu'une fille, peu
après l'âge adulte, voie son mari mourir. Alors se renou-

velle le traumatisme de l'abandon, qui provoque parfois de violents troubles affectifs. Bien des femmes échappent à cette épreuve qui, en tout cas, ne les atteint qu'assez tard dans la vie.

D'autre part, rappelons-le, il sied à un homme important, à un « haut personnage », de feindre dans ses discours la colère et le défi, de brandir une lance, de frapper du pied, de crier. Le petit garçon a devant lui, en sa personne, un modèle de violence dans l'expression, que sa petite sœur ne connaît pas; et il est évidemment trop jeune pour savoir que ledit « haut personnage » ne fait que jouer une comédie, au moins en théorie.

Ces crises de colère chez l'enfant sont presque toujours provoquées par un sentiment d'insécurité ou de frustration. Il arrive obligatoirement qu'on puisse ne pas accéder à une demande d'un enfant, ne pas l'autoriser à accompagner quelqu'un, qu'un autre enfant le pousse ou lui parle brutalement, qu'on le réprimande, et, surtout, qu'on lui refuse quelque nourriture dont il a envie. Les crises qui suivent un refus de nourriture sont les plus fréquentes. Il est intéressant de noter qu'il ne suffit pas, alors, pour calmer l'enfant, de lui donner ce qu'il demande. En lui refusant la noix de coco, ou le morceau de canne à sucre dont il avait envie, on a déclenché des réactions en chaîne, dont la violence ne saurait être apaisée par la simple satisfaction de son désir. L'enfant pleurera peut-être pendant une heure, victime inconsolable d'une situation dont il a déjà l'expérience et devant laquelle la famille reste impuissante. Ces réactions servent à canaliser la colère provoquée par un acte d'hostilité. En revanche, l'éducation tend à décourager toute manifestation d'agressivité à l'égard des autres enfants.

Les parents, nous l'avons dit, n'admettent pas que les enfants se battent. Ils font appel, dans leurs réprimandes, aux relations de parenté : « Toi, frère cadet, tu voudrais frapper celui qui est le premier né ? », « Toi, fils de la sœur de son père, tu voudrais frapper le fils du frère de ta mère ? », ou encore : « Ce n'est pas bien que deux cousins se battent comme de petits chiens. » Rien dans leur

éducation ne prépare les enfants à cette dureté, ce
« cran », cet esprit sportif, qui, chez nous, sont synonymes
de tempérament masculin. Le petit garçon arapesh ignore
les coups et la lutte, la brutalité de ses camarades plus
âgés et la réaction d'un père énervé tout autant que la
plus fragile, et la plus choyée des petites filles de chez
nous. Il n'a pas « l'esprit sportif ». Un coup, un mot dur
même, l'atteint au plus profond de sa sensibilité. Le
moindre quolibet devient pour lui une manifestation
d'hostilité, et l'on verra des hommes faits fondre en larme
devant une accusation injuste.

Même adultes, ils craignent tout ce qui désunit. Ils
connaissent quelques moyens symboliques, quelques
signes qui leur permettent d'exprimer publiquement une
mésentente et les dispensent d'affronter eux-mêmes ceux
avec qui ils sont brouillés. Ils les utilisent rarement. Un
beau jour peut-être, cependant, un mari jugera que sa
femme ne sait pas s'occuper des porcs. L'affaire est grave.
Car réussir dans l'élevage des porcs est un des titres de
gloire d'une épouse accomplie. La situation se complique
du fait que ce n'est jamais, ou presque, ses porcs ou ceux
de son mari qu'elle engraisse, mais ceux d'un de leurs
parents. Si l'un des animaux meurt de maladie, s'il
s'égare, s'il est enlevé par un faucon ou un python, c'est
une véritable tragédie et le mari peut estimer nécessaire
de montrer quelque sévérité. Il s'y résout si, le drame se
répétant, son épouse apparaît à tous comme incapable
d'élever des cochons. Sur la porte de la coupable, il fixe
avec une sagaie le lambeau d'écorce qui servait d'auge au
porc, et il y attache un morceau d'igname, de taro, etc... Il
plante des flèches aux quatre coins de l'écorce. Chacun
connaîtra maintenant son sentiment sur l'affaire. Il n'a
pas besoin d'en discuter lui-même avec sa femme. Si elle
boude alors, ce sera dans une situation ayant perdu son
caractère personnel et revêtu un aspect formel. Deux
parents se brouillent-ils? Le plus irrité des deux fait un
nœud d'une feuille de croton et le suspend devant sa
propre porte. Cela signifie qu'il ne mangera jamais plus
avec ceux qui l'ont contrarié. Pour effacer ce symbole de

rupture, il doit tuer un porc. Un *buanyin* qui ne peut plus supporter son partenaire mettra fin à ses relations avec lui en déposant sur l'*agehu* un plat en bois sculpté, entouré de brindilles. Cependant on réfléchit longtemps avant de prendre d'aussi graves décisions : il est difficile de s'y tenir, coûteux de les rapporter.

La colère ne suscite pas seulement malaise et crainte, elle ouvre la voie aux entreprises de sorcellerie. Personne ne peut se laisser aller, dans son emportement, à frapper son semblable, ni à l'abreuver d'injures. Mais on peut, quelques instant, oublier que l'on est un parent, ou un habitant de la même localité et se comporter comme un homme des Plaines, un étranger, un ennemi.

Pour les enfants arapesh, le monde se divise en deux parties : la « *famille* » et les *étrangers*. La première catégorie comprend quelque trois à quatre cents personnes : tous les habitants de la localité, et ceux d'autres villages qui sont liés par mariage aux prédécents, ainsi que la longue lignée des femmes et enfants des amis d'affaires, héréditaires, de leurs pères. Les *étrangers* et *ennemis* sont rassemblés sous l'appellation de *waribim*, les hommes des Plaines, littéralement « les hommes des terres fluviales ». Ces hommes des Plaines jouent dans la vie des enfants le double rôle du croque-mitaine qu'il faut craindre, et de l'ennemi qu'il faut haïr, narguer, duper et sur qui se reportent tous les sentiments d'hostilité qui sont interdits à l'intérieur du groupe. Les enfants entendent leurs parents grommeler des malédictions lorsque, devant la case, passent, arrogants, les hommes des Plaines. C'est à eux, à ces sorciers que l'on impute, il le sait, toute mort ou tout malheur. Il a à peine cinq ans qu'on le met déjà sur ses gardes : « Ne laisse jamais traîner un reste de nourriture là où il y des étrangers. Si tu romps une tige de canne à sucre, fais attention à ce qu'aucun étranger ne te voie, sinon il reviendra, prendra le bout que tu as laissé et s'en servira pour t'ensorceler. Si tu manges une noix d'arec, prends garde à ce qu'il ne reste pas un peu d'amande dans l'écale que tu jettes. Si tu manges l'igname dure, mange-la toute, n'en laisse pas un morceau qu'un

étranger puisse emporter pour l'utiliser contre toi. Quand
tu couches dans une maison où il y a des étrangers, ne
dors pas la tête sur le côté de peur que ta salive ne tombe
sur l'écorce, dont l'ennemi se saisira pour l'aller cacher.
Si quelqu'un te donne un os d'opossum à sucer, garde-le
jusqu'à ce que tu puisses le cacher sans qu'on te voie. »
Au petit garçon, on donne un panier en feuille de
cocotier, à la petite fille un sac en filet pour qu'ils y
déposent les reliefs de leurs repas qui échapperont ainsi
à toute tentative étrangère. Le danger que risque de faire
courir la « chose sale » devient, chez chacun, une véritable obsession. Que l'on chique la noix d'arec, que l'on
mange, que l'on fume, que l'on se livre à une activité
sexuelle, on est constamment amené à se dessaisir d'une
partie de soi-même, qui peut tomber entre les mains
d'étrangers et, une fois en leur possession, provoquer la
maladie ou la mort. La crainte de la maladie, de la mort,
du malheur se concrétise dans cette attitude à l'égard de
la « chose sale ». L'enfant en vient à être persuadé que
l'hostilité – sentiment qui n'existe qu'entre étrangers –
s'exprime normalement, régulièrement sous la forme du
vol et du recel de bouts de « chose sale ». Aussi cette
association entre un comportement précis et les sentiments de peur et de colère devient-elle chez l'adulte
parfaitement instinctive.

Supposons qu'un homme fasse quelque tort à son frère
ou à son cousin. Il ne se conduit pas comme un parent
devrait le faire, il devient provisoirement « l'ennemi »,
« l'étranger ». Sa victime n'a pas la possibilité de nuancer
son sentiment. Elle n'a pas été élevée de telle façon
qu'elle puisse avoir connu un petit cercle de proches
parents très affectueux et aussi un cercle de parents
moins proches et moins affectueux. Elle n'a pas appris à
se conduire différemment selon qu'elle s'adresse à son
frère ou à son beau-frère. Elle ne connaît que deux sortes
de comportement : celui des membres du vaste groupe
ami auquel elle appartient – et celui de l'ennemi. Donc,
pour l'instant, son frère entre dans la catégorie des
ennemis et il est naturel de lui dérober un peu de « chose

sale » pour le donner aux gens des Plaines. Pratiquement, toutes les « choses sales » de la montagne qui parviennent jusqu'aux petites caches des sorciers des Plaines sont volées non par les sorciers, mais par les montagnards eux-mêmes, frères, cousins, ou épouses offensés. Cela, les Arapesh ne l'ignorent pas. Quand ils veulent découvrir le village de sorciers où est probablement gardée la « chose sale » d'un de leurs malades, ils orientent leurs recherches parmi les amis d'affaires de celui avec qui le malade s'est fâché récemment. Mais la mort d'un homme n'est pas imputée à celui-là même qui a volé la « chose sale ». On est persuadé qu'il a, depuis longtemps, oublié sa colère. On attribue la mort au sorcier, dont il a, malgré lui, imité le comportement à l'origine.

Ainsi, c'est l'absence de toute expression intermédiaire de la contrariété et la répartition des autres en deux catégories seulement, amie et ennemie, qui force les Arapesh à ce comportement qu'ils dénoncents eux-mêmes comme la folie inexplicable d'un instant. Ignorant les jeux rudes, les chamailleries habituelles de l'enfance, l'Arapesh devient particulièrement vulnérable lorsque le moindre sentiment de colère se manifeste à son égard. Alors il a peur, il s'affole, et, tout naturellement, il volera une « chose sale ». Et s'il raconte l'affaire, c'est sans plus d'affectation que s'il décrivait le clignement involontaire de l'œil ébloui par une lumière trop vive : « Il m'a contrarié. Il s'est mis contre moi. Il a aidé les gens qui ont enlevé ma mère. Il a dit qu'elle pouvait rester mariée à cet homme. Il ne m'a pas aidé. J'étais avec lui chez le frère de ma mère. Il a mangé un morceau de kangourou. Il a posé l'os. Il l'a oublié. Il s'est levé et il est sorti. Mes yeux ont vu que personne ne regardait. Ma main s'est avancée et a saisi l'os. Je l'ai vite caché dans mon panier. Le lendemain j'ai rencontré sur mon chemin un homme de Dunigi que j'ai appelé « grand-père ». Je lui ai donné l'os, juste l'os. Je ne lui ai pas donné d'anneau avec. » (Si l'on donne une « chose sale » à un sorcier sans l'accompagner de paiement, il est entendu qu'il n'agira pas immédiatement mais attendra que lui soit remise une

provision, soit par celui qui lui a donné la « chose sale »,
soit par un nouvel ennemi de sa victime éventuelle.) La
voix est basse, sans trace d'émotion, sans orgueil ni
remords : l'homme n'est pas complice. Chez lui, la formation reçue dès l'enfance s'est définitivement imposée.

Mais revenons aux jeux des enfants. Même collectifs, ils
ne font appel à aucun sentiment d'agressivité, à aucun
esprit de compétition (1). Il n'y a pas de courses, pas de
jeux en deux camps. On joue à l'opossum ou au kangourou; ou bien l'un fait le casoar endormi que l'autre vient
réveiller. Cela ressemble aux jeux des jardins d'enfants,
simples gestes accompagnés de chants. Ainsi l'on mime la
coupe du sagoutier en répétant les paroles traditionnelles. Mais ces jeux eux-mêmes sont fort rarement pratiqués.

Les quelques occasions où les enfants se rencontrent
en nombre suffisant pour organiser un jeu collectif sont
précisément celles des fêtes. Et il est bien plus intéressant, alors, de regarder les adultes danser et pratiquer
leurs cérémonies. A ce rôle de spectateur, ils sont accoutumés depuis leur plus tendre enfance, toujours aidés en
cela par leurs jeux de lèvres et de bouche. Tout bébés
aussi, ils participaient aux danses nocturnes sur les
épaules de leur mère ou de leur tante. Dans ces danses,
qui célèbrent l'achèvement d'une récolte d'ignames, par
exemple, ou d'une expédition de chasse, les femmes
préfèrent garder leur enfant avec elles. Lorsqu'elles vont
fumer près des feux pour se reposer, elles passent le bébé
à une autre danseuse, et, toute la nuit, on verra le
nourrisson ballotter, à moitié endormi, au rythme des
épaules. Très tôt, les bébés apprennent à dormir à cheval
sur les épaules d'un adulte qui les tient fermement d'une
main, et à suivre, sans se réveiller, tous ses mouvements.
Ils sont ainsi habitués, dès le début, à faire partie d'un
ensemble, à préférer à toute vie d'enfant active et person-

(1) Le football commence à s'introduire chez les Arapesh, rapporté par
les jeunes gens qui ont été travailler chez les Blancs. Il se joue avec un
gros limon.

nelle un rôle passif, intégré dans la vie de la communauté.

Il est une différence, dans les occupations respectives des garçons et des filles, qui s'institue dès l'enfance et se prolonge pendant toute leur vie. Les petites filles sont surtout utiles pour porter, sarcler, récolter, et ramasser du bois de chauffage. Chaque fois que se prépare une récolte ou une fête, on fait appel à toute la jeune parenté féminine, et un essaim de petites filles se rassemble pour travailler dur pendant un jour ou deux. C'est pratiquement le seul moment où elles puissent se voir, car, pendant la fête elle-même, elles sont encore plus occupées qu'à l'ordinaire. Lorsque, toute la journée, les petites mâchoires serrées, le front brillant de sueur, elles ont porté leurs lourds farceaux, elles sont trop fatiguées, le soir, même pour bavarder. Et l'on voit ces fillettes de onze ou douze ans se coucher par couples sur les lits d'écorce et s'endormir en chantonnant, dans les bras l'une de l'autre. Pour elles, un grand rassemblement signifie le travail. Les bavardages insouciants, les occupations faciles sont associées dans leur esprit au petit groupe familial, réuni le soir autour du feu dans le « petit hameau », résidence du clan.

Il en va tout autrement pour les garçons. Ils ne travaillent pas en groupes. Chacun accompagne son père ou un grand frère à la chasse, ou dans la brousse pour ramasser des herbes, des lianes, ou couper du bois pour la construction de cases. Son groupe de travail est composé de lui-même et de deux adultes, rarement davantage. Lorsque aucune tâche ne les appelle, les jeunes garçons se réunissent à deux ou trois, se fabriquent des arcs et des flèches, et s'entraînent à tirer sur des lézards ou sur des cibles constituées par des fruits de couleur orange vif. Ou bien encore, ils tendent des pièges aux rats, font des crécelles et des tire-boulettes. Ce sont là leurs moments les plus heureux, les plus insouciants. Est-ce pour cela que les hommes s'énervent tellement à rester au « petit hameau », qu'ils ont toujours envie d'aller rendre visite à leurs frères ou cousins ? Les femmes sont sans cesse à les

taquiner là-dessus et donnent aux plus agités des sur-
noms tels que « celui qui ne tient pas en place » ou « celui
qui a la bougeotte ». Cette légère instabilité nerveuse se
manifeste parfois par une hypersensibilité à l'égard de la
société. L'un se fera ermite et ira vivre au milieu de la
brousse; un autre, au contraire, sera toujours par monts
et par vaux, courant d'une fête à l'autre, incapable de
résister à l'appel, même le plus lointain, des tambours.

On apprend aux enfants à respecter la propriété d'autrui et à se satisfaire de celle de leur groupe familial. On
ne cherche pas à développer en eux le sentiment de la
propriété. On réprimande celui qui touche aux affaires
des autres : « Ceci est à Balidu, lui répète-t-on, fais attention. C'est à grand-père, ne le casse pas. » Mais on ne lui
dit pas sans cesse, comme le font les mères Manus : « Ce
n'est pas à toi. » La distinction entre « le mien » et « le
tien » n'est pas soulignée, mais plutôt la nécessité de
respecter les possessions des autres. Il n'en est pas de
même pour ce qui appartient à la famille. Si l'enfant
pleure, on lui donne ce qu'il réclame, dût-il casser les
boucles d'oreille de sa mère ou son collier de dents de
péramèle. La maison qu'il habite n'est pas pour lui un
monde interdit, rempli de trésors dont on grandisse
l'importance à ses yeux en lui défendant d'y toucher. Si
les parents possèdent un objet qu'ils craignent de voir
abîmer par leur enfant, ils le cachent pour ne pas exciter
sa convoitise. Un jour, je leur montrai un ballon rouge. Ils
n'avaient jamais rien vu qui fût de couleur aussi belle,
aussi transparente. Les enfants trépignaient et poussaient
des cris d'admiration, et les adultes eux-mêmes, de plaisir, retenaient leur souffle. Mais ce ne fut qu'un instant.
« Il vaut mieux le ranger, dirent-ils tristement, vous n'avez
sûrement pas d'aussi belles choses en grande quantité, et
les enfants vont pleurer pour les avoir. »

L'enfant continue de grandir. Un jour, on lui dit que
l'écuelle en bois sculpté dont on ne se sert que pour les
fêtes, la coiffure en plumes d'oiseau de paradis que son
père porte lorsqu'il danse, sont siennes. Mais ses parents
les utilisent toujours. Son père l'emmène dans la brousse

et lui montre des peuplements de sagoutiers; il lui apprend le nom de chacun et lui explique qu'ils lui appartiennent. « Propriété personnelle » en vient à signifier pour lui des biens qui seront plus tard à lui, mais dont les autres se servent encore. Quand il sera homme, il fera de même avec ses enfants. Dans un tel système, il n'existe aucun sentiment agressif de la propriété; le vol, les portes barrées, et l'équivalent primitif des serrures – sortilèges protégeant les objets – sont virtuellement inconnus. Les Arapesh connaissent quelques charmes protecteurs des jardins. Mais ils en ont complètement oublié la signification première. Ils croient que s'ils les placent sur leurs barrières, leurs propres femmes et leurs propres enfants seront aussi punis d'avoir mangé des produits du jardin.

CHAPITRE V

CROISSANCE ET INITIATION
DU GARÇON CHEZ LES ARAPESH

Lorsqu'il atteint six ou sept ans, la personnalité de l'enfant est déjà bien formée. Garçons comme filles ont appris à regarder la vie avec des yeux heureux et confiants. Ils ont appris à étendre leur affection à tous ceux qui les touchent de près ou de loin, et plus particulièrement aux membres de leur famille. Ils ne font preuve d'aucune agressivité. Ils traitent avec respect et considération la propriété, le sommeil et les sentiments des autres. Dans leur esprit, le don de nourriture est associé à l'affection, l'approbation, la sécurité; tout refus de nourriture est un acte d'hostilité et d'ostracisme. Ils ont appris à participer passivement aux activités de leurs aînés, mais ils ne savent guère jouer seuls ni organiser eux-mêmes leur propre vie. Ils sont accoutumés à répondre au signal des autres, à suivre ceux qui les conduisent, à s'enthousiasmer sans examen pour toute nouveauté. Quand ils ont froid, s'ennuient ou se sentent seuls, ils jouent avec leurs lèvres cent rythmes divers.

Ils ont appris à craindre l'étranger, l'homme des Plaines, celui qui parcourt le pays avec ses yeux en quête de « la chose sale » qui causera leur perte. On leur a enseigné à cacher soigneusement ces parts si récemment séparées d'eux-mêmes que sont tout reste de nourriture, tout bout de vieux vêtements, et à se montrer particulièrement vigilants lorsqu'ils rencontrent un étranger. Ils ne doivent manifester d'hostilité ou d'agressivité à l'égard d'aucune des quelque cent personnes qui constituent leur famille : ils doivent toutes les aimer et les chérir. Mais ils peuvent partager la haine et la rancune de leur père et de leur mère pour les sorciers, et même, lorsqu'un groupe d'hommes des Plaines vient de quitter le village, lancer leurs petites sagaies le long du sentier qu'ils ont pris. C'est cette constellation de base qui permettra à l'Arapesh devenu adulte d'identifier quiconque l'offensera à un étranger, et ainsi d'invoquer le vieux thème de la sorcellerie pour lui dérober « la chose sale ». Sur deux points seulement, il nous a été donné de constater que cette formation varie selon le sexe de l'enfant : la participation aux activités du groupe, et l'expression de la colère, plus libre chez le garçon. Cette seconde différence se complique de facteurs ayant trait au sexe et à l'âge des individus de même génération; les filles qui n'ont pas de frère ont tendance à se comporter à cet égard comme des garçons, alors que les garçons qui ont de nombreux frères sont plus réservés.

Quand apparaissent les premiers signes de la puberté – formation des seins chez les filles, poils pubiens chez les garçons – l'enfant est tenu d'observer des tabous particuliers. Il doit se garder de manger certaines viandes et de boire de l'eau froide pendant presque un an – jusqu'à ce que les ignames que l'on plante actuellement soient récoltées et commencent à germer dans le grenier à igname. C'est lui-même qui est maintenant responsable de la façon dont il respecte les tabous : il doit « grandir seul », avec précaution, solennellement, selon les règles reconnues de tous. Pour la première fois, il prend conscience culturellement de la physiologie sexuelle. Jusqu'alors, on s'était peu inquiété du problème de la masturbation; ce n'était rien d'autre qu'un jeu, auquel d'ailleurs l'enfant préférait généralement les jeux de lèvres, parfaitement licites. Mais dès qu'un garçon commence à observer les tabous de ses poils pubiens, il est mis en garde contre tous attouchements sexuels inconsidérés. De ses aînés, il apprend ce qu'il faut faire lorsqu'on a enfreint une des règles essentielles à la croissance; il est

instruit du rôle disciplinaire et hygiénique des orties et
de l'usage de la saignée, qui se pratique avec un éclat de
bambou. Il devient le gardien responsable de sa propre
croissance, c'est elle qui sanctionnera son zèle ou sa
négligence. S'il manque aux règles, personne ne le punira;
il sera le seul à en souffrir : il ne grandira pas, il ne
deviendra pas un homme grand et fort, digne d'être
père.

Il est tenu maintenant de faire une nette démarcation
entre la fonction reproductrice de la femme et la fonction
alimentaire de l'homme. Cette opposition se concrétise
particulièrement dans le culte du *tamberan*. Le *tamberan*,
qui est un ou plusieurs (1), est le génie attitré des hommes adultes de la tribu; il ne doit jamais être vu par les
femmes ni les enfants non encore initiés, qui n'ont droit
qu'à l'entendre : pour elles et pour eux, il emprunte la
voix des flûtes, de sifflets, de tambours, etc... Dès qu'un
enfant est assez vieux pour porter quelque attention à ce
qui l'entoure, l'arrivée du *tamberan*, son séjour dans le
village, son départ spectaculaire, comptent parmi les
événements les plus palpitants de sa vie. Ils n'ont cependant pas de signification différente pour le petit garçon et
pour la fillette avant l'âge de six ou sept ans. C'est d'abord
tout le remue-ménage qui annonce une fête. On se
rassemble dans l'un des plus grands villages, l'on dort
serrés les uns contre les autres autour du feu dans les
cases surpeuplées. Femmes et filles apportent sur leur
dos de grands chargements de bois à brûler et l'entassent
au-dessous des cases. Les hommes partent chasser pendant une semaine; ils cherchent le casoar, le kangourou,

(1) Le terme pour « *tamberan wareh* » est un substantif qui, comme le
mot qui signifie « enfant », est de genre indéterminé. Une paire de flûtes
est dite à la fois mâle *et* femelle. Le pluriel du terme qui désigne le
tamberan est *warehas* dont la terminaison est celle qui s'applique aux
groupes mixtes, où les genres sont mêlés. Le masculin est ici employé
parce qu'il semble exprimer, mieux que le féminin, la résonance affective
du mot. Dans le langage ordinaire, les indigènes, hommes et femmes, ont
tendance à parler du son des flûtes comme s'il provenait d'un seul être,
qu'ils désignent au singulier.

le wallaby, et aussi le varan pour mettre de nouvelles peaux à leurs tambours. On parle beaucoup d'un porc, peut-être de deux, que doit fournir pour la fête un habitant du village voisin. Des ignames sont apportées par les parents de celui pour l'initiation de qui vient le *tamberan*. On les empile en petits tas sur l'*agehu*; les récipiendaires reconnaissants viennent défiler devant eux, en déclamant « Wa Wa Wa », le cri pour « tuer l'oiseau de brousse » – ce qui signifie que, quelque jour, ils paieront ces dons de retour. Finalement, on apprend que la chasse est finie, qu'un kangourou particulièrement gros est venu compléter le tableau. Les chasseurs reviennent, des plumes d'oiseau de paradis dans les cheveux, fiers de leurs exploits. Ils portent leur gibier suspendu à des perches et orné de banderoles faites de feuilles rouges et vertes de dracacha (1). Discours de félicitations et, demain, l'on confectionnera les croquettes de noix de coco réservées aux fêtes.

L'atmosphère de ces préparatifs est surexcitée. Le *tamberan* va venir, venir d'au-delà de la montagne, de vers la mer. Les petits enfants se l'imaginent comme un monstre énorme, aussi grand qu'un cocotier, qui vit dans la mer et n'est appelé qu'en de rares occasions pour venir chanter aux gens de la montagne. Quand il arrive, on s'enfuit, on court aussi vite que l'on peut, on s'accroche à la jupe de fibre de maman, on trébuche, on laisse tomber la dernière bouchée de l'igname qu'on était en train de manger, on hurle de peur d'être laissé en arrière. La merveilleuse musique des flûtes se rapproche, et il arriverait quelque chose d'effroyable à la petite fille ou au petit garçon qui se trouverait encore au village lorsque les hommes y pénétreront avec le *tamberan*. Aussi tout le monde dévale-t-il la pente à toutes jambes, femmes, enfants, petits chiens, et peut-être un ou deux jeunes porcs, poussant des cris perçants sur les talons de leur maîtresse. Une femme porte un nouveau-né. Elle a accroché des quantités de petits paquets de feuilles à son sac

(1) *Cordyline sp.* (Note d'éd.).

en filet pour éloigner le mal, et recouvert le sac d'une feuille de bananier pour garder son précieux chargement du soleil et de la pluie. Une vieille – quelques rares cheveux blancs dressés sur un crâne presque chauve – suit tant bien que mal, clopin-clopant. Jamais plus, marmonne-t-elle, elle n'essaiera de remonter jusqu'au village pour une fête; non, c'est fini, elle restera désormais dans sa petite case dans la vallée, elle nourrira les porcs de son fils, et quand la belle-fille aura un nouvel enfant, elle ne montera pas le voir; c'est trop dur, c'est bien trop dur pour ses vieilles jambes, et cette tumeur est si lourde. (Sous la peau flasque de l'abdomen, la tumeur se dessine cruellement : c'est qu'elle a donné à manger aux sorciers qui ont tué son frère il y a longtemps.) Accrochée à son bâton, traînant la jambe, elle se fait dépasser par les autres femmes, qui lui jettent un coup d'œil un peu méfiant. Les vieilles femmes qui ont depuis si longtemps passé l'âge d'enfanter en savent un peu plus long que les jeunes. Pour précipiter ses pas il n'y a plus cette même crainte qui fait fuir la mère devant le son des flûtes, en pressant contre elle son nourrisson, et qui plus tard la fera trembler lorsqu'elle entendra le pas de son mari monter l'échelle de la case : et s'il ne s'était pas lavé les mains comme il faut avec les herbes magiques? C'est ainsi que Temos avait perdu son bébé et qu'un des enfants de Nyelahai était mort. Les vieilles femmes n'ont plus peur de tout cela. Elles ne vont plus à la hutte menstruelle. Et les hommes ne baissent pas la voix quand ils parlent près d'elles.

Haut et clair résonnent les flûtes, là-bas, au flanc de la montagne. « N'a-t-il pas une belle voix, le *tamberan*? » chuchotent les femmes entre elles. « *Tamberan, Tamberan* », répètent les petits enfants. Dans un groupe de petites filles, on murmure, sceptique : « Si le *tamberan* est si gros, comment peut-il entrer dans sa maison? – Taisez-vous, faites silence! » interrompt la mère d'un nouveau-né. « Si vous parlez ainsi du *tamberan*, nous mourrons tous. » Les flûtes se rapprochent, sons entrechoqués et ravissants, encore que les musiciens soient jeunes et inhabiles. Maintenant c'est sûr, le *tamberan* est entré dans le village, il avance parmi les arbres, il enlève des cocotiers sa marque sacrée qu'il y avait posée six mois auparavant, si bien que l'on pourra cueillir des noix pour la fête. Le soleil, qui était si chaud, se cache derrière un nuage. Voilà femmes et enfants tous trempés par l'averse. La voix du *tamberan* ne s'entend plus aussi distinctement à travers la pluie. On a froid. Un bébé pleure, que sa mère calme vite contre son sein. A la musique des flûtes s'ajoute le battement des tambours. « Le *tamberan* est entré dans la maison », murmure une vieille femme. On recommence à s'agiter. On assure de nouveau sur le front la poignée du sac en filet, on rassemble les enfants qui se sont égaillés vers le bas de la pente. De là-haut, un appel lointain : ce sont les hommes qui invitent femmes et enfants à revenir au village. Ils peuvent le faire en toute sécurité du moment que le *tamberan* est entré dans la petite maison qui lui est réservée – demeure plus gaiement décorée que les autres, avec ses sablières peintes et l'écusson accroché au pignon. Péniblement, les femmes remontent la pente raide. Elles n'ont nullement le sentiment d'avoir été exclues, d'être des créatures inférieures auxquelles les hommes ont interdit une réjouissance. Il s'est simplement passé quelque chose qui n'est pas bon pour elles, quelque chose qui touche à la croissance et à la force des garçons et des hommes, mais qui serait dangereux pour les femmes et les enfants. Les hommes sont prudents pour elles et les protègent attentivement.

C'est toujours un moment palpitant que de rentrer au village quand un événement mystérieux vient de s'y produire. Sur chaque case, au pignon ou à la porte, des bannières de feuilles aux couleurs vives ont été accrochées. Là s'est arrêté le *tamberan*. Au pied de chaque palmier, on trouve une couronne de feuilles rouges : ce sont les jambières du *tamberan*. Sur le sol de l'*agehu*, détrempé par la pluie, on voit de larges traces. Embarrassé, un homme indique à une femme ou un enfant que ce sont là les marques des testicules du *tamberan* : il est facile d'imaginer comme il est grand. Mais bien que les hommes aient pris beaucoup de soin à monter cette pantomime, les femmes prêtent peu d'attention aux détails. Tout cela, il vaut mieux ne pas s'en mêler, il vaut mieux même ne pas y penser : c'est l'affaire des hommes. Les femmes ont aussi leurs *tamberans*, l'enfantement, les rites de la puberté des filles, et ceux qu'il faut pratiquer lorsqu'on teint les jupes de fibre. Voilà les *tamberans* des femmes. Mais maintenant, c'est celui des hommes, et il n'est pas bon d'y penser. De la petite maison du *tamberan* parvient la musique continue des flûtes, accompagnée du battement des tambours. Les hommes entrent et sortent, ainsi que les garçons initiés et, s'il n'y a pas de visiteurs de la côte, les plus âgés parmi les garçons non initiés.

Cette latitude accordée aux garçons non initiés est particulière aux Arapesh : elle ne se retrouve pas dans les cultes du *tamberan* tels qu'ils sont pratiqués dans les autres tribus. Chez de nombreux peuples de Nouvelle-Guinée, le culte du *tamberan* est un moyen de maintenir l'autorité des hommes sur les femmes et les enfants. C'est un système dirigé contre les femmes et les enfants, destiné à les maintenir dans leur indignité et les punir s'ils tentent de s'en évader. Dans certaines tribus, on tue la femme qui, par accident, a vu le *tamberan*. On fait peur aux jeunes garçons en faisant allusion aux choses effrayantes qui leur arriveront au cours de leur initiation; l'initiation elle-même devient une sorte de brimade hargneuse par laquelle les hommes se vengent de l'indocilité des garçons et des affronts qu'ils ont eux-mêmes subis autrefois. Tel est le sens premier du culte du *tamberan*. Le secret, l'âge, l'hostilité entre les sexes, la peur, la brimade sont ses principales composantes. Mais les Arapesh, bien qu'ils en partagent l'expression formelle avec leurs voisins, en ont changé le sens profond. Dans une communauté où n'existe aucune hostilité entre hommes et femmes, et où les hommes âgés, loin de prendre ombrage de la force grandissante des jeunes hommes, y trouvent leur plus grande source de joie, un culte qui met l'accent sur la haine et la répression n'a pas de place. Aussi les gens de la montagne en ont-ils altéré les caractéristiques principales. Là où d'autres tribus tuent la femme qui découvre par hasard leurs secrets et partent en guerre contre une communauté qui ne tient pas ses femmes suffisamment dans l'ignorance, les Arapesh se contentent de faire jurer le secret à la femme en lui disant que si elle n'en parle pas aux autres, il ne lui arrivera rien. Sur la côte, on prévient les garçons nouvellement initiés que, s'ils trahissent les secrets du culte, on les trouvera pendus à un arbre, éventrés par le *tamberan*. Rien de tel dans la montagne. La distinction, ailleurs fondamentale, entre garçons initiés et garçons non initiés est ici fort estompée. Dans un culte masculin organisé comme il convient, les garçons non initiés sont sévèrement exclus de toute participation. Chez les Arapesh cependant, où les mobiles d'une telle exclusion sont absents, les hommes disent : « Voici un bel et bon festin. Il serait dommage que celui-là qui est grand ne pût manger, juste parce que nous ne l'avons pas encore incisé. Qu'il entre donc. » Mais s'il se trouve parmi eux des étrangers, des gens de la côte, orthodoxes et sévères, ils font rapidement disparaître les garçons non initiés, car ils n'aiment pas beaucoup être critiqués sur l'embrouillamini heureux de leur manque à la tradition.

Un jour, à Alitoa, se trouvaient de nombreux visiteurs venus de la côte. Assemblés dans la maison du *tamberan*, ils soufflaient dans les flûtes, battaient les tambours, et, d'une façon générale, se comportaient tout à fait comme s'ils étaient chez eux. Après tout, c'est du littoral que venaient les flûtes; quarante ans auparavant, les gens de la montagne n'avaient que des sifflets de noyaux pour faire parler leurs êtres surnaturels. Arrogants, les visiteurs avaient faim et redemandèrent de la viande. Comme cela se fait habituellement, ils frappèrent bruyamment des pieds sur le plancher et commencèrent à jeter des brandons par la porte. Finalement, dans un grand vacarme, ils menacèrent de faire sortir le *tamberan*. La nuit tombait à peine. Les femmes et les enfants se trouvaient, par petits groupes, rassemblés autour de la maison du *tamberan*. La nuit tombait à peine. Les femmes et les enfants se trouvaient, par petits groupes, rassemblés autour de la maison du *tamberan*, occupés à cuire le repas du soir. Ce fut l'afffolement le plus complet. Les voilà dévalant de nouveau les pentes, hors d'haleine, les enfants s'écartant du chemin, tombant, se perdant dans les rochers. Serrant ma main dans la sienne, Budagiel, ma « sœur », m'entraînait plus vite que mes jambes, lourdes après le repos, ne pouvaient me porter. Glissant, trébuchant, haletant, nous courions avec l'énergie du désespoir. Au-dessus de nous, quelqu'un cria : « Revenez, c'était pour rire, ce n'était pas vrai ! » Tout essoufflées, nous remontâmes au village. Sur l'*agehu*, la confusion régnait. Les hommes couraient çà et là, vociféraient, s'exclamaient, discutaient. Finalement Baimal, le petit Baimal, si vif, si bouillant, si hardi malgré sa petite taille, se précipita vers la maison du *tamberan* et se mit à en frapper la façade avec un bâton : « Ah ! c'est comme ça ? Vous voulez sortir et effrayer nos femmes, les envoyer dans le noir se rompre le cou ? Vous voulez chasser nos enfants ? Voilà pour vous, et encore, et encore ! » Et coup après coup résonnait sur le toit de chaume. Après quoi, Baimal dut envoyer de la viande au *tamberan* outragé, mais cela lui fut égal, de même qu'à la communauté d'ailleurs. Baimal avait exprimé pour tous l'objection de chacun à ce que le *tamberan* fût utilisé comme instrument de terreur et comme une menace. N'était-ce pas le *tamberan* qui les aidait à faire grandir les enfants et à protéger les femmes ? Les visiteurs se renfrognèrent, mangèrent la viande et retournèrent chez eux parler des mœurs barbares de ces gens de la montagne qui n'ont aucun sens de la façon dont on doit faire les choses.

Le *tamberan* reste dans un village parfois quelques jours seulement, parfois plusieurs semaines. Il vient pour mettre l'interdit sur les cocotiers réservés aux fêtes et pour lever le tabou, présider à la seconde cérémonie mortuaire, au cours de laquelle les os d'un homme honoré sont exhumés et distribués dans la famille. Il vient quand on lui bâtit une nouvelle maison, et surtout, il vient pour les initiations, lorsqu'on construit une large enceinte en palmes nattées à l'autre bout du village et que les novices y sont isolés du reste de la communauté pendant plusieurs mois.

Au fur et à mesure que grandissent les enfants et qu'ils dépassent l'âge où l'on s'accroche encore craintivement aux jupes d'une mère, se fait jour une nette différenciation dans leurs attitudes vis-à-vis du *tamberan*. Les petites filles continuent à suivre les pas de leur mère; elles apprennent à ne pas se perdre en conjectures au sujet du *tamberan*, de peur qu'un malheur ne les atteigne toutes. Il se forme chez elles une habitude de passivité intellectuelle beaucoup plus prononcée que chez leurs frères. Tout ce qui est inconnu, inexploré, tout ce qui n'a pas de nom – sons inhabituels, formes nouvelles – tout cela est interdit aux femmes. Leur devoir est de veiller jalousement sur leurs facultés de reproduction. Cet interdit les coupe de toute pensée spéculative, et également, de l'art. Car, chez les Arapesh, l'art et le surnaturel sont partie intégrante l'un de l'autre. Tous les enfants barbouillent, avec du charbon de bois, des morceaux d'écorce – de ces longueurs d'écorce de sagoutier très lisses et dont on fait les lits et les plaques ornementales des pignons. Ils dessinent des ovales qui sont des ignames, des ronds pour représenter des taros, de petits carrés qui sont des jardins et un joli petit motif appelé l'étoile du matin. Plus tard, seules les femmes s'adonnent à ces jeux qui les occupent pendant les longues heures humides dans la hutte menstruelle. Mais la peinture, ces mystérieuses formes imprécises que l'on trace sur de grands pans d'écorce pour orner la maison du *tamberan* ou une maison d'ignames, celle-là est exclusivement affaire des hommes. La participation des femmes aux activités artistiques ou au culte des hommes est pour les Araspesh une seule et même chose : elle mettrait en péril l'ordre de l'univers dans lequel hommes, femmes et enfants vivent en sécurité. Je leur montrai un jour une poupée à visage noir, grandeur nature. Les femmes, effrayées, eurent un mouvement de recul. Elles n'avaient jamais vu de représentation réaliste; elles prirent la poupée pour un cada-

vre. Les hommes, dont l'expérience est différente, virent
bien qu'il s'agissait d'un simple simulacre. Mais l'un d'eux
eut cette parole significative : « Vous, femmes, feriez
mieux de ne pas regarder cette chose ou elle vous perdra
complètement. » Plus tard les hommes poussèrent la
gaieté et la familiarité jusqu'à danser avec la poupée dans
leurs bras, jusqu'à arranger ses vêtements. Mais les femmes, formées depuis l'enfance à accepter le merveilleux, et
à supprimer toute pensée à son sujet, ne reconnurent jamais complètement que ce n'était qu'une poupée. Elles me
prenaient à part pour me demander comment je la nour-
rissais, et si elle ne grandirait jamais. Si je la posais sur
le sol, la tête plus bas que les pieds, une femme atten-
tionnée s'empressait de la tourner dans l'autre sens. C'est
ainsi que le *tamberan* amène femmes et filles à cette acceptation passive que l'on considère être leur seule sécurité.

Il en va différemment pour les petits garçons. Il ne leur
est pas interdit de penser. Sans doute, aujourd'hui, doivent-ils s'enfuir comme les femmes, mais plus tard, juste
un petit peu plus tard, ils auront un rôle à jouer. Ils
iront avec les hommes ramener le *tamberan* au village,
ils verront si le *tamberan* mange réellement tous ces
plats de viande qui entrent dans sa maison, ou si les
hommes et les garçons en ont aussi leur part. Avec un
peu de chance, ils seront initiés en même temps qu'un
grand nombre d'autres garçons; pendant trois mois ils
vivront dans l'enceinte d'initiation et se soumettront au
rituel qu'on appelle « être avalé par le *tamberan* » ou
parfois « être avalé par le casoar ». Ils savent qu'entre le
casoar et le *tamberan* existe une relation, qui n'est pas
encore très claire pour eux. Quoi qu'il en soit, c'est
d'ailleurs, où l'on veut effrayer femmes et enfants, que
cette histoire « d'être avalé » a été inventée, et les petits
Arapesh n'en ont nulle terreur. Ils ont vu leur grand frère
sortir de l'opération gros et gras, les yeux brillants
d'orgueil et de suffisance, la peau bien huilée et magnifiquement peinte, de nouveaux ornements aux bras et aux
jambes et de belles plumes dans les cheveux. Apparem-

ment, ce doit être bien agréable de se faire dévorer; l'important est de se faire avaler en grand nombre dans une grande cérémonie d'initiation plutôt que dans l'intimité familiale. Aussi les petits garçons ne se cachent-ils plus près des femmes et partent-ils tout seuls dans la brousse, où ils peuvent donner libre cours à leur imagination. Car si le culte du *tamberan* émousse l'imagination des filles, il stimule au contraire celle des jeunes garçons. Il les porte à s'intéresser davantage aux plantes et aux animaux de la brousse, à se montrer plus curieux de la vie en général. Sur la petite fille de dix ans, assise modestement près de sa mère ou de sa belle-mère, l'horizon de la vie s'est rétréci. Son frère, au contraire, va se trouver devant de nouvelles responsabilités dès qu'il sera assez vieux pour être initié. Il observe plus méticuleusement encore les tabous qui s'attachent à l'apparition de la pilosité pubienne, il s'inflige avec plus de vaillance encore les scarifications disciplinaires de ses aînés, et il se demande sans arrêt comment cela peut bien être de se faire dévorer. La petite fille joue avec ses lèvres et ne pense plus. Si elle ne pense pas, si elle ne laisse pas son esprit s'aventurer dans des domaines interdits, un jour elle aussi tiendra un bébé dans ses bras, un bébé qui sera né dans le secret de la brousse, en un lieu interdit aux hommes.

Enfin arrive pour le garçon le moment de l'initiation. S'il est le fils aîné d'une grande famille, l'héritier d'un « homme important », il sera peut-être initié séparément. Les grandes initiations n'ont lieu que tous les six ou sept ans. Il faut bien des échanges de sarcasmes entre communautés pour que l'une d'elles se décide finalement à entreprendre l'énorme travail d'organisation et de préparation qui est nécessaire pour pouvoir nourrir pendant plusieurs mois dans le même village douze à quinze garçons et leurs répondants. Cela demande souvent des années. Bien plus tard, on verra ces garçons devenus des hommes mûrs apporter encore des porcs au village de leur initiation pour rembourser les avances de nourriture ainsi faites. Les intervalles entre les initiations sont tellement longs que ceux qui étaient trop jeunes pour l'une grandissent beaucoup en attendant la suivante. Ils apprennent peu à peu tous les secrets. Ils savent que la voix du *tamberan* est celle de grosses flûtes de bambou. Il se peut même qu'ils aient appris à en jouer. Aussi vaut-il mieux qu'un trop grand garçon soit initié calmement au cours d'une petite fête de famille.

L'essentiel de l'initiation reste, dans tous les cas, le même : le novice est rituellement isolé de la compagnie des femmes pendant une période au cours de laquelle il observe certains interdits sur la nourriture, est incisé, participe à un repas sacrificiel où il absorbe le sang d'hommes plus âgés, et se fait divulguer un certain nombre de mystères. Il existe deux sortes de choses mystérieuses : d'abord des objets qu'il n'a jamais vus auparavant, tels que masques et autres figures sculptées; et la révélation – qui ne l'est plus vraiment pour lui – du fait que le *tamberan* n'existe pas réellement. Le mystère du casoar, qui avalait les petits garçons, s'éclaircit, c'est simplement un homme d'un certain clan qui porte de terrifiantes lunettes en plumes de casoar et qui a suspendu à son cou un sac couvert de coquillages dans lequel sont plantés deux os de casoar effilés. Le *tamberan* n'est lui-même que le son des flûtes, le battement des tambours, ou l'idée générale dont s'inspire l'ensemble de ces mystifications. Pour un garçon arapesh, grandir, c'est découvrir qu'il n'y a pas de Père Noël, c'est faire reconnaître qu'il est assez vieux pour savoir que tout cela n'est que pantomime – une pantomime, il est vrai, que se transmettent les générations avec ferveur parce qu'elle aide les garçons à grandir et ainsi contribue au bien-être général. L'incision elle-même et le repas sacrificiel de sang qui est servi aux initiés participent d'un autre ordre d'idées. La croyance aux rapports entre le sang – et la saignée – et la croissance fait partie des fondements mêmes de la culture arapesh. C'est cet aspect qui est souligné lorsqu'un garçon est initié isolément. Il sait déjà tout ce qu'il faut savoir au sujet des flûtes, et une famille a peu d'objets mystérieux à lui montrer. Son initiation se résumera à l'incision et au repas sacrificiel.

Dans les grandes initiations, il est d'autres points remarquables tels que la camaraderie entre tous les garçons et le soin qu'en prennent leur père, leurs frères aînés et leurs parrains-répondants. Ainsi, chaque jour, ceux-ci les accompagnent au bain, écartant les ronces de leur chemin, comme on suppose que le font aussi les esprits de leurs ancêtres. La réciprocité entre répondants et novices est un point sur lequel on insiste. Les premiers fabriquent des bracelets en sparterie que les garçons doivent porter jusqu'à ce qu'ils tombent d'eux-mêmes : à ce moment ils devront offrir une fête à leurs parrains d'initiation. Dans l'enceinte, la nourriture est abondante. Les hommes chassent pour les novices et les nourrissent bien. Les mois qu'ils passent ainsi sont censés stimuler leur croissance par une action magique et l'on veille à ce qu'ils soient également salutaires pour leur santé. Pour la seule fois d'une vie de maigre chère, les jeunes Arapesh deviennent presque grassouillets.

Pour inculquer aux novices la nécessité de préserver ces secrets, on n'a pas recours à la menace. On les fait simplement participer à toutes sortes de petites mystifications affectueuses. Les novices protègent leurs récentes blessures avec des feuilles. A ces pansements, ils donnent le nom d'épouses, dont ils simulent la voix en sifflant avec des herbes. Poussant plus loin encore la fiction, ils préparent de petits fagots de bois qu'ils laissent au bord des sentiers pour montrer aux femmes où leurs petites épouses sont venues travailler. Les femmes, de leur côté, donnent le nom de « petits oiseaux » à ces « épouses » mais ne cherchent pas à approfondir ce qui, de toute évidence, est un mystère masculin dont il vaut mieux ne pas se mêler.

A date ancienne, l'initiation était un rituel par lequel une société mâle jalouse de ses droits admettait, à contrecœur, dans son sein les membres mâles plus jeunes de la communauté, devenus trop vieux pour être tenus à l'écart. Chez les Arapesh, c'est un rituel qui est censé stimuler la croissance. Même lorsque les novices « passent par les baguettes » entre deux rangées d'hommes armés d'orties, on ne cherche pas à leur administrer une brimade, mais à les faire grandir. On ne leur donne aucune directive tendant à leur faire haïr, mépriser ou craindre les femmes. Ils sont soumis à un cérémoniel divinatoire pour découvrir s'ils ont déjà eu des rapports sexuels – qu'ils savent être interdits parce qu'arrêtant la croissance. On punit le garçon reconnu coupable en lui faisant mâcher un morceau de noix d'arec placé au préalable au contact de la vulve d'une femme, de préférence celle avec laquelle il a eu ces rapports – habituellement sa fiancée. On estime que c'est un châtiment suffisant de lui faire ainsi violer rituellement l'interdit le plus puissant de la culture arapesh, celui qui isole impérativement la bouche du sexe, la nourriture de la sexualité. La punition sert d'avertissement aux autres : ce qui est sexuel est bon, mais dangereux pour ceux qui ne sont pas encore des hommes faits.

Ainsi, entre les cérémonies et quelques admonestations, entre les chants, les bains et les repas, se passent les deux ou trois mois de retraite. A la fin de cette période, les novices, dans des vêtements resplendissants, apparaissent aux yeux ravis de leur mère et de leurs sœurs qui, loin d'être inquiètes, savent qu'elles vont les retrouver en aussi bon état qu'en fait. Puis, chaque père emmène son fils, paré le mieux du monde, par « sa route » rendre visite à ses relations de commerce héréditaires et aussi à ses sœurs, lorsqu'elles se sont mariées au loin. Dans chaque maison, on fait un don au jeune initié, qu'il devra plus tard payer de retour. Pour la première fois de façon cérémonielle, pour la première fois peut-être en fait, il suit la route de ses ancêtres, cette route par laquelle sont importés les outils et les ustensiles, les armes et les ornements, les chants et les nouvelles modes, cette route qu'empruntent aussi « la chose sale » volée dans la colère, et les parents éplorés en quête de « la chose sale » d'un des leurs. Dorénavant, ce sera sa route à lui, qui verra passer les modestes biens qui lui sont nécessaires et sera associée aux plus hautes émotions de sa vie d'homme.

Son enfance est terminée. Jusqu'ici c'est la sollicitude et le travail quotidiens des autres qui lui ont permis de grandir. Son tour est maintenant venu de veiller sur les autres. Pendant sa puberté, il s'est occupé de sa propre croissance, il a respecté les tabous qui lui assurent muscle et os, taille et largeur, force pour engendrer et élever des enfants. Cette force ne s'exprime jamais chez les Arapesh en termes de puissance sexuelle, concept dont ils semblent se désintéresser complètement, et pour lequel ils n'ont aucun vocable particulier. Maintenant, le jeune homme doit reporter ses soins sur ceux qui, après des années consacrées à sa croissance, sont en train de vieillir, sur ses sœurs et frères cadets, enfin sur sa jeune épouse-fiancée.

On n'a pas le sentiment qu'il est subordonné à ses aînés, ni qu'il souffre de la puissance de ceux qui sont plus forts que lui. Au contraire, les plus vieux comme les plus jeunes, le petit enfant comme le père et la mère qui prennent de l'âge, se trouvent réunis, dans le sentiment arapesh, en une même catégorie. Les autres sont ceux qui, de la puberté à l'âge mûr, ont des préoccupations sexuelles et doivent élever leurs enfants. Il leur incombe des responsabilités particulières à l'égard des vieux et des jeunes. Pour eux ils mettent de côté la moitié de la nourriture existante : certaines espèces d'ignames, de taros, d'oiseaux, de poissons et de viandes. Personne n'a l'impression que les puissants et les forts s'approprient les meilleurs aliments, mais plutôt que la nourriture est symboliquement divisée en deux parties égales, qui permettent à chacun de subsister. Après une grande fête, les hommes organisent un petit festin de famille pour les femmes, dont le dur travail a permis l'organisation de la fête. Souvent ils mettent dans les plats des morceaux de kangourou arboricole, nourriture à laquelle les femmes ne peuvent toucher. « Quelle idée, fis-je remarquer, de récompenser les femmes avec de la viande qui leur est interdite ! » On me regarda avec surprise : « Mais leurs enfants peuvent en manger. » Et voilà toute la rivalité qui existe entre pères et enfants. Elever son fils, lui procurer une nourriture dont il doit lui-même s'abstenir, tel a été le plaisir du père pendant les jeunes années de son enfant. C'est lui, qui, peu à peu, morceau par morceau pour ainsi dire, a bâti le jeune corps. Le père arapesh ne dit pas à son fils : « Je suis ton père, je t'ai engendré, par conséquent tu dois m'obéir. » Une telle attitude lui semblerait sotte et vaine. Il se contente de dire : « Je t'ai élevé, j'ai cultivé les ignames, j'ai fait le sagou, j'ai chassé le gibier, j'ai peiné pour trouver la nourriture qui a fait ton corps, j'ai le droit de te parler comme je le fais. » Ce rapport entre père et fils, fondé sur la nourriture donnée et la nourriture reçue avec reconnaissance, est du même ordre que celui qui existe, à un moindre degré, entre les vieux et les jeunes de la communauté. Chaque homme a contribué à la croissance de chaque enfant élevé dans le petit cirque de montagnes qui est tout son univers. Si un jeune homme s'oubliait au point de s'emporter ou d'être impoli avec un vieillard, celui-ci lui répondrait d'une voix triste, pleine de reproche : « Et penser combien de porcs j'ai engraissés dont tu as tiré ta force ! »

Au fur et à mesure que les jeunes grandissent en taille et en vigueur, les vieux se retirent. Quand son fils aîné est initié au culte du *tamberan* – ou, si l'aîné de ses enfants est une fille, lorsqu'elle atteint l'âge de la puberté – le père, officiellement, abandonne le devant de la scène. Désormais, tout ce qu'il fait, il le fait au nom de son fils. La grande maison aux ignames qu'il a construite l'an dernier, il en parle comme de celle de son fils. Quand ses amis d'affaires viennent en visite, il s'assied sur le côté et laisse son fils s'occuper d'eux. Mais celui-ci doit, pour sa part, ne pas oublier que son père vieillit et avoir pour lui certaines attentions rituelles. Il doit prendre garde que le sagou fait par lui-même ou ses frères et sœurs ne soit pas donné à son père et à sa mère : le sagou fait par les jeunes est dangereux pour les vieux. Le fils ne doit pas puiser dans l'étui à chaux de son père ni enjamber aucun des objets lui appartenant. Sa jeune et vigoureuse virilité mettrait en danger la vitalité faiblissante et asexuée de son père.

Le rôle de ce dernier n'est plus considéré sous son aspect sexuel, ainsi qu'en témoigne l'attitude des Arapesh d'âge mûr à l'égard des femmes. La vie sociale du monde primitif de Nouvelle-Guinée est dominée par les querelles au sujet des femmes. Presque toutes les sociétés souffrent, d'une façon ou d'une autre, de l'absence de solution à ce problème, les sociétés polygames beaucoup plus d'ailleurs que les sociétés monogames. L'homme entreprenant, en effet, peut toujours, dans un régime de polygamie, s'il n'est pas satisfait d'une épouse, tenter d'exprimer sa supériorité en s'en adjoignant quelques autres. Chez les Arapesh, ces querelles ont été réduites au minimum. La polygamie se traduit entièrement en termes d'héritage – car c'est un devoir de s'occuper de la veuve et des enfants d'un frère – et non de supériorité à l'égard des autres hommes. Entre le groupe d'âge du père et le groupe d'âge du fils, aucun conflit n'est possible, car, au-dessus de trente-cinq ans, les hommes se soucient de trouver une épouse non pour eux-mêmes mais pour leur fils. Comme on recherche ces fiancées parmi les jeunes enfants, parmi les fillettes de six à dix ans, le père ne peut avoir d'autre intérêt que celui de son fils. Ainsi se trouve éliminé l'un des aspects les plus laids de la querelle au sujet des femmes, celle entre le père et le fils, querelle dans laquelle la richesse, la puissance et le prestige s'opposent à la jeunesse et à la vigueur. Comme nous le verrons plus loin, les Arapesh n'ont pu échapper à toutes les difficultés matrimoniales. Mais, en exprimant la polygamie comme un devoir au lieu d'un privilège, en faisant des mariages de la nouvelle génération l'intérêt primordial de tous les puissants de leur monde, ils sont parvenus à réduire ces difficultés au minimum.

Ainsi, à la fin de son adolescence, le garçon arapesh a-t-il trouvé sa place dans la société. Il est initié, il a de nombreux devoirs à remplir. Sans agressivité aucune, dans un esprit de coopération, il aide son père et ses oncles, prend soin de son père en son vieil âge, de son jeune frère enfant, et élève sa petite épouse qu'attend encore l'adolescence.

CHAPITRE VI

COMMENT GRANDIT ET SE FIANCE
UNE JEUNE ARAPESH

Un garçon arapesh élève sa femme. De même qu'un père fonde son droit, non sur le fait d'avoir donné le jour à son enfant, mais sur celui de l'avoir nourri, de même le mari arapesh exige de sa femme soins et dévouement, non pas en invoquant le prix qu'il a payé pour elle, ou son droit de propriétaire, mais en vertu de la nourriture qu'il lui a fournie pendant sa croissance et qui est devenue l'os et la chair de son corps. Dès sept ou huit ans, la petite fille est fiancée à un garçon d'environ six ans son aîné, et part habiter chez lui. Là, beau-père, « époux » et beaux-frères se partagent la tâche d'élever la petite fiancée. Mais c'est au jeune « mari » adolescent qu'il incombe en particulier de cultiver les ignames, de faire le sagou et de chasser le gibier pour nourrir sa « femme ». Ce sera là, plus tard, le plus sûr fondement de son droit. Si elle flâne, boude ou refuse d'obéir, il pourra dire : « J'ai fourni le sagou, j'ai cultivé les ignames, j'ai tué le kangourou qui ont fait ton corps. Pourquoi n'apportes-tu pas le bois pour le feu ? » Dans les cas exceptionnels où le jeune époux vient à mourir avant le mariage et que la fille, sa croissance maintenant terminée, se fiance une seconde fois, le nouveau lien donnera le sentiment d'être moins étroit. Il en est de même lorsqu'un homme hérite de la veuve d'un parent, car il n'a sans doute contribué que fort peu à la nourrir, surtout si elle est plus âgée que lui : de tels mariages, auxquels manque la sanction la plus importante reconnue par la société arapesh, manquent de stabilité par rapport aux autres.

Les Arapesh considèrent que les parents doivent pouvoir se faire obéir de leurs enfants qu'ils ont élevés, et, selon le même principe, que le mari doit avoir pleine autorité sur sa femme : ne l'a-t-il pas, lui aussi, élevée, n'est-il pas responsable d'elle, n'a-t-il pas plus d'âge et de jugement? Toute l'organisation sociale se fonde sur l'analogie établie entre les enfants et les épouses, qui sont considérés comme un groupe plus jeune, moins responsable, que celui des hommes, et qu'il faut, par conséquent, diriger. Par définition, les femmes rentrent dans cette catégorie infantile vis-à-vis du mari, de leurs pères, oncles et frères, vis-à-vis, en fait, de tous les hommes plus âgés qu'elles, membres du clan où elles doivent se marier. Avant même qu'une petite fille ait commencé à se former, alors que, toute menue, elle n'a pas encore pris conscience de sa condition féminine, des yeux l'observent, ceux de pères et d'oncles d'un autre clan. Indulgents, ils cherchent à voir en elle une épouse possible pour l'un de leurs adolescents. Aussi le romanesque, chez les Arapesh, s'attache-t-il avant tout aux petites filles; l'on entend de jeunes hommes exalter le charme féminin d'une jeune personne de cinq ans; on les voit s'extasier au spectacle de quelque bambine que sa mère s'est amusée à vêtir d'une jupe de fibre. Rien de sexuel dans leur réaction; associer l'idée de sexualité à un enfant serait inconcevable pour un Arapesh. Il se trouve simplement que dès neuf ou dix ans, une fillette n'est plus disponible : elle est déjà la future épouse d'un autre. Il faudrait qu'elle devînt veuve pour que se posent de nouveau sur elle des regards appréciateurs.

Un père qui veut choisir une épouse pour son fils ne saurait agir à la légère. Le problème de la proximité se pose tout d'abord. Doit-il chercher autour de lui, au village voisin, une fillette appartenant à un clan que plusieurs mariages lient déjà au sien? Voilà qui est excellent. Il est fort bon qu'un frère et une sœur épousent une sœur et un frère, que si un clan donne deux de ses filles à l'autre, ce dernier le paie en retour de deux de ses propres filles. Mais il n'y a pas de règle absolue. Un mariage est fait pour durer, et non pour obéir à un système rigide qui pourrait imposer des unions où l'harmonie des âges ne serait pas respectée. Il n'empêche qu'un mariage entre voisins est toujours souhaitable. Et il est sûr que les hommes encourageront cette nouvelle union qui s'ajoutera aux liens existant déjà entre les deux clans.

En revanche, il n'est pas sans avantage non plus d'aller au loin choisir une épouse pour son fils. Un tel mariage élargit le cercle d'amitiés que pourront parcourir, en toute sécurité, les hommes des nouvelles générations, certains de trouver le soir un accueil, au terme d'un dur voyage. De deux villages éloignés l'un de l'autre, il fait des alliés, parfois pour toujours. Les enfants et petits-enfants issus de ce mariage ne l'oublieront pas. Ils appelleront « grand-père » tous les hommes du village maternel, et les accueilleront avec respect lorsqu'ils viendront assister aux fêtes. De plus, si la jeune épouse vient d'un village du côté de la mer, il se peut qu'elle apporte avec elle une nouvelle technique, qu'elle transmettra à ses filles et belles-filles. C'est ainsi que l'art de faire la *wulus*, jolie jupe de fibres tressées, a été apporté aux gens de Suabibis il y a cinq générations par une jeune mariée venant de Daguar. Mais quel que soit l'attrait d'un tel mariage, il suscite contre lui la crainte de la sorcellerie. Si l'on va chercher une épouse chez des étrangers, si l'on permet à sa fille d'aller vivre parmi des inconnus, le recours à la sorcellerie, auquel contraint tout accès de colère ou de peur, peut détruire le mariage. Aussi père et oncles pèsent-ils longuement les avantages et les inconvénients du projet.

Quant à l'objet du choix, à la fille elle-même, on recherche en elle des qualités variées. On lui demande surtout d'avoir une famille « comme il faut », c'est-à-dire de nombreux parents mâles, tous bons chasseurs et bons jardiniers, lents à la colère et sages dans leurs décisions. Car le père qui choisit une épouse pour son fils choisit du même coup – ce qui est tout aussi important – les beaux-frères de ce fils et les oncles maternels de ses petits-enfants. Les Arapesh ne considèrent pas le mariage comme un mal nécessaire, comme un compromis regrettable qui admet une étrangère au foyer familial. Pour eux, au contraire, le mariage est avant tout un moyen d'élargir le cercle de famille, garant d'une plus grande sécurité pour les générations à venir. Et tel est bien l'état d'esprit que font ressortir leurs réactions lorsqu'on parle d'inceste. A vrai dire, j'ai éprouvé les plus grandes difficultés à obtenir des réponses à mes questions sur ce sujet. La seule opinion formulée que j'aie pu recueillir s'exprime en aphorismes quelque peu ésotériques :

> Ta propre mère
> Ta propre sœur
> Tes propres porcs
> Tes propres ignames que tu as empilées (1)
> Tu ne peux les manger.
> La mère des autres
> Les sœurs des autres
> Les porcs des autres
> Les ignames des autres qu'ils ont empilées,
> Tu peux les manger.

Voilà qui résume bien l'attitude des Arapesh vis-à-vis de l'égoïsme. Ils ont le sentiment qu'entre un homme et son excédent d'ignames, il existe un rapport d'intimité tel que le consommer serait un peu comme un inceste. Inversement, s'approprier pour son usage personnel sa mère ou sa sœur aurait le caractère antisocial et choquant d'une thésaurisation abusive. A vrai dire, ce n'est pas en réponse à mes questions relatives à l'inceste que ces aphorismes m'ont été confiés. On a simplement voulu m'expliquer quel doit être le comportement de celui qui

---

(1) Il ne s'agit pas ici des ignames ordinaires, mais de celles qui sont exposées lors d'un *abûllû*, puis distribuées à la collectivité pour servir de semences.

donne un *abûllû*. Le raisonnement semble être le suivant : il faut enseigner aux gens ce qu'il convient de faire de leurs ignames et de leurs porcs en se référant à la conduite qu'ils observent consciemment à l'égard des femmes de leur famille. A mes questions sur l'inceste, je ne reçus aucune des réponses que j'avais pu recueillir à ce sujet dans les sociétés indigènes que j'avais étudiées jusque-là. Je n'enregistrai aucune de ces condamnations emphatiques, toujours associées, d'ailleurs, à la dénonciation d'un cas d'inceste dans une maison ou un village voisin. Rien de tel chez les Arapesh : « Non, nous ne couchons pas avec nos sœurs. Nous donnons nos sœurs à d'autres hommes, et ces autres hommes nous donnent leur sœurs. » C'était évident. C'était aussi simple que cela. Pourquoi insister ? Et n'avait-on vraiment jamais entendu parler d'un cas d'inceste ? Finalement un homme répondit que oui. Il était parti loin, en voyage, dans la direction d'Aitape, et un jour, dans un village où il ne connaissait personne, il avait entendu un homme et une femme se quereller. La femme refusait d'habiter avec son mari, qu'elle abandonnait continuellement pour aller vivre avec son frère. Est-ce cela que je voulais dire ? C'était bien cela en effet. Non, nous n'agissons pas ainsi. Que diraient les vieux à un jeune qui veut épouser sa sœur ? On ne le savait pas. Personne ne le savait. Les vieillards n'en discutaient jamais. Je questionnai les vieillards, l'un après l'autre. Les réponses furent toutes les mêmes. Elles se résument à ceci : « Quoi donc ? Tu voudrais épouser ta sœur ? Mais qu'est-ce qui te prend ? Ne veux-tu pas avoir de beaux-frères ? Ne comprends-tu donc pas que si tu épouses la sœur d'un autre homme et qu'un autre homme épouse ta sœur, tu auras au moins deux beaux-frères, tandis que si tu épouses ta propre sœur tu n'en auras pas du tout ? Et avec qui iras-tu chasser ? Avec qui feras-tu les plantations ? Qui auras-tu à visiter ? » Ainsi l'idée d'inceste ne suscite nullement chez les Arapesh un sentiment d'horreur ou de répulsion pour une tentation dont leur chair serait l'héritière. Mais ils le considèrent comme un refus stupide des joies qu'apporte l'accroissement, par le mariage, du nombre de gens que l'on peut aimer et à qui l'on peut se fier.

Ainsi, le père, en choisissant pour son fils une épouse, prend en considération les frères et les cousins de cette dernière. Ils seront les amis de son fils pendant les années à venir. Il est bon qu'ils soient nombreux. Voyez Aden, par exemple. Sa solitude présente, il la doit à une succession de sottes décisions. Son père et sa mère étaient cousins, et chacun d'eux appartenait à une lignée en voie de disparition. Après leur mort, il ne resta à Aden pour toute parenté que deux oncles maternels, l'un simple d'esprit, l'autre qui, se sentant trop seul, était parti vivre dans la famille de sa femme, au village voisin. Au surplus, Aden fit quelque chose d'inhabituel : il épousa deux sœurs. Rien n'interdit à un homme d'épouser deux sœurs, et, dans ce cas, la sœur de la femme d'Aden, restée veuve, n'avait voulu épouser aucun des parents éloignés de son ancien mari. Elle avait préféré retourner à Alitoa vivre avec sa sœur. Finalement Aden l'avait épousée, elle aussi. Mais, faisait-on observer, ce second mariage était extrêmement imprudent de la part d'un homme dont la position sociale était si précaire. Il perdait ainsi la possibilité d'acquérir de nouveaux beaux-frères. Quand son unique petite fille grandirait, personne ne se soucierait d'avoir une belle-fille entourée d'une famille si réduite.

Le père d'une fille, lorsqu'on vient la lui demander en mariage, obéit à des préoccupations du même ordre. C'est sans enthousiasme qu'il écoute les propositions faites pour le compte d'un garçon qui a peu de parents. Et, tandis que les pères de fils sont toujours très soucieux de trouver une fillette pour devenir l'épouse de leur fils, les pères de filles sont traditionnellement circonspects, réticents même : ils aiment se faire prier. Au cours des négociations, le père exprime ouvertement son absence d'intérêt : « J'ai donné assez de mes filles. Qu'y ai-je gagné ? Elles s'en vont vivre loin de chez moi et je ne les vois jamais. Je n'ai près de moi que mes fils, qui sont le réconfort de ma vieillesse. Celle-ci, je veux la garder. Elle est encore toute petite. Ses seins n'ont pas commencé à

se former. Pourquoi l'enverrais-je chez des étrangers? »
Et si la fillette se montre pleine de promesses, il ajoute :
« Elle peut déjà remplacer sa mère lorsque viennent les
visiteurs. Elle se hâte d'allumer le feu et de faire bouillir
la marmite. Je ne veux pas m'en séparer. » Car c'est sur
cette qualité que l'on juge d'abord une fillette : assume-
t-elle rapidement les responsabilités du ménage? Est-elle
hospitalière, d'une façon active et intelligente? Ou bien
reste-t-elle paresseusement assise à bouder quand un invité pénètre dans la maison? On demande beaucoup
plus à une épouse d'avoir le sens des responsabilités que
d'être belle ou intelligente; ainsi fera-t-elle honneur à la
maison d'un homme, par son habileté, et son empressement
naturel à l'égard de chacun – son mari, ses hôtes et ses
enfants. Une fillette qui, dès six ou sept ans, « peut déjà
remplacer sa mère » se présente comme un parti enviable. Elle doit aussi être aimable de caractère. Mais ceci
est presque considéré comme allant de soi, puisque
la mauvaise humeur chez les Arapesh s'exprime « en ne
donnant pas des choses aux gens ».

Elle doit aussi avoir une peau saine (1). Une fille dont la
peau est malade se marie, certes, mais plus tard que les
autres, et son mariage est moins avantageux : elle épouse
un garçon qui a peu de famille. D'autre part, un garçon
qui souffre de teigne chronique ne peut que bien rarement trouver femme. Enfant, les autres se détournent de
lui et l'appellent « celui qui a la peau contagieuse ». Déjà
l'on pressent en lui le malheureux, l'aigri, cette sorte
d'homme qui devient sorcier chez les gens des Plaines et
qui, dans la montagne, est plus que prêt à trafiquer en
sorcellerie. C'est parce qu'ils ne peuvent se marier, dit-on,
qu'ils deviennent sorciers. « Cet enfant a la peau malade,
il sera sorcier ou fera commerce de « saleté », dit-on déjà.
L'enfant malade se replie sur lui-même, sachant que sa

_____

(1) Sa peau doit être exempte de pian, d'ulcères tropicaux, pelade,
teigne, et de cette infection cutanée particulière à la Nouvelle-Guinée, qui
tient à la fois du penicillium et de la gale. Presque tout le monde est
affecté, à un moment ou à un autre, de l'un ou de tous ces maux, mais ce
n'est que dans certains cas qu'ils deviennent chroniques.

voie est toute tracée, et que c'est celle de l'étranger, qui ne trouvera jamais place dans un groupe d'amis près du feu. Les Arapesh sont trop sensibles pour que leur charité puisse résister à la couleur désagréable et à l'odeur rance de la teigne.

Ainsi ce sont des garçons, et non des filles, qui savent dès l'enfance qu'ils ne se marieront jamais. Sur ce point les Arapesh, comme d'ailleurs la plupart des peuples primitifs, diffèrent donc entièrement des modernes. Il n'est pas de fille qui, à moins d'être horriblement difforme – et très peu survivent à une maladie ou à une difformité graves – ne se marie au moins une fois. Une jeune veuve se remariera légalement, même si elle ne doit pas être reçue dans le lit de son second époux. Chez les Arapesh, ce sont les parents du garçon et non ceux de la fille qui font du mariage de leur enfant l'objet de toutes leurs préoccupations. Car c'est lui qui risque de rester seul et dont il faut, par conséquent, assurer le sort. Et la gratitude du fils à l'égard de son père repose principalement sur le fait que ce dernier lui a trouvé une femme alors qu'il n'était lui-même qu'un jeune garçon incapable de pourvoir à ses propres besoins.

Choisir une femme pour son fils s'appelle « placer le sac de portage sur sa tête (de la fillette) ». Le geste n'est habituellement pas accompli, mais l'expression est employée. Les parents amènent leur fillette jusqu'à la case de son futur mari, et l'y laissent. Là, sa vie diffère à peine de celle qu'elle menait chez elle. Elle dort près de ses beaux-parents, travaille avec sa belle-mère, peut accompagner toutes les parentes féminines de son fiancé. Elle est peut-être un peu plus réservée qu'elle ne l'était chez elle, si cette nouvelle demeure est celle de gens qu'elle n'a jamais vus encore. Mais, le plus souvent, elle se trouve en pays de connaissance. A l'égard de son jeune mari, son attitude est faite entièrement de confiance et de soumission. Aucun tabou ne trouble leurs relations. Il n'est, pour le moment, qu'un parmi les mâles plus âgés qu'elle, qu'elle respecte et dont elle dépend. Pour lui, elle est une petite fille comme les autres, sa petite fille à lui, dont il doit prendre la main quand le sentier est difficile. C'est elle qu'il appelle pour lui allumer sa pipe, c'est elle qui nourrit son chien. Tous ses frères observent la même attitude à l'égard de la fillette qui, de son côté, les inclut dans le cercle de ses affections. Elle joue, s'ébat avec les plus petits. Elle s'attache progressivement à tous. Ses sentiments à l'égard de son mari, de son beau-père et de ses beaux-frères sont pratiquement identiques à ce qu'elle éprouve vis-à-vis de son propre père et de ses propres frères. Ses rapports avec tous sont faciles, exempts de tabou, exempts de crainte. Elle va et vient entre la maison de son mari et celle de ses parents, selon les exigences d'une fête ou des plantations de taro. Elle retourne aussi volontiers à l'une qu'à l'autre demeure. Les fillettes semblent être heureuses de la vie qu'elles mènent et en parlent facilement. Anyuai, qui a dix ans, déclare : « Je vis tantôt ici avec mon père, tantôt à Liwo avec mon mari. Quand ils plantent le taro ici, je viens ici. Quand ils plantent le taro à Liwo, je vais à Liwo. Mon mari est grand, aussi grand que Gerud. » Je lui demande : « As-tu pleuré au début à Liwo ? – Non, je n'ai pas pleuré. Je suis très forte. Mon mari est bon. Je dors dans la maison de son père et de sa mère. Una va épouser Magiel. Magiel est très grand. Una est plus petite que moi. Elle vit encore surtout chez son père. Miduain va se marier à Seaubaiyat. Sinaba'i l'appelle son gendre. Ibanyos (l'autre femme du père de Anyuai) et ma mère sont ensemble dans la même maison. Elles font un seul jardin. Elles ne se querellent pas. Demain je retourne à Liwo. »

Si l'on tient compte de ces longues années pendant lesquelles mari et femme vivent ensemble comme frère et sœur, l'un des facteurs déterminants de l'attitude arapesh à l'égard de la sexualité devient compréhensible. Les rapports sexuels ne sont pas l'aboutissement d'un sentiment d'un ordre différent de celui que l'on éprouve pour une fille ou une sœur. Ils sont simplement une expression plus complète et plus définitive d'un sentiment de la même espèce. Ils ne sont pas considérés comme la réaction spontanée de l'être humain à une impulsion sexuelle interne. Les Arapesh n'imaginent pas, et par conséquent ne redoutent pas que des enfants ou des adolescents, laissés sans surveillance, puissent copuler. Les seuls jeunes gens, croient-ils, qui puissent peut-être se livrer à des actes sexuels proprement dits, sont « mari et femme », c'est-à-dire le couple fiancé qui a grandi en sachant qu'il doit s'unir un jour – et, moins fréquemment encore, une femme et son beau-frère. La fillette approchant de la puberté, ses beaux-parents renforcent leur surveillance, à la fois dans son intérêt et dans celui de son jeune mari.

Le principe de cette surveillance repose sur la conception que la croissance et l'activité sexuelle sont antithétiques, conception que nous avons déjà notée en parlant des tabous qui entourent la naissance et l'allaitement de l'enfant. Si la fillette, soumise aux interdits gouvernant le gonflement de ses petits seins, a des rapports sexuels, sa croissance s'arrêtera, elle sera grêle et chétive, ses seins resteront dressés, petits, durs, inhospitaliers, au lieu de tomber, abondants et lourds – ce que les Arapesh considèrent comme le critère de la beauté féminine. Et c'est un point dont les petites filles sont très conscientes. Lorsque de petits sœurs et leur jeune belle-sœur travaillent ensemble, grattant les pousses de sagoutier avant de les tresser en jupes, ou pelant des taros pour le repas du soir, elles discutent de la beauté des grandes filles. Budagiel et Wadjubel : elles ont de gros seins magnifiques. Elles ont sûrement respecté très rigoureusement les tabous et ne se sont jamais laissé aller à chiper une seule bouchée de viande. Plus tard aussi, après leur première menstruation, elles ont certainement observé les autres règles et le *tamberan* des femmes d'une façon très stricte. En quoi cela consiste, les petites filles n'en sont pas très certaines, mais, semblables en cela aux garçons non initiés, elles n'éprouvent aucune crainte – puisque cela a pour effet de les rendre belles. Elles savent qu'une fille jeûne pendant quatre ou cinq jours au moment de sa première menstruation, mais aussi qu'elle a une jolie jupe de fibre et de jolis bijoux lorsqu'elle réapparaît au village. Et puis,

Anyuai a demandé à la sœur de son mari comment cela se passait, ce jeûne, et elle a dit qu'on dormait la plupart du temps et qu'on voyait à peine les heures passer. Et il faisait chaud près du feu dans la hutte menstruelle. Et voyez ce qui arrive aux filles qui ont trop tôt des rapports avec leur mari. Regardez Sagu par exemple – Sagu qui est svelte et droite comme à quatorze ans – et pourtant elle a été mariée deux fois, et elle a eu un enfant qui est mort : il était si petit et si malingre. Sagu avait épousé dans un autre village un garçon de beaucoup son aîné, qui avait hérité d'elle à la mort de son frère. Ce garçon l'avait « dérobée », c'est-à-dire qu'il avait eu des rapports sexuels avec elle avant qu'elle ne fût pubère. Ses seins s'étaient durcis, et ils ne tomberaient plus jamais maintenant. Elle avait eu un enfant de ce mari, et l'enfant était mort. Puis elle s'était enfuie de chez lui et était rentrée chez son père. Après tout ce n'était pas le mari qui l'avait élevée et à qui elle devait réellement fidélité et obéissance. Son père l'avait remariée à un homme d'un clan voisin et était mort peu après. Cependant Kumati, la petite sœur de Sagu, avait été promise à Maigi, le frère cadet de son second mari. C'était un charmant garçon mince, qui n'avait pas encore terminé sa croissance. Sagu s'en était éprise, et, entraînée par son expérience sexuelle atypique, l'avait séduit. Maigi s'était réellement attaché à Sagu et haussait les épaules devant les remontrances et les menaces de ses aînés : il ne deviendrait jamais, lui disait-on, grand et fort comme les autres hommes. Deux ans s'étaient écoulés et l'avertissement ne se révélait que trop fondé. C'est ainsi que Sagu avait été autorisée à épouser Maigi, et que la petite Kumati, qui n'avait pas encore quitté la maison de son père, avait été donnée à un jeune cousin de Maigi. Rien de tout cela n'était bien conforme aux règles. Et les fillettes, en grattant leurs pousses de sagoutier, faisaient, de leurs petites lèvres pleines, une grimace de désapprobation. Sagu n'avait pas vraiment de seins, et il est bien probable qu'elle n'aurait pas d'enfant non plus. Et Maigi ne serait jamais grand ni fort. Ce n'est pas ainsi que les choses doivent se passer. Si le garçon attend que sa femme ait eu de nombreuses menstruations, pendant deux ans même, alors les seins sont prêts à tomber et les premiers rapports relâchent les liens délicats qui les rattachent à la vulve. Mais si la « veine » (c'est ainsi qu'on appelle l'hymen) est rompue avant la puberté, alors au contraire, les seins ne se développeront jamais.

Les Arapesh connaissent les moyens pour empêcher une fille de grandir, mais ils ne sont pas très efficaces. Les parents ou les beaux-parents peuvent prendre un peu de sa « personnalité » – un morceau de noix d'arec ou de canne à sucre à moitié grignoté – et l'attacher très serré dans un bout de feuille de croton; ils cachent ce petit paquet derrière un chevron de la case, et tant qu'il restera attaché, la fille restera également « serrée » et ne se développera pas. La nécessité d'une telle magie se fait sentir lorsque les parents ont mal calculé l'âge relatif du garçon et de la fille. Cela peut se produire d'autant plus facilement que l'on accorde fort peu d'attention à l'âge des enfants : la mère d'un premier né, par exemple, dira un jour que son fils a deux lunes, et le lendemain qu'il en a cinq. Lorsque les enfants sont élevés dans des communautés différentes, comme c'est généralement le cas pour ceux que l'on fiance, l'âge relatif est particulièrement difficile à estimer. Aussi arrive-t-il que des beaux-parents voient leur belle-fille se développer trop vite et être bientôt prête à une vie sexuelle, tandis que leur fils n'est pas encore un homme. Alors on peut recourir à la magie. Mais les Arapesh lui font en général peu confiance pour résoudre une telle difficulté. Ils ont observé qu'elle n'opère pas de façon très satisfaisante. Or, l'affaire est d'importance. Le plus souvent, on remanie les accords de fiançailles et on donne la fille à un frère aîné du mari qui avait été prévu à l'origine. Le résultat est souvent heureux. L'épouse-enfant, élevée chez son mari, s'est habituée à considérer tous ses frères pratiquement sous le même jour que lui. Elle a utilisé à leur adresse les termes qui s'appliquent à son mari; le frère aîné de celui-ci est pour elle « l'enfant aîné du même sexe de la famille »; elle a confiance en lui; lui aussi l'a nourrie, lui a pris la main

quand elle trébuchait, l'a doucement réprimandée lorsqu'elle était en faute. L'opération ne présente pas, au
fond, tellement de difficultés.

Assises devant leur travail, les fillettes qui discutent de
la vie ne pensent pas qu'il soit bien grave de changer de
fiancé. A tout prendre une fille est mariée affectivement à
un groupe, et pas seulement à un homme. Elle est
devenue partie intégrante d'une autre famille, à laquelle
elle appartient maintenant pour toujours – même au-delà
de la mort. Car, à la différence de tant de peuples
océaniens chez qui les frères d'une femme réclament son
corps après sa mort, les Arapesh inhument l'épouse sur
les terres du clan de son mari. Son esprit demeure près
de lui, à l'endroit où se trouve son *marsalai*. Le mari et les
fils font une série de paiements à son clan : ils « achètent
la mère » pour qu'elle reste toujours avec son époux et
ses enfants.

La première menstruation d'une fille et le cérémonial
qui l'accompagne ont lieu chez son mari. Mais les frères
de la fille – ou, en leur absence, des cousins – ont un rôle
à jouer, et on les fait venir. Ils construisent une hutte
menstruelle plus solide et plus confortable que ne le sont
celles des femmes mariées plus âgées. Ces dernières ne
disposent que de misérables petites cabanes coniques
qu'elles font elles-mêmes, maigres abris contre le froid et
la pluie, sans rien pour recouvrir le sol. Pour ce premier
isolement, on construit un plancher. On recommande à la
jeune fille de s'asseoir avec les jambes devant elle, les
genoux levés. Sous aucun prétexte elle ne doit croiser les
jambes. On lui retire ses bracelets et ses jambières, ses
boucles d'oreilles, son étui et sa spatule à chaux, sa
ceinture en sparterie. Si ces objets sont neufs ou presque,
on les donne à d'autres filles, sinon, ils sont détruits. Ce
n'est pas que l'on pense qu'ils sont contaminés : il sied
seulement que la fille rompe complètement avec le passé.
En cette occasion solennelle, elle est assistée de ses
parentes et de femmes de la famille de son mari. Elles la
frottent tout entière avec des orties. Elles lui recommandent de rouler ensemble quelques feuilles d'ortie et de se

les introduire dans la vulve; c'est un moyen certain d'avoir des seins gros et robustes. La fille ne mange ni ne boit quoi que ce soit. Le troisième jour, elle sort de la hutte et, debout contre un arbre, elle reçoit du frère de sa mère les incisions décoratives rituelles sur les épaules et les fesses. L'opération est faite avec beaucoup de ménagement. On ne frotte ni chaux ni terre dans les plaies comme cela se pratique habituellement en Nouvelle-Guinée pour rendre les scarifications permanentes. Chez les Arapesh, celles-ci ne durent guère plus de trois ou quatre ans. Si durant cette période des étrangers désirent savoir si la fille est nubile, ils rechercheront ces marques. Chaque jour les femmes la frottent avec des orties. Il est bon qu'elle puisse jeûner pendant cinq ou six jours; mais on l'observe avec sollicitude, et si elle s'affaiblit trop, on met fin au jeûne; jeûner la rendra forte, mais jeûner trop longtemps peut la faire mourir et l'on rapprochera la cérémonie finale.

Alors, le père du jeune mari lui donne toutes instructions concernant le repas cérémoniel qu'il doit préparer pour son épouse. Dans la composition de ce repas entrent toutes sortes d'herbes particulières, et quiconque ne l'a pas déjà préparé pour sa femme ne sait pas le faire. Il est caractéristique des Arapesh qu'ils n'apprennent rien que le besoin ne s'en fasse sentir. Beaucoup de jeunes hommes dont la femme n'a pas encore atteint l'âge de la puberté et qui n'ont pas servi de « frère » à une sœur nubile n'ont jamais assisté à une cérémonie de la puberté. Quand on leur en parle, ils prennent l'air embarrassé, et n'en ressentent que davantage combien ils sont tributaires, pour tout ce qui concerne la tradition, de ce que savent leurs aînés. Que se passerait-il si ceux-ci n'étaient pas là pour leur dire ce qu'il faut faire, quelles herbes magiques rechercher, comment les préparer?

Le père, donc, indique au garçon qu'il lui faut trouver la plante grimpante *nkumkwebil*, dont la tige est très résistante, de l'écorce du *malipik*, de la sève du *karudik*, de la sève de l'arbre à pain, le petit arbuste appelé *henyakun*, et des cocons de la chenille *idugen*. Ce sont

tous des produits « forts », qui rendront la fille forte, forte
pour cuisiner, forte pour transporter les fardeaux, forte
pour porter des enfants. Puis, on dit au garçon de faire
une soupe avec une partie des herbes et de cuire l'autre
partie avec des ignames d'une espèce spéciale qu'on
appelle *wabalal*. Cependant les femmes parent la fille. On
lui peint le dos et les épaules avec de la peinture rouge,
on la vêt d'une belle robe de fibre toute neuve, on l'orne
de nouveaux bracelets et de nouvelles jambières, de
nouvelles boucles d'oreilles. L'une des femmes lui prête
un petit coquillage vert en forme de corne et la plume
écarlate qui sont les signes distinctifs des femmes
mariées. Plus tard, elle aura la sienne propre, que lui
donnera son mari. La plume est passée dans le trou qui a
été percé dans son nez il y a longtemps et qu'elle a
maintenu ouvert avec un petit morceau de bois ou une
feuille enroulée. Elle est prête maintenant à apparaître
sur l'*agehu* aux yeux de son mari et de ses frères. Ceux-ci
sont venus chacun avec un cadeau : arcs et flèches, plats
en bois, sacs en filet, poignards en os de casoar, lances. Ce
sont là les dons qu'il convient d'apporter à une adolescente lorsqu'on est homme de son sang.

Les femmes posent son vieux sac en filet sur sa tête,
parée de feuilles fraîchement cueillies. Dans sa bouche
elles mettent une feuille d'un rouge vif, en forme de cœur.
C'est cette même feuille que portent les novices dans la
cérémonie du *tamberan*. A son mari, on a dit de se
procurer une nervure de feuille de cocotier, et un peu de
mebu, fleur de soufre odorante, posée sur deux feuilles
d'*aliwhiwas*. Il l'attend au milieu de l'*agelu*; elle avance
lentement, les yeux baissés, le pas rendu incertain par
son long jeûne, soutenue sous les bras par les femmes.
Son mari est debout devant elle; il met son gros orteil sur
le sien. Il prend la nervure de feuille de cocotier, et,
comme elle lève les yeux vers son visage, il fait tomber
d'un coup son vieux sac en filet, le sac que son père avait
placé sur la tête de la fillette lorsqu'il était allé la lui
choisir comme épouse. Puis la fille laisse tomber la feuille
de sa bouche et montre sa langue chargée, épaissie par

son jeûne : il la lui essuie avec un peu de *mebu*. Alors elle s'assied sur un morceau d'écorce de sagoutier, avec précaution, en s'appuyant sur une main, et en étendant ses jambes bien droit devant elle. Son mari lui donne une cuillère enveloppée dans une feuille et un bol de la soupe qu'il a faite pour elle. Pour la première cuillerée, il lui tient la main, et aussi pour la seconde. Elle sera assez forte pour avaler la troisième sans aide. Lorsqu'elle a mangé sa soupe, il prend une des ignames *wabalal* et la coupe en deux. Elle en mange une moitié; l'autre, il la place sur une des poutres de la case. C'est le gage qu'elle ne le traitera pas en étranger et ne le livrera pas aux sorciers; pour ce dernier cas la tradition lui livre une partie de sa « personnalité ». Le morceau d'igname est gardé jusqu'à ce que la fille soit enceinte. Ce repas d'ignames détonne quelque peu dans la cérémonie. La tradition en est probablement empruntée aux gens des Plaines. Seuls les fous et les faibles d'esprit tentent d'en profiter à des fins de sorcellerie.

Une fois que la fille a mangé, elle reste assise au centre de l'*agehu*. Les frères déposent leurs dons en cercle autour d'elle. Puis ils prennent des torches faites de feuilles de cocotier, les allument et entourent la fille d'un cercle de feu. Ils ne savent pas pourquoi ils le font. C'est une nouvelle coutume qui vient de la côte, mais l'effet en est joli à voir. Au-delà d'Alitoa, vers les plaines, on ne connaît pas encore cela.

Pendant une semaine, ni la fille ni le mari ne mangent de viande. Puis elle prépare un plat de légumes factice, comme celui que fait la mère d'un nouveau-né, et elle va le jeter loin du village. Alors son mari part à la chasse, et, quand il a trouvé du gibier, ils cuisinent tous les deux un festin pour ceux qui les ont aidés, pour les femmes qui ont porté le bois et l'eau, pour celles qui ont battu la fille avec des orties, pour celles qui ont apporté la terre colorée avec quoi peindre son corps. Pendant un mois, la fille elle-même ne mangera ni viande ni canne à sucre, ne boira ni eau froide ni lait de coco. Et puis ce sera fini : désormais, elle ira sans cérémonie à sa hutte menstruelle.

Ces rites, qui mettent fin officiellement à l'enfance d'une fille, sont d'un ordre différent de ceux observés lors de l'initiation d'un garçon, bien qu'ils aient de nombreux points communs : les orties, les souffrances hygiéniques volontaires, l'isolement du reste de la communauté et la cérémonie de retour. Pour le garçon, il s'agit du passage d'un mode de vie à un autre. Avant, il était un garçon, maintenant c'est un homme, qui a les responsabilités d'un homme et peut, par conséquent, partager les secrets des hommes. Rien de tel pour la fille. Depuis quatre ou cinq ans déjà, elle vit dans la famille de son mari, elle porte le bois et l'eau, elle désherbe, plante, récolte le taro et les légumes verts, elle prépare la nourriture et s'occupe des petits enfants. Elle danse lorsque la chasse ou la récolte est particulièrement bonne. Elle va faire le sagou avec les enfants de son âge. Ses tâches sont les mêmes que celles des femmes adultes qu'elle accompagne. L'intérieur d'une hutte menstruelle n'a rien de mystérieux pour elle : combien de fois, avec ses frères, n'est-elle pas allée y jouer ? Aussi la cérémonie de sa puberté n'a-t-elle pas le sens d'une admission à un nouveau genre de vie, mais simplement celui du passage rituel d'une crise physiologique, qui est importante pour sa santé et sa croissance. Ce n'est pas une cérémonie de mariage.

Le clan de son mari la considère déjà comme un de ses membres. N'est-ce pas ce clan qui l'a nourrie, a fait son corps, l'a payée ? De temps à autre, la famille du mari a envoyé de la viande à celle de la jeune épouse. C'est quelque temps après qu'elle a atteint sa puberté que l'on effectue le principal paiement, une douzaine d'anneaux et d'objets de coquillage, dont trois ou quatre seulement sont peut-être gardés par les parents, tandis que le reste est simplement échangé contre des objets similaires. En fait, la dépense n'est pas très grande ; la nourriture que la famille du mari a fournie à la fille pendant une douzaine d'années a beaucoup plus de valeur. Mais ces échanges d'objets de prix et ces paiements publics en viandes sont les points dont on parle le plus souvent, ce sont les signes extérieurs et visibles qu'il s'agit d'un vrai mariage, con-

Fig. 7.
*Intérieur familial; figurines servant de crochets pour les ustensiles
(Moyen-Sepik).*

certé depuis longtemps. Quand un enfant naît, on paie pour lui. Le clan de sa mère reçoit une paire d'anneaux si c'est un garçon, un ou deux de plus si c'est une fille. Ceci vise à établir les droits entiers du clan paternel sur l'enfant. On paie davantage d'anneaux pour une fille que pour un garçon parce qu'autrement le clan maternel pourrait revendiquer une part de son prix d'épouse ou de celui de ses enfants. Ces paiements ont une faible valeur économique, ce sont plutôt des symboles de l'appartenance absolue de l'enfant au clan paternel.

Après la cérémonie de la première menstruation, la vie de la fiancée se poursuit sans changement. Les beaux-parents continuent leur surveillance discrète. Elle dort toujours dans leur case, et, si l'une des filles de la maison est de passage, les deux jeunes belles-sœurs peuvent dormir ensemble. Personne ne dit, mais chacun sait que bientôt maintenant, dans quelques mois, dans un an peut-être, le mariage sera consommé. Cependant la fille se fait une jolie jupe de fibre. Avec de jeunes épouses un peu plus âgées qu'elle, elle passe de longues heures à tresser les brins de pousses de sagoutier, qu'elle est parvenue à faire teindre d'un beau rouge par quelque vieille femme. Elle entretient sa peau propre et luisante et porte tous les jours son collier de dents de chien ou d'opossum. Rien de plus charmant et de plus gai chez les Arapesh que ces jeunes filles qui attendent, dans leurs beaux atours, que la vie se mette à leur unisson. Aucune date précise n'est fixée. Les mois passent, et les parents relâchent peu à peu leur surveillance. La fille est maintenant complètement mûre; le garçon est grand et bien développé. Ils sont autorisés depuis peu à aller tous les deux dans la brousse. Quelque jour, le mariage sera consommé, sans hâte, sans date fixée pour les tourmenter de son inéluctabilité, sans que personne sache ou bavarde, couronnement des douces années qu'ils ont vécues ensemble, sachant qu'ils appartenaient l'un à l'autre.

CHAPITRE VII

LE MARIAGE ARAPESH

Les relations sexuelles, pour les Arapesh, ne se conçoivent guère en dehors du mariage. Les amours de rencontre, les liaisons passagères, le désir soudain qui réclame son assouvissement immédiat – tout cela ne signifie rien pour eux. Loin d'être romanesque, leur idéal est essentiellement domestique. Les rapports sexuels sont affaire sérieuse, qui doit être entourée de précautions et qui exige, avant tout, une entente parfaite entre les partenaires. Il y a danger, en effet, à unir la « chaleur », qui est mâle – le mot « chaleur » étant pris non dans le sens physiologique, mais dans son acception symbolique, puisque tout ce qui touche le surnaturel est dit « chaud » – et le « froid », principe féminin, qui, là non plus, ne désigne pas la froideur physique, mais l'absence d'affinité avec le surnaturel. Le danger est moindre lorsque l'union a été préparée par de longues fiançailles : la jeune épouse inexpérimentée fait déjà presque partie de la famille; depuis des années, on la voit chaque jour; elle n'est plus une étrangère. Coucher avec une étrangère est périlleux : autant abdiquer une partie de soi-même entre les mains des sorciers. Pour les Arapesh, en effet, il ne saurait y avoir quoi que ce soit de commun entre une soudaine impulsion sexuelle et l'affection. C'est pourquoi, lorsqu'un homme se laisse séduire par une femme au hasard d'une rencontre, à l'occasion de quelque fête dans un village inconnu, il est raisonnable qu'il attribue à cette femme étrangère, donc ennemie, l'intention de l'ensorceler. Ce n'est que dans le mariage, dans cette union douce, amicale et préparée de longue date, que la vie sexuelle peut s'épanouir sans risque.

Mais le mariage lui-même ne dispense pas de certaines précautions. Les époux doivent observer les rites nécessaires pour se libérer de l'opposition entre le « froid » et le « chaud » qui se sont mêlés. Sinon, le mari ne réussira pas ses plantations d'ignames, le gibier échappera à son œil vigilant, et la femme donnera le jour à des enfants sans force ni santé. Il suffit cependant de prendre les précautions rituelles pour qu'il n'y ait plus aucun danger. Si l'homme va récolter les ignames, il se purifie d'abord par une magie de son contact avec l'élément féminin; s'il danse avec le *tamberan*, il doit se laver de cet autre contact avant de pouvoir, en toute sécurité, s'approcher de sa femme. Il en est de même lorsqu'il a touché un cadavre, tué un homme ou encore sculpté un certain masque de *tamberan* appelé *abuting*. Quand la fontanelle de son enfant se soude – fin d'une période difficile pour le père – l'on a recours à la saignée. La femme n'accomplit de rituel analogue qu'à la suite de ses premiers rapports sexuels, et après la mort de son mari. Si son épouse meurt, un homme doit également se soumettre à ce cérémonial. Tout

Fig. 8.
Figure sculptée sur bois (170 cm) blanc, noir, jaune, rouge (Apangei, au nord de Maprik).

cela fait partie d'un comportement méthodique, des moyens rituels nécessaires pour transformer ce qui est dangereux en quelque chose d'inoffensif, de confortable, d'affectueux, pour, en un mot, fermer à la peur le cœur de l'homme.

Il n'est aucune sécurité, en revanche, dans les amours passagères. On en parle en termes de « séduction », et l'on pense que c'est la femme qui séduit l'homme, puisque ce sont les hommes qui, au hasard de leurs déplacements, rencontrent les femmes étrangères. Le père met son fils en garde : « Quand tu voyages, dors chez ceux de notre famille. Partout où il y a une femme de notre famille, sœur, cousine, sœur de ton père, épouse du frère de ta mère, belle-sœur, là tu seras en sécurité. Mais ne t'aventure pas sur des sentiers inconnus, la bouche ouverte en un large sourire. Si tu rencontres une femme étrangère, ne t'arrête pas pour lui parler. En moins de rien, elle t'aura saisi par les deux joues, ta chair tremblera, tu seras sans force, et les sorciers s'empareront de toi. Tu mourras jeune, tu ne vivras pas assez longtemps pour avoir des cheveux gris. » La crainte de la sorcellerie n'est pas seule à jouer. De tels rapports, fruits d'une excitation superficielle, flambée de désir, sont empreints de cette avidité qui mêle trop rapidement les principes mâle et femelle pour ne pas compromettre dangereusement la réussite de l'homme comme de la femme dans leur tâche primordiale : avoir et élever des enfants. Aussi doit-on chaque fois se purifier des rapports de ce genre, même s'ils se répètent avec la même femme.

Proscrire ainsi tout état passionnel, c'est éliminer le romanesque qui s'attache à l'inconnue, au visage nouveau, au geste inaccoutumé. L'amour que cherche l'Arapesh, c'est l'amour connu, domestique, celui qui touche à la nourriture donnée et reçue, aux nuits vécues sur de nombreuses années dans le même village. L'attitude qu'il observe à l'égard des petits filles, plaisamment teintée de quelque romanesque, s'accorde parfaitement avec cette conception de l'amour. L'enfant lui apparaît désirable, parce qu'il est possible de lui apprendre peu à peu à s'attacher étroitement au foyer. C'est dans ce cadre que la sexualité des Arapesh, paisible et lente à s'éveiller, trouve sa meilleure expression. Ni les hommes ni les femmes ne sont considérés comme spontanément sexuels. Quand un homme ou une femme prend franchement l'initiative de rapports – en dehors du mariage où c'est la situation et non le désir qui, croit-on, donne le signal – on l'attribue toujours à un motif autre que la simple impulsion sexuelle. Il peut s'agir de sorcellerie. A l'intérieur de la petite communauté, ce peut être le fait d'un homme qui tente d'attirer, pour l'épouser, la femme d'un voisin. Car, bien que l'Arapesh n'ait aucun goût pour les liaisons, il arrive parfois qu'un homme sans épouse soit séduit par les attraits de la femme d'un autre, particulièrement si ce dernier la néglige, trop absorbé qu'il est par une seconde épouse. Alors, pour la convaincre de s'enfuir avec lui, pour la persuader qu'elle doit paraître avoir été enlevée par lui, il peut avoir avec elle des relations sexuelles. Il ne saurait offrir à cette femme de meilleures preuves de l'honorabilité de ses intentions, puisque, ainsi, il remet sa vie entre ses mains. Si elle ne le suit pas, il doit s'attendre qu'elle fasse le nécessaire pour causer sa perte. Si lui-même change d'avis et manque à sa parole, sa conscience lui suggérera que cette femme l'a livré aux sorciers.

C'est dans une situation de ce genre que se trouvait le jeune Alis. Il se mourait d'inquiétude. Deux ans auparavant, au cours d'une fête à Yimonihi, lointain village sur la route du couchant, il avait rencontré une femme des Plaines, aux charmes de laquelle il avait succombé. Elle l'avait attiré pour le persuader de l'emmener avec lui dans son village de montagne, où les femmes portent de si beaux vêtements et où, hommes et femmes, ont de si jolies parures de coquillages. Elle voulait, elle aussi, se faire percer l'extrémité du nez pour y mettre une plume, au lieu d'avoir seulement un trou dans une narine, où passer une petite rangée de perles, comme c'est la coutume dans les plaines. Alis n'avait pas résisté. Puis, le courage lui manquant, il s'était enfui et était retourné seul à Alitoa. Il s'était souvenu de sa jeune femme

Taumulimen qu'il aimait beaucoup et qui ne lui avait pas encore donné d'enfant. S'il ramenait cette grande étrangère, Taumulimen s'enfuirait presque sûrement. Car ces femmes des Plaines sont bien connues. Elles sont jalouses, rapaces, insatiables et d'une sexualité exigeante. Elles n'ont rien des vertus domestiques que les Arapesh aiment chez les femmes. Les femmes, disent-ils, sont de deux sortes. Il y a celles qui ressemblent aux grosses chauves-souris frugivores qui allaitent leurs petits à une seule mamelle, tandis que l'autre pend vide et sèche, et qui restent accrochées à l'extérieur de la maison, qu'il pleuve ou qu'il vente. Et puis, il y a les femmes qui sont comme les gentilles petites chauves-souris qui gîtent dans les trous d'arbres, qui nourrissent bien leurs petits et veillent sur eux. Les femmes des Plaines sont comme les grosses chauves-souris. Pour les Arapesh, la femme doit être comme la petite chauve-souris qui garde ses petits en lieu sûr. Parfois l'une de ces femmes des Plaines, un peu plus agressive, un peu plus violente encore que ses sœurs, après une dernière querelle avec son mari, s'enfuira pour se livrer à la merci des gens de la montagne et trouver parmi eux un mari docile, un style de vie moins fruste. Et ce mari, elle le trouvera. Car l'Arapesh n'a pas été accoutumé à résister à l'opiniâtreté et aux avances d'une femme qui a jeté sur lui son dévolu. Une fois mariée, elle réussira presque toujours à monopoliser l'intérêt de son époux, à chasser enfin la petite femme des montagnes qui n'a pas d'armes pour lutter. Tout cela, Alis le savait très bien. Et il tremblait, soit qu'il pensât à Taumulimen, soit qu'il se rappelât son habileté à la chasse, qui pâtirait certainement de cette femme turbulente s'il l'amenait chez lui. Un mois après l'avoir quittée, il apprit qu'elle était morte. Il ne douta pas un instant qu'elle eût remis entre les mains d'un sorcier de sa famille quelque parcelle de sa personne. Mais quel sorcier? On ne pouvait savoir. Personne n'était venu faire de chantage. Peut-être la femme n'avait-elle pas eu le temps d'indiquer elle-même au sorcier le nom de son séducteur. En tout cas, elle était morte, et les sorciers seraient fondés à croire

qu'Alis avait pris de semblables précautions à son endroit
et comploté sa mort en envoyant à d'autres sorciers ce
qu'il avait pu dérober. Aussi, probablement, n'y aurait-il
pas de chantage. Sa mort seule pourrait les satisfaire.
L'homme qui n'a que le soupçon d'être la victime d'une
sorcellerie peut obtenir l'aide d'une femme en période de
menstruation (1). Celui qui est certain d'avoir été ensorcelé peut prendre un émétique. Tandis que le sorcier
fume la « chose sale » au-dessus de son feu impie, la
victime sent son *mishin*, son souffle de vie, se débattre et
lui remonter dans la gorge. Un épais fluide blanc s'y
forme peu à peu, qui l'étouffe et permet au souffle vital
de s'échapper et d'aller rejoindre le sorcier. Celui-ci
l'attend : il le renferme dans un étui de bambou et le
détruit soit en le brûlant, soit en le rouant de coups. Pour
expulser ce fluide blanc, au moins provisoirement, la
victime prend un émétique extrêmement amer, que l'on
appelle *ashup*. C'est à ce remède qu'Alis, dans sa détresse
et son anxiété, avait constamment recours. Écœuré, affaibli, il mangeait de moins en moins, et dépérissait à vue
d'œil. Ainsi payait-il sa sottise. Cependant, sur la peau de
sa femme, la teigne, dont elle n'était que légèrement
atteinte auparavant, s'étendait de plus en plus, comme il
semble que ce soit le cas chez toute personne qui s'afflige
et se tourmente.

Les Arapesh ne connaissent pas le viol. Ils savent
seulement que c'est une pratique déplaisante des Nugum,
qui vivent au sud-est de leur territoire. Les risques qu'il
peut faire courir doivent apparaître évidents à des gens
qui considèrent déjà les rapports sexuels comme dangereux, même quand ils sont licites et que les deux parties
sont pleinement d'accord. De plus, il leur est impossible
d'imaginer le tempérament masculin qui pourrait leur
faire comprendre le viol. Si un homme enlève une femme
sans l'avoir au préalable courtisée pour la séduire, il ne la

_____

(1) Il demande à la femme de lui frapper la poitrine tandis qu'il tient
levée sa « main de chasse ». La force de la femme met en fuite les
puissances magiques maléfiques.

prendra pas immédiatement, dans l'excitation du rapt. Il attendra calmement pour voir comment les négociations se déroulent, si des représailles sont envisagées, si l'on fait pression sur lui pour qu'il rende la femme. Si celle-ci ne doit pas lui appartenir de manière définitive, il vaut beaucoup mieux ne jamais l'avoir possédée.

Cette crainte d'exercer une contrainte quelconque s'étend même aux relations courantes entre mari et femme. L'homme doit approcher son épouse doucement, lui adresser « de bonnes petites paroles gentilles », et s'assurer qu'elle est bien préparée à recevoir ses avances. Sinon, elle pourrait elle-même, bien qu'elle ait été élevée à ses côtés et qu'il l'ait nourrie, devenir une étrangère, une ennemie. L'accent n'est pas mis sur la satisfaction que procure l'acte sexuel; ce qui importe aussi bien pour l'homme que pour la femme, c'est la perfection dans la préparation, la plénitude du désir. L'un ou l'autre peut prendre l'initiative et faire l'invite qui amènera son partenaire à prendre conscience de son désir latent. Il est aussi naturel pour la femme que pour l'homme de dire : « Est-ce que je peux préparer le lit ? » ou : « Allons dormir. » Dans le vocabulaire de la copulation, le verbe « prendre » peut avoir un sujet masculin et un complément féminin, ou inversement. Mais, le plus souvent, on emploie une périphrase, par exemple : « Ils ont joué tous les deux » ou : « Ils ont dormi ensemble. » Lorsqu'une femme Arapesh veut exprimer son appréciation des qualités sexuelles d'un homme, elle ne parle pas de sa capacité à satisfaire un désir spécifique, mais évoque le sentiment de bien-être, l'absence de difficulté dans leurs rapports. Pas plus les hommes que les femmes ne reconnaissent l'existence d'un orgasme féminin; pour les hommes, on parle seulement de détumescence.

La sensibilité buccale, qui a été tellement développée au cours de l'enfance et de la première adolescence, joue un rôle important dans la vie sexuelle adulte. On se souvient que l'habitude de jouer avec ses lèvres a été empêchée dès l'initiation du garçon : il lui a fallu faire un effort non négligeable pour se dominer, même si en compensation, il a été autorisé à chiquer la noix d'arec et à fumer. D'autre part, le tabou lui interdisant de jouer avec son sexe l'a empêché de se masturber. Il arrive ainsi au mariage : sa sensibilité orale est quelque peu émoussée; un tabou puissant proscrit tout contact entre la bouche et les organes génitaux; il est prévenu contre toute espèce de stimulation tactile. On n'a pas imposé de règles aussi strictes à l'adolescente. Elle peut jouer avec ses lèvres jusqu'au moment de se marier et, si elle le désire, elle peut continuer jusqu'à ce qu'un enfant au sein vienne remplacer ce passe-temps. L'hygiène sévère de la hutte menstruelle l'a préparée à ne ressentir aucune douleur même lors des premiers rapports sexuels. Elle sait, comme son mari, que la bouche et les organes génitaux ne sauraient venir en contact. Il est probable que chez un peuple où la sensibilité buccale a été tellement développée, l'existence de ce tabou tend uniquement à assurer l'accomplissement de l'acte sexuel génital dans la vie adulte. La stimulation buccale ne fait partie que des préliminaires amoureux : il est intéressant et significatif à la fois de constater que les Arapesh, différents en cela de la majorité des peuples primitifs, connaissent le baiser, c'est-à-dire le contact des lèvres des partenaires, appuyé par une vive implosion du souffle.

Les Arapesh sont en théorie monogames, mais la polygamie est autorisée. Elle n'est pas considérée comme l'état matrimonial idéal, comme le critère de la réussite matérielle et sociale d'un homme. C'est une situation dans laquelle n'importe qui peut se trouver. Les causes en sont diverses. La plus importante est la mort de l'époux d'une femme. La tendance générale est qu'une veuve doit se remarier dans le clan de son époux, clan auquel elle appartient depuis son mariage.

Il n'est pas question de l'obliger à porter le deuil indéfiniment. Les idées des Arapesh sur la vie et la mort ne sauraient dicter de telles mesures. Ceux qui ne sont plus sont par-delà l'empire du désir, et il n'est nul besoin de les apaiser par un deuil spectaculaire ou un chaste veuvage. Une cérémonie rituelle séparera à tout jamais

l'épouse de son défunt mari. Mais cette précaution est
indispensable : si l'on s'en abstient, le mort sera toujours
aux côtés du nouveau mari. Si celui-ci prend une cuillerée
d'un plat, une cuillère fantôme prendra une part égale, et
le plat sera vidé deux fois plus rapidement. S'il va dans la
maison aux ignames, une main fantôme retirera autant
d'ignames qu'il en prendra lui-même. Mais ce n'est là
qu'une perspective de cauchemar. En fait la veuve prend
toutes les précautions nécessaires. L'homme qui épouse
la veuve apprend ce qu'il doit faire, de ceux qui se sont
déjà trouvés dans la même situation. D'ailleurs, ce ne
serait pas la colère qui pousserait le fantôme à se
conduire ainsi : ce serait tout simplement que l'on aurait
omis de trancher, de façon rituelle, les liens étroits qui
unissent les vivants et les morts.

Rien ne porte les Arapesh à croire que la femme est
responsable de la mort de son mari et doit, par conséquent, expier sa faute par un deuil long et douloureux,
dicté par la famille de son défunt époux. Elle fait justement partie de cette famille, et c'est elle qui a subi la plus
grande perte. Les parents du mort repousseraient toute
pensée d'un deuil astreignant, qui pourrait l'affaiblir, la
rendre malade, comme ils le feraient pour leur propre
fille. Mais après tout, elle n'est pas une fille de la famille,
mais une belle-fille : veuve d'un membre du clan, elle doit
épouser un autre membre du clan, un des frères du
défunt. Cela s'impose d'autant plus si elle a des enfants. Il
est juste qu'ils soient élevés au même endroit que leur
père, qu'ils connaissent ses sentiers et ses arbres. Si une
femme emmène son enfant dans son propre clan, les
hommes de ce clan le réclameront plus tard sous prétexte
qu'ils l'ont élevé. Donc, si rien de sérieux ne s'y oppose,
une veuve se remarie dans le groupe patrilinéaire de son
époux, ou parfois avec un cousin croisé de celui-ci. Mais
si elle n'a pas été heureuse loin des siens, si elle n'a pas
d'enfant, si personne ne désire l'épouser ou s'il est
quelqu'un d'autre avec qui elle ait envie de se marier –
pour de tels motifs ou d'autres du même ordre – elle peut
être autorisée à rentrer dans sa famille. Si elle n'épouse

pas un des parents de son mari, son deuxième époux devra donner des cadeaux non pas à ses parents à elle, mais à ceux de son premier mari, auxquels elle appartient réellement. Le premier enfant qu'elle aura de ce second mari sera soumi à deux influences. Il sera partagé entre le clan du premier mari et celui du second. De tels enfants sont, dit-on, difficiles à élever : ils savent glisser entre les doigts d'un groupe pour se faire accueillir affectueusement par l'autre.

Les trois quarts des veuves, cependant, se remarient dans le groupe marital. Comme les femmes sont plus jeunes que leur époux et courent moins de risques puisqu'elles ne chassent pas et ne participent pas aux expéditions de troc en pays hostiles, toutes s'attendent à être veuves au moins une fois. Il n'est pas indispensable qu'une veuve épouse un homme plus âgé qu'elle; cela serait d'ailleurs assez difficile : un tel homme n'a pas besoin de plus d'une femme et ne peut guère en nourrir qu'une seule. Ce sont donc les hommes de trente ans qui, en général, épousent la veuve de leur frère et nourrissent leurs neveux. Les Arapesh ont une idée très précise de la place que doivent tenir au foyer ces femmes dont on hérite. La véritable épouse, celle qui compte vraiment, est bien celle à qui un homme a été fiancé alors qu'elle était tout enfant, celle qu'il a achetée avec des anneaux et de la viande, la fillette, surtout, dont il a fait une femme. Elle a, chez lui, le pas sur toute autre, elle doit être consultée d'abord, elle doit être traitée avec le plus de respect. La veuve qui vient s'installer à son foyer est une belle-sœur qui a subi une grande perte, et que l'on aime déjà. Depuis des années, ces deux femmes se connaissent, et il y a souvent entre elles plus d'intimité qu'entre deux sœurs. Elles s'attendrissent gentiment sur leurs sorts respectifs. Comme une femme me disait un jour, tandis qu'accompagnée de la femme du frère de son mari, elle teignait à minuit, devant un feu fumant, des pousses de sagoutier pour les jupes de fibre : « Il n'est pas bon d'être seule; à deux nous allons chercher l'eau; à deux nous ramassons le bois pour le feu; à deux nous teignons nos jupes de fibre. » Ces femmes se sont mutuellement soignées quand elles étaient malades ou quand elles mettaient des enfants au monde. Si leurs enfants sont à peu près du même âge, ils ont été nourris indifféremment par l'une et par l'autre. Ensemble, elles sont restées assises de longues journées, après quelque rude tâche, chacune avec un enfant au sein, à chantonner, à fabriquer des sacs de filet, à bavarder tranquillement. Elles se donnent mutuellement le nom de *megan*, qui est un terme plein d'affection et d'intimité. Une femme mariée dans le clan vient à passer : ma compagne se tourne vers moi et, le sourire épanoui, me dit : « *Megan* », avec autant de fierté qu'une écolière de chez nous présentant sa « meilleure amie ». Pendant des années, deux femmes ont donc ainsi vécu sur ce pied d'amitié. Un jour l'une d'elles se trouve veuve, et devient la seconde épouse du mari de l'autre. Théoriquement, c'est la plus âgée qui reste veuve et entre au foyer de celui qu'elle appelle « plus jeune frère » (1). Elle doit y pénétrer tranquillement, assumer un rôle maternel dans la maison et, même si ce second mari couche avec elle – comme il le fait souvent, mais ce n'est pas une règle – elle ne doit rien revendiquer, mais plutôt se conduire comme une femme dont la vie est finie, et qui se dévoue désormais à ses enfants.

Il est très commode pour un homme d'avoir deux épouses. Lorsque l'une se retire dans sa hutte menstruelle, il lui en reste une autre pour faire la cuisine. S'il vit avec les deux, il est dispensé d'observer les tabous sur la grossesse. Si l'une des femme a un enfant en bas âge, l'autre peut le suivre dans ses lointaines expéditions. Elles peuvent se partager le soin des différents jardins. L'une peut surveiller un enclos dont la palissade a été brisée, et l'autre l'accompagner à un jour de marche, pour récolter le sagou. Si la femme d'un de ses frères ou l'un de ses neveux est malade, il peut envoyer à son aide une

(1) En réalité, elle emploie le terme par lequel son mari désigne « l'enfant de la même famille du même sexe » au lieu de celui qui s'applique à « l'enfant de la même famille de sexe opposé, du point de vue féminin ».

de ses épouses et garder l'autre pour le suivre et préparer sa nourriture. Chez les Arapesh, le travail des femmes n'enrichit pas le mari. Mais, dans cette vie dispersée, semi-nomade, le fait d'avoir deux épouses facilite la tâche de l'homme et l'encourage à entreprendre davantage puisque chacune participe à ses travaux. Enfin, en prenant une seconde épouse, il resserre ses liens personnels avec le clan auquel elle appartient.

Ainsi se dessine l'idéal arapesh de la vie conjugale : les longues années de fiançailles pendant lesquelles les partenaires s'accoutument, se lient progressivement l'un à l'autre, et où l'épouse enfant apprend à considérer son mari, plus âgé qu'elle, comme un guide presque paternel; les premiers rapports sexuels dépourvus d'obligation, qui viennent à leur heure, sans publicité, comme un acte naturel dans le cadre de relations depuis longtemps définies; les liens du mariage qui graduellement se renforcent au fur et à mesure que naissent les enfants et que le couple observe, de concert, les tabous protecteurs; puis, lorsque le mari approche de l'âge mûr, l'arrivée au foyer d'une nouvelle épouse, héritée sans doute d'un parent, veuve avec des enfants, que la première femme connaît depuis toujours et à qui elle sait pouvoir se fier. S'il en était constamment ainsi, le mariage, chez les Arapesh, serait aussi heureux que l'idée qu'ils s'en font. Il n'y aurait pas de querelles entres épouses, pas de zizanie dans les ménages. Les femmes ne s'enfuiraient pas du domicile conjugal, provoquant ainsi la guerre entre les communautés intéressées.

Mais, comme tant d'autres systèmes matrimoniaux de Nouvelle-Guinée, la conception du mariage, chez les Arapesh, repose, pour la plus grande part, sur des facteurs indépendants de leur volonté. Ils n'imaginent pas, par exemple, qu'entre les fiançailles et la naissance du premier enfant, l'un des partenaires puisse mourir, que le jeune homme puisse ne pas épouser celle qu'il a nourrie, qu'une fille puisse finalement avoir un autre mari que celui qui lui a donné à manger lorsqu'elle était petite. Ils supposent aussi que, plus tard, la mort frappera avec ordre et méthode, le frère aîné disparaissant avant son cadet. Chaque fois que meurt un fiancé, garçon ou fille, le précaire équilibre du système est rompu, et le survivant, comme parfois toute une série de couples, en pâtissent. Il peut en être de même lorsque l'âge relatif des fiancés a été mal calculé et que l'on doit modifier l'union envisagée. Alors c'est à un autre membre du clan que l'on donne la fille en mariage, mais celle-ci ne se sent pas aussi confiante vis-à-vis de lui qu'elle l'était à l'égard de son premier fiancé; quant à l'homme, il se trouve devant une épouse qu'il n'a pas élevée. Il arrive aussi qu'une femme des plaines s'enfuie de chez elle et se marie à un homme de la montagne. Les résultats peuvent, dans chacun de ces cas, être malheureux. Parfois encore, si l'un des partenaires est atteint de quelque mal physique ou de troubles mentaux graves, le garçon ou la fille peut refuser de vivre avec lui. Quelques exemples concrets montreront comment le mariage arapesh idéal peut être bouleversé par de telles circonstances – aussi fréquentes que fortuites – et quelles sont les difficultés qui s'ensuivent.

Me'elue, de Wihun, avait été choisie, enfant, pour être l'épouse d'un garçon d'Alitoa (1), Ombomb. C'était une petite créature maigrelette, à moitié couverte de teigne. Elle allait atteindre l'adolescence lorsqu'une fille d'un autre village, fuyant un mariage qui lui déplaisait, vint se réfugier près d'Ombomb. Celui-ci la garda et même joua le rôle qui lui revenait dans le cérémonial de sa puberté. Plus tard, cependant, les parents de la fille la reprirent chez eux. Malheureusement, Ombomb, qui était un garçon de caractère violent et arrogant, atypique chez un Arapesh, avait eu le temps de faire quelques comparaisons. Après cette aventure, il ne considéra plus sa petite femme maigre avec tout à fait autant d'enthousiasme. C'était une fille timide et anxieuse. Elle craignait tant de déplaire à son mari qu'elle ne faisait rien de bon. Elle eut une fille qui était maigre et fluette, avec la tête anormalement grosse. Ombomb s'occupa beaucoup de

(1) Sauf mention d'un autre village, tous les personnages habitent Alitoa.

l'enfant, conformément à la coutume arapesh, mais il avait aussi peu d'attachement pour la fille que pour la mère. Il était destiné à devenir un « homme important »; il y aurait beaucoup de travaux pénibles, et Me'elue n'était pas assez forte pour l'aider. Quand sa petite fille eut environ un an, des cousins qui habitaient un village du côté des plaines lui firent dire ceci : « Deux femmes des Plaines, jeunes et fortes, se sont enfuies de chez elles et sont venues chez nous. Nous n'en voulons pas. Mais tu te plains toujours de Me'elue. Viens prendre une de ces femmes et amène avec toi un homme qui voudrait de l'autre. En attendant, nous les garderons ici. » Ombomb avertit son cousin Maginala, dont la petite épouse venait de mourir. Ensemble ils allèrent examiner les femmes des Plaines et Ombomb, le plus résolu des deux, choisit celle qu'il préférait. Son nom était Sauwedjo. Elle avait le visage étroit, la mâchoire lourde, les yeux petits et bridés. Elle était volontaire, irascible, sensuelle. Pour tout vêtement, elle ne portait que la petite jupe de fibre des Plaines, longue de dix centimètres. Elle était encore sous le coup de ce qu'il lui avait fallu endurer pendant une lune de miel, à la mode des plaines (1), avec un mari qui n'avait pas su gagner son cœur. Sauwedjo vit Ombomb et le trouva à son goût. Avec un mètre soixante-dix-huit, il était grand pour un Arapesh, et il coiffait sa belle chevelure dans le style de la côte, tirée en arrière et passée dans un anneau de sparterie. C'était un homme vif et autoritaire. Elle revint au village avec lui, et alors commença pour le couple une vie sexuelle intense, qui convenait bien davantage à Ombomb que le mariage arapesh avec sa prudence, sa tendresse et les soins aux

---

(1) Les jeunes mariés se renferment ensemblent pendant un mois, et aucun des deux ne peut bouger, pour quelque motif que ce soit, sans que l'autre l'accompagne, par crainte de sorcellerie. Ce n'est que lorsque la femme est enceinte – sinon, au bout de quelques mois – que le couple est autorisé à sortir. Dans les villages des plaines situés à la limite de la région où l'on observe ces règles, les femmes jettent un regard envieux sur leurs voisines qui, elles, s'habillent convenablement, et n'ont pas à subir de telles humiliations.

enfants. Sauwedjo monopolisait toute son attention. Partout où il allait, elle allait aussi. Quand on lui donnait de la viande, c'est à elle qu'il la remettait. Elle se trouva enceinte, et pourtant il continua presque tout autant d'ignorer Me'elue. L'enfant de Sauwedjo mourut en naissant et, bien que ce fût une fille, Ombomb resta inconsolable. Les gens commençaient à parler entre eux de la façon dont il traitait Me'elue. Après tout, n'était-elle pas sa première épouse, celle qu'il avait élevée et pour laquelle les paiements voulus avaient été faits? Il la laissait pendant des semaines avec ses compagnons de jardinage, se souciait à peine de lui préparer le terrain à cultiver ou de pourvoir à sa nourriture. La teigne gagna le corps tout entier de Me'elue, et l'on ne voyait plus de son visage décharné que deux grands yeux malheureux. On se scandalisa. Un aîné fit des remontrances à Ombomb. Ce n'était pas ainsi qu'on traitait sa vraie femme. D'ailleurs c'était dangereux. On ne traite pas son épouse en ennemie tout en lui permettant de vivre près de soi. Et aussi cela donnait trop de travail à ses frères et cousins de tant s'occuper de l'épouse et de l'enfant. Ce n'était tout de même pas une veuve. C'était son épouse et la mère de son enfant. S'il n'en voulait pas, il n'avait qu'à la renvoyer chez elle. Ombomb bouda. Il n'avait aucune intention de la renvoyer. Il continua de passer tout son temps avec Sauwedjo qui, enceinte de nouveau, donna naissance à une fille. Ombomb possédait trois cases, dont deux en meilleur état que l'autre, étaient contiguës. Dans l'une dormait Me'elue avec son enfant, lorsque son mari l'autorisait à venir au village, et dans l'autre, Sauwedjo et Ombomb, toujours ensemble, riaient, mangeaient de la viande et dormaient côte à côte. La troisième case, qu'il laissait à l'abandon, commençait à glisser le long de la pente. Ombomb l'amarra à un palmier avec un bout de rotin, mais n'y fit aucune réparation. Ainsi faisait-il connaître clairement à tous qu'il ne craignait pas d'avoir jamais besoin d'une troisième demeure pour y dormir quand aucune de ses deux épouses ne lui plairait. Il parlait avec quelque mépris de ceux qui ne sont pas capables de mettre de l'ordre dans leur ménage et laissent leurs épouses se quereller entre elles. On attendit. Avant longtemps on parlerait de sorcellerie. A moins que Me'elue ne mourût avant, ce qui semblait fort probable.

Un jour, je me trouvais avec elle et deux de ses belles-sœurs. Nous étions assises par terre devant sa case. Elle était montée au village chercher quelque chose. On entendit un appel d'une hauteur voisine. C'était Ombomb qui revenait d'un long voyage sur la côte. Le visage de la petite épouse délaissée s'illumina de joie. Elle se précipita dans sa case et se mit à préparer la meilleure soupe qu'elle sût faire. Chacune de ses belles-sœurs lui donna de son propre garde-manger de quoi la rendre meilleure encore. Elle leur faisait de la peine. Elle était la première épouse, celle qu'Ombomb avait élevée. Pourquoi la laisser malheureuse et famélique, de quel droit l'écarter, lui préférer une femme des plaines effrontée et lascive? Ce soir-là Ombomb mangea la soupe de sa première épouse, car Sauwedjo était occupée loin du village. La soupe était très bonne. Il était fatigué et satisfait de son expédition. Il s'endormit dans la case de Me'elue, et Sauwedjo, pour la première fois depuis qu'elle l'avait épousé, coucha seule dans la case voisine. Le lendemain, il renvoya Me'elue, toujours craintive devant lui mais empressée à lui plaire, s'occuper de son jardin, et il retourna à Sauwedjo. Mais celle-ci n'oublia ni ne pardonna. S'était-elle enfuie de chez son propre peuple et avait-elle trouvé un homme parfaitement à son goût – un homme fort, ardent, au désir facilement éveillé – pour que cette insignifiante créature à la peau malade triomphe d'elle, ne serait-ce qu'une nuit?

Quand Ombomb s'absenta de nouveau, Me'elue vint au village avec sa petite fille et entra dans la case de Sauwedjo. Dans le sac en filet que Sauwedjo y avait laissé, elle prit un collier de dents de chien qu'Ombomb, pris d'un remords passager, avait promis à sa petite fille. Sauwedjo revint le soir et elle apprit que Me'elue avait pénétré chez elle. Elle saisit l'occasion. Elle lança quelques insinuations à voix basse et feignit de regretter sa propre étourderie. Ombomb la battrait quand il saurait qu'elle avait laissé traîner son sac en filet, plein de tous ses objets personnels. Et ce, pour que ce misérable petit opossum qui s'appelait sa femme en profite pour venir couper un bout de son turban, dont elle pouvait très bien se servir pour l'ensorceler. Tout le monde savait qu'elle en était bien capable. Il y a quelques années, au début de leur mariage, Ombomb avait trouvé un bout de peau de taro caché dans le toit, et il s'était rendu compte qu'elle voulait lui jeter un sort. Mais aussi, hélas, quelle négligence de laisser traîner le sac en filet de son mari! Pourvu que personne ne dise rien à Ombomb, il serait tellement fâché. Oui, mais, hélas, si Ombomb venait à mourir, si un si bel homme, si fort, venait à dépérir, et tout cela à cause de cette misérable petite femme de rien du tout, couverte de teigne, tout juste bonne à se glisser chez les autres pour voler la « chose sale » de son mari, et celle de son épouse des Plaines aussi, car elle avait pris un morceau du collier de Sauwedjo. A force d'insinuations de ce genre, le bruit se répandit. Mais il y avait Madje, pauvre Madje, si désireux de plaire, mais couvert de teigne, et qui venait enfin de se rendre compte que jamais il n'aurait d'épouse, malgré ses jeunes talents dépensés à construire tout seul trois cases magnifiques. Il se sentit pris de compassion pour Me'elue, en proie au même mal que lui. Il descendit jusqu'aux jardins à taro où elle vivait avec son enfant et lui raconta ce qui se passait. En larmes, folle de colère et d'indignation, tout essoufflée par la montée, Me'elue arriva au village. Là, sur l'*agehu*, au milieu d'un groupe de femmes, elle attaqua sa rivale : « Jeter un sort sur Ombomb? Pourquoi ferais-je cela? Je suis sa femme, sa femme, sa femme. Il m'a élevée. Il m'a achetée. Je lui ai donné des enfants. Suis-je une épouse dont on a hérité, suis-je une étrangère, pour lui jeter un sort? Je suis sa véritable épouse, l'épouse qu'il a élevée. » Sauwedjo était assise, le sac en filet devant elle, les objets qu'il contenait étalés, et, bien en évidence, le turban sans son cordon.

La femme la plus vieille du groupe intervint, comme

une sorte de juge : « Etais-tu avec ton enfant quand tu es entrée chez Sauwedjo? – Non, je l'avais laissée en bas. – Et tu es entrée seule chez elle! Sotte! » La vieille frappa légèrement la sanglotante Me'elue avec le bout d'un de ses colliers. Sauwedjo écoutait sans rien dire, donnant le sein à son enfant, un sourire satisfait et rusé sur les lèvres. Me'elue ne cessait de sangloter : « Il ne me donne rien à manger. Il ne me regarde même pas et n'accepte aucune nourriture de ma main. Mon enfant et moi sommes affamés. Nous devons manger la nourriture des autres. Cette étrangère est toujours en colère contre moi. S'il vient me préparer un jardin, couper les arbres et dresser les palissades, elle rage. Elle est trop forte. Elle seule mange de la viande. Mon enfant et moi, nous devons nous en passer. » Sauwedjo, penchée sur son enfant, fière et méprisante, lança : « Alors, je mange de la viande, moi? Pah! » La vieille continua, s'adressant à Me'elue : « Tu es venue parmi nous avant d'être une femme et nous n'avons aucune raison de te soupçonner de sorcellerie. Tu n'étais qu'un petit être quand tu es arrivée, quand nous t'avons achetée. » Les pleurs de Me'elue redoublèrent : « Suis-je une étrangère? Suis-je une seconde épouse? Je lui ai donné un enfant, une fille, elle est bien là. Pourquoi lui jetterais-je un sort? Je ne l'ai pas fait. Il est venu me trouver et il m'a dit : " Va chercher le collier de dents de chien. Attache-le au cou de notre enfant ". C'est ce que j'ai fait. » La vieille femme reprit : « Tu as été payée un bon prix. Il a donné dix anneaux pour toi. Tu es sa première épouse, tu n'es pas une étrangère. » Me'elue poursuivit sans écouter : « Et son bambou à eau, elle prétend que je l'ai cassé aussi. Madje me l'a dit. » Sauwedjo saisit l'occasion de se montrer bienveillante et généreuse : « Je n'ai jamais dit cela; le bambou à eau qui est à moi, je l'ai cassé moi-même. » Sagu, une jeune belle-sœur de Me'elue, voulut se montrer conciliante : « C'est quelqu'un d'étranger, quelqu'un d'autre, qui a dû couper le cordon du turban. Il y a toujours des hommes des Plaines qui viennent voir Ombomb chez lui. C'est sûrement l'un d'eux qui est entré et a fait cela. »

Mais Sauwedjo ne voulait pas d'une telle solution : « Il y a
eu du monde au village tout le temps. On l'aurait bien vu,
si un homme des Plaines était entré dans la maison. Non,
c'est elle, elle toute seule qui est venue. On n'a parlé que
d'elle. » La pauvre Me'elue, de plus en plus haletante, les
sanglots étranglant sa voix, se débattait, comme prise au
piège : « Toujours elle crie, toujours elle crie après moi.
Ces deux-là, ils sont toujours ensemble. Il ne me traite
plus comme son épouse. Ce collier de dents de chien était
à moi. – Mais, lui reprocha la vieille femme, il était dans
la maison de Sauwedjo. » Me'elue se redressa, et sa
véhémence donnait une certaine dignité à son misérable
petit corps, qui semblait incapable d'avoir donné le jour à
un enfant : « Je prendrai mes ignames, mes paniers. Je
m'en irai tout à fait. Quand je suis venue, je n'avais qu'un
petit panier. Je l'ai vidé à mon retour. Ce n'était pas un
grand panier où l'on puisse cacher de quoi faire de la
sorcellerie. Quand je l'ai vidé, tout le monde aurait pu le
voir. Il n'y a pas longtemps, les porcs ont mangé mes
taros. J'ai dit : « Tant pis ». Je n'ai pas de mari, pas de mari
pour s'occuper de moi, pour préparer la terre et pour
planter. Je suis l'épouse qu'il a achetée petite fille. Je ne
suis pas une étrangère. » Et, toujours pleurant, elle se mit
tristement à descendre vers la vallée.

Au village, tout le monde n'était pas d'accord. Beaucoup pensaient que Me'elue avait peut-être bien coupé un
morceau de la coiffure. Personne ne songeait à l'en
blâmer. Qu'elle fût la véritable épouse était un argument
à deux tranchants, car Ombomb ne l'avait pas traitée
comme telle, mais comme une étrangère. Il s'était conduit
avec elle de façon odieuse, il l'avait abandonnée à la
charité des autres, ne lui avait jamais donné l'occasion de
lui servir sa nourriture : fallait-il s'étonner que Me'elue en
fût arrivée à se considérer comme une étrangère? Qui
pourrait lui en tenir rigueur? C'était, d'autre part, une
petite personne douce et gentille. Elle avait supporté sa
disgrâce calmement, sans user de langage obscène à
l'égard de son mari. Cela même prouvait qu'elle n'était
pas mauvaise et qu'elle possédait l'une des vertus que les

Arapesh prisent le plus chez une femme. Car un homme qui est injurié en public est vulnérable. On peut lui en vouloir ou chercher à le châtier de quelque manquement à ses devoirs envers la communauté : si l'on surprend des paroles d'injure à lui adressées, on peut les rapporter à l'un de ses *buanyins* ou cousins croisés, et, à leur tour, ils peuvent faire appel au *tamberan*. Tous les hommes de la communauté, portant le *tamberan*, se rassemblent chez la victime, en principe pour effrayer et punir sa femme – qui s'enfuit immédiatement à l'approche du *tamberan* – dispersent ses anneaux, déchirent son sac en filet et brisent ses marmites. Mais ils coupent aussi un arbre ou deux appartenant au mari insulté, et jonchent de feuilles le sol de sa case; l'homme, humilié, doit s'enfuir et rester éloigné de la communauté, jusqu'au moment où, chez les parents éloignés, il trouvera un porc pour apaiser le *tamberan*. Ombomb possédait plusieurs porcs et était donc vulnérable, car il se préparait à donner la première d'une série de fête qui feraient de lui un « personnage important ». Si Me'elue avait voulu l'atteindre, elle aurait pu l'injurier publiquement. Elle ne l'avait pas fait. En vérité, fort peu d'épouses ont recours à des paroles obscènes ou à la sorcellerie. Mais les maris négligents redoutent des trahisons qui existent seulement dans leur mauvaise conscience. Et s'il est vrai que Me'elue n'avait jamais injurié son mari, il restait possible qu'elle eût choisi l'autre voie, plus secrète et plus sûre. Ainsi raisonnait-on au village.

De son côté, Sauwedjo n'était pas lavée de tout soupçon. Elle venait des plaines, où les gens sont avides et insatiables. Ses façons n'étaient pas celles d'une femme convenable. Elle ne cherchait que le plaisir dans les rapports sexuels et avait appris à Ombomb à en faire autant. Elle s'appropriait toute la viande et n'en laissait pas pour Me'elue. Elle ne se contentait pas de partager le mari, il fallait qu'il fût tout à elle. Et tout le monde savait qu'elle avait été furieuse le jour où Me'elue avait préparé et servi le dîner d'Ombomb. Peut-être était-ce bien Sauwedjo et non pas Me'elue qui avait voulu jeter un

sort à Ombomb. Il y avait d'ailleurs une troisième solution possible : Sauwedjo aurait monté toute cette histoire,
elle aurait coupé un morceau de turban d'Ombomb, et un
morceau du sien pour détourner les soupçons, tout ceci
non pas pour ensorceler Ombomb mais simplement pour
jeter la suspicion sur la pauvre Me'elue et ainsi parache-
ver sa défaite. De toute façon, toute l'affaire était un vrai
scandale. Ombomb suivait un peu trop les pas de son
demi-frère aîné Wupale, qui avait lancé des sagaies sur
ses propres parents et quitté Alitoa quand Ombomb était
encore enfant, pour ne jamais revenir. Ombomb avait
hérité de ses cocotiers et de sa terre, et, apparemment, de
sa violence.

Quand Ombomb revint de son voyage, Sauwedjo ne lui
dit rien de l'accusation qu'elle avait portée contre
Me'elue. Elle feignit l'inquiétude, déplorant d'avoir manqué à son devoir et laissé le sac en filet d'Ombomb sans
surveillance. Mais un de ses frères lui raconta tout.
Ombomb commença par hausser les épaules : il avait
bien dit à Me'elue de venir prendre le collier de dents de
chien; il n'y avait pas de quoi en faire toute une histoire.
Mais, après un jour ou deux, il perdit quelque peu de son
assurance. Il avait vu le cordon manquant. Sauwedjo
avait dit son mot. Ombomb revint sur ses dires, prétendit
qu'il n'avait pas autorisé Me'elue à prendre le collier,
mais l'avait simplement promis à sa fille, et que la mère
avait dû l'entendre. Au bout d'une semaine de potins et
de bavardages, Ombomb descendit jusqu'au jardin où
Me'elue vivait avec sa vieille belle-mère, mais il ne la
rencontra pas. Il chargea alors son frère de la trouver, de
la ramener dans sa famille et de rapporter « la chose
sale ». Il fit une marque en feuille de croton qu'il laissa
près du foyer de Me'elue : c'était la sommer de rendre « la
chose sale ».

Deux jours plus tard, un grand nombre de gens reve-
nant d'une fête se trouvèrent rassemblés à Alitoa. Parmi
eux était Nyelahai, un des « hommes importants » de la
communauté, accompagné de ses deux épouses. La plus
âgée était une femme que Nyelahai appelait autrefois

« tante », qui était déjà grand-mère, et qu'il avait recueillie à son veuvage pour s'occuper de son ménage et nourrir ses porcs. Elle était encore vigoureuse et n'appréciait guère son rôle sans éclat de gardeuse de cochons et de femme de ménage d'un « homme important ». Elle détestait cordialement la plus jeune épouse, Natun, qui se trouvait être la jolie sœur cadette de Me'elue. L'union de Natun et de Nyelahai était d'ailleurs contraire aux usages. Nyelahai l'avait, à l'origine, destinée à son jeune frère Yabinigi et elle était venue vivre dans sa famille, s'attendant à épouser Yabinigi. Mais ce dernier était pour ainsi dire complètement sourd et avait des accès de folie furieuse. Si bien que lorsque Natun fut pubère, elle refusa de l'épouser. Nyelahai était veuf et vivait avec seulement sa vieille gardeuse de porcs et un fils de dix ans, malingre et souffreteux. Il était âgé pour Natun, qu'il avait presque considérée comme sa fille. En l'épousant, il violerait la règle qui permet d'éviter tout conflit entre générations au sujet des femmes. Mais Natun était jeune et jolie. De plus, Nyelahai était très attaché à sa mère, femme jeune et vive, à peine plus âgée que lui-même. Il ne pouvait se résigner à se passer de la compagnie de la fille, et à perdre l'occasion de voir la mère, qui, bien qu'elle ne fût pas veuve, venait passer de longues heures près de sa fille. Il épousa Natun. Quant à la mère, il ne lui donna pas le nom de « belle-mère », mais l'appela *yamo* : c'est ainsi qu'un homme parle à sa propre mère dans l'intimité. La communauté ne réprouva pas le mariage. Après tout, Yabinigi était sourd et ne pouvait faire un mari convenable. Mais on continua de désigner Natun comme « la femme de Yabinigi que Nyelahai avait épousée » : exemple de la pression douce mais opiniâtre que peut exercer l'opinion publique arapesh. D'ailleurs comment censurer autrement la conduite d'un homme aussi précieux à la communauté que ce beau parleur de Nyelahai? Natun, de son côté, n'était pas très à l'aise dans cette nouvelle position, pleine d'anomalies. La vieille épouse la détestait : première épouse, elle ne l'avait jamais été complètement en fait, s'étant mariée elle-même en dehors de son groupe d'âge. Natun se sentait gênée près d'un homme tellement plus âgé qu'elle et qui se sentait, en réalité, plus proche de sa mère. Yabinigi ne la quittait pas de ses grands yeux de chien. Et voilà que la malédiction qui avait déjà frappé toute la progéniture de Nyelahai, à l'exception du petit malade, s'abattait sur son propre nourrisson. Il fut pris de convulsions. Elle accusa la vieille épouse d'avoir ramené la maladie de chez l'une de ses parentes, dont l'enfant était souffrant. Là-dessus, les deux femmes se prirent de querelle. Natun dit à la vieille qu'elle irait bientôt pleurer sur le corps de son neveu Ombomb et qu'il lui suffirait de jeter un coup d'œil au cadavre pour comprendre la cause de sa mort – c'est-à-dire une sorcellerie d'origine sexuelle. Le bruit se répandit. Ombomb et ses proches y virent la preuve que Natun savait à quoi s'en tenir au sujet des agissements de Me'elue. Cette dernière s'était certainement emparée de « la chose sale » d'Ombomb et l'avait confiée aux sorciers des Plaines. On oublia que tout ce que Me'elue était supposée avoir volé était un bout de turban.

Natun et Nyelahai restèrent à Alitoa après le départ des autres visiteurs. Le frère aîné d'Ombomb amena au village le père et la mère de Me'elue pour répondre à l'accusation. Nyelahai s'assit près de sa belle-mère et lui offrit une noix d'arec. Les gens approuvèrent d'un joyeux sourire ce geste affectueux. Ombomb exhiba le turban écourté ainsi que le collier sectionné de Sauwedjo. Il accusa Me'elue d'avoir pris un morceau de chacun et exigea qu'on les lui rendît. Le père répliqua que le turban avait été porté par plusieurs hommes et qu'il était bien difficile de savoir lequel d'entre eux avait été visé par ce prélèvement. D'ailleurs c'était sans aucun doute Sau-wedjo qui avait manigancé tout cela pour que les soup-çons retombent sur sa pauvre fille sans défense, que, de toute façon, il traitait de manière odieuse. Me'elue, remontant des jardins, arriva au moment où tout le monde était rassemblé. C'était la première fois qu'elle et Ombomb se trouvaient face à face depuis le vol présumé. Il se rua sur elle et, véhément, lui demanda pourquoi elle avait fait une chose pareille. Triste, la parole brève, elle resta près de ses parents, résignée à repartir avec eux. Un frère d'Ombomb sortit du groupe et présenta à Me'elue une feuille de croton nouée, pour l'obliger à cesser ses pratiques de sorcellerie. Les parents répétèrent qu'elle était innocente, puis, avec elle, quittèrent l'*agehu*. Sauwedjo avait gagné. Si Ombomb tombait malade ou mourait, même la communauté de Wihun, à laquelle appartenaient Me'elue et les siens, se dresserait contre eux, considérant qu'ils n'avaient pas tenu compte de cet avertissement public, que les personnages importants de Wihun leur avaient réitéré.

J'ai relaté cette histoire dans tous ses détails parce qu'elle illustre le genre d'écueils auxquels peut se heurter le mariage Arapesh. Les péripéties de ce seul incident, où se trouvent impliquées les deux sœurs Me'elue et Natun, nous ont fait assister : à l'éviction partielle d'une épouse régulière par un mari violent et atypique – au refus catégorique d'une jeune fille d'épouser le fiancé sourd qu'on lui destinait – au mariage d'un veuf avec une femme beaucoup plus âgée, ce qui mettait celle-ci dans une situation anormale – au mariage d'un homme avec la fiancée d'un frère tellement plus jeune que leur rapport d'âge était celui de père à fils – enfin, élément majeur de perturbation, à l'arrivée dans une communauté de la montagne d'une femme des Plaines ayant fui les siens mais ayant conservé leurs normes de vie. Le mariage arapesh n'est pas conçu pour affronter victorieusement de telles crises.

Il arrive donc qu'un mariage tourne mal, envenime les querelles au sein de la communauté, provoque des accusations de sorcellerie. Mais le cas est extrêmement rare. Si je raconte ces difficultés matrimoniales, je tiens à répéter que ce sont là des situations exceptionnelles, qui ne reflètent en rien la structure du mariage arapesh habituel. Même dans les cas de polygamie, celui-ci est si uni et heureux qu'il n'y a vraiment rien à en dire. L'ethnologue ne peut continuellement noter ce spectacle quotidien : « Les deux épouses de Baimal sont venues au village aujourd'hui avec leurs deux petites filles. L'une est restée pour faire le dîner, l'autre est allée, avec les enfants, ramasser du bois pour le feu. Quand elle est revenue, le dîner était prêt. Baimal est rentré de la chasse. Ils se sont tous assis autour du feu jusqu'au moment où le froid les a obligés à rentrer. Et de la case où la famille s'est réunie, on n'a plus entendu que le bruit des rires assourdis et de paisibles propos. » Voilà la texture, le schème de la vie arapesh : une coopération calme, sans histoire; dans le petit matin froid, des chants; le soir, des chants et des rires; les hommes heureux jouant sur des tambourins; des femmes allaitant leurs jeunes enfants; les filles se promenant avec aisance au milieu du village, avec la démarche légère d'êtres qui se sentent aimés de tous ceux qui les entourent. Qu'éclate une querelle, que l'on s'accuse de sorcellerie, et voilà cette harmonie brisée. La note discordante résonne d'autant plus dure que ces gens ne sont pas accoutumés aux mouvements de colère et qu'une manifestation d'hostilité ne provoque chez eux que peur et affolement au lieu d'une réaction combative. Ils se saisissent alors de brandons, se les jettent à la tête, brisent les pots, attrapent n'importe quelle arme à portée de leur main. Et ceci est d'autant plus vrai qu'il n'y a place, dans le mariage arapesh, ni pour la colère ni pour l'offense. On part du principe que l'époux, doux et affectueux, ayant huit ans environ de plus que sa femme, qui, elle, est docile et dévouée, saura vivre avec elle en bons termes. Sa propre famille ne la surveille pas de trop près. Il est rare qu'au moindre désaccord elle se précipite chez son père ou son frère. Son mari est aussi proche d'elle que ses parents consanguins et elle peut avoir en lui une égale confiance. Aucune différence de tempérament ne peut les séparer. Il a simplement un peu plus d'ans et d'expérience; ils partagent également la responsabilité d'élever et de nourrir leurs enfants.

Mais si son mari meurt, ou s'il reporte toutes ses attentions sur une autre épouse, la femme subit alors une rude épreuve. C'est pour elle comme un second sevrage.

Son frère avait connu une crise analogue lorsque, après avoir été sevré, il lui avait fallu endurer une nouvelle séparation et se détacher de son père. Mais cette épreuve-là la fille ne l'a pas connue. Depuis le jour où elle a commencé à trottiner, un énorme sac en filet suspendu à son petit front, elle n'a cessé d'être entourée de soins affectueux. Elle est passée sans heurt de la maison de son beau-père à celle de son mari. Il y a toujours eu, près d'elle, des femmes plus âgées, dont elle a été la compagne. Son mariage n'a pas été un choc brutal ou redouté, mais l'épanouissement graduel d'une tendresse mise à l'épreuve. Le veuvage est le premier événement qui vienne troubler la sécurité de sa vie. Depuis le jour où sa mère l'a laissée au milieu de femmes qui n'avaient pas de lait à lui donner, elle na connu de telle détresse. Et du fait que la femme ne connaît ce sentiment d'abandon que tard, c'est-à-dire après des années de vie entourée et protégée, elle est susceptible alors de réagir avec plus de violence encore que le petit garçon de onze ans, qui éclate en sanglots lorsque son père s'éloigne. Le veuvage est, bien sûr, l'épreuve capitale, puisque le mari sur qui elle a toujours compté a disparu complètement. Mais Me'elue éprouva un sentiment du même ordre lorsque Ombomb, qu'en grandissant elle avait appris à aimer et en qui elle avait mis toute sa confiance, l'abandonna pour Sauwedjo. Les fils auxquels toute sa vie était suspendue furent brutalement arrachés. La perte d'un mari ou de l'affection d'un mari est, de toutes les épreuves, celle qui amène la femme arapesh à prendre conscience d'elle-même. C'est au moment d'une telle crise, et non pas au cours de son adolescence qu'elle se trouve aux prises avec son environnement, cherchant à y trouver l'appui qu'il lui refuse ou qu'il est incapable de lui donner.

Il arrive, bien que rarement, que cette prise de conscience se produise au moment de l'adolescence, en particulier si l'un ou l'autre des fiancés présente quelque déficience. Les parents peuvent, dans ce cas, séparer le jeune couple jusqu'au moment où la fille, devenue adolescente, doit enfin s'installer dans la maison de son mari.

Les sentiments qu'elle éprouve alors à son égard ne sont pas le résultat de longues années de vie commune. Ils n'existent, en quelque sorte, que par une identification avec l'attitude des autres fiancées ou jeunes épouses à l'égard de leur mari. Quand la fille s'aperçoit que son fiancé est sourd ou idiot, ou malade, elle peut se cabrer et refuser le mariage. C'est ce qui arriva à Temos, la fille de Wutue. Ce dernier était un petit homme, paisible et craintif; il passait tout son temps dans ses jardins; ses jeunes parents venaient l'aider, et lui-même se déplaçait très peu. Temos avait dix ou onze ans lorsque sa mère mourut. Bien qu'elle fût déjà fiancée à Yauwiyu, elle dut rester près de son père plus qu'il n'est coutume pour une fille de son âge de le faire. Yauwiyu était une tête sans cervelle, un garçon instable. Wutue lui-même avait un peu peur de lui, et, de plus, il avait besoin de Temos pour s'occuper de ses jeunes sœurs, étant donné la vie particulièrement isolée qu'ils menaient tous. Avant que Temos n'eût atteint l'adolescence, une de ces omniprésentes femmes des Plaines entra en scène et se choisit Yauwiyu comme époux. La petite Temos entra donc dans la maison de son mari pour y trouver, déjà installée, une femme des Plaines jalouse et criarde. Yauwiyu, avec son sourire idiot et sa gaieté grossière, ne lui plaisait guère non plus. Elle revint précipitamment chez son père et refusa d'avoir désormais affaire avec Yauwiyu. De la femme des Plaines, elle avait appris à s'emporter et à faire des scènes : Wutue avait maintenant un peu peur d'elle aussi. Il consulta son frère et ils décidèrent ensemble qu'il serait préférable de marier cette enfant difficile à quelqu'un qui aurait les années et la sagesse nécessaires pour l'éduquer. Ils choisirent Sinaba'i, veuf déjà d'un certain âge, de nature douce, père de deux enfants. Il ne pensait pas pouvoir se remarier, car il appartenait à un clan en voie de disparition, et il n'y avait aucune veuve en vue. La case de Sinaba'i, qu'il partageait avec son jeune cousin Wabe était juste en face de celle où vivait Wutue avec son neveu Bischu. Temos avait toujours connu Sinaba'i. Elle passait maintenant une partie de son temps à travailler avec sa jeune fille dans ses jardins. Ceux-ci d'ailleurs ne lui donnaient pas d'abondantes récoltes. Sinaba'i était trop complaisant, trop prêt à se plier à n'importe quelle suggestion, trop obligeant à l'égard de chacun, pour fournir même ce que les Arapesh considèrent comme un minimum d'effort. Il occupait une moitié de la case, qui appartenait en fait à Wabe, celui-ci vivant dans l'autre moitié.

Mais Wabe avait aussi des ennuis. C'était le frère aîné d'Ombomb; il était plus violent, avait plus mauvais caractère et était encore moins bien adapté que son jeune frère. Il appréciait peu la convention arapesh selon laquelle le désir sexuel naît dans le mariage et n'est pas spontané. Alors que sa fiancée, Welima, n'avait pas encore atteint l'adolescence, il avait cédé aux sollications de ses cousins de Wihun – les mêmes qui avaient proposé Sauwedjo à Ombomb – et avait accepté de tenir le rôle de séducteur dans l'enlèvement d'une fille nommée Menala, qui était fiancée à un homme d'un autre village. La famille de Menala n'était pas satisfaite de ce dernier. Il n'avait pas, selon l'usage, payé les anneaux nécessaires, il n'envoyait pas de viande aux parents de sa fiancée, il ne venait pas les aider à jardiner ou à construire les cases, et, enfin, il avait pris une autre épouse qui maltraitait Menala.

Mais la coutume arapesh veut que les parents d'une épouse ne l'enlèvent pas à son mari, à moins, bien entendu, de vouloir provoquer une véritable guerre. Ils l'ont donnée, enfant, à la famille du mari; celle-ci l'a nourrie, donc a tous les droits sur elle. Les paiements en anneaux et en viande, dont on parle tant, ne sont pas réellement considérés comme un élément essentiel, car même s'ils n'ont pas été faits, la famille de l'épouse ne se considère pas autorisée à la reprendre (1). Les Arapesh, on le sait, à

_____

(1) Sans doute peut-il arriver qu'une fille soit reprise par sa famille. Mais un tel acte n'est commis que dans le cadre d'une querelle ouverte. C'est ainsi que les hommes de Banyimebis reprirent leur sœur pour témoigner leur mépris à l'égard d'un homme qui s'était converti à un nouveau culte originaire de la côte. Il avait menti et trompé les gens.

la différence de nombreux autres peuples, n'établissent pas de distinction très nette entre la parenté consanguine et la parenté par alliance. Un beau-frère est aussi proche qu'un frère. Il est humiliant, démoralisant, de le voir se dresser contre vous. Aussi le frère aîné d'un mari interviendra-t-il volontiers pour protéger une belle-sœur négligée par son époux et pour réprimander paternellement celui-ci. Il sera sans doute plus disposé à le faire que les propres parents de la jeune femme. Une telle attitude contribue grandement à la paix et à la solidarité familiales chez les Arapesh. Ils ignorent les chamailleries continuelles entre belles-familles, les malentendus entre époux, qui résultent d'intérêts familiaux divergents. La position de l'épouse dans le clan n'est pas différente de celle d'une sœur ou d'une fille : aussi est-elle beaucoup plus stable que chez les peuples qui ont une autre conception du mariage. Mais tout se complique si l'épouse est maltraitée ou si sa famille n'est pas satisfaite du mariage; car il est tout aussi difficile pour un Arapesh de reprendre sa sœur que d'aider la femme de son frère à quitter ce dernier. Si cela devient nécessaire, il n'est d'autre solution que de simuler un enlèvement. La famille de l'épouse maltraitée ou indocile cherche dans un autre hameau, si possible dans une autre localité, un homme entreprenant – un célibataire, un veuf, ou un époux mécontent. Elle lui suggère d'enlever la femme. Dans la plupart des cas, cette dernière est de connivence. Ses ravisseurs se saisissent d'elle au moment, par exemple, où elle va chercher de l'eau ou du bois, accompagnée d'un enfant ou deux qui pourront servir de témoins. Elle fait semblant de se débattre et de crier, mais, au fond d'elle-même, elle est d'accord.

C'est une expédition de ce genre que l'on proposa à Wabe. Ainsi donc, il y avait cette fille, jeune, en bonne

---

Ceux-ci s'étaient fâchés. Les frères de sa femme, particulièrement mécontents de voir leur sœur impliquée dans une supercherie, la reprirent. Dans des cas de ce genre, le fait de reprendre l'épouse n'est qu'une manifestation secondaire d'une querelle dont les motifs sont autres. Encore cela est-il fort rare.

santé, qu'il connaissait déjà un peu, qui lui plaisait, et qu'un mari incapable de l'apprécier, négligeait, laissait presque mourir de faim. Les frères de Menala arrangèrent l'enlèvement. Wabe et son cousin surprirent la fille sur un sentier et l'emmenèrent. Elle résista, mais on crut qu'elle jouait simplement le jeu. Wabe emmena Menala chez lui, où vivaient déjà sa mère et sa fiancée impubère, Welima. Or Menala manquait d'intelligence; elle avait bon caractère, une bonne nature, mais elle était stupide. Elle ne se rendit jamais très bien compte que Wabe ne l'avait pas réellement enlevée contre son gré. La main brutale, nerveuse de Wabe lui avait laissé un souvenir plus désagréable que l'attitude de son premier mari, dont ses frères avaient peut-être exagéré la négligence. Elle ne s'habituait que difficilement à sa nouvelle situation, bien qu'elle fût devenue très amie avec Welima. Elle se souvenait sans cesse que Wabe l'avait enlevée malgré elle et y faisait allusion, parfois même avec quelque ressentiment. Si bien que Wabe finit par y croire aussi et en arriva, de temps à autre, à se vanter de sa prouesse. Wabe et ses épouses vivaient dans la même case que Sinaba'i et ses enfants. Menala s'accommodait mal de la violence de Wabe. Elle chercha réconfort près de Sinaba'i, le doux, le sot Sinaba'i, qui n'était plus très jeune et qui vivait sans femme en attendant la terrible petite Temos qu'on venait de lui promettre. Finalement Inoman, le simple d'esprit, vint raconter un jour à son demi-frère Wabe qu'il avait entendu les ébats amoureux de Menala et de Sinaba'i, alors qu'ils pensaient être seuls dans la case.

Fou de colère, Wabe ne manqua pas de s'inquiéter aussi : depuis quand cela durait-il? peut-être Menala l'avait-elle livré aux sorciers? Et sa récolte d'ignames? Car les ignames qui appartiennent à un homme dont la femme a commis secrètement l'adultère sont contrariées et quittent le jardin. Il obtint les aveux de Menala et voulut se battre avec Sinaba'i. C'est là qu'un des aînés du clan intervint. Wabe et Sinaba'i étaient « frères ». Il était malséant de se battre pour un tel motif. Puisque Sinaba'i et Menala se plaisaient, de toute évidence, il valait mieux les marier plutôt que Wabe garde une femme qui ne voulait pas rester avec lui. Que Sinaba'i donne Temos à Wabe – bien que Temos soit sa cousine et qu'un tel mariage ne soit pas très régulier. Que Wabe laisse Menala à Sinaba'i. Que ce dernier rembourse tous les cadeaux de viande que Wabe a faits aux frères de Menala. Sinaba'i ne pourrait jamais y parvenir, tout le monde le savait. Wabe stipula donc que si cet engagement n'était pas rempli, le premier enfant né de cette union devait lui être donné. Ce qui fut accepté sans trop de difficulté. Temos devint ainsi la fiancée de Wabe et déménagea son feu du coin de la case qu'occupait Sinaba'i à celui de Wabe. Il lui fallait encore une fois s'adapter à un nouvel époux. Menala s'établit de son côté dans le coin de Sinaba'i et ils se mirent en devoir de donner le jour à l'enfant qui devait revenir à Wabe.

La paix régnait, sauf dans le cœur de Temos. Deux fois elle avait été supplantée, lui semblait-il, par d'autres femmes. Elle oubliait combien Yauwiyu était sot et se souvenait seulement de la froideur dans la voix de son épouse des Plaines. Puis alors qu'elle avait fini par s'habituer à l'idée d'épouser Sinaba'i, un homme à la vérité sans vigueur, presque vieux, pas du tout le genre d'époux dont une jeune fille puisse rêver, voilà que Menala était intervenue et avait tout fait échouer. Et voilà que dans la maison de Wabe, il y avait une troisième femme, la jeune Welima, qui avait assisté, avec de grands yeux craintifs, sans rien y comprendre, à tous ces événements, à toutes les curieuses intrigues de Wabe, qu'elle adorait, de Menala qui était son amie intime, et de Sinaba'i qu'elle considérait comme un père. Temos décida de haïr Welima, éventuelle responsable d'une nouvelle rupture. Cela lui fut d'autant plus facile que Menala, qu'elle détestait déjà, demeurait en très bons termes avec Welima.

Les deux jeunes filles atteignirent leur puberté, et Wabe accomplit les rituels d'usage à des dates rapprochées. Welima se réfugia dans la hutte menstruelle de Menala, effrayée à l'idée de partager une hutte avec

Temos. Quand Wabe était gentil pour Welima, Temos entrait dans de violentes colères, et quand il était gentil pour Temos, Welima pleurait et souffrait de maux de tête. Il construisit une case distincte pour Temos, et une autre, où il pouvait lui-même se réfugier. Welima continuait de partager la case de Sinaba'i et de Menala, et, après la naissance de leur bébé, elle se consacra à l'enfant. Temos fut enceinte et fit une fausse couche à la suite d'un accès de colère. Elle accusa Wabe de l'avoir approchée sans s'être purifié, après avoir dansé avec le *tamberan*. Wabe refusa de faire les paiements qui, d'habitude, accompagnent une grossesse, demandant amèrement pourquoi il paierait pour des caillots de sang répandus sur le sol. Il était malheureux, jaloux, excédé. Un léger incident le contraria particulièrement. Un de ses cousins lui avait envoyé une moitié de wallaby. Il demanda à ses femmes de la lui préparer. Elles commencèrent aussitôt à se disputer pour savoir qui devait le faire. Temos prétendait que c'était son droit parce que le chien qui avait attrapé l'animal appartenait au fils du frère de son père; mais Welima et sa belle-mère avaient nourri la mère du chien, si bien que Welima avait aussi des droits. En fin de compte, elles en vinrent aux mains, le feu s'éteignit, Wabe emporta la viande et la fit cuire lui-même.

On peut accuser la polygamie d'être à l'origine des difficultés de Wabe, Temos et Welima. Mais elle ne saurait être seul en cause. D'autres facteurs sont intervenus : le mariage de Yauwiyu avec une femme des Plaines, le caractère sauvage du père de Temos et son insistance pour qu'elle demeure auprès de lui aussi longtemps qu'il resterait veuf; la susceptibilité des frères de Menala ou leur goût de l'intrigue; la stupidité de Menala et son incapacité à séparer les événements de pure forme de ceux qui la concernent personnellement, à distinguer entre un enlèvement feint et un véritable acte de violence; l'étrangeté enfin de la solution apportée à cette crise : l'échange entre Menala contre Temos – autant de circonstances qui contribuèrent à créer une situation sociale difficile pour trois personnes, dont deux particulièrement incapables d'y faire face, car ni Wabe ni Temos n'avaient la douceur et l'aménité qui caractérisent l'ambiance arapesh.

Et cependant, on retrouve, jusque dans ces rares mariages malheureux, l'influence des règles de vie arapesh. Me'elue, par exemple, est restée fidèle à Ombomb et a vécu patiemment de la libéralité de son frère. Sinaba'i et Wabe, qui habitaient une même case, n'ont pas brisé avec leurs habitudes. Ils ont résolu leurs difficultés par un simple échange d'épouses et la promesse d'un enfant.

On peut reprocher aux Arapesh de faire preuve de trop d'optimisme dans leur conception du mariage et de ne pas tenir compte de tous les accidents qui peuvent venir gâcher le parfait ajustement entre un jeune homme et sa femme-enfant. Les mésententes et les brouilles sont d'autant plus difficiles à supporter que leur idéal est d'une grande simplicité, d'une extrême gentillesse. Les garçons ne sont pas entraînés à commander. Ils s'attendent, non pas que les femmes soient soumises, sous prétexte qu'elles sont foncièrement différentes des hommes, mais qu'elles leur obéissent parce qu'elles sont beaucoup plus jeunes et inexpérimentées. Les femmes n'ont pas été accoutumées à obéir aux hommes, mais uniquement à respecter entre tous celui qui les a élevées et nourries. Que l'homme ou la femme se trouve dans une situation où cette conception ne soit plus vérifiée, ils sont complètement désemparés. Le mari s'attend toujours à trouver sa femme obéissante, mais il ne sait pas pourquoi : d'où inutiles disputes, de vains ressentiments. C'est alors le spectacle d'individus doux et bienveillants pris dans un filet, et ignorant les moyens de s'en dégager. Ils ne peuvent que se débattre et s'agiter sans résultat. Les plus vulnérables sont les épouses qui se trouvent un jour avec leurs attaches brisées, des filles comme Temos, qui sont passées de fiancé en fiancé, ou de jeunes veuves qui n'ont pas atteint l'âge de la résignation, seule attitude qui convienne cependant à leur état.

Voici un autre exemple des réactions arapesh devant un cas d'adultère. Les partenaires étaient, cette fois-ci, d'âge mûr. Manum et Silisium étaient frères. Manum était l'aîné, Silisium, le plus intelligent. Ils avaient, tous deux, des enfants adolescents. Homendjuai, la femme de Manum, connaissait naturellement de longue date le frère de son mari, Silisium. Sur le tard, leurs relations devinrent coupables. Les indigènes relatent l'affaire de façon typique : « Un jour, sur le sentier de Wihun, ils jouèrent ensemble. Manum eut des soupçons, mais ne dit rien. Une autre fois, après une fête à Yapiaun, ils jouèrent encore. Manum devina, mais ne parla point. Et puis, ils jouèrent une troisième fois. Alors Manum se mit en colère. Il dit : "C'est ma femme. C'est mon frère, mon jeune frère. C'est mal. Je vais y mettre fin." Il fit interroger Homendjuai par une de ses parentes. Elle avoua. Manum, furieux, adressa des reproches à son frère. Silisium eut honte d'avoir pris la femme de son frère aîné, et il s'enfuit chez les parents de son épouse, accompagné de celle-ci. Manum, entre-temps, voulut battre Homendjuai; mais la mère et la tante d'Homendjuai étaient venues lui rendre visite et l'aidaient à son jardin. S'il battait Homendjuai, elle ne pourrait leur faire la cuisine. Alors il ne la battit pas. Au bout de quelques jours, Silisium revint et offrit un anneau à son frère. Après tout, ils étaient frères, et, entre frères, on ne peut rester fâchés très longtemps. » C'est ainsi que Sumali, le frère d'Homendjuai, me raconta l'histoire. Quelques jours plus tard, un groupe de jeunes gens de Ahalesemihi, le village de Manum et de Silisium m'en parlèrent aussi. Cela les faisait rire de penser que des gens de cet âge se soient livrés à des jeux amoureux illicites. Le fils adolescent d'Homendjuai souriait d'une telle sottise, mais celui de Silisium baissait la tête parce que, en fin de compte, Silisium était plus jeune que Manum. Des adultères de ce genre, qui restent dans le clan, sont ceux qui choquent le moins l'idéal arapesh d'amour familial. Ils créent, en tout cas, beaucoup moins de complications que la rupture, par la mort, des liens établis de longue date entre deux fiancés, ou l'intervention turbulente d'une femme des Plaines.

Rien n'illustre mieux le manque de structure dont

souffre la société arapesh, l'absence de règles strictes et reconnues pour contrôler les relations entre individus, que leur conception du mariage. A l'organisation sociale, ils préfèrent une situation purement affective, un bonheur si fragile qu'il est à la merci de n'importe quel accident. Et lorsque, par aventure, cette menace prend forme, c'est alors, chez eux, la colère, la panique, d'autant plus violentes qu'ils ont toujours été jusque-là protégés du malheur et de la souffrance.

CHAPITRE VIII

L'IDÉAL ARAPESH ET CEUX QUI S'EN ÉCARTENT

Nous venons de suivre le garçon et la fille arapesh au long de leur enfance. Nous les avons vus franchir le cap de la puberté, puis se marier. Nous avons observé la façon dont ils ont été formés selon une certaine représentation de la personnalité normale. La nature humaine, selon eux, ne saurait être mauvaise, donc exiger d'être bridée ou freinée. L'opposition des sexes ne fait que traduire celle qui existe dans le domaine surnaturel entre les fonctions mâles et femelles, sans qu'il en résulte nécessairement une différence de nature. Au contraire, hommes et femmes doivent être foncièrement doux, sensibles, serviables, toujours prêts à se sacrifier pour ceux qui sont plus jeunes ou plus faibles. C'est là leur plus grande satisfaction. Les parents trouvent un plaisir sans égal à accomplir les tâches que nous définirions comme spécifiquement maternelles, à combler l'enfant de soins tendres et minutieux, à le suivre pas à pas dans sa marche vers la maturité. Rien d'égoïste dans leur joie. Ni dans le respect dû aux parents au cours de leur vie, ni après, par le culte des ancêtres, les parents n'imposent de contrainte excessive. L'enfant n'est pas un moyen par lequel l'individu s'assure une survie, il n'est pas un gage, si fragile soit-il, d'immortalité. Dans certaines sociétés, l'enfant est simplement un bien, sans doute le plus précieux de tous, plus précieux que les maisons ou les terres, que les porcs ou les chiens, mais cependant un bien du même ordre, qui entre dans le décompte des possessions, et dont on peut se vanter près d'autrui. Une telle conception n'a aucun sens pour les Arapesh, dont l'instinct de propriété, même en ce qui concerne les objets matériels les plus simples, est complètement dominé, au point de presque disparaître, par le sentiment qu'ils ont des besoins des autres, et de leurs obligations à leur égard.

Pour l'Arapesh, le monde est un jardin que l'on se doit de cultiver, non pour soi-même, par orgueil ou vanité, non à des fins de thésaurisation ou d'usure, mais pour que puissent pousser les ignames, grossir porcs et chiens, et surtout grandir les enfants. De cette attitude fondamentale découlent bien des traits qui leur sont propres : l'absence de conflit entre générations, l'ignorance de la jalousie et de l'envie, le prix qu'ils attachent à la coopération. Celle-ci est facile quand chacun se trouve invité à exécuter de bon cœur un projet élaboré en commun, dont aucun des participants ne tirera un bénéfice personnel. Ce qui sans doute est le plus frappant dans leur conception de l'individu, c'est qu'ils attribuent aux hommes la même attitude douce et « maternelle » que nous attribuons aux femmes.

Les Arapesh, en outre, n'ont que fort peu le sentiment qu'il soit nécessaire de lutter en ce bas monde. La vie est un labyrinthe où il faut trouver son chemin; aucun démon ne menace, ni du dedans, ni de dehors; ce qui importe est de trouver le chemin, d'observer les règles qui aideront à le découvrir et à s'y tenir. Les prescriptions qui s'appliquent aux rapports entre la sexualité et le principe de croissance sont nombreuses et complexes. Dès l'âge de six ans, l'enfant doit commencer à les apprendre. Dès le début de la puberté, il doit prendre sur lui de les observer. Devenu adulte, il les respectera de façon méticuleuse pour que ses ignames poussent, pour que le gibier n'échappe pas à ses pièges et ses lacets, pour que, nombreux, les enfants naissent sous son toit. Il n'est pas, en cette vie, de problème plus important, l'âme n'étant rongée par aucun mal qu'il soit nécessaire de vaincre.

Les Arapesh reportent la responsabilité de tous leurs malheurs, accidents et incendies, maladies et morts, sur ceux qui ne partagent pas leur attitude douce et tranquille à l'égard de la vie, c'est-à-dire sur les hommes des Plaines. Leurs protecteurs surnaturels, les *marsalais*, châtient sans sévérité excessive : il faut avoir manqué à l'une des règles qu'il est nécessaire d'observer pour vivre en paix avec les forces de la terre, il faut n'avoir pas tenu soigneusement séparées les fonctions naturelles de la femme et les forces surnaturelles qui assistent l'homme. Les gens des Plaines, eux, tuent, pour le profit et par haine. Ils tirent avantage de la plus petite brèche qui puisse entamer le mur d'affection dont s'entoure généralement la communauté arapesh. Le moindre ressentiment aboutit, par eux, à la maladie ou la mort, ce à quoi aucun Arapesh ne songe jamais. Que les Arapesh se défendent de toute mauvaise intention de ce genre, est évident dès qu'il s'agit de mort. Des procédés divinatoires leur permettraient de révéler la responsabilité de tel ou tel autre membre de la communauté, de désigner celui qui a confié aux hommes des Plaines la « chose sale » du défunt. Cependant, ils reculent devant l'accusation. Sans doute accomplissent-ils les rites divinatoires, mais jamais ils ne trouvent de coupable. S'il y a eu querelle, on s'est réconcilié depuis longtemps; il est impensable qu'elle ait été assez violente pour provoquer la mort. Non, cette mort est sûrement le fait d'un maître chanteur mécontent, à moins qu'une communauté lointaine ait payé un sorcier pour venger anonymement un de ses morts. Lorsqu'un jeune homme meurt, en pays arapesh, on évite de désigner un responsable dans la communauté même, et d'en tirer vengeance : on paie un homme des Plaines pour tuer un autre jeune homme dans un village éloigné. Ainsi l'on pourra, selon la tradition, répondre au fantôme : « Retourne-t'en, tu es vengé. » Ceux qui vivent au loin, ceux que l'on ne connaît pas, ceux à qui l'on n'a jamais donné de feu ou de nourriture, ceux-là sont capables de tout : on peut les haïr et, en même temps qu'eux, les sorciers arrogants, méprisants, insolents, qui affichent sans pudeur leur cruauté et sont prêts à tuer, contre rémunération. Ainsi, grâce à l'homme des Plaines, grâce aussi à cette formule de vengeance magique, lointaine et impersonnelle, les Arapesh parviennent à bannir de chez eux le meurtre et la haine; et il leur est possible d'appeler du nom de « frère » quelque cinquante des leurs, et de partager en confiance la nourriture de n'importe lequel d'entre eux. D'un seul coup, ils abolissent la hiérarchie des distinctions entre parent proche, parent éloigné, ami, relation, parent par alliance, etc... Ils font table rase des nuances qui, dans la plupart des communautés, s'attachent à tous les rapports humains. Ils ne connaissent que deux catégories extrêmes : les amis et les ennemis. Cette dichotomie radicale les amène, ainsi que nous l'avons vu au chapitre III, à se livrer, comme malgré eux, à des pratiques de sorcellerie, chaque fois que se manifeste la moindre hostilité à leur égard. Ce recours à la sorcellerie s'explique par la façon dont ils ont acquis ce comportement confiant et affectueux : n'ayant pas reçu de coups pendant leur enfance, ils n'ont pas appris à réagir à l'agressivité des autres. Aussi, dans la vie adulte, l'hostilité s'exprime-t-elle de façon incontrôlée et incohérente. Les Arapesh ne conçoivent pas qu'il puisse exister un tempérament naturellement violent, qui exige d'être calmé; des jaloux auxquels on doive apprendre à partager; des égoïstes et des avares dont il faille desserrer les doigts. Ils attendent de chacun un comportement doux et aimable – qui ne fait défaut qu'à l'enfant et l'ignorant. Quant à l'agressivité, elle est censée s'éveiller seulement pour la défense d'autrui.

Ce dernier point se trouve illustré de façon frappante dans les querelles qui naissent à la suite de l'enlèvement d'une femme. Comme l'on est persuadé qu'un beau-frère ne reprend jamais sa sœur, un tel incident dégénère en querelle entre deux communautés, celle à laquelle appartient la femme par son mariage et celle par laquelle elle a été enlevée. Ce n'est généralement pas le mari qui prend l'initiative d'exiger le retour de sa femme, de revendiquer ses droits; c'est l'un de ses parents, le plus souvent du

côté maternel. Il peut, lui, discuter d'une façon parfaitement désintéressée. Le frère d'une mère, ou le fils du
frère d'une mère, laisse ainsi éclater son courroux :
« Pourquoi me tairais-je quand la femme du fils de la
sœur de mon père lui a été enlevée ? Qui l'a élevée et
nourrie ? Lui. Qui a payé des anneaux pour l'avoir ? Lui,
lui encore ! Lui, le fils de la sœur de mon père. Et voyez-le
maintenant. Sa femme est partie, laissant la place vide et
le feu mort au foyer. Je n'en supporterai pas davantage.
Je rassemblerai des hommes. Nous prendrons des
sagaies, des arcs et des flèches. Nous ramènerons cette
femme qui nous a été volée, etc... » Alors, d'autant plus
indigné qu'il est désintéressé, ce défenseur de l'homme
insulté réunit quelques-uns des parents du mari et, avec
eux, se rend chez les ravisseurs de la femme. La lutte qui
s'ensuit a déjà été décrite. On la relate toujours dans les
mêmes termes : « Alors La'abe, furieux de voir son cousin
blessé, lança une sagaie qui atteignit Yelusha. Mais Yele-
gen, furieux parce que Yelusha, le fils du frère de son
père, avait été blessé, lança une sagaie qui frappa Iwa-
mini. Alors Madje, furieux parce que son demi-frère avait
été blessé, etc. » Ce qui est important dans cet échange de
sagaies, c'est que l'on ne se bat jamais pour soi-même,
mais toujours pour défendre quelqu'un d'autre. Parfois, le
courroux suscité par l'enlèvement d'une épouse prendra
une forme plus arbitraire. Le champion du mari enlèvera
à son tour une femme mariée appartenant à la communauté coupable et la donnera à quelqu'un d'autre. Ce
vertueux brigandage est considéré par les Arapesh
comme un acte déraisonnable dépassant la mesure ; et
cependant, du fait qu'il a été inspiré par une saine colère
se manifestant au bénéfice d'autrui, il leur apparaît
difficilement répréhensible. Estimer la colère justifiable
lorsqu'elle embrasse une cause non égoïste, voilà encore
une réaction « maternelle ». Une mère qui cherche dispute pour des motifs personnels est blâmée ; une mère
qui se bat jusqu'à la mort pour son petit est un exemple
dont nous cherchons l'enseignement dans l'histoire naturelle et auquel nous-mêmes applaudissons.

Ce sont encore des individus, dont nous qualifierions le tempérament de spécifiquement féminin, auxquels il est fait appel pour jouer les rôles de commandement et de prestige. Le jeune homme doué qui devient un « haut personnage » assume cette lourde et désagréable tâche dans l'intérêt de la communauté, non dans le sien propre. C'est pour la communauté qu'il organise des fêtes, qu'il jardine, chasse, élève des porcs. S'il entreprend de longues expéditions, commerce avec d'autres tribus, c'est à seule fin que ses frères, ses neveux et ses fils puissent avoir de plus jolies danses, de plus beaux masques, des chants plus gracieux. C'est malgré lui qu'il est poussé au premier rang, doit frapper du pied comme s'il prenait plaisir, s'exprimer comme s'il parlait sérieusement – jusqu'au moment où, ayant atteint un certain âge, il pourra cesser de feindre la violence, l'agressivité et l'arrogance.

Les relations entre parents et enfants, entre mari et femme, ne reposent pas davantage sur les différences de tempérament. Ce sont l'âge, l'expérience, la responsabilité qui donnent l'autorité aux parents vis-à-vis des enfants, à l'époux vis-à-vis de l'épouse. On est aussi disposé à accepter les remontrances d'une mère que celles d'un père, et personne ne considère que l'homme est plus sage que la femme par la seule vertu de sa masculinité. Le système matrimonial, l'évolution plus lente reconnue aux femmes, les longues périodes de vulnérabilité que sont leurs grossesses, et qui retardent le moment où leurs relations avec le surnaturel peuvent être presque identiques à celles des hommes – tout cela tend à préserver la notion d'une différence entre hommes et femmes uniquement fondée sur l'inégalité des âges, de l'expérience et de la responsabilité.

Dans les rapports sexuels, où tant d'arguments, considérations anatomiques et analogies avec le royaume animal tendent à prouver que le mâle est normalement l'initiateur, l'agresseur, les Arapesh ne reconnaissent pas davantage l'existence de tempéraments différents. Une scène dont la conclusion sera l'union sexuelle débutera peut-être par l'homme faisant les premières avances en

« prenant les seins » de la femme, mais ce pourra tout aussi bien être celle-ci qui « prendra les joues de l'homme ». Les Arapesh, d'ailleurs, vont encore plus loin à l'encontre de l'idée que nous nous faisons traditionnellement des sexes. Nous pensons que le désir sexuel est spontané chez l'homme, latent seulement chez la femme : ils refusent cette spontanéité du désir aux uns comme aux autres et, s'il doit y avoir des exceptions, s'attendent à les rencontrer chez les femmes. Ils estiment que l'homme aussi bien que la femme ne peuvent avoir de réactions sexuelles que dans une situation que la société considère comme adéquate à cet effet. C'est pourquoi, s'ils jugent nécessaire de chaperonner des fiancés trop jeunes, parce que les rapports sexuels nuiraient à leur santé, ils ne pensent pas qu'il soit utile de surveiller les jeunes gens en général. Sauf dans les cas de séduction préméditée, qui ont d'autres mobiles que la simple satisfaction des sens, les réactions sexuelles sont lentes et sont l'aboutissement, non la cause, d'une affection profonde. D'autre part, étant donné que, pour les Arapesh, l'activité sexuelle est le résultat d'une stimulation extérieure plutôt que d'un désir spontané, l'homme, comme la femme, se trouve désarmé devant un acte de séduction. Devant le geste affectueux et amoureux qui réconforte et rassure en même temps qu'il stimule et excite les sens, le garçon et la fille restent sans défense. Les parents mettent en garde leurs fils encore plus que leurs filles contre le danger qu'ils courent en s'exposant à des avances amoureuses : « Ta chair tremblera, tes genoux fléchiront, tu céderas », voilà ce qu'on leur prédit. Ne pas choisir, mais être choisi, est pour eux une tentation irrésistible.

Telle est donc la conception idéale que se font les Arapesh de la nature humaine, conception à laquelle ils veulent voir se conformer chaque nouvelle génération. Pour quiconque connaît les hommes, ce tableau peut paraître un rêve, le reflet d'un âge d'innocence. Inévitablement, on est amené à demander : « Mais est-ce vrai de tous les Arapesh ? N'y a-t-il réellement chez eux aucune violence, aucun égoïsme, aucun appétit sexuel prononcé ?

Leur " moi " est-il vraiment incapable d'ignorer impitoyablement autrui? Ont-ils des glandes différentes des autres hommes? Leur régime alimentaire est-il si pauvre que tous leurs instincts agressifs restent engourdis? Les hommes ont-ils un physique aussi féminin que la personnalité qu'on leur prête? Comment peut-il se faire qu'une société considère hommes et femmes comme doués d'un tempérament identique, tempérament que nous considérons, nous, comme le plus généralement et le plus spécifiquement féminin, incompatible en fait avec un naturel viril authentique. »

A certaines de ces questions, on peut répondre de façon catégorique. Il n'y a aucune raison de croire que le tempérament des Arapesh est dû à leur régime alimentaire. Les gens des Plaines qui parlent la même langue et appartiennent, au fond, à la même civilisation, ont une nourriture encore moins variée et plus pauvre en protéines. Et pourtant c'est un peuple violent et agressif, dont l'éthique contraste vivement avec celle de leurs voisins montagnards. Physiquement, l'Arapesh moyen n'est pas plus « féminin » que les hommes des peuples dont je traiterai ultérieurement. Le tempérament Arapesh ne présente pas non plus l'uniformité qui caractériserait un type local issu d'unions consanguines. Il y a des différences très nettes entre les individus, beaucoup plus marquées que, par exemple, chez les Samoans – où la nature humaine est conçue comme une matière rebelle, qu'il convient de modeler selon une forme déterminée. Parce qu'ils considèrent l'homme comme foncièrement bon, et ignorent l'existence d'instincts anti-sociaux, de facteurs psychologiques de désagrégation, les Arapesh laissent le champ libre à l'épanouissement de tout individualisme atypique.

Dans le même sens joue l'inconsciente liberté laissée à chacun de s'occuper comme il lui plaît. Certes, tout le monde, plus ou moins, cultive un jardin. Mais, le reste du temps, l'un sera toujours à la chasse, tandis que l'autre ne touchera jamais ni arc ni sagaie; celui-ci partira en de lointaines expéditions commerciales, celui-là ne bougera jamais de son village; un autre travaillera le bois ou peindra sur écorce et son voisin se contentera de le regarder faire. En ce domaine, la société n'exerce aucune pression. Tout ce qu'elle exige, c'est que les jeunes soient élevés, nourris, abrités, et, exceptionnellement, que certains assument la responsabilité de jouer un rôle de direction. Autrement, l'adolescent s'occupe comme bon lui semble. La fille, de même, peut apprendre à faire des sacs de filet et des jupes de fibre aux motifs savants; elle peut, si elle le préfère, devenir experte dans l'art de tresser des ceintures et des bracelets; mais elle peut, tout aussi bien, ne rien savoir faire de tout cela. Des hommes comme des femmes, les Arapesh n'exigent aucune capacité technique, aucun talent particulier; ce qui leur importe, c'est que chacun ait les réactions affectives attendues de lui, un caractère qui trouve dans la coopération et l'altruisme son expression la plus parfaite. C'est la personnalité, non les aptitudes individuelles qui comptent pour eux, comme le montre parfaitement l'usage qu'ils font des ossements de leurs morts. Ils exhument, en effet, les restes des hommes qui ont eu, parmi eux, quelque réputation, et ils les utilisent à des fins magiques, pour s'assurer de bonnes chasses ou de belles récoltes d'ignames, ou encore se protéger dans les combats. Ce ne sont pas cependant les ossements d'un chasseur émérite qu'on emploie dans les magies de chasse, ni ceux d'un fougueux batailleur qui servent à protéger dans une rixe éventuelle : ce sont ceux d'un homme doux, sage et sérieux qui conviendront pour tous ces usages sans distinction. C'est bien sur le caractère, dans le sens où ils l'entendent, que les Arapesh veulent pouvoir se reposer, non sur quelque chose d'aussi capricieux, d'aussi imprévisible que des talents personnels. S'ils laissent à un don le loisir de se développer, ils ne lui accordent aucun privilège. Le chasseur heureux, le peintre doué laisseront un souvenir à la mesure de la conformité de leurs sentiments avec les dominantes morales de la société, non de leurs exploits cynégétiques ou de l'éclat de leurs couleurs. Une telle attitude amortit l'influence qu'un

individu particulièrement apte pourrait exercer sur la
société, mais ne diminue en rien ses possibilités d'expression originale. Étant donné qu'il n'existe pas de vraies
techniques traditionnelles, il lui faut toujours innover : le
champ est d'autant plus vaste, qui s'ouvre ainsi à sa
personnalité.

Pas plus chez les enfants que chez les adultes l'on ne
recueille l'impression d'une uniformité des tempéraments. La violence, l'agressivité, l'acquisivité se manifestent avec des variations de degré aussi marquées que
dans un groupe d'enfants américains, mais la tonalité,
pour ainsi dire, est différente. L'enfant arapesh le plus
« actif », éduqué dans le sens d'une passivité, d'une douceur qui nous sont étrangères, est beaucoup moins agressif qu'un enfant américain normalement « actif ». Mais le
contraste entre le plus « actif » et le moins « actif » reste
le même, bien qu'il s'exprime en termes beaucoup plus
modérés. Il serait certainement plus marqué si les Arapesh étaient plus conscients de leurs buts éducatifs, si la
passivité et la placidité de leurs enfants étaient le résultat
d'une pression systématique, qui contiendrait et découra-
gerait l'enfant exceptionnellement « actif ». Il est possible
par contre d'établir un contraste entre ce plan de l'activité et celui de l'amour confiant porté à tous ceux
désignés d'un terme de parenté. On sait que les Arapesh
font un effort précis d'éducation pour développer l'affection et la confiance de l'enfant à l'égard des membres de
la famille : aussi les différences individuelles sont-elles
moindres en ce domaine que chez les sociétés où cet
effort est absent. En fait, bien que l'amplitude des variations entre les tempéraments respectifs des enfants
puisse être approximativement la même, quel que soit le
peuple que l'on considère, chaque société peut modifier –
et n'hésite pas à le faire – les rapports de ces variations
entre elles. Elle peut d'abord complètement étouffer
l'expression d'un trait de caractère ou, au contraire,
l'encourager sans réserve : ainsi les enfants conservent la
même position relative à l'égard de ce trait de caractère;
seules les limites supérieures et inférieures de son

expression ont été modifiées. La société peut aussi inflé-
chir dans un sens ou dans un autre les manifestations du
tempérament, donner la préférence à une certaine « variété », décourager, interdire, pénaliser même celles qui
s'en écartent trop ou s'y opposent. Enfin, la société peut
se contenter d'approuver et de récompenser à un bout de
l'échelle, d'interdire et de châtier à l'autre bout, et parvenir ainsi à un degré élevé d'uniformité.

La première méthode est celle qui, chez les Arapesh,
produit cette passivité, qui vient recouvrir les enfants
comme un linceul. Elle est la conséquence des jeux de
lèvres, de la journée épuisante dans le froid suivie de la
chaude soirée devant le feu, de l'absence de groupes
d'enfants nombreux, de l'éducation enfin qui enseigne une
attitude d'acceptation, et décourage l'initiative. Tous les
enfants subissent ces mêmes influences; chacun y réagit
différemment : l'échelle a été modifiée, mais les variations
à l'intérieur du groupe restent plus ou moins constantes.
A l'égard de l'égotisme sous toutes ses formes, la
réaction arapesh est du second type, que l'individu recherche la considération et la popularité ou qu'il tente de
se faire une réputation par ses biens ou son autorité. Ils
récompensent l'enfant serviable, celui qui est toujours prêt
à courir ici où là, selon le bon plaisir de chacun. Ils désap-
prouvent, condamnent même tout autre comportement,
chez les enfants comme chez les adultes. Ainsi encou-
ragent-ils un certain aspect du tempérament, un aspect
limite, aux dépens des autres, et les rapports internes,
au sein du groupe d'enfants, s'en trouvent modifiés.
Enfin, comme je l'ai noté plus haut, dans leur comportement à l'égard des membres de la famille, par l'importance qu'ils donnent à la nourriture et à la croissance, les
Arapesh suivent la troisième voie. Ils tendent, dans ces
domaines, à être beaucoup moins dissemblables les uns
des autres que leur tempérament ne l'exigerait au départ :
la gamme des variations se trouve resserrée, et l'on
n'enregistre pas simplement un déplacement des limites
inférieures et supérieures.

Telles sont les différentes voies que suit l'éducation arapesh pour façonner, modifier le tempérament des enfants. Ceux-ci, pris en tant que groupe, si on les compare à d'autres peuples primitifs, sont plus passifs, plus réceptifs, plus portés à s'enthousiasmer pour les exploits des autres, moins enclins à se lancer spontanément dans des activités artistiques ou techniques. Exceptionnel aussi est leur besoin de sécurité confiante, cette réaction affective – de l'espèce « tout ou rien » – qui exige de voir en chacun ou un parent que l'on doit aimer, ou un ennemi qu'il faut craindre et fuir. Il n'y a absolument aucune place chez les Arapesh pour certains types humains : le violent, le jaloux, l'ambitieux, l'égoïste, celui enfin pour qui les aventures, les connaissances ou l'art ont une signification en soi. La question demeure donc de savoir ce qui arrive à de tels individus dans une communauté qui est trop tolérante pour les traiter en criminels, mais trop enracinée dans sa douillette routine pour permettre à leur personnalité de s'épanouir.

Ceux qui souffrent le plus, ceux qui s'accommodent le moins facilement du système social et le comprennent le plus mal, sont, chez les hommes comme chez les femmes, les violents et les agressifs. Le contraste est évident avec notre propre société, où l'homme doux, dénué d'agressivité, est écrasé, la femme violente et agressive, condamnée et stigmatisée. Chez les Arapesh, l'un et l'autre sexes pâtissent de leur singularité puisque aucune distinction n'est faite entre les tempéraments masculin et féminin.

Les hommes souffrent un peu moins que les femmes. Tout d'abord, l'on ne s'aperçoit pas aussi rapidement qu'ils sont différents des autres puisque l'on tolère les accès de colère chez les garçons beaucoup plus que chez les filles. La fille qui, de rage, se roule par terre sous prétexte que son père ne veut pas l'emmener avec lui, se fait davantage remarquer; on la réprimande un peu plus sévèrement, parce qu'elle ne se conduit pas comme les autres petites filles. Elle apprend donc plus tôt, ou bien à se maîtriser ou, au contraire, à se laisser aller sans contrainte à son humeur. On se forme une opinion sur son caractère plus tôt aussi que sur celui du garçon. A l'heure où son frère, libre, non fiancé encore, court la brousse sur la trace de quelque péramèle, les parents de son futur mari évaluent déjà en elle ses qualités d'épouse. Un garçon, d'autre part, reste près de ses parents et de ses proches, qui se sont accoutumés à ses crises de rage et de bouderie; une fille, en revanche, passe, fort jeune, à un âge impressionnable, dans un nouveau foyer, où chacun sera plus sensible à ses imperfections affectives. La fille violente donc, a, un peu plus tôt que le garçon, le sentiment d'être différente des autres, celui d'avoir tort. C'est ce sentiment qui, selon toute probabilité, l'amènera à se renfermer, à bouder, à se déchaîner soudain en d'inexplicables accès de colère ou de jalousie. Quel que soit son âge, sa conduite ne sera jamais considérée comme normale, comme riche de quelque promesse; aussi sa personnalité s'en trouvera-t-elle altérée plus tôt, et d'une façon plus définitive.

Telle était Temos, violente, égoïste, jalouse. Au cours de ses mariages successifs, elle s'était trouvée en présence de situations auxquelles elle était bien la dernière à pouvoir faire face. Aussi ses animosités devinrent-elles, pour elle, autant d'idées fixes. Elle suivait son mari partout, elle ne cessait de se quereller avec les petits enfants du village qui murmuraient derrière elle : « Temos est une mauvaise femme, elle n'aime pas donner. » Et pourtant Temos n'était qu'une égocentrique, moins altruiste et plus exclusive dans ses sentiments que la société arapesh ne le jugeait à propos.

Les garçons, pour leur part, peuvent donner libre cours à la turbulence ou à la susceptibilité de leur tempérament jusque tard dans leur adolescence. Encore ont-ils parfois la possibilité d'échapper à la censure sociale : les Arapesh n'estiment-ils pas, en effet, que l'agressivité, les qualités de commandement sont si rares qu'il convient de les encourager, de les cultiver et, finalement, chez les adultes, de les aiguillonner? Aussi pourra-t-on voir, dans un garçon ambitieux et infatué de lui-même, un candidat de bonne volonté au rôle de chef. Si son agressivité se combine avec suffisamment de timidité – ce qui n'est pas rare – il est possible que, tout jeune homme, il bénéficie de l'approbation de la communauté et soit désigné pour faire partie de ceux qui devront être de « hauts personnages ». Il est exceptionnel, cependant, qu'il devienne ce « haut personnage » si l'on s'aperçoit que ses manières de chef ne sont pas pure comédie, mais lui sont naturelles, que ses menaces à l'égard de ses rivaux ne sont pas les simples rodomontades qui sont de mise en sa position, mais s'accompagnent de vols de « chose sale » et de continuelles tentatives pour la remettre aux sorciers.

Tel avait été le cas de Nyelahai. Alitoa se trouva un jour sous la coupe d'un homme méchant, au verbe haut, qui se complaisait en trafics de sorcellerie et parcourait le pays en injuriant ses voisins. Ce n'était pas vraiment, disait-on, un « haut personnage », car sa bouche était toujours prête à déverser l'injure et la colère. Mais il avait fait ce qu'il fallait pour occuper son rang. Il n'avait rien de la sérénité et de l'aisance de ceux que l'on a forcés à accepter leur élévation. C'était un agité, qui ne cessait d'aller et venir. Ses épouses l'avaient surnommé « celui qui ne tient pas en place ». On l'accusait sans cesse de sorcellerie; il battait ses femmes et avait jeté un sort sur la chasse de son beau-frère. Il n'était pas à l'aise dans son propre monde. C'est parce qu'il était en fait ce qu'il n'aurait dû être que par jeu. Comme il n'est que trop naturel, c'était un esprit confus, respirant l'inintelligence. La société avait dit qu'il devait faire le rodomont et parler haut, et voilà que, lorsqu'il agissait ainsi on se détournait honteusement de lui.

Mais le cas de Nyelahai était l'exception. Le plus souvent, le garçon violent et agressif, celui qui, dans une communauté guerrière, dans une tribu de chasseurs de têtes, se couvrirait de gloire, qui, dans une société où l'on courtise les femmes et où on les conquiert, aurait plus d'un cœur brisé à son actif, ce garçon-là est généralement frappé d'inhibition permanente dès la fin de son adolescence. Ainsi Wabe. Grand, magnifiquement bâti, héritier de l'une des lignées les plus douées, Wabe, à vingt-cinq

ans, avait cessé de s'intéresser activement au milieu
ambiant. Il aiderait un peu son jeune frère Ombomb,
avait-il dit, mais à quoi bon : tout était contre lui. Ses
buanyins étaient tous morts, Menala lui avait été infidèle,
Temos ne lui avait donné d'enfant qu'un caillot de sang,
les parents de Welima lui tenaient rigueur de la façon
dont il la traitait et, nul doute, l'empêchaient, par quelque
magie noire, de prendre du gibier – et pourtant ils en
seraient les bénéficiaires s'il en rapportait – et puis son
chien était mort. Toutes ces difficultés, réelles et imaginaires, s'amoncelaient pêle-mêle en un ensemble paranoïaque, le laissaient sombre, jaloux, obsédé, égaré – en
fin de compte inutile à la communauté. Une petite guerre,
une bonne bagarre, qu'il lui fût donné de faire preuve
d'initiative – naturellement, sans complication – et l'atmosphère eût été éclaircie. Il se mit à penser que l'on
essayait de séduire ses femmes. On rit de ses soupçons,
mais, lorsqu'il répéta ses accusations, on commença de
s'écarter de lui. Il prétendit que ses compagnons de
jardinage usaient de magie noire pour lui voler ses
ignames. Pourtant, si le folklore arapesh mentionne l'existence d'une telle magie, personne n'en connaît la formule.
Un jour, il accusait les parents de Welima d'être responsables de ses mauvaises chasses; un mois plus tard, jaloux
des hommes d'Alitoa, il faisait faire leurs paquets à ses
femmes, et, bien malgré Temos, allait s'installer au village
de Welima. Velléitaire, irrationnel, impulsif, il était aussi
d'humeur sombre et maussade. Dans sa société, il était un
élément négatif, lui dont le physique et l'intelligence
auraient pu lui être d'une extrême utilité. Il savait commander. Si nous voulions qu'un chargement fût convoyé
jusqu'à la côte ou qu'un village éloigné nous fournît des
porteurs, c'est à Wabe qu'il fallait s'adresser. Il était
naturellement attiré par le service de l'homme blanc; il
était à la hauteur de ses responsabilités dans un système
hiérarchisé. Mais, dans son propre milieu, il n'était qu'un
« raté ». De tous les hommes d'Alitoa, c'était lui qui était
le plus proche de l'idéal masculin d'Europe occidentale :
bien bâti, une belle tête aux traits fins, solide, autoritaire,

violent, égoïste, arbitraire, l'instinct sexuel affirmé et agressif. Chez les Arapesh, il n'était que pathétique.

Amitoa, de Liwo, était l'homologue féminin de Wabe. Maigre, un profil d'oiseau de proie, le corps musclé, dépourvu de toute douceur féminine, les seins petits et hauts déjà flétris bien qu'elle eût à peine trente-cinq ans, Amitoa avait mené une vie orageuse. Comme sa sœur, elle tenait de sa mère, femme violente et impétueuse. Son premier fiancé était mort et elle était échue en héritage à un homme beaucoup plus âgé qu'elle, affaibli par la maladie. Sans doute les filles arapesh préfèrent-elles les hommes jeunes, mais ce n'est pas en raison de leur puissance physiologique; c'est parce qu'ils sont moins graves, moins sévères, et aussi moins exigeants à la maison. De toutes les femmes arapesh que j'ai connues, Amitoa était la seule qui fût nettement consciente du désir sexuel et jugeât son mari selon sa capacité à le satisfaire. Elle seule parlait de volupté post-coïtale, alors que les autres femmes – aux normes desquelles il lui fallait s'adapter – n'avouaient même pas ressentir de détente caractérisée et se bornaient à mentionner une sensation de bien-être et de chaleur diffus. Amitoa méprisait son mari timide et égrotant. Elle se moquait de ses ordres, se révoltait au moindre reproche. Finalement, furieux de la voir aussi indocile – elle qui n'était qu'une enfant dont les seins n'étaient pas tombés, alors qu'il était bien plus âgé – il voulut la battre, et prit un tison dans le feu. Elle le lui arracha et, au lieu de donner des coups, il en reçut. Il se saisit d'une herminette, elle la lui prit des mains. Alors il appela à l'aide, et son jeune frère dut accourir. Voilà le genre de scène qui devait se répéter tout au long de la vie d'Amitoa.

Le lendemain, elle s'enfuit à Kobelen, agglomération située sur la route de la côte, avec laquelle son village natal entretenait d'importantes relations cérémonielles. A la façon des femmes des Plaines, qu'elle avait vu arriver dans son village et y trouver bon accueil, elle alla d'homme en homme demander à être reçue dans son foyer. Intuitivement, elle suivait la voie tracée par des femmes de même tempérament qu'elle. Mais ce n'était pas une femme des Plaines, c'était une Arapesh, comme les hommes qu'elle sollicitait. Depuis des générations, les gens de Liwo et ceux de Kobelen étaient amis; ce n'était pas une femme rétive et insociable qui allait venir troubler cette amitié : voilà ce que dirent les anciens. Les jeunes hésitaient. Amitoa, avec son regard brillant, ses manières vives et tranchantes, était peut-être très agressive, mais elle était aussi fort séduisante. Sans doute de telles femmes faisaient-elles de mauvaises épouses, sans doute étaient-elles jalouses, sans doute aussi leur sexualité exigeante mettait-elle en danger l'efficacité de la magie aux ignames. Et pourtant... On aurait bien aimé la garder. Elle retourna à Liwo voir son frère et se fit vertement reprocher d'avoir abandonné son mari. Menacée d'être ramenée de force à ce dernier, elle s'enfuit de nouveau à Kobelen. Les conseils de prudence s'étaient imprimés dans les esprits pendant son absence. Elle resta parmi les femmes des amis de commerce de son père, et personne ne voulut la prendre pour épouse. Déçue, furieuse, elle retourna une nouvelle fois à Liwo. On en avertit son mari. Celui-ci et les siens avaient, entre-temps, trouvé une explication magique pour se consoler. Les hommes des Plaines avaient dû accomplir le *wishan*, cette sorte de magie noire indirecte qui permet d'agir sur un membre d'une communauté au moyen de la « chose sale » d'un autre. C'est pour cela qu'elle s'était enfuie. Voilà comment, longtemps après l'événement, un membre du clan de son mari me raconta l'affaire :

« Les gens dirent à mon oncle : " Ta femme est ici, viens la chercher. " Il se leva et prit avec lui ses deux jeunes frères. Ils descendirent à la rivière. Là ils attendirent. Amitoa, une autre femme et le frère aîné de son père vinrent se baigner. Amitoa allait dénouer sa jupe de fibre. Mon oncle saisit sa main. Elle appela son oncle : " Oncle, ils m'emmènent. " Son oncle dit : " Quoi, n'est-ce pas lui qui a payé pour toi et t'a nourrie ? Les hommes de Kobelen t'ont-ils nourrie ? Est-ce un autre homme qui te prend ? Si c'était un autre homme, tu pourrais crier. Mais c'est ton mari. " L'autre femme hurla : " Ils enlèvent Amitoa. " Mon oncle dit : " Venez, n'oubliez pas les sagaies. " Ils s'enfuirent et mon oncle ramena Amitoa. Elle était, comme à son habitude, dans tous ses atours. Elle portait des quantités de bracelets et de boucles d'oreilles. Elle s'assit au milieu du village et pleura. Mon oncle dit : " C'est moi, ton mari, qui t'ai ramenée. Si ç'avait été un autre, alors tu pourrais pleurer. " Elle resta. Elle conçut. Elle eut une fille. Amitoa voulut étrangler l'enfant. Les autres femmes l'en empêchèrent. Elle voulut s'enfuir. Mon oncle la battit. Il l'obligea à rester, à nourrir l'enfant. Elle fut enceinte de nouveau. C'était un garçon. Elle accoucha seule et lui écrasa la tête avec son pied. S'il y avait eu là une autre femme, l'enfant aurait vécu. S'il avait vécu, il serait aussi grand que mon jeune frère. Ils enterrèrent l'enfant mort. »

Ce récit impersonnel et froid d'un jeune homme qui n'était qu'un petit garçon à l'époque, illustre bien quelle lutte Amitoa s'efforça de mener contre la conception traditionnelle du rôle de la femme dans son milieu. Entre, d'une part, sa première tentative d'infanticide et son refus d'allaiter le bébé, et, de l'autre, son accouchement solitaire dans la brousse, qui lui permit de tuer son second enfant, il s'était écoulé des années, qui, pour elle, avaient été un supplice. Elle avait de l'allant, elle était intelligente, vigoureuse et éveillée. Elle fut déroutée, autant que les autres, par ce conflit sans espoir où s'opposaient la violence de son caractère et la douceur de mœurs exigée par la société. Les gens disaient qu'elle aurait eu alors un champ plus libre. Mais, l'instant d'après, on ajoutait que, si elle avait été un homme, elle n'aurait fait qu'un querelleur et un fomentateur de discorde.

Quand la petite fille d'Amitoa eut cinq ans, Ombomb, son cousin, dont le caractère ressemblait fort au sien, l'aida à s'enfuir de chez son mari et lui fit épouser Baimal, un veuf d'Alitoa. Il essaya de persuader Amitoa d'emmener l'enfant avec elle. Il avançait – et l'argument était plus caractéristique d'Ombomb que de la mentalité arapesh

nŏrmale – que peut-être il pourrait avoir sa part des
anneaux payés pour le mariage de la fillette. Amitoa
refusa néanmoins. Son mari était maintenant, dit-elle, un
vieillard malade; il l'avait élevée, elle, Amitoa, avait payé
ses anneaux pour l'épouser : il fallait lui laisser sa fille.
Elle ne la revit jamais; elle ne désirait pas non plus la
revoir. N'était-elle pas l'enfant qu'elle avait voulu tuer et
qu'elle avait allaitée à contrecœur?

Amitoa s'attacha avec passion à Baimal, à Balidu aussi,
le doyen d'Alitoa, et à tous les détours de son nouveau
village. C'était un concert continu d'éloges d'un côté
accompagnés de propos désobligeants de l'autre sur la
communauté de son premier mari et son chef. Elle donna
à Baimal une fille, Amus, qu'ils adorèrent tous les deux.
Mais l'enfant eut la vie empoisonnée par les constantes
querelles que, bien malgré elle, son existence provoquait.
Puisqu'elle était son unique enfant, Baimal avait tendance
à l'emmener partout avec lui. Si elle pleurait pour l'accompagner, Amitoa faisait une scène violente. Aussi Baimal cherchait-il maintenant à s'éloigner sans qu'Amus,
qui avait cinq ans, le vît, ou lui conseillait-il de rester près
de sa mère. Il ne comprenait vraiment pas les raisons de
toutes ces querelles, ni pourquoi sa douceur de caractère,
parfaitement dans la tradition arapesh, suscitait de tels
orages. Le soir où le *tamberan* chassa toutes les femmes
du village (1), Amitoa avait un accès de fièvre. Baimal la
supplia de ne pas danser, de peur qu'elle ne tombât
réellement malade. Pour le remercier de sa sollicitude,
elle se couvrit de parures plus lourdes encore et se
prépara à danser. Baimal, déjà énervé par l'affaire du
tamberan, se fâcha et lui interdit formellement de danser :
elle était malade et, de plus, elle était trop vieille pour
s'attifer comme une jeune fille. A cette dernière remarque, Amitoa ne se posséda plus. Elle se jeta sur son mari
avec une hache, et Kule, le jeune frère de Baimal, arriva
juste à temps pour l'empêcher d'être gravement blessé.
Amitoa se réfugia chez une belle-sœur, pleurant bruyam-

_____
(1) Voir ci-dessus p. 93.

ment et exprimant à qui voulait l'entendre un sentiment presque inconnu chez les Arapesh : elle haïssait tous les hommes, en tant que tels, elle en avait assez du mariage, c'était fini, elle allait retourner dans son village et y vivre toute seule. Et pendant ce temps, acharnée, elle alignait sur un cordon une série de nœuds mnémotechniques qui, disait-elle, indiquaient le nombre de fois que Baimal l'avait battue. Baimal vint un instant montrer ses blessures. C'était un petit homme vaillant et sensible, profondément attaché à Amitoa, sans aucune méchanceté, dépourvu de toute violence réelle. Il ne comprenait rien à tout cela. Et cette querelle n'était qu'une parmi bien d'autres. Amitoa, dans son âge mûr, avait eu plus de chance que dans sa jeunesse : elle avait trouvé l'affection de Baimal. Mais elle était restée une femme bouillante et réfractaire qui n'avait pas de place dans la société arapesh traditionnelle.

L'éducation reçue dès l'enfance, ainsi que le mariage, influent considérablement sur la façon dont s'adaptent à la société ces natures violentes, les Wabe ou les Ombomb, les Temos, les Amitoa ou les Sauwedjo. Ainsi Wabe avait été élevé par des parents de la lignée maternelle, des gens doux, gentils et modestes. Il se sentit tellement étranger à ce milieu qu'il refusa toujours de prendre une part active à la vie sociale. Son jeune frère Ombomb avait été, lui, élevé en partie par un demi-frère, homme de caractère violent qui avait dû s'enfuir d'Alitoa plusieurs années auparavant. Ombomb avait ce qui manquait à Wabe, l'approbation partielle par la communauté de son naturel arrogant, violent et égoïste. Il se trouva renforcé dans de telles dispositions par son mariage avec une femme élevée dans le même esprit et qui continuait dans ses habitudes sans aucun sentiment de culpabilité. Le mariage de Temos avec Wabe devait produire un effet contraire, la violence et l'égoïsme ayant un caractère atypique chez l'un comme chez l'autre. Epouser une femme des Plaines était, pour les montagnards ainsi doués d'un tempérament exceptionnel, une nouvelle source de difficultés. Quant à la femme de la montagne, elle n'avait jamais reçu la formation nécessaire pour imiter sans risque sa sœur des Plaines introduite dans la communauté, et cette dernière, d'ailleurs, le lui interdisait. L'inintelligence de certains parmi ces individus aberrants aggravait encore leur incompréhension à l'égard des normes de leur milieu. Menala, on s'en souvient, ne facilita pas la vie de Wabe en l'accusant d'avoir commis à son endroit un acte de violence volontaire : il n'avait fait, en cette occasion, que se plier strictement aux conventions admises dans la société arapesh, aidé, d'ailleurs, des propres frères de Menala qui voulaient mettre fin à un mariage qui leur déplaisait.

Un nouvel aliment est fourni à la méfiance de ces personnages atypiques et ajoute encore à leurs difficultés d'adaptation : c'est la bêtise ou la méchanceté de ceux qui, sans aucun prétexte, dérobent une « chose sale » ou tentent de pratiquer ces magies noires qui sont, chez les Arapesh, l'héritage d'autres temps ou d'autres cultures. Nahomen était de ceux-là : fort peu intelligent, incapable de comprendre plus que les rudiments de sa propre tradition, pratiquement dépourvu de tout sens moral. Son frère Inoman et lui-même se ressemblaient. Sans raison apparente, ils volaient aux gens des morceaux de leur nourriture, avec la méchanceté sournoise des simples d'esprit. Une ou deux tentatives de ce genre suffisaient à ébranler la confiance d'hommes comme Wabe ou Ombomb : ils ne pouvaient pas se sentir en sécurité en ce monde ainsi qu'on le leur assurait de toutes parts. Luttant sans cesse en eux-mêmes contre des tendances ou des impulsions que leur société ou bien déclarait ne pas exister, ou interdisait implicitement, telles que la jalousie, le ferme désir de monter la garde sur leurs biens et d'en définir les limites intangibles, des besoins sexuels qui étaient autre chose que de simples réactions à des situations déterminées – ils se trouvaient naturellement beaucoup plus vulnérables à toutes les contradictions patentes de l'ordre social établi. Ils gardaient, par exemple, un souvenir beaucoup plus vif de leur unique rencontre avec une femme qui avait tenté de les séduire que des centaines de fois où ils avaient croisé des femmes seules sur le sentier, pour n'entendre d'elles qu'un salut amical et timide.

Le principe de réciprocité au sein de la communauté leur apparaissait particulièrement déroutant. L'Arapesh idéal est essentiellement pacifique, mais s'il est provoqué, il se défendra, rendra coup pour coup et pas davantage, et rétablira ainsi l'équilibre rompu. Cette insistance sur des rapports d'égalité entre tous imprègne chaque démarche de la vie, mais n'est pas habituellement poussée à l'extrême. La vendetta, nous l'avons vu, se traduit par une vengeance exercée sur un individu anonyme et éloigné. Si un village doit se venger d'un autre, on n'y mettra nulle hâte, et l'événement le plus fortuit pourra être interprété comme une revanche satisfaisante. C'est ce qui se passa pour Amitoa. Le clan de Suabibis, de Liwo, l'avait achetée et élevée. Lorsque Baimal, du clan de Totoalaibis, d'Alitoa, l'épousa, il commit ainsi un acte hostile à l'égard de Suabibis, qui se contenta, cependant, de grommeler et de se plaindre. Trois ans plus tard, Tapik, qui avait été élevée presque entièrement par Totoalaibis, s'enfuit pour épouser un homme du clan de Suabibis. Totoalaibis voulut la forcer à revenir mais n'y parvint pas. On décida alors qu'on considérerait Tapik comme la contrepartie d'Amitoa. Et ce fut, pendant des années, un argument juridique que les hommes du clan de Totoalaibis ne manquaient jamais d'employer, chaque fois qu'Amitoa menaçait de s'en aller.

Il en est de même pour les paiements qui sont dus à un oncle maternel, ou au fils d'un oncle maternel, lors d'un décès ou d'une initiation, ou lorsqu'un homme a été déshonoré, ou encore lorsqu'il a versé son sang. Ces paiements sont toujours remboursés lorsque l'oncle maternel se trouve lui-même dans une situation semblable. Ainsi, à l'occasion, par exemple, d'un décès, on dit : « Des anneaux seront donnés au frère de la mère, au fils du frère de la mère, et au fils de la sœur. » On ne précise pas qu'un de ces paiements a été spécifiquement réclamé par l'oncle maternel, et que l'autre est un remboursement. Les « rites de passage »(1) ont cristallisé les exigences de l'oncle maternel, le chant spécialement destiné à l'initiation de son neveu, et le deuil qu'il porte à la mort de ce dernier. Celui qui est naturellement enclin à exiger des autres plus qu'à simplement rétablir un équilibre, se prévaut toujours de ces gestes traditionnels; il réclame énergiquement son dû, il fait attendre pour rembourser. Des réactions semblables se retrouvent dans la malédiction familiale, que les Arapesh pratiquent tout comme les tribus voisines. Un père, une sœur aînée, un frère, un oncle maternel, peuvent invoquer les esprits ancestraux pour jeter un maléfice qui empêchera un homme de travailler et de trouver du gibier, une femme d'avoir des enfants. La puissance de ce maléfice repose sur le fait que celui qui le jette est le seul qui puisse le défaire. Si un homme offense le frère de sa mère, la position de ce dernier ne peut qu'être plus forte s'il jette un sort à son neveu, puisque lui seul peut le conjurer. Ce dernier point, qui est essentiel, les Arapesh l'ignorent allégrement dans la plupart des cas, vidant ainsi une telle pratique de toute efficacité. Tout d'abord, ils permettent à quiconque peut être appelé « frère de mère » – à quelque lignée, même fort éloignée, qu'il appartienne – d'accomplir les rites nécessaires pour jeter un maléfice ou le défaire. De plus, ils croient que l'un peut conjurer le sort que l'autre a jeté. Il faut des circonstances exceptionnelles pour qu'on ne puisse trouver une telle personne; aussi la malédiction de l'oncle maternel est-elle relativement sans portée. Les violents, cependant, les caractères difficiles, y font encore appel. Ils ne tiennent pas compte des modifications que leur société a apportées à ces croyances. Des gens comme Wabe et Ombomb ne cessent de jeter des maléfices ou de se croire ensorcelés. Ils entretiennent ainsi vivante une tradition structurelle qui n'est plus acceptée, et que la société a, d'elle-même, pratiquement rejetée depuis longtemps : il arrive chez nous qu'un paranoïaque invoque encore quelque loi puritaine prononcée jadis contre les sorcières.

---

(1) En français dans le texte. (N. du T.).

Le violent, qu'il soit homme ou femme, n'a pas la vie facile chez les Arapesh. Certes, il n'encourt pas les sanctions disciplinaires qu'un autre peuple, plus attentif à ces exceptions, appliquerait à des cas semblables. Une femme comme Amitoa qui tue son enfant, continue à vivre au sein de la communauté; de même un homme du clan de Suabibis, qui avait tué un enfant pour venger la mort de son propre fils, tombé d'un arbre, n'a été châtié ni par la communauté, ni par les parents de la petite victime : pour la simple raison qu'ils habitaient trop loin de chez lui. La société laisse, en fait, beaucoup de champ libre à la violence, mais elle n'en reconnaît pas le sens profond. Le violent ne peut s'extérioriser ni dans la guerre, ni dans l'exercice de l'autorité, ni dans des exploits de bravoure ou de force : sa société le considère presque comme un fou. S'il est très intelligent, ce curieux ostracisme tacite, cette incapacité de ses congénères à le comprendre et à reconnaître ses besoins, le plongent dans des accès de misanthropie hargneuse et émoussent ses facultés intellectuelles, sa mémoire même; car il se trouve de plus en plus incapable d'expliquer pourquoi les autres ont agi comme ils l'ont fait en telle ou telle circonstance. S'il s'intéresse à la société au sein de laquelle il vit, il tente de rétablir la rigueur des rapports entre individus – tels ceux de l'oncle maternel et de son neveu – et il veut ignorer toute l'imprécision, tous les adoucissements, toutes les déformations, sous lesquels la société a, dans la pratique, déguisé les principes. Il énonce avec une remarquable clarté des théories sur la structure sociale, qui n'ont de sens que pour lui et que la réalité ne sanctionne point. Intellectuellement, il est perdu pour la communauté. Si, par surcroît, la fortune lui est contraire, si ses porcs meurent, si son épouse fait une fausse couche, si ses ignames poussent mal, alors non seulement il n'apporte rien à la société mais il peut devenir pour elle une menace. La défiance maussade, la colère impuissante feront place ouvertement à la violence meurtrière.

Tel était Agilapwe, vieillard fielleux aux traits durs, qui

vivait au flanc de la montagne, de l'autre côté de la vallée. Depuis son enfance, il avait à la jambe un ulcère, qui s'était étendu – symptôme purulent de l'hostilité d'un de ses congénères. Les ulcères tiennent une place à part dans les conceptions arapesh de la sorcellerie. A la différence des maladies et de la mort, ils peuvent être provoqués, sans sortir des limites tutélaires de la communauté, en cachant de la « chose sale » entre les racines d'un pied de taro sauvage et dans un ou deux endroits *marsalai* maléfiques. Si l'ulcère cause la mort, on prétend alors que les sorciers des Plaines devaient avoir en leur possession d'autre « chose sale » dissimulée dans un endroit inconnu. Ce n'est donc plus la communauté qui est responsable de la mort. Les ulcères tropicaux se cicatrisent habituellement assez vite, ou bien, au contraire, provoquent une rapide dégénérescence du membre tout entier, dont l'issue est fatale. On use à leur sujet du raisonnement familier en matière de sorcellerie. On se demande qui a bien pu être offensé et qui a eu l'occasion de dérober de la « chose sale », enfin quel chemin elle a pu prendre. Pour ces affections mineures, on n'évoque pas la responsabilité des gens des Plaines, mais seulement d'une communauté éloignée de la montagne ou du littoral; si bien qu'un montagnard souffrant d'un ulcère s'imagine que la « chose sale » lui appartenant a été enterrée dans un endroit *marsalai* d'un village de la côte, Waginara ou Magahine; l'homme de la côte, pour sa part, porte ses soupçons sur la montagne, l'endroit *marsalai* de Bugabahine ou les champs de taro sauvage d'Alitoa. On croyait qu'une parcelle particulièrement tenace et résistante de la personnalité d'Agilapwe – par exemple un os qu'il eût rongé – pourrissait dans l'un de ces endroits *marsalai*, oubliée depuis longtemps, celui qui l'avait cachée sans doute mort depuis de nombreuses années. Cependant Agilapwe vivait toujours. Querelleur, il était de toutes les bagarres, il eût voulu être de toutes les disputes. Sa femme se lassa de son comportement. Les Arapesh disent d'un méchant : « Si sa femme est bonne, elle le quittera. » Ce n'est pas chez eux, une vertu de rester fidèle à celui qui, par sa conduite, s'est retranché du reste de la communauté.

Donc son épouse le quitta et s'enfuit à Suapali, alors qu'elle était encore toute jeune fille. Voici le récit que la tradition a conservé : « Agilapwe pensa que le frère de sa femme, Yaluahaip, de Labinem, l'avait aidée. Yaluahaip était dans son jardin. Il avait une hache. Agilapwe avait une sagaie. Agilapwe pénétra dans le jardin. Il regarda Yaluahaip. Il lui demanda : " Où est ta sœur ? " Yaluahaip répondit : " Je ne sais pas. " – " Tu mens, elle est partie de chez moi. " Yaluahaip dit : " Si elle était partie, je le saurais. " Agilapwe dit : " Oui, elle est partie pour de bon. Tu ne peux pas me mentir, je le sais. " Yaluahaip répondit : " Oh ! beau-frère, si elle est partie, je la retrouverai. " Agilapwe se jeta sur lui. Il saisit la hache de Yaluahaip. Il lui ouvrit l'épaule. La hache y resta plantée. Agilapwe tira dessus mais ne put l'enlever. Alors il prit une sagaie. Il la lança sur Yaluahaip. Yaluahaip esquiva le coup. Sa femme escalada la palissade et s'enfuit. Yaluahaip s'enfuit. Ils s'enfuirent tous les deux. Agilapwe les poursuivit. Il perdit leur trace dans la brousse. Il monta sur la hauteur. Ils n'étaient pas là. Il retourna au jardin. Ils n'y étaient pas. L'homme s'était enfui vers le bas. La femme battit la campagne pour le retrouver. Elle pensait qu'il était mort. Elle aperçut des traces de sang. Elle les suivit. Elle le trouva. Elle le prit par le bras. Tous les deux ils coururent et coururent. Ils vinrent jusque chez nous. Elle appela mon père : " Beau-frère aîné, votre frère est tout coupé. " Ma mère descendit. Elle lava la blessure, elle mit de la chaux dessus et rapprocha les bords avec une liane. Ils l'amenèrent au village. Il s'appuyait sur l'un d'un côté, et reposait son bras sur l'autre. C'était un bel homme, et robuste, mais Agilapwe l'avait blessé. Ils dormirent. Au matin, ils allèrent lui construire une maison dans la brousse. Ils l'y emportèrent et le cachèrent. La nuit, Agilapwe rôdait à sa recherche. S'il l'avait trouvé, il l'aurait tué. Plus tard, ils se rendirent tous à une fête, ils emmenèrent Yaluahaip avec eux, et le cachèrent. La blessure se ferma. Mon père voulait que l'on montât une

expédition et que l'on allât à Manuniki (le village d'Agilapwe) pour venger Yaluahaip. Mais c'était impossible.
Les perroquets blancs qu'il y avait là-bas s'envolaient et
donnaient l'alerte. Alors Agilapwe montait et lançait des
sagaies et des pierres. Par la suite, Agilapwe épousa une
femme que mon père appelait " fille de sœur " et il y eut
réconciliation. Il n'y eut pas d'échange d'anneaux. »

Voilà qui donne une image assez juste des accès de
violence, presque de folie, auxquels les personnes comme
Agilapwe sont sujettes, et de l'attitude de leurs victimes à
leur égard. Plus tard, le fossé entre Agilapwe et la
communauté s'élargit encore davantage. L'homme se mit
à cultiver le taro sauvage, si prolifique, sur ses pentes
rocailleuses. De plus en plus les gens atteints d'ulcères se
mettaient à accuser de sorcellerie tout le village d'Alitoa.
Si bien que les gens d'Alitoa démolirent la maison du
tamberan, cause, disait-on, de la chaleur surnaturelle du
sol au centre du village; et ils arrachèrent tout le taro
sauvage qui poussait sur leurs pentes. Mais à Manuniki,
de l'autre côté de la gorge, Agilapwe était toujours là,
faisant commerce de sorcellerie, contemplant d'un sourire mauvais son taro sauvage, battant sur son tambour
un rythme de victoire chaque fois qu'il apprenait un
décès. Comme plusieurs des autres inadaptés violents de
la communauté, il avait trouvé dans l'art une sorte de
refuge, et ses peintures, étranges et sobres à la fois,
ornaient plusieurs maisons de *tamberan*.

Wabe et Agilapwe, Amitoa et Temos, et leurs semblables, constituent pour les enfants des exemples trou-
blants qui dénaturent à leurs yeux la physionomie de la
vie arapesh. Leurs propres enfants, ceux élevés à leur
contact, risquent de prendre ces comportements aberrants comme modèles et de parvenir à l'âge adulte avec
des notions confuses. L'image d'une communauté paisible
où règne une atmosphère familiale et affectueuse ne peut
pas apparaître très clairement au petit garçon qui vient
de voir sa mère panser les blessures de Yaluahaip.
Comment peut-on admettre sans discussion que les hommes et les femmes sont naturellement doux, sensibles et

placides lorsqu'on a vu Amitoa brandir une hache contre Baimal, ou Wabe battre ses deux épouses et proclamer qu'il voudrait bien en être débarrassé. En voulant que tous soient bons et doux, qu'hommes et femmes soient, les uns comme les autres, sexuellement paisibles et contenus, qu'aucun n'ait d'autre but dans la vie que d'élever des enfants et cultiver des ignames, les Arapesh se sont, du même coup, interdit de formuler les règles indispensables pour tenir en lisière ceux qui dérogent à l'idéal reçu.

Le lecteur occidental n'aura que trop aisément compris à quel point la conception arapesh de la nature humaine est particulière – combien il est extraordinaire que ce soit un type de tempérament qui ait retenu leur préférence, et se soit imposé comme modèle naturel à la communauté tout entière. Quelle est la réaction la plus utopique, la moins réaliste : est-ce de dire qu'il n'y a aucune différence entre hommes et femmes, ou est-ce d'avancer qu'hommes et femmes sont, les uns aussi bien que les autres, naturellement exempts d'agressivité, doux, sensibles et maternels ? Il nous apparaît bien difficile d'en décider.

DEUXIÈME PARTIE

UNE TRIBU RIVERAINE :
LES MUNDUGUMOR

DÉCOUVERTE DES MUNDUGUMOR

L'objectif essentiel de mes recherches en Nouvelle-Guinée était, on s'en souvient, d'une part de découvrir dans quelle mesure les différences de tempérament entre les sexes sont innées et jusqu'à quel point elles sont déterminées par la société, d'autre part d'examiner, dans le détail, les mécanismes d'éducation qui leur sont associés.

Mon séjour chez les Arapesh me laissa quelque peu déçue. Je n'avais trouvé aucune différence de tempérament entre les sexes, que ce fût dans la structure même de la société ou dans le comportement des individus. La conclusion s'imposait, que ces différences sont purement affaire de milieu et que, chez les sociétés qui les ignorent, elles n'existent pas. Les Arapesh avaient été choisis comme sujet d'étude pour un ensemble de considérations ethnographiques et pratiques sans rapport avec l'objet particulier de mes recherches. Ceci est inévitable. Lorsqu'une société primitive commence à être suffisamment connue pour que le chercheur soit assuré qu'elle convient au genre d'investigation qu'il se propose, elle a déjà été complètement étudiée. Dans l'état actuel des recherches sur les sociétés primitives – alors que des civilisations millénaires, des civilisations qui restent seules, de leur espèce et ne se retrouveront jamais plus sous la même forme, sont en voie de disparition – il n'est aucun ethnographe qui tente de marcher sur les traces d'un

autre enquêteur s'il lui est possible de mener de front ses
recherches particulières et l'étude complète d'une nouvelle société. Ceci était d'autant plus vrai en ce qui me
concerne que nous étions deux chercheurs à travailler
ensemble et que nous voulions disposer d'un champ
d'action complètement inexploré pour nos recherches
tant communes que particulières. Les Arapesh m'avaient
charmée par leur caractère, intéréssée par la logique
interne de leur culture, mais ne m'avaient apporté que
peu d'éléments nouveaux capables d'éclairer le problème
qui m'occupait.

Quittant les Arapesh, nous décidâmes de remonter le
Sepik pour échapper aux rigueurs de la vie en montagne
et aux difficultés de transport qui lui sont inhérentes. Une
fois de plus, notre décision quant au choix d'une nouvelle
tribu devait être arbitraire, et dictée par des considérations fort éloignées de mes préoccupations immédiates.
Deux autres ethnologues nous avaient précédés dans
cette région. Le Dr Thurnwald avait étudié les Banaro sur
le Keram et M. Bateson s'intéressait à l'époque aux Iatmül, qui vivent sur le moyen Sepik. Les villages du bas
Sepik étaient en train de se désagréger, sous l'influence
des missions et d'un recrutement excessif de main-d'œuvre. Nous aurions voulu parvenir jusqu'à l'une des tribus
qui habitent l'intérieur du pays, au nord du Sepik, et dont
la civilisation est voisine de celle des Arapesh des Plaines,
pour achever ainsi l'étude d'une bande de territoire
continue allant du Sepik à la côte du Pacifique. Mais en
consultant les cartes officielles au poste de Marienberg, à
une journée de l'embouchure du Sepik, nous nous rendî-
mes compte qu'il serait impossible, pour le moment,
d'amener dans cette région notre équipement et notre
matériel. Pour nous permettre de trouver un autre emplacement possible, nous avions seulement : une carte, ce
que nous avaient appris les publications du Dr Thurnwald et de M. Bateson, enfin les renseignements que put
nous donner le « patrol officer » du poste de Marienberg
sur la situation dans les villages, particulièrement s'ils
avaient été touchés par les missions ou le recrutement de

main-d'œuvre et s'ils se trouvaient complètement ou seulement en partie sous l'autorité gouvernementale. Notre choix fut déterminé d'une manière très simple. Il se porta sur la tribu la plus proche qui fût accessible par voie d'eau et qui semblât la moins susceptible d'avoir été considérablement influencée, soit par les Iatmül, soit par les Banaro. La tribu qui répondait le mieux à ces exigences était celle des Mundugumor, qui, selon les rapports officiels, était sous contrôle gouvernemental depuis plus de trois ans. Elle était située à une demi-journée de voyage en remontant le Yuat. Nous n'avions jamais entendu parler des Mundugumor, ni même du cours d'eau rapide et limoneux sur les rives duquel ils vivaient. Le « patrol officer » que nous vîmes à Marienberg n'était que depuis peu de temps dans la région du Sepik et ne put nous renseigner davantage. Des recruteurs de main-d'œuvre qui se trouvaient de passage à Marienberg, apprenant que nous allions remonter le Yuat, nous conseillèrent de faire ample provision de boutons, les gens de cette région, nous dirent-ils, en étant particulièrement amateurs. C'est munis de ces quelques indications, et d'aucune autre, que nous débarquâmes notre matériel à Kenakatem, le premier village Mundugumor, et celui que le recensement officiel désignait comme le centre de la localité la plus importante.

Si j'insiste sur ces détails, c'est que le lecteur ne manquera pas d'être frappé de la façon dont les traits dominants de la civilisation mundugumor contrastent avec ceux de la civilisation arapesh. Si j'avais, à l'époque, saisi la pleine signification de ce que mon étude des Arapesh m'avait amenée à conclure, et si je m'étais mise en devoir de rechercher en Nouvelle-Guinée la société qui pût le mieux mettre en relief ces conclusions, je n'aurais pu trouver meilleur exemple que les Mundugumor. Que deux peuples qui vivent à moins de deux cents kilomètres l'un de l'autre, qui ont en commun tant de traits économiques et sociaux puissent présenter un tel contraste dans leurs conceptions morales et leur personnalité sociale, voilà qui est en soi d'un immense intérêt.

Mais que, alors que chez les Arapesh le tempérament des hommes comme des femmes est façonné selon un même modèle – qu'à notre manière nous pouvons qualifier de maternel, féminin, non viril – les Mundugumor soient allés à l'extrême opposé et que, le sexe n'étant pas chez eux non plus la base des différences de tempérament, hommes et femmes soient indistinctement masculins, virils, ignorants de cette douceur que nous croyons être partie inaliénable de la féminité – alors, le hasard qui nous conduisit à les étudier plutôt que d'autres apparaît d'autant plus remarquable.

CHAPITRE IX

RYTHME DE VIE D'UNE TRIBU CANNIBALE (1)

Le contraste est saisissant, déroutant même entre les doux Arapesh et les Mundugumor cannibales et chasseurs de têtes. Les vieillards arapesh nous avaient prévenus : « Vous remontez le Sepik, vous allez trouver des gens sauvages, des mangeurs d'hommes. Vous emmenez avec vous quelques-uns de nos garçons. Soyez prudents. Ce que vous avez vu parmi nous ne doit pas vous aveugler. Ils sont d'une autre espèce, vous verrez ! »

Nous le vîmes en effet. Il fallut s'adapter dans le concret quotidien, à un mode de vie complètement inattendu. Le lecteur lui-même qui n'est confronté que par un nouveau système de valeurs, sera peut-être déconcerté comme nous le fûmes. Pendant nos premières semaines parmi les Mundugumor, nous vîmes beaucoup de choses étonnantes et incompréhensibles. La violence, l'étrangeté des réactions de ce peuple gai, dur et arrogant, nous l'éprouvâmes comme un choc, sans y être préparés, tout en étudiant leurs coutumes et observant leur vie. Dans ce

(1) A l'époque de notre arrivée chez les Mundugumor, l'administration ne les contrôlait complètement que depuis environ trois ans. Lorsque furent proscrits la guerre, la chasse aux têtes et le cannibalisme, la vie Mundugumor s'arrêta net, comme une montre dont le ressort vient de casser. Mais le souvenir d'un mode de vie, auquel ils avaient dû renoncer à regret, restait vivace; les enfants qui avaient maintenant onze ou douze ans avaient tous pris part à des festins de chair humaine. Le présent est ici employé pour décrire la vie des Mundugumor telle qu'elle se déroulait avant l'intervention gouvernementale.

chapitre, je présenterai quelques-uns de ces commentaires insolites, de ces incidents étranges, de ces modes de vie, de la manière abrupte et inexplicable dont l'observation nous les imposa. Ainsi le lecteur sera-t-il peut-être mieux préparé à comprendre les structures de leur existence, de la façon même dont elles nous apparurent après le premier choc et les premières perplexités.

Le Yuat est un affluent du Sepik. Rivière rapide, elle s'est taillé un chemin à travers de hautes terres, avant de se jeter dans le fleuve, au village de Yuarimo. En période de basses eaux, les rives surplombent son cours de trois à quatre mètres. Les crues sont soudaines, le niveau pouvant s'élever d'un mètre, et plus, en une seule nuit. Certaines années, les hameaux situés sur les berges sont inondés. Le courant est si rapide qu'un canot à moteur le remonte difficilement, et que les indigènes ne tentent jamais de traverser la rivière à la nage. Les eaux, qui ont la couleur du limon, charient tumultueusement branches, troncs d'arbres, îlots de terre, paquets d'écorce. Ceux-ci, vous dira-t-on, pourraient bien contenir le cadavre d'un nouveau-né jeté à la rivière avant d'avoir été lavé.

Lorsqu'on remonte le Yuat pour atteindre le pays mundugumor, on côtoie, sur trente à quarante kilomètres, des berges complètement désertes. Et pourtant le sol y est riche, favorable au cocotier et au tabac, et, fait exceptionnel dans cette région, protégé des inondations. Mais les Mundugumor inspirent une telle terreur qu'aucune autre tribu n'oserait s'aventurer à occuper ces terres. Elles restent incultes, simple lieu de passage pour les bandes de chasseurs de têtes, qui vont attaquer les Andoar, eux aussi cannibales et chasseurs de têtes, qui vivent au confluent du Yuat et du Sepik.

Le Yuat partage en deux le pays des Mundugumor. Il y a plusieurs générations de cela, disent-ils, il n'existait pas de rivière, mais seulement un mince ruisselet, qui, peu à peu, s'élargit au point qu'il fut nécessaire de construire un pont; puis, à l'époque de leurs arrière-grands-pères, le Yuat grossit soudainement, devint large et rapide comme il l'est aujourd'hui, et il fut dès lors impossible de le

franchir autrement qu'en pirogue. C'est ainsi que ces gens
de la brousse, inaccoutumés à l'eau, malhabiles à la nage,
ignorants dans l'art de faire des pirogues, durent se
transformer, si peu que ce soit, en tribu riveraine. Mais
encore aujourd'hui, la rivière leur fait peur. Ceux d'entre
eux qui habitent tout au bord sont obsédés par la crainte
d'y voir tomber un de leurs enfants. Car toute noyade est
réputée contaminer les eaux pendant des mois. Il ne reste
plus à chacun qu'à se rendre aux lointaines sources qui
jaillissent dans la brousse pour y puiser l'eau potable. Les
pirogues, qu'ils ont copiées sur celles de leurs voisins
Andoar, sont simplement des troncs d'arbres creusés,
avec l'arrière en forme de spatule. Maladroits et craintifs,
ils s'éloignent peu des rives, et ne traversent qu'en cas
d'absolue nécessité. Lorsque la rivière déborde, ils creu-
sent de grossières embarcations de forme ronde, qui
ressemblent à de grands baquets, et qui leur servent à se
déplacer au milieu des cocotiers et des aréquiers.

Les Mundugumor sont aujourd'hui environ un millier.
Ils durent être quelque quinze cents à une certaine
époque. Ils se divisent en deux groupes, ceux qui habitent
les quatre villages riverains, et ceux qui vivent dans les
deux autres agglomérations situées à l'ouest. Ces derniers
ne sont pas encore accoutumés à la rivière. Quand ils
viennent en visite sur les bords du Yuat, il n'est pas rare
qu'ils fassent chavirer une pirogue et doivent, bien invo-
lontairement, gagner la rive à la nage – incident dont les
conséquences peuvent être fâcheuses. Quiconque, en
effet, parmi les riverains, reconnaît dans le maladroit un
neveu utérin peut à son tour se plonger rapidement dans
l'eau près du bord – courtoise façon de partager l'infortune d'un parent ? – et il ne reste plus au visiteur qu'à lui
offrir un festin pour le remercier de son geste.

Bien que les deux groupes parlent la même langue, ils
n'ont plus le sentiment d'être un seul et même peuple,
depuis qu'une partie d'entre eux vit sur les bords de la
rivière. Autrefois il était interdit à un Mundugumor de
manger quiconque parlait la langue mundugumor. Un
jour cependant, dit-on, les riverains mangèrent un des

broussards. N'en ayant pas été autrement incommodés, ils en prirent l'habitude. Maintenant libres de se manger les uns les autres, ils en vinrent à trouver moins avantageux les mariages entre les deux groupes. Les gens de la rivière se marièrent entre eux, ou bien encore prirent pour épouses des femmes, captives ou fugitives, originaires des misérables peuplades des marécages situés à l'est de leur territoire.

Les Mundugumor partent en lointaines expéditions, non seulement pour tendre des embuscades à leurs ennemis, mais aussi pour faire du commerce et se procurer des objets de valeur. Des montagnes reculées où naissent les eaux du Yuat, ils reçoivent des ornements de coquillage, des lames de haches, des arcs et des flèches, et des magies de chasse. Celles-ci doivent être achetées de nouveau presque à chaque génération, dit-on, car il n'est pas de père qui prenne la peine d'obliger son fils à observer les tabous sur la viande, de façon à pouvoir en hériter. Aux habitants des marais, êtres faméliques, rachitiques et émaciés, ils achètent des marmites, des paniers, des moustiquaires, des éventails; parfois une flûte fétiche, ornée d'une tête faite de glaise, de gomme et de coquillage, représentant un des esprits de la brousse, auxquels les Mundugumor croient aussi. Aux gens de la brousse ils achètent un étrange objet, image grotesque d'un serpent que les hommes portent entre les jambes pour exécuter une danse particulière. Mais on s'en sert surtout pour le cacher dans les *barads* (1) du hameau voisin et ainsi compromettre la santé des femmes qui, en pêchant, pourraient le trouver.

A l'égard de ces malheureux habitants des marais, les Mundugumor entretiennent un mépris que nuance seulement le sentiment de leur utilité; ce sont eux qui fournissent pots, marmites et paniers. Et les Mundugumor l'avouent eux-mêmes : il faut veiller à ne pas tous les tuer,

_____

(1) *Barad* est un terme de pidgin-english qui s'applique à toute voie d'eau étroite, naturelle ou artificielle, reliant deux voies d'eau principales. Nombre d'entre eux sont spécialement creusés pour servir de canaux, ou pour la pêche.

sans quoi il n'y aurait plus de potiers. Dans le même souci, ils conservent des relations avec deux groupes de fabricants de moustiquaires; si l'un d'eux est trop décimé par les chasseurs de têtes, on peut toujours acheter des moustiquaires à l'autre. Ils concluent parfois une alliance passagère avec les habitants des marais, dans le but de réunir suffisamment de participants pour une grande chasse aux têtes. Une telle entreprise, en effet, ne doit pas présenter de risques. L'idéal est de pouvoir aligner une centaine de chasseurs pour capturer un hameau qu'habitent seulement deux ou trois hommes et quelques femmes. Pour assurer le succès d'expéditions de cette sorte, il est nécessaire d'avoir des alliés. Aussi échange-t-on avec les tribus voisines des enfants qui sont gardés comme otages jusqu'à ce que l'affaire ait réussi. Les enfants mundugumor passent ainsi parfois plusieurs mois de suite dans un village des marais; ils en apprennent la langue, les itinéraires secrets; mais ils se plaignent amèrement de la nourriture misérable qu'ils y reçoivent – sagou rance, larves de sagoutier fumées – ainsi que de la boisson, cette eau fétide qui ruisselle autour des petits massifs herbeux où les populations palustres construisent leurs huttes. Pourquoi les otages sont-ils toujours des enfants? La réponse est simple : si les engagements ne sont pas tenus, et que les otages soient massacrés, il ne s'agira après tout que d'enfants. Dans la plupart des cas, c'est un enfant mâle – dont la valeur est moindre que celle d'une fillette – qui est ainsi sacrifié.

En échange de ce que confectionnent les habitants des marais, les Mundugumor offrent du tabac, des noix d'arec et de coco, que produit en abondance le sol fertile de leurs hautes terres. Libérés des soucis de fabrication, ils peuvent à loisir s'adonner, les hommes à la chasse aux têtes et à l'organisation de fêtes et parades, les femmes au jardinage, à la culture du tabac et à la pêche. Il est rare qu'une femme tresse elle-même le petit panier en forme de vase qu'elle porte suspendu dans le dos, lorsqu'elle va à la pêche. Seules font de la vannerie les femmes qui, au moment de leur naissance, avaient le cordon ombilical autour du cou. Les hommes qui sont ainsi nés sont destinés aux travaux artistiques. Ce sont eux qui perpétuent la belle tradition de l'art mundugumor : les rondes-bosses qui décorent les hauts boucliers de bois, les animaux stylisés ciselés sur les lances, les motifs complexes peints sur les grands triangles d'écorce que l'on arbore à la fête des ignames. Ce sont eux aussi qui taillent, pour orner les flûtes sacrées, les figures de bois qui personnifient les esprits crocodiles de la rivière. Aucun de ces artistes-nés n'est tenu de pratiquer son art contre sa volonté; mais quiconque n'a pas été marqué du signe de cette vocation ne peut espérer dépasser le stade de l'apprenti.

Des Andoar qui habitent la région du confluent, les Mundugumor importent de temps à autre de nouvelles danses. Les Andoar sont en effet assez proches de la grande voie de communication qu'est le Sepik pour participer au commerce des danses et des cérémonies que les villages du bas Sepik achètent aux îles côtières. Parfois un Mundugumor ambitieux, aspirant à se donner de l'importance, acquiert un nouveau masque d'aspect plus féroce encore que les autres, et organise une cérémonie pour initier tous les jeunes hommes de son groupe de hameaux aux mystères du nouveau culte. Ou bien encore, les Mundugumor attaquent une case andoar et reviennent avec un propulseur à sagaie, dont ils ne savent d'ailleurs pas se servir, car il faut avoir une longue expérience de la pirogue et du fleuve. Quand les pirogues andoar remontent le Yuat pour quelque expédition de troc, les Mundugumor, postés sur les berges, les attaquent à la sagaie et les obligent à leur laisser des otages jusqu'à leur retour.

Mais les Andoar représentent surtout pour eux une des dernières ressources qui s'offrent à celui ou à celle qui a été trop gravement insulté. Il suffit, dans ce cas, de monter dans une pirogue et de se laisser porter par le courant jusque chez les Andoar; ceux-ci se lancent au milieu du fleuve, capturent la pirogue et mangent l'irritable amateur de suicide. Il arrive aussi qu'un Mundugumor se noie dans la rivière. Souvent le cadavre, retenu

Fig. 9.
Masque sur le dossier d'un tabouret d'orateur dans la grande case
tamberan.

par les herbes du fond, ne peut être retrouvé avant que la
décomposition ne l'ait fait remonter à la surface. Parfois,
cependant, il est entraîné vers l'aval et les Andoar s'en
saisissent. Ils lui font des funérailles coûteuses, dont les
Mundugumor doivent les dédommager par des cadeaux

encore plus dispendieux. De tels incidents contrarient
fort les Mundugumor qui inclinent à être avares de rites
funéraires, même pour les plus grands d'entre eux. La
tradition voulait que le cadavre fût graduellement bou-
cané, et qu'il restât au milieu des siens, dans une case
soigneusement fermée, tout au long de sa lente décomposition. Mais les enfants, dit-on, se bouchaient le nez, et
s'enfuyaient, chassés par l'odeur de la chair putréfiée de
leur père; quant aux veuves, selon toute probabilité, elles
s'étaient choisi un nouveau mari avant d'en avoir fini
avec le cadavre. Aussi plus d'un mort était-il mis en terre
rapidement, sans cérémonie, sous prétexte que les survi-
vants de la famille n'étaient pas assez résistants pour
supporter le long deuil. On comprend donc que les
Mundugumor enragent de payer le prix fort pour des
rites accomplis par un ennemi; les Andoar, vindicatifs, le
savaient bien lorsqu'ils se donnaient le plaisir d'arracher
un cadavre aux eaux limoneuses du Yuat.

Sur leurs terres hautes et fertiles qu'ils conservent
parce qu'ils sont plus audacieux et plus féroces que leurs
voisins, les Mundugumor vivent entre eux dans une
atmosphère d'inquiétude et de méfiance réciproque.
Aucun village n'a de place centrale, ni de maison commune des hommes, comme on en trouve presque partout
ailleurs en Nouvelle-Guinée. Le Mundugumor cherche à
vivre replié sur lui-même, à l'intérieur d'un enclos palis-
sadé où s'élèvent quelques cases : une pour chaque femme,
ou peut-être une pour deux; une autre, au toit dé-
labré, réservée à ses fils adolescents et où ils dorment, misérables, dévorés des moustiques – car ils ne valent même
pas, à eux tous, la dépense d'une seule moustiquaire;
une case pour lui-même, où il prend ses repas, piquant
au hasard dans les plats de sagou relevé de poisson ou de
larves de sagoutier, que chaque femme a préparés pour
lui; enfin une autre case où il range ses tambours, reçoit
les visiteurs et sèche son tabac. Mais il n'y a guère qu'un
homme sur vingt-cinq qui puisse s'enorgueillir de posséder un tel enclos, où vivent neuf ou dix épouses et
quelques fils, gendres et neveux. C'est pourtant l'idéal de

Fig. 10.
Architecture d'une maison des hommes à Kanduanum (Moyen-Sepik).

chacun; et celui qui n'a que deux ou trois femmes – parfois une seule à laquelle est adjointe quelque vieille parente pour grossir le ménage – se choisit un coin à l'écart, le débroussaille, et ne s'y rend que par des itinéraires détournés. Dans chaque localité, en effet, on trouve des hommes nés de femmes étrangères, qui ont conservé des liens avec d'autres tribus. Ce sont les traîtres professionnels, toujours prêts à servir de guide pour une razzia contre une demeure mal défendue. Voilà pourquoi l'emplacement de la nouvelle maison est censé demeurer secret, car pour réussir un coup de main, il faut pouvoir se rendre directement au but, frapper vite, et s'enfuir.

Là n'est d'ailleurs pas la seule raison qui explique la dispersion des demeures dans la brousse. Un frère cadet ne parle à son aîné qu'en cas de nécessité, et encore n'est-ce qu'avec respect et circonspection. Deux frères ne peuvent s'asseoir l'un près de l'autre sans se sentir embarrassés, et un jeune frère n'a pas le droit de parler à la femme de son aîné. Ces interdictions ne dissimulent en aucune façon l'hostilité qui existe entre tous les mâles d'une famille, entre le père et le fils, aussi bien qu'entre frères. Il arrive qu'un homme bâtisse sa case près de celle d'un de ses oncles maternels : mais ce ne peut être qu'une entente passagère, à laquelle mettra bientôt fin quelque lutte intestine où l'un ou l'autre se trouvera mêlé.

Cette rivalité dans le partage de la brousse atteint également les femmes. Elles ont un certain pouvoir sur les esprits. Une femme mariée qui vient d'une autre localité va habituellement à la pêche avec sa belle-sœur et partage la prise avec elle, sans quoi la belle-sœur pourrait lui jeter un sort. La brousse est parcourue d'innombrables petits canaux artificiels où l'on pêche à l'épuisette, mais qui suscitent toutes sortes de craintes. Un *peleva*, cet objet en forme de serpent que taillent les populations palustres, peut y être caché – malédiction d'une belle-sœur, ou d'un ancien propriétaire, qui, en mourant, et par pure malveillance, a voulu jeter un sort au *barad* qu'il a creusé, et à tous ceux qui pêcheraient après lui. Ou bien encore un crocodile peut se faire les dents dans la croupe d'une femme penchée sur son filet. Mais le poisson abonde dans les *barads*, et la peau saine et luisante des femmes témoigne de maints repas avalés voracement, aux premières heures du jour, avant de retourner à l'habitat familial.

Il n'existe aucun lieu où puissent se réunir les hommes excepté dans les rares occasions où se préparent une cérémonie. Les fêtes ne sont pas organisées par la communauté, mais par un personnage de marque qui veut initier son fils à quelque culte fétichiste. Il construit alors une case assez grande pour contenir tout l'appareil de la cérémonie.

Mais ces fêtes sont exceptionnelles, véritables oasis au milieu du désert de suspicion et de méfiance qu'est la vie quotidienne chez les Mundugumor. En temps ordinaire, il n'y a que les femmes que l'on puisse voir se rencontrer, former de petits groupes bavards. C'est pour échanger des remarques aigres-douces sur leurs jupes de fibre aux vives couleurs, ou se moquer de leurs aînées qui s'accrochent à des modes révolues. Hors des fêtes, il n'est pas rare qu'un frère s'arme pour attaquer son frère; on n'apprend pas sans crainte ou colère la visite prochaine d'un parent; les enfants sont dressés à se sentir mal à l'aise en présence de la plupart des membres de leur famille; des sentiers et des clairières s'élèvent fréquemment des éclats de voix irritées.

CHAPITRE X

STRUCTURE DE LA SOCIÉTÉ MUNDUGUMOR (1)

Il n'existe pas de véritable communauté mundugumor. En des lieux-dits, les individus possèdent des terres, sur lesquelles ils résident plus ou moins régulièrement dans de petits groupes d'habitations éparses, qui rassemblent ainsi, mais jamais de façon très durable, des mâles consanguins ou des hommes apparentés par mariage. La société n'est pas organisée en clans, comme chez les Arapesh, chez qui un groupe d'individus apparentés les uns aux autres forme une unité permanente, que ciment-tent un sang commun, un nom commun, des intérêts communs. L'organisation sociale des Mundugumor est au contraire fondée sur la conception qu'il existe une hosti-lité naturelle entre tous les individus d'un même sexe et que seuls ceux du sexe opposé constituent un lien entre eux. Au lieu, donc, d'être organisés en groupes patrilinéai-res ou matrilinéaires – où les frères appartiennent au même groupe que leur père ou leur oncle maternel – les Mundugumor pratiquent un système qu'ils appellent une « corde ». Une « corde » comprend un homme, ses filles, les fils de ses filles, les filles de ses fils de ses filles, etc.; ou bien, si l'on compte à partir d'une femme, ses fils, les filles de ses fils, les fils des filles de ses fils, etc. Tout bien, à

(1) En ce qui concerne les exemples donnés dans ce chapitre, des anomalies dans le fonctionnement du système social mundugumor, je suis directement redevable aux notes du Dr Fortune.

l'exception de la terre, qui est abondante et a peu de valeur, est transmis suivant l'ordre de filiation de la « corde ». Ce sont les filles qui héritent même des armes paternelles. Un père et son fils n'appartiennent pas à la même « corde », ni ne respectent le même oiseau ou animal totémique. Le père ne laisse rien en héritage à son fils, si ce n'est une part des terres qui se transmettent en ligne patrilinéaire. C'est la fille qui hérite de tout le reste. Frères et sœurs n'appartiennent pas à la même « corde ». Les premiers reconnaissent l'autorité de leur mère, les secondes, celle de leur père.

L'idéal social est la grande famille polygame, qui peut compter jusqu'à six ou sept épouses pour un homme. Cette famille est très nettement divisée en deux groupes, celui composé du père et de toutes ses filles, et celui qui comprend les mères et leurs fils. Entre frères germains, l'attitude est toute de rivalité et de méfiance. Dès l'adolescence, ils doivent obligatoirement s'éviter au maximum, adopter l'un envers l'autre un comportement formaliste à l'extrême, s'abstenir entre eux de toute conversation légère ou même banale. Il n'est pour eux qu'une seule forme possible de contacts étroits : ils ont le droit de se battre et de s'injurier en plublic. Les demi-frères doivent observer les mêmes règles, quoique d'une façon un peu moins rigoureuse. Mais ils sont divisés aussi par la rivalité, l'hostilité féroces qui existent entre les épouses de leur père – leurs mères. Cette rivalité est telle qu'une femme refuse de donner à manger à l'enfant de son mari né d'une autre épouse qu'elle-même. Pères et fils sont, d'autre part, séparés par une hostilité précoce, que la société s'entend à entretenir. Lorsqu'un garçon a dix ou douze ans, sa mère est déjà vieille et n'est plus, en tout cas, l'épouse favorite. Son père cherche une autre femme, plus jeune. Si l'épouse délaissée proteste, elle est battue. Le petit garçon est censé défendre alors sa mère, défier et injurier son père.

Telle est l'atmosphère qui règne dans la famille de l'homme qui a réussi, de celui qui a pu réunir un grand nombre d'épouses. Car c'est là un signe de richesse et de puissance. Un homme peut exiger certains services des frères de ses femmes, et – ce qui est plus important – les femmes elles-mêmes, en cultivant et traitant le tabac, sont une source de richesse, car le tabac est l'article de troc le plus important. Les enclos familiaux ne sont pas situés dans un village (1), mais dissimulés dans la brousse, et leur chef envisage toujours avec la plus grande méfiance les visites de tout adulte mâle, à moins qu'il ne vienne traiter une affaire bien définie.

Bien que frères et sœurs n'appartiennent pas à la même « corde » et soient dressés dès l'enfance à ne se soumettre qu'à l'autorité de leur mère ou de leur père, selon le sexe, il existe une autre institution qui va à l'encontre de l'organisation en « corde ». C'est celle du mariage, fondée sur l'échange de la sœur contre l'épouse du frère. Chaque homme est censé obtenir une épouse en donnant sa sœur en échange de la sœur d'un autre homme. Théoriquement, il n'existe pas d'autre moyen de se procurer légalement une épouse. Dans la pratique, cependant, on peut parfois acquérir une femme contre une flûte précieuse. Les frères ont donc un droit de préemption sur leurs sœurs, et leurs mères ne manquent pas de leur faire apprécier la pleine valeur de ce droit. Les hommes qui n'ont pas de sœur doivent se battre pour trouver une épouse, et une famille composée d'un grand nombre de fils et d'aucune fille, est vouée à de longues années de luttes. Il faut qu'une fille se soit enfuie, et qu'il y ait eu combat, pour que l'on puisse proposer un accommodement et compenser le vol de la femme par une flûte sacrée. Comme le nombre de frères et sœurs dans une famille est rarement équilibré de façon que chaque homme puisse échanger une de ses sœurs contre une épouse d'âge approprié, les frères sont continuellement en désaccord les uns avec les autres pour faire valoir leurs droits sur telle ou telle de leurs sœurs. Un

---

(1) A l'instigation du gouvernement, les indigènes commençaient à rapprocher leurs cases les unes des autres, mais ils n'y vivaient pas d'une façon permanente.

frère aîné, surtout si son père est mort, peut échanger toutes ses sœurs contre autant d'épouses et laisser ses frères cadets sans ressources. Comme, d'autre part, l'idée de puissance est associée au nombre d'épouses, les conflits entre frères sont inévitables, quel que soit le nombre de leurs sœurs. Moins celles-ci sont nombreuses, plus les conflits sont violents. Cette rivalité se complique du fait que les hommes déjà âgés ont le droit d'épouser de jeunes femmes. En théorie, il n'est pas permis de se marier en dehors de sa génération. Mais les Mundugumor ne respectent aucune de leurs propres règles. Accoutumés qu'ils sont à réagir avec violence à toute situation sociale, ils laissent s'établir une rivalité directe, d'ordre sexuel, entre le père et le fils. Certes le fils peut échanger sa sœur contre une épouse : avec sa sœur, il peut acheter une partenaire sexuelle. Mais son père le peut aussi. Au lieu d'autoriser son fils à se servir de sa sœur pour se procurer une épouse, il peut se réserver ce droit à lui même : il peut échanger sa fille adolescente contre une jeune épouse. Chez lui s'est déjà développé un vif sentiment de possession à l'égard de sa fille. Elle appartient à sa « corde », non à celle de son frère. Elle jardine avec lui, travaille avec lui dans la brousse, emploie les termes de parenté qui sont les siens, porte le nom d'un de ses ancêtres féminins. Il jouit sur elle d'un droit de surveillance des plus stricts. Il peut dormir dans la même moustiquaire-lit (1) jusqu'à ce qu'elle se marie, et l'accompagner si elle se lève la nuit. Il en est venu à la considérer comme sa propriété, dont il peut disposer à son gré. Tout garçon, en grandissant, sait – sa mère lui en a rebattu les oreilles – que son père risque de lui voler sa sœur, et, par conséquent, sa future épouse. Et la mère a d'abondantes raisons pour préférer que sa fille soit échangée contre une épouse pour son fils, plutôt que contre une nouvelle

(1) Paniers jouant le rôle de moustiquaires. Ils sont faits d'écorce ou de pousses de sagoutier tressées. Ils ressemblent à des sacs cylindriques, de trois à cinq mètres de long, tendus sur des cerceaux de bambou. Deux à quatre personnes peuvent y dormir confortablement. Le fond du panier ne s'ouvre pas; l'autre bout se referme de l'intérieur.

épouse pour son mari. Depuis longtemps sa fille ne dépend plus d'elle; avec un petit sourire effronté, la fillette s'est mise à employer les termes de parenté que son père lui a appris. Souvent, après que la mère eut apporté au père un plat particulièrement savoureux pour son repas du soir, c'est sa fille et non elle qui a été invitée à se glisser dans la moustiquaire. Quand le père et la mère vont dans la brousse choisir des poteaux pour la case, c'est à qui verra un arbre bien droit le premier. Si c'est le père, il crie : « Celui-là est pour ma fille! » Si c'est la mère, elle dit : « Celui-là est pour mon fils! » Plus tard, c'est la mère qui fait le sagou, mais avec les rondins de sagoutier que son jeune fils, encore apprenti, a coupés. Si, par hasard, ce sont ses filles, elles utiliseront les rondins que leur père, de son bras plus fort et plus adroit, a débités. La mère voudrait bien voir sa fille quitter la maison et être remplacé par une belle-fille qui vivrait dans sa case, sous son autorité, et qu'elle pourrait prévenir contre le père de son fils. Son aversion pour le lien qui unit son mari à sa fille, sa crainte de voir ce lien se traduire par l'arrivée au foyer d'une jeune épouse rivale, sa sollicitude constante à l'égard de son fils – tout l'incite à ne pas laisser son mari échanger sa fille contre une nouvelle épouse.

Du côté du père viennent s'ajouter d'autres sentiments. Il en veut à son jeune fils dans la mesure où celui-ci est vigoureux et masculin. Toute la structure de la société définit le père et le fils comme rivaux. La croissance du fils est un gage du déclin du père. Sa jalousie à l'égard de sa fille est exaspérée par la conscience qu'il a des droits de son fils sur elle. Il est profondément hostile à tout échange dont il n'aurait pas l'initiative et qui n'aboutirait pas directement à une satisfaction sexuelle pour lui-même. A l'intérieur de l'enclos familial, il voit, au fur et à mesure que grandissent ses fils, se former des camps hostiles : dans chaque hutte, une épouse évincée et chagrine attise l'agressivité d'un fils jaloux, prêt à revendiquer, contre lui, ses droits sur les filles de la maison.

Cette hostilité entre père et fils, entre frères, entre demi-frères, se retrouve, plus ou moins vive, dans chaque groupe familial mundugumor. Même si un homme n'a qu'une seule épouse, le conflit au sujet de la sœur subsiste. On comprendra aisément combien est fragile la base d'un tel système pour que puisse s'y bâtir une société ordonnée. Il n'y a pas de communauté réelle, pas de noyau de mâles apparentés les uns aux autres, autour duquel la société puisse se cristalliser de façon permanente. Le culte du *tamberan*, qui, en d'autres régions de la Nouvelle-Guinée, unit les adultes mâles de la communauté face aux femmes et aux jeunes garçons, a été privé, chez les Mundugumor, de la plus grande part de son rôle intégrateur. Il n'existe pas de case permanente du *tamberan* pour abriter les objets du culte, et où les hommes puissent se réunir. Il n'y a aucune maison d'hommes ni quoi que ce soit d'approchant. Au lieu d'un culte de village ou de tribu, il y en a plusieurs : culte des flûtes des esprits des eaux, culte des flûtes des esprits de la brousse, culte des différents masques importés, qui sont considérés comme des objets surnaturels. Chacun d'eux est la propriété d'un individu et se transmet selon la filiation de la « corde ». Celui qui possède une flûte-crocodile la garde chez lui, soigneusement enveloppée. L'initiation a cessé d'être un procédé par lequel tous les garçons d'un certain âge sont admis dans la communauté des adultes. Au contraire, les flûtes sacrées et les cérémonies d'initiation – qu'il faut avoir subies pour pouvoir regarder les flûtes – sont devenues parties du jeu que jouent les hommes « importants » pour accroître leur prestige. Un notable, qui a de nombreuses femmes, et par conséquent les ressources nécessaires, peut prendre sur lui de donner une fête d'initiation. Il construit une grande case pour la circonstance, et tous les garçons et jeunes hommes qui n'ont jamais vu l'objet sacré en question, sont rassemblés et forcés de subir la torture correspondant à cet objet : incisions avec des dents de crocodile, brûlures, coups, etc... Ces fêtes sont données à intervalles très irréguliers, puisqu'elles dépendent du caprice d'un notable. Nom-

breux parmi les non-initiés sont les adultes et les gens
déjà mariés. Il n'y a aucune relation entre l'initiation
d'une part et la fin de la croissance ou le droit de se
marier, de l'autre. Tout est organisé autour de l'idée
d'exclusion, et du droit de ceux qui ont été initiés de
mépriser et d'exclure ceux qui ne l'ont pas été. Ceux qui,
jeunes garçons, se félicitaient d'avoir fui dans la brousse
et de s'être soustraits aux brutalités de l'initiation, une
fois devenus hommes, s'éclipsent, honteux et furieux,
lorsqu'on leur crie : « Va-t'en, tu ne peux pas voir cela, tu
n'as jamais été initié. » Pour échapper à un tel affront, ils
consentent finalement à être initiés.

L'initiation ne sert pas davantage à réaffirmer, face aux
femmes, la solidarité des hommes. Chez les Mundugumor, les filles ont le choix. Elles peuvent être initiées, et
doivent alors observer les prohibitions alimentaires qui
s'ensuivent, car les filles ne sont pas soumises aux épreuves de scarification; mais elles peuvent aussi, si elles le
désirent, rester spectatrices et manger ce qui leur plaît
pendant l'année qui suit la cérémonie. Environ deux tiers
des filles préfèrent être initiées. Ainsi, une initiation
mundugumor est une cérémonie au cours de laquelle des
garçons comme des filles, qui n'appartiennent pas à un
groupe d'âge défini, sont initiés par un individu – celui
qui donne la fête – et les quelques hommes qui, pour
l'instant, sont associés avec lui. Elle ne contribue aucunement à donner aux novices conscience de leur âge, de
leur sexe ou d'une quelconque responsabilité sociale.
Certes, elle leur inspire un respect mêlé de crainte à
l'égard des flûtes sacrées, mais les flûtes appartenant à la
lignée familiale sont plus redoutées que celle de l'initiation. Car la cérémonie ne crée chez les participants aucun
sentiment de groupe, quelque solennité qui l'entoure,
quelle que soit leur émotion à contempler pour la première fois le regard fixe et nacré de l'idole incrustée de
coquillages. Dès lors, chaque garçon vénérera la flûte de
sa lignée et, s'il n'en existe pas, il s'efforcera de s'en
procurer une.

Ainsi le culte religieux se révèle-t-il aussi incapable

d'intégrer le groupe d'une façon permanente que les règles de filiation et de succession. En fait, à un certain moment de leur histoire, les Mundugumor tentèrent d'adapter le système des « cordes » à une organisation coopérative de la société, comme en témoignent certaines maximes et règles, que l'on honore le plus souvent en y dérogeant. Il fut ainsi décidé que des obligations mutuelles existaient entre les descendants issus du mariage entre deux frères et deux sœurs. Le fils de la sœur devait scarifier le petit-fils du frère, qui à son tour devait rendre ce service au petit-fils de celui qui l'avait jadis scarifié. A la quatrième génération, les enfants des deux lignées devaient en principe se marier entre eux. Ainsi, pendant cinq générations, deux « cordes » se trouvaient liées par des obligations réciproques, pour aboutir au mariage de deux couples de frères et sœurs d'âges correspondants. Mais le système, trop complexe, n'est jamais appliqué dans la pratique.

Cette tradition n'a pour conséquence que d'affirmer chez chaque Mundugumor la conviction qu'il agit mal et que les autres agissent mal à son égard. Le droit de scarification sur un garçon est financièrement profitable; l'opération rapporte anneaux et porcs à celui qui l'accomplit; le novice sera remboursé de ces dons lorsque, adulte, il sera appelé à scarifier le petit-fils de celui qui l'a lui-même scarifié. De même lorsqu'une femme perce les oreilles d'une fillette et reçoit des cadeaux en échange de ce service, il est prévu que, un jour, la fillette devenue femme percera les oreilles de la petite-fille de celle qui a pratiqué sur elle l'opération, et recevra de beaux cadeaux à son tour. Mais les Mundugumor sont d'un individualisme trop agressif pour s'acquitter méticuleusement de telles obligations pendant trois générations. Querelles, départs s'y opposent; et c'est aussi une bonne façon de se décharger d'une dette envers un voisin que de lui céder ses droits dans une cérémonie aussi profitable. Beaucoup sont ainsi privés des droits dont ils avaient hérité, et les mécontents sont nombreux. Quant aux mariages qui doivent théoriquement unir les descendants des deux

« cordes » à la quatrième génération, ils n'ont jamais lieu. Des expressions, des adages y font allusion, et ils sont invoqués par ceux des Mundugumor qui s'insurgent contre la désorganisation de la vie sociale. Ce rappel de ce que l'on suppose avoir été le comportement discipliné des ancêtres donne à chacun un complexe de culpabilité et colore toutes leurs activités de cette sorte d'irritabilité méfiante, qui est éminemment caractéristique des relations sociales chez les Mundugumor. Un père, par exemple, qui s'apprête à frustrer son fils de ses droits sur sa sœur, pour se procurer une nouvelle épouse, s'arrange pour se prendre de querelle avec lui et le forcer à quitter la maison. Un homme qui veut se concilier un allié récent en lui demandant de scarifier son fils, accusera celui à qui revenait le droit de pratiquer l'opération, de sorcellerie ou de vol, ou prétendra encore qu'il a tenté de séduire sa femme – n'importe quoi pour susciter entre eux assez de froideur pour lui permettre de se dérober plus facilement à ses obligations. Ainsi, ces extraordinaires dispositions qui, en principe, devaient assurer une réelle coopération sociale sur plusieurs générations, non seulement ne permettent en aucune façon d'intégrer cette société, mais contribuent, en réalité, à sa désintégration.

Il n'est pas rare qu'un garçon soit en bons termes avec son oncle maternel. Ils n'appartiennent pas, il est vrai, à la même « corde », ni à la même lignée de propriétaires fonciers. Mais l'oncle maternel est toujours prêt à recueillir son neveu si ce dernier a des ennuis avec son père. Entre beaux-frères, les relations, dans presque tous les cas, sont tendues, embarrassées, teintées d'hostilité – hostilité qui remonte souvent à la bataille qui les a opposés lorsque l'un a enlevé la sœur de l'autre. Sans doute a-t-on composé à la suite de l'enlèvement, et donné en échange une autre femme ou une flûte, mais cela ne saurait effacer complètement le souvenir du combat. Ainsi, il est conforme à tout le comportement de l'oncle maternel qu'il se range du côté de son neveu contre le père de celui-ci. Car l'oncle maternel est, pour un garçon, un très proche parent, si proche qu'il pratique souvent sur son neveu les scarifications cérémonielles sans se faire payer. Les gens mesquins ou avares en profitent, et économisent ainsi ce qu'ils auraient à payer pour la même cérémonie à un « frère de mère » plus éloigné – c'est-à-dire à un cousin maternel. Plus tard, certains iront vivre et travailler pendant quelque temps avec un de leurs oncles maternels ou ses fils, qu'ils ont appris à connaître lorsque, enfants, ils s'étaient enfuis de chez eux.

Pour comprendre comment la société mundugumor peut exister cependant, en dépit de cette hostilité et de cette méfiance entre les mâles d'une même famille, et malgré la fragilité des bases de toute coopération, il est nécessaire d'en considérer le fonctionnement économique et cérémoniel. Les Mundugumor sont riches; leurs terres suffisent amplement à leurs besoins; leurs *barads* de pêche foisonnent de poisson; dans leurs jardins, ils cultivent le tabac, si recherché de leurs voisins; génération après génération, leurs ancêtres ont planté des cocotiers et des aréquiers; les sagoutiers poussent en abondance; ce sont les roussettes, dit-on couramment, qui plantent les palmiers, tant ceux-ci sont nombreux. Le contraste est vif avec les conditions de vie chez les Arapesh, où chaque cocotier a un nom et une généalogie, dont le souvenir est précieusement conservé. L'économie mundugumor, par surcroît, n'exige pratiquement aucune coopération entre les familles. Le peu que font les hommes, ils peuvent le faire sans aide. Ils cultivent leurs jardins d'ignames et coupent les sagoutiers en tronçons, soit pour faire le sagou, soit pour les laisser pourrir à terre de façon que les larves comestibles puissent s'y développer. Ce sont les femmes qui font tout le reste. Les hommes peuvent se quereller et refuser de s'adresser la parole, ils peuvent déménager leurs huttes, constructions légères et hâtivement dressées, d'un bout à l'autre de la localité, ils peuvent bouder près du feu ou ourdir quelque vengeance avec de nouveaux alliés – le travail de la maisonnée n'en souffre pas. Les distances sont courtes, le sol est plat, et, s'il faut aller loin, les pirogues sont là pour

Fig. 11.
Lavage et préparation de la fécule à partir du tronc du sagoutier
(golfe Huon).

remonter ou descendre la rivière. Fortes, bien nourries, de bonne humeur, ce sont les femmes qui effectuent tout le travail de la tribu. Ce sont même elles qui grimpent aux cocotiers, tâche dont presque toute la Nouvelle-Guinée primitive exempte les femmes.

Dans ces conditions, les hommes peuvent être actifs ou paresseux, se quereller ou vivre en paix, à leur gré. Le rythme de la vie masculine est en fait une alternance entre les périodes d'individualisme total – pendant lesquelles chacun reste chez soi, près de ses femmes, et travaille à ce qui lui plaît, allant parfois jusqu'à partir à la chasse avec son arc et ses flèches – et les périodes marquées par quelque grande expédition. La rivalité, l'hostilité entre Mundugumor s'exprime peu en termes économiques. Ce sont les femmes qui sont le principal objet de leurs querelles. Sans doute y a-t-il parfois quelques disputes au sujet de terres ou de droits de pêche, mais la nourriture est abondante et la rivalité économique ne joue pas un grand rôle. Si un homme veut montrer qu'il est riche, il peut donner un festin d'ignames à un de ses anciens ennemis, le mettant ainsi sur des charbons ardents : il ne restera plus à ce dernier qu'à rendre l'invitation en nature ou à perdre la face. Pour un tel festin on puise principalement dans son propre jardin et dans celui des alliés immédiats.

Nous avons déjà parlé des fêtes d'initiation données par les hommes « importants ». Il y a aussi les échanges de nourriture entre notables, et les fêtes de victoire qui couronnent la réussite d'une chasse aux têtes. Dans toutes ces entreprises, les responsables sont connus de la communauté comme « des hommes vraiment mauvais » – agressifs, avides de pouvoir et de prestige, hommes qui ont pris bien plus que leur part des femmes de la communauté et qui ont aussi acquis, par vol ou achat, des femmes des tribus voisines, individus arrogants qui ne craignent personne et sont assez sûrs de leur puissance pour trahir qui bon leur semble en toute impunité. Lorsqu'ils mourront, la communauté entière les pleurera; c'est leur arrogance, leur soif de puissance, qui donne un rythme à la vie sociale. Peu nombreux – il y en a deux ou trois pour chaque communauté de deux à trois cents Mundugumor – ils sont au centre du système. Ils bâtissent leurs enclos soigneusement, solidement. La palissade et les cases sont robustes, les tambours trop lourds pour qu'on puisse les bouger. Les hommes moins importants ont moins de femmes, ils se sentent moins en sécurité, ils se querellent entre eux, n'habitent jamais longtemps au même endroit, vont vivre tantôt chez un cousin, tantôt chez un beau-frère, tantôt chez un oncle maternel : chaque alliance successive, qu'aucune nécessité économique ne rend indispensable, est tôt ou tard rompue à la suite

de quelque dispute au sujet d'une femme. Ces hommes-là
vivent dans l'orbite d'un notable, puis d'un autre; ou bien
encore, ils commencent à travailler pour un homme qui,
bien que jeune et doté seulement de trois ou quatre
épouses, s'achemine rapidement vers une position de
force. C'est dans cette atmosphère de fidélités incertaines,
de conspirations, de trahisons que, de temps à autre, on
met sur pied une chasse aux têtes : alors, pendant une
courte période, toute la communauté mâle s'unit pour
l'expédition et les festins de victoire par lesquels elle
s'achèvera, festins où s'affirme un cannibalisme tapageur,
où chaque convive fait éclater sa joie de pouvoir enfoncer
ses dents dans la chair de l'ennemi abhorré.

Il se peut que, entre deux razzias, un notable décide de
donner une grande cérémonie. Une trêve s'instaure au
sein de la communauté, les querelles intestines cessent :
plus de vols de femmes, plus de sagaies lancées à la
dérobée. Il est nécessaire de disposer d'une bonne quantité d'ignames; celles-ci ne sont pas un élément important
de la nourriture des Mundugumor, mais sont réservées
pour ces manifestations. Il faut aussi tout un attirail
cérémoniel. Pour certaines de ces fêtes, on construit en
écorce un grand crocodile, de cinq à six mètres de long,
que l'on peint de motifs complexes. Pour d'autres, on
fabrique un grand triangle d'écorce peinte, de dix à douze
mètres de haut, que l'on dresse contre un cocotier.
Parfois l'on taille de nouvelles figurines de flûtes, que l'on
doit habiller de petits vêtements faits au crochet et
décorer de vrais cheveux, de coquillages, de graines, de
fourrure d'opossum et de plumes. Pour la danse, boucliers et sagaies doivent être fourbis, ou remplacés par du
neuf.

Tous ces préparatifs, sous l'ombre protectrice de la
trêve, se déroulent sous le signe de la bonne humeur.
Chaque matin, les hommes sont rassemblés au son des
flûtes. Tout le jour, on les voit faire du crochet, enfiler des
coquillages, mâcher du charbon de bois sous l'arrogante
direction du maître artiste, qui, pour la circonstance, a
remplacé le chef des chasseurs de têtes. Les petits gar-

çons, les hommes même qui n'ont jamais assisté à la cérémonie sont chassés avec mépris. Au milieu du jour, les femmes apportent de grands plats de nourriture, bien garnis de poisson et de larves de sagoutier. Pendant plusieurs semaines, des hommes qui, en temps ordinaire, se méfient les uns des autres, hésitent à se tourner le dos un instant, ces mêmes hommes travaillent ensemble, cependant que les têtes les plus froides intriguent pour tirer profit de l'accalmie. Finalement la fête a lieu, la danse se termine, la trêve prend fin : l'hostilité, les querelles reprennent leurs droits, jusqu'à ce que la prochaine grande fête, ou une chasse aux têtes, réunisse de nouveau la communauté.

CHAPITRE XI

FORMATION DE L'INDIVIDU
CHEZ LES MUNDUGUMOR

L'enfant mâle mundugumor entre en naissant dans un monde hostile, un monde où la plupart de ses semblables mâles seront ses ennemis, où, pour se faire son chemin, il lui faudra être violent, percevoir et venger l'insulte, faire peu de cas de sa personne et encore moins de la vie des autres. Du moment qu'il naît, tout l'incite à un tel comportement. Quand une femme mundugumor dit à son mari qu'elle est enceinte, il n'en éprouve aucune joie. Il est désormais un homme marqué. Lorsqu'il s'approche d'un groupe d'hommes qui taillent un tambour, ils s'empressent avec un large sourire de balayer les copeaux pour qu'il ne marche pas dessus, car ce serait mauvais pour l'enfant – qu'il ne désire pas – et pour le tambour, à la fabrication duquel il ne peut plus collaborer. S'il entoure son jardin d'une palissade, c'est quelqu'un d'autre qui plantera les pieux; s'il ramasse du rotin dans la brousse, quelque impudent gamin lui rappellera qu'il ne doit prendre que du rotin vert, sans quoi l'enfant resterait enfermé dans le sein de sa mère. Ces tabous pourraient le rapprocher de sa femme dans une sollicitude commune pour l'enfant à naître si avoir un enfant était quelque chose que l'on envisage avec plaisir chez les Mundugumor; mais ses compagnons s'en servent pour exaspérer son ressentiment à l'égard de sa femme. Il l'injurie, lui reproche d'avoir conçu si rapidement, maudit sa magie anticonceptionnelle, à laquelle il a, en vain, fait appel. S'il a des rapports sexuels avec elle une fois qu'il sait qu'elle est enceinte, il court un nouveau risque : elle peut avoir des jumeaux, le deuxième enfant étant le résultat de cette nouvelle « stimulation ». Les Mundugumor croient en effet que le liquide séminal n'agit que comme stimulant d'un caillot de sang, qui, sous son action, devient un enfant. Ainsi donc, au lieu de s'intéresser à l'enfant, le père est déjà prévenu contre lui. Quant à la femme, elle associe son état à la privation sexuelle, à la colère et l'éloignement de son mari, et au risque qu'elle court de le voir prendre une autre femme et d'être provisoirement abandonnée. C'est ce qui se passera d'ailleurs fort probablement s'il doit se battre – comme c'est habituellement le cas – pour se procurer la nouvelle femme sur laquelle il a jeté son dévolu. Que cette dernière soit l'épouse ou la fille d'un autre homme, il doit d'abord l'enlever, puis la défendre contre la bande furieuse qui viendra la lui disputer, et finalement accorder, en dédommagement, soit une femme de son sang, soit une précieuse flûte sacrée. De tout cela, évidemment, il ne s'ouvre pas à son épouse enceinte, et celle-ci se trouve souvent abandonnée aux soins de sa propre famille, tandis que son mari court après une rivale. Ainsi, pour la mère comme pour le père, l'enfant attendu n'est aucunement le bienvenu. A l'exaltation des premiers jours du mariage, où l'intérêt érotique assurait la cohésion du couple, ont succédé la colère, l'hostilité, et, très souvent, les accusations d'infidélité, le mari refusant de croire qu'il est responsable de cet événement importun.

L'attitude des Mundugumor à l'égard des enfants est conforme à leur individualisme brutal, à leur sexualité agressive, à l'hostilité qui règne entre les membres d'un même sexe. Ce tempérament pourrait ne pas être incompatible avec une réaction paternelle normale si le fils était l'héritier du père, le prolongement, pour ainsi dire, de sa personne. Mais le système de filiation en « corde » et le régime matrimonial ont ce résultat qu'un homme n'a pas d'héritiers, mais simplement des fils, qui sont pour lui des rivaux, et des filles qui, quoi qu'il fasse pour les

défendre, finiront par lui être enlevées. Son seul espoir
de devenir puissant et influent réside d'une part dans le
nombre de ses épouses, qui travailleront pour lui et lui
donneront ainsi les moyens d'acquérir la puissance, d'autre part dans la faiblesse de caractère dont pourraient
éventuellement faire preuve certains de ses frères. On
entend parfois l'expression « un homme qui a des frères ».
Cela signifie que cet homme, par un coup de chance, a
des frères timorés et dociles, qui se laissent mener par lui
au lieu de se mettre en travers de son chemin, et
formeront autour de lui, à l'époque de son âge mûr, un
groupe solidaire plus ou moins permanent. Des alliés
dont il peut forcer la volonté, qu'il peut malmener à son
gré, non des fils qui viendront lui opposer leur vigueur et
se moquer de lui dans sa vieillesse, voilà ce qu'il cherche.
Une femme qui se trouve enceinte blesse donc son mari à
l'endroit le plus vulnérable; elle a fait un premier pas vers
son déclin en concevant peut-être un fils. Quant à elle,
elle a transformé l'activité et l'intérêt sexuels de son mari
en frustration et ressentiment – pour quoi? Pour donner
peut-être le jour à une fille qui appartiendra à son mari,
non à elle.

Avant que l'enfant naisse, on discute beaucoup pour
décider s'il sera gardé ou non, le débat portant partiellement sur le sexe de l'enfant attendu. Le père préfère une
fille, la mère un fils. Contre la mère sont non seulement le
mari, mais son propre père et ses frères qui, eux aussi,
préfèrent une fille. Les garçons ne peuvent que créer des
ennuis s'ils n'ont pas assez de sœurs pour leur procurer
des épouses. Et même si les sœurs sont en nombre
suffisant, les garçons agressifs iront enlever d'autres femmes pour lesquelles on devra se battre. Un enfant mundugumor a d'autant plus de chances de survivre qu'il a
davantage d'aînés. Lorsqu'un fils est né, par exemple, il
est absolument nécessaire qu'une sœur lui soit donnée,
pour qu'il puisse, plus tard, l'échanger contre une épouse.
Tout Mundugumor doit avoir une sœur. Une femme nous
offrit un jour d'adopter un des garçons arapesh que nous
avions amenés avec nous. L'offre était assortie de la

garantie qu'elle lui donnerait comme sœur une de ses propres filles, pour lui assurer une position convenable dans la société mundugumor (1). Ainsi donc, une fille qui vient de naître a plus de chances de survivre qu'un garçon. Elle représente un capital pour son père, pour ses frères, pour tout le groupe familial.

Une fois qu'on a gardé un fils, on estime généralement qu'on peut aussi bien lui donner des frères. Si un enfant est conservé en vie assez longtemps pour être lavé au lieu d'être jeté à la rivière dans la spathe de palmier qui a servi à la délivrance, il ne sera pas tué, bien qu'il puisse être traité des plus sommairement et exposé à bien des risques dont la plupart des tribus primitives protègent leurs enfants. Si un homme abandonne sa femme pendant sa grossesse et qu'il naisse un fils, celui-ci a bien des chances d'être gardé, car son père ne sera pas là pour ordonner qu'il soit tué. De plus, dans une famille polygame, chaque épouse, par rivalité vis-à-vis des autres, insiste pour avoir un fils : le mari se trouve pris dans un enchevêtrement d'arguments de cause à effet, dont il peut rarement se dégager.

Ainsi, alors que la femme, comme le mari, ont tous les deux d'excellentes raisons pour ne pas vouloir garder leur premier-né, il est d'autres considérations qui entrent en jeu. Sans doute cette attitude donne-t-elle le ton des sentiments mundugumor à l'égard des enfants, mais elle ne se manifeste pas, d'une façon générale, au point de compromettre la survie de la société mundugumor.

Outre les circonstances qui amènent à garder le premier-né et les considérations qui poussent à garder les autres enfants, deux facteurs contribuent à l'augmentation de la population; la naissance de jumeaux et l'adoption. Comme par une ironie du sort, les femmes mundugumor ont une propension extraordinaire à donner naissance à des jumeaux, et le taux de telles naissances est

(1) Cette femme était d'un naturel bien plus facile et plus complaisant qu'il n'est habituel chez les Mundugumor, et elle s'était prise d'affection pour notre garçon, dont le tempérament était pourtant typiquement arapesh.

beaucoup plus élevé chez les Mundugumor que chez les autres tribus connues de cette partie de la Nouvelle-Guinée. Il est rare que l'un et l'autre enfants soient supprimés. Si ce sont deux garçons, on en garde un. Si ce sont un garçon et une fille, c'est le garçon qui est sacrifié; si ce sont deux filles, elles sont conservées, toutes les deux. L'une des jumelles, cependant, est toujours adoptée, car une mère mundugumor n'entreprend que rarement de nourrir deux enfants à la fois. En dehors même de ce cas particulier, l'adoption est de pratique courante. Même les femmes qui n'ont jamais eu d'enfant peuvent, en quelques semaines, en offrant constamment le sein au bébé, et en buvant beaucoup de lait de coco, produire assez – ou presque assez – de lait pour l'élever. Le bébé est naturellement nourri par d'autres femmes pendant les premières semaines qui suivent l'adoption (1). Il y a beaucoup à dire en faveur de l'adoption. Elle permet d'éviter la grossesse et l'accouchement, et il n'est pas nécessaire d'observer les tabous sur les rapports sexuels pendant l'allaitement (tabous dont la négligence provoque une maladie de peau) puisque l'enfant n'est du sang ni du père ni de la mère. Bien que l'on adopte habituellement une fille plutôt qu'un garçon, la mère y voit l'avantage d'entretenir de meilleures relations avec son mari et d'éviter les aspects de la maternité qu'elle déteste le plus. Beaucoup de ces enfants avaient été condamnés à mourir lorsque les parents adoptifs se sont déclarés. On dit d'eux « qu'ils ont été adoptés, non lavés, sur la spathe

_____

(1) Les Mundugumor prétendent que certaines femmes – mais pas toutes – parviennent à allaiter lorsque l'enfant les stimule en tétant et lorsqu'elles boivent en même temps de grandes quantités de lait de noix de coco. J'ai pu comparer le poids et l'état de santé de deux couples de jumeaux. Un de chaque couple avait été nourri par sa propre mère, l'autre par sa mère adoptive chez laquelle la sécrétion du lait avait été artificiellement provoquée. L'un était un enfant de deux ans qui avait été entièrement allaité par sa mère adoptive, l'autre un enfant de quatre mois dont la mère adoptive n'avait suffisamment de lait pour le nourrir entièrement, sans l'aide d'autres femmes, que depuis un mois. Dans chaque cas, l'enfant adopté était aussi bien développé que celui nourri par sa propre mère.

de palmier de leur naissance ». Il convient de rappeler aussi que si une sœur doit être de quelque utilité à son frère, il faut qu'elle soit d'un âge voisin du sien. Si elle est beaucoup plus vieille que lui, elle se fera enlever avant qu'il soit en âge de se marier. Même si elle est échangée contre une fille non encore nubile, le jeune mari de dix ou onze ans ne grandira pas assez vite pour empêcher la fillette de suivre un homme plus mûr dès qu'elle sera pubère. Parfois un homme qui a plusieurs fils mais qui n'a pas de fille, ou une femme qui n'a pas voulu adopter de fille, demanderont à une sœur de leur garder une fille, et s'engageront à prendre leur part de son entretien. Comme l'on croit que les filles sont plus difficiles à obtenir que les garçons, on formule souvent cette demande avant la naissance. On envoie alors régulièrement de la nourriture à la femme enceinte. La moitié du temps, évidemment, l'enfant est un garçon et l'homme qui n'a que des fils se trouve dans la position inconfortable d'avoir à assumer une responsabilité quasi paternelle à l'égard d'un nouveau mâle.

Voilà le monde tendu et hostile qui accueille l'enfant mundugumor à sa naissance. Presque aussitôt, à moins qu'il ne soit un enfant adoptif et que l'action stimulatrice de sa bouche ne soit nécessaire pendant les premiers mois pour provoquer la sécrétion du lait, commence son initiation à une vie d'où la tendresse est absente. Les tout petits enfants sont gardés dans des paniers en vannerie grossière, aux brins serrés et de forme semi-circulaire, que les femmes portent accrochés à leur front, de la même manière que les femmes arapesh portent leur sac en filet. (Chez les Arapesh, les entrailles maternelles sont désignées par le même terme que le sac en filet, chez les Mundugumor, par celui qui s'applique à ce panier.) Mais tandis que le sac arapesh est souple, épouse les formes de l'enfant et n'exerce de pression sur son corps que pour lui faire adopter la position prénatale – et, de plus, est si mince qu'il n'interpose pas de barrière entre l'enfant et la chaleur du corps maternel – le panier mundugumor est rude, dur et opaque. Le corps du bébé doit se plier aux lignes rigides du panier. Il y est couché presque sur le ventre, et ses bras sont pratiquement garrottés de chaque côté. Le panier est trop épais pour laisser passer la chaleur du corps maternel, l'enfant ne voit rien d'autre que deux étroites raies de lumière à chaque bout. Les femmes ne se chargent des bébés que lorsqu'elles se déplacent d'un endroit à un autre, et, comme toutes leurs expéditions sont de courte durée – lorsqu'elles se rendent à leurs *barads* de pêche ou aux sagoutiers – elles les laissent habituellement suspendus dans leur panier à une poutre de la maison. Lorsqu'un enfant pleure, on ne le nourrit pas aussitôt. On a d'abord recours au procédé dont on use normalement pour calmer un bébé agité. Sans lui jeter un regard, sans le toucher, la mère, ou toute femme ou fille qui en a la charge, se met à gratter de l'ongle l'extérieur du panier. Les enfants sont entraînés à réagir à ce bruit. Il semble que leurs pleurs, provoqués par un besoin de chaleur, d'eau ou de nourriture, soient conditionnés de façon à se contenter de cette maigre et lointaine consolation. Si l'enfant ne cesse pas de pleurer, alors seulement on lui donnera peut-être le sein.

Les femmes mundugumor allaitent debout, en soutenant l'enfant d'une main, dans une position telle que le bras de la mère se fatigue et que ceux du nourrisson ne peuvent se mouvoir. On ne les voit pas, comme leurs sœurs arapesh, s'adonner sans hâte, amoureusement, sensuellement, à leur tâche nourricière. Le bébé ne saurait prolonger la durée de son repas en jouant avec son corps ou le sein de sa mère. Il ne doit rien faire d'autre qu'absorber suffisamment de nourriture pour consentir, sans pleurer, à être remis dans son panier. S'arrête-t-il un instant de téter, il est immédiatement réintégré dans sa prison. Aussi les nourrissons se montrent-ils combatifs et obstinés : ils ne lâchent pas le mamelon et tètent aussi rapidement, aussi vigoureusement que possible. Ils s'étouffent fréquemment à avaler trop vite; la mère s'impatiente, l'enfant hurle. Au lieu d'être un geste tout de tendresse et de douceur, la tétée présente une situation caractérisée par de la colère et une lutte.

Dès que l'enfant peut se tenir assis, il n'est plus possible de le laisser dans son panier (bien que celui-ci serve encore à le porter). Si on l'accroche au mur, l'enfant donne des coups de pied, se retourne à l'intérieur et risque de tomber – donc de donner encore plus de tracas. Car c'est bien ainsi que les Mundugumor envisagent la maladie et les accidents, même quand il s'agit de petits enfants. Ce ne sont que de nouveaux motifs d'exaspération et de colère, comme si la maladie de l'enfant portait atteinte ou faisait injure à la personnalité des parents. Si quelqu'un meurt, toute la communauté se sent touchée et enrage. La mère qui doit s'occuper d'un enfant malade le fait sans aucune bonne grâce, comme si elle en éprouvait quelque rancune.

Comme on peut l'imaginer, seuls les enfants les plus vigoureux survivent. Ceux qui n'utilisent pas pleinement les quelques minutes qu'on leur octroie pour absorber le lait nécessaire aux heures qui suivent, périssent par manque d'une tendre sollicitude, d'un amour de la vie semblables à ceux dont témoignent les mères aparesh à l'égard des moins robustes de leurs petits. Ainsi donc, le bébé bien portant commence à faire preuve d'indépendance et à donner des coups de pied dans son panier. On doit l'en sortir, et il ne reste plus à la mère qu'à le laisser ramper sur le plancher de la case ou à le porter sur son dos. Il est, naturellement, imprudent de laisser un enfant qui commence à se traîner par terre, seul dans une case sur pilotis, dont le plancher se trouve à un mètre ou deux du sol. La mère d'un bébé de un ou deux ans le porte sur son dos. Il faut qu'il pleure vraiment très fort pour qu'elle le mette à cheval sur ses épaules. Elle ne lui donne le sein que si elle croit qu'il a réellemnt faim, non pour le consoler ou le rassurer. Ici encore, le contraste avec les Arapesh est frappant. Si un enfant arapesh, sevré depuis plusieurs années, se met à pleurer parce qu'il a peur ou mal, on voit la mère lui offrir son sein flasque et asséché pour tenter de le calmer. Une mère mundugumor est incapable d'un tel geste, même pour l'enfant qu'elle nourrit encore. Ainsi, lorque je donnais de l'huile de ricin à un nourrisson en n'importe quel autre endroit de Nouvelle-Guinée, la mère cherchait à le consoler en lui donnant le sein. Mais la mère mundugumor se contentait de planter le bébé sur ses épaules et continuait à bavarder ou à travailler, sans se soucier des cris de l'enfant, si ce n'est, peut-être, pour le frapper. Dans cette position précaire, à cheval sur le cou de sa mère, le petit n'est soutenu par aucune main secourable; on lui apprend simplement à s'accrocher aux cheveux touffus de sa mère pour ne pas tomber.

Dès qu'un enfant sait marcher, on le laisse par terre la plupart du temps, et il doit se débrouiller seul. Cependant, on ne lui permet pas de s'éloigner, car on a peur qu'il se noie – ce qui bouleverserait les habitudes du village pendant des mois, puisqu'il est interdit de boire de l'eau dans laquelle un être humain s'est noyé. Craignant l'eau comme ils le font, les Mundugumor, cependant, ne s'efforcent pas d'éduquer leurs enfants à ne pas tomber dans la rivière – pourtant beaucoup moins dangereuse que le fleuve. Aussi la surveillance est-elle une tâche beaucoup plus harassante qu'elle ne devrait l'être; les mères ont les nerfs tendus, ne cessent de crier après les enfants qui s'éloignent, ou de les ramener sans douceur du bord de l'eau. Dès ses premiers pas, l'enfant mundugumor est ainsi porté à considérer tout ce qui est au-delà de sa demeure comme hostile; les interdits familiaux qu'il apprendra plus tard le confirmeront dans cette impression. En même temps, sa mère répugne de plus en plus à le nourrir. Il peut maintenant courir vers elle, s'accrocher à sa jambe, essayer de grimper sur ses genoux pour s'approcher de son sein. Il n'a jamais envie, à moins d'être malade au point de ne plus savoir ce qu'il fait, de rester sur les genoux de sa mère. Qu'il essaie de vouloir téter, et la plupart du temps, celle-ci le repoussera, le frappera peut-être pour le décourager. Les femmes mundugumor ne savent pas sevrer les bébés avec douceur, en provoquant un dégoût du sein maternel et en leur offrant patiemment une nouvelle nourriture; elles se contentent d'éloigner l'enfant progressivement : elles ne dorment plus avec lui dans le même panier, ne le tiennent plus dans leurs bras ni ne le portent dans une position qui lui permettrait d'atteindre le sein. Les moins brutales d'entre elles enduisent leur mamelon d'une sève amère. Après des semaines de vaine résistance, l'enfant se met à manger sa soupe de sagou et renonce à trouver encore quelque réconfort près de sa mère. Depuis sa naissance, il a ressenti son impatience, son irritation dans ses gestes quotidiens : la position inconfortable, tendue, de la tétée, la hâte et le soulagement avec lesquels il était, chaque fois, remis dans son panier. Maintenant, cette période de sevrage est ponctuée de coups, de crises d'humeur, qui soulignent encore l'hostilité du monde qui s'ouvre devant lui. Quelques enfants mundugumor se sucent deux doigts ou le dos de la main, mais ce sont là des cas isolés. Ce sont des agités, des nerveux, qui ont l'air inquiet et geignard et se mordent les doigts plutôt qu'ils ne les sucent ou ne s'en servent pour stimuler leurs lèvres ou leur langue.

Un petit enfant doit observer toute une série de tabous alimentaires jusqu'à ce qu'il ait environ deux ans et qu'une tante paternelle lui fasse alors absorber les nourritures jusque-là interdites au cours d'un repas cérémoniel. Ces tabous, en d'autres lieux, appelleraient sur lui encore plus d'attention et de soins de la part de ses parents; ici, ils ne sont que prétexte à inimitié. Lorqu'un enfant, qui y est encore soumis, tombe malade, on accuse toujours quelqu'un de lui avoir donné un aliment prohibé dans le but de porter tort à ses parents. Il faut qu'un père ou une mère mundugumor considère son fils ou sa fille comme le prolongement naturel de son « moi » pour que l'appellation « mon enfant » ne soit pas empreinte d'ambiguïté.

Bien qu'il y ait quelque différence dans l'attitude d'une mère vis-à-vis de son enfant, selon que c'est un garçon ou une fille, le comportement maternel est en général tel que, pour un observateur non prévenu, il apparaît uniformément entaché d'hostilité et de dureté. Les petites filles apprennent très tôt à se faire admirer. Elles ont à peine quelques semaines qu'on les couvre de bijoux de coquillages, boucles d'oreilles de plusieurs centimètres de long, colliers et ceintures faits de coquillages aussi gros que des rondelles de citron. Les voilà donc distinguées de leurs frères qui, eux, vont nus, sans ornement aucun. L'intérêt que les femmes portent à la parure se reporte de temps à autre sur leurs petites filles qu'elles attifent de minuscules jupes d'herbes, aux couleurs vives. Mais l'on n'a pas appris aux fillettes à prendre soin de leurs vêtements et, très vite, la jupe d'herbes est souillée : la mère furieuse la met en pièces et avertit l'enfant qu'elle peut bien, maintenant, aller toute nue. La petite fille s'est aussi habituée à être promenée et montrée dans les bras d'un père vaniteux, et à ce que les hommes parlent d'elle, lui tapotent le menton et la chatouillent.

Quant aux petits garçons ils vont tout nus jusqu'à ce qu'ils aient sept ou huit ans. A cet âge, aujourd'hui, ils commencent à mettre un pagne. Il semble que chez les Mundugumor, les hommes soient autrefois restés nus jusqu'à ce qu'ils aient participé avec honneur à une chasse aux têtes; alors ils revêtaient un pagne en peau de chauve-souris orné d'un pendentif couvert de coquillages. Il y a environ dix ans, avant qu'ils fussent soumis à l'autorité gouvernementale, les Mundugumor purent se procurer des étoffes chez les peuplades du bas Sepik, et toute la population mâle âgée de plus de sept ou huit ans adopta le port du pagne. Il est intéressant de noter que, bien qu'on porte des vêtements depuis trois générations à Alitoa et depuis seulement une demi-génération chez les Mundugumor, les hommes de cette dernière tribu se montrent beaucoup plus pudiques que les Arapesh, et les petits garçons eux-mêmes veillent davantage à ce que leur pagne remplisse convenablement son office.

La première éducation que l'on donne à l'enfant consiste à lui inculquer une série d'interdits (1) : défense de faire ses besoins dans la maison, défense de s'éloigner, défense d'aller demander à manger à l'autre épouse de

---

(1) La forme impérative est d'un usage excessivement fréquent. Lorsque je pense à un verbe mundugumor, c'est toujours l'impératif qui me vient d'abord à l'esprit. La langue arapesh, au contraire, l'utilise très rarement.

son père, ne pas se cramponner à sa mère, que ce soit dans un mouvement de frayeur ou de tendresse, ne pleurer que si l'on cherche vraiment à recevoir une bonne correction, ne pas attirer l'attention à moins qu'on ne soit en présence d'un des rares adultes qui aiment les enfants. Il s'en trouve. C'est quelque oncle paternel, modeste et débonnaire, ou une veuve remariée, qui mène une vie calme, ne cherche pas à rivaliser avec les autres épouses et estime inutile de se montrer désagréable avec leurs enfants. Encore faut-il, pour pouvoir profiter de leurs bonnes dispositions, qu'ils soient en excellents termes avec les parents, sans quoi ceux-ci interdisent toutes relations avec eux. Alors qu'ils sont encore très jeunes, à quatre ou cinq ans, on apprend aux enfants à distinguer entre les différents membres de la famille. C'est la mère qui enseigne son fils, le père, sa fille. On ne saurait trop insister sur l'importance de cette pratique, qui aboutit à séparer chacun des parents de son enfant du même sexe, à séparer le frère de la sœur. Le comportement familial est très différent chez les Mundugumor de ce qu'il est chez les Arapesh, où l'enfant apprend à se conduire d'une manière pratiquement identique vis-à-vis de toute personne à laquelle s'appliquent les termes de parenté, quels que soient son sexe et son âge. Chez les Mundugumor, les différents membres de la famille sont classés en catégories bien délimitées : il y a ceux avec lesquels on plaisante, ceux dont on s'écarte avec réserve, et ceux que l'on traite avec plus ou moins d'intimité. Un parent de la catégorie « à plaisanter » n'est pas une personne avec laquelle on peut plaisanter lorsqu'on en a envie, mais un parent à l'égard de qui la plaisanterie est le comportement correct, la réaction attendue − tout comme peut l'être chez nous le geste de se serrer la main.

Imaginons, pour mieux comprendre cette attitude, qu'on apprenne à un enfant, dans notre société occidentale, d'une part à serrer la main de son oncle et à baiser celle de sa tante, d'autre part, quand il rencontre son grand-père ou sa grand-mère, à ôter son chapeau, jeter sa cigarette et se mettre au garde-à-vous, enfin, en présence d'un cousin, à lui faire un pied de nez. Imaginons, de plus, une petite communauté rurale, refermée sur elle-même, où les individus sont apparentés les uns aux autres depuis de nombreuses générations, si bien qu'on appelle « tantes » non seulement les sœurs de sa mère et de son père, mais toutes leurs cousines germaines et leurs petites-cousines, et qu'il existe bien vingt à trente personnes de tous âges auxquelles il convient de baiser la main, et autant auxquelles il sied de faire un pied de nez. Dans un tel groupe, on trouvera des « tantes », « oncles », et « cousins » de tous âges, et il s'en trouvera réunis dans la même école ou dans le même groupe de jeu. C'est approximativement ce qui se passe d'une façon normale dans une société primitive qui divise la famille en catégories et exige pour chacune d'elles un comportement différent. Chez les Mundugumor chacun est continuellement sur le qui-vive pour être prêt à adopter l'attitude appropriée. Il est plus grave pour un Mundugumor de ne pas plaisanter quand il le faut que pour un Américain de ne pas saluer dans la rue quelqu'un qu'il connaît. Ce peut-être aussi grave que de ne pas saluer un officier de grade supérieur, ou de ne pas répondre aux civilités d'un patron éventuel. L'Américain peut marcher dans la rue sans autre souci que celui de reconnaître les gens et de tempérer, au besoin, la familiarité ou la turbulence de ses réactions : dans de nombreuses sociétés primitives, on exige de chacun un comportement beaucoup plus complexe.

Ainsi, un enfant mundugumor apprend que quiconque lui est apparenté en tant que frère de mère, sœur de père, enfant de la sœur pour un garçon, enfant du frère pour une fille, et leurs conjoints, est un parent « à plaisanteries » avec lequel on se bouscule, auquel on prête publiquement une conduite scandaleuse, qu'on menace, qu'on brutalise pour rire, etc... Si un homme rencontre la sœur de son père – le terme s'applique non seulement à la sœur germaine de son père, mais à toutes les femmes que celui-ci nomme sœurs, et que nous appellerions ses cousines germaines et ses cousines au deuxième et même au troisième degré – il lui donne une bonne tape dans le dos, lui dit qu'elle vieillit, qu'elle va probablement bientôt mourir, que l'os dont elle s'orne le nez est horrible, et il essaie de lui voler une noix d'arec dans son panier. Parallèlement, lorqu'un homme rencontre un beau-frère – ou tout homme que sa femme appelle frère, ou tout homme marié à une femme qu'il appelle sœur, il doit être timide et réservé, doit s'abstenir de lui demander une noix d'arec ou de lui offrir de manger quelque chose avec lui; il doit le saluer avec une froideur mêlée de quelque embarras. Le monde apparaît donc fort tôt aux yeux de l'enfant comme singulièrement complexe, exigeant de lui des comportements distincts, la même attitude étant appropriée à l'égard de certains, hautement insultante à l'égard d'autres – un monde où l'on doit toujours être sur ses gardes, toujours prêt à répondre correctement et avec suffisamment de spontanéité à ces exigences purement formelles. Ce n'est pas un monde où l'on puisse se promener l'esprit léger, certain de trouver sur son chemin un sourire ami, une caresse sur la tête, un peu de noix d'arec de la part de chacun, un monde où l'on puisse se détendre, être gai ou triste comme il vous en prend l'envie. Car la gaieté elle-même n'est en aucune manière une détente pour un Mundugumor. Il lui faut obligatoirement être gai dans certaines occasions et lorsqu'il s'adresse à certaines personnes, mais il doit toujours veiller alors à ce que ce ne soit pas devant des parents vis-à-vis desquels ou en présence desquels un tel comportement serait incorrect. Il y a quelque chose de tendu dans ses plaisanteries et dans son rire. Le rire mundugumor est éclatant, mais il n'est pas heureux : il rend un son dur.

A cet égard, cependant, la société mundugumor ressemble à bien des sociétés primitives et, sous certains aspects, à des castes très formalistes de notre propre société, telles l'armée ou la marine, où la familiarité et la plaisanterie ne sauraient être admises à dépasser certaines limites entre des hommes de grades différents. Mais, chez les Mundugumor, le mystère de la « corde » ajoute encore à cette complexité. On se souvient qu'une « corde » groupe un homme, sa fille et les fils de sa fille, ou bien une femme, son fils et les filles de son fils. Cette organisation s'exprime, en partie, par le nom que portent les individus et qui permet d'identifier une femme à sa grand-mère paternelle et un homme à son grand-père maternel. Théoriquement donc, un homme est identifié socialement à son grand-père maternel et peut employer les mêmes termes de parenté que son grand-père lui-même à l'égard de la génération de celui-ci. Rien ne l'empêche donc d'appeler sa grand-mère maternelle « épouse ». Cet emploi des termes de parenté est conforme au mariage idéal qui doit réunir les « cordes ». Mais il a presque complètement perdu son sens dans l'état de désorganisation actuel de la société mundugumor. Cette tendance à identifier entre elles les générations alternées, les indigènes ne la reconnaissent aujourd'hui qu'en une seule circonstance : ils acceptent qu'un garçon plaisante en utilisant les termes de son grand-père. Ce qui était inhérent à la structure formelle de la société n'est plus que toléré. Et l'on voit des garçonnets prendre des airs importants pour dire de tel ou tel vieillard qu'il est son frère ou sa sœur, sa femme ou son beau-frère. Comme une fille assume, en principe, l'identité sociale de sa grand-mère paternelle, elle doit apprendre de son père – qui les connaît mieux que sa mère – tous les détails de sa parenté. Parallèlement, c'est la mère qui enseigne à son fils ce qu'il doit savoir sur sa « corde ». Mais là encore, alors qu'il ne s'agit en fait que d'un simple point de structure formelle du groupe, les Mundugumor disent qu'une fille aide son père, qu'un fils aide sa mère.

Les insultes les plus fréquemment échangées entre mari et femme ont également leur source dans les rapports définis par les « cordes ». Dans une petite communauté, où les mariages ont lieu à l'intérieur d'un cercle restreint, il est évident que les individus sont unis entre eux par de multiples rapports de parenté. Ainsi l'oncle de l'épouse d'un homme peut-être en même temps un petit-cousin de sa mère, et il le désigne habituellement (1) du nom de « frère de mère » plutôt que de « beau-parent aîné mâle ». S'il veut insulter sa femme, c'est le premier terme qu'il emploiera en sa présence, car cela revient à nier qu'il soit marié avec elle. De même, pour insulter son mari – et, à coup sûr, déchaîner son courroux – il suffira à une femme de faire allusion aux liens de consanguinité qui l'unissent, ne serait-ce que de fort loin, à la famille de son époux. La réaction psychologique qui est à la base de cette forme d'insulte formelle se retrouve dans notre propre société : une femme qui est en colère contre son mari dit à ses enfants « votre père », en appuyant sur le « votre ». Parfois, un fils, parlant de son père à sa mère, remarque : « Cela ne m'étonne pas de *ton* mari. » Les Mundugumor ont simplement généralisé la formule. Aussi considère-t-on qu'un père qui initie sa fille aux différentes relations de sa « corde » travaille avant tout contre sa femme. Il insiste d'ailleurs particulièrement sur les membres de la famille dont les rapports de parenté avec lui-même et avec son épouse présentent le plus de contrastes; si bien que chaque fois que la fille ouvrira la bouche pour parler de l'un d'eux, elle vexera sa mère presque infailliblement. Cette dernière, de son côté, procède avec son fils de la même manière.

Mais il est d'autres difficultés encore. Les Mundugumor ont une vive aversion à l'égard des mariages entre générations : ils leur apparaissent comme une sorte d'inceste. Ainsi trouveront-ils choquant qu'un homme épouse une femme qu'il pourrait appeler « fille », même si elle est l'enfant d'un cousin au quatrième degré. Le seul fait qu'elle appartient à la même génération que sa propre fille devrait lui interdire de l'épouser. En pratique, cependant, de tels mariages se contractent effectivement, et d'autres de même espèce – tels que celui d'un homme avec une femme qu'il pourrait appeler « mère » ou

---

(1) En dépit de la très grande importance qu'ils attachent aux termes de parenté, les Mundugumor ne les utilisent jamais en s'adressant directement aux intéressés.

« tante » : chaque fois qu'un tel mariage a lieu, les relations entre un grand nombre de gens s'en trouvent bouleversées. Quand les choses se passent normalement, il n'est pas possible de désigner un membre de la communauté par deux appellations, chacune s'appliquant à une génération différente. A partir du moment où cela devient possible, les gens se sentent mal à l'aise, éprouvant honte et colère, comme s'ils avaient affaire à un inceste. Ils se dévisagent avec irritation, renoncent à tout comportement familial traditionnel, qu'il exige plaisanterie, intimité ou réserve. On entend dire par exemple : « C'était le frère de ma mère avant qu'il eût épousé ma sœur. Maintenant je devrais l'appeler " beau-frère ". Mais je ne le fais pas. Je me lève et le regarde dans les yeux. » Ce regard, qui se substitue à toute autre manifestation, est empreint de colère et de honte, et définit le comportement de chacun à l'égard d'un bon tiers de la communauté.

Tel est le monde qui se dévoile peu à peu au jeune garçon qui tente de classer ceux qu'il rencontre chaque jour. Il apprend que tel homme ou tel garçon est un « frère de mère », ce qui signifie qu'il doit s'apprêter à être bousculé et malmené chaque fois qu'ils se trouvent ensemble. Il en est de même, bien qu'à un moindre degré, avec les « sœurs de père ». Il sait maintenant que les termes que lui enseigne sa mère irritent son père. Il commence à savoir que sa sœur et lui-même ne classent pas les gens de la même façon et ne jouissent pas d'une égale liberté dans les mêmes maisons. Ceci est également vrai, découvre-t-il, pour ses demi-frères. Il apprend aussi qu'il doit se montrer froid et distant avec son propre frère. Si bien qu'en présence de ce frère, de sa sœur, de son père, de l'un quelconque de ses oncles paternels ou de ceux qui sont pour lui des parents par alliance, il ne peut pas se conduire aussi librement qu'il le devrait vis-à-vis des autres parents, avec lesquels il est censé plaisanter. En grandissant, il apprend que toutes les filles qu'il appelle « sœurs » et qui, en réalité, ne sont pas ses propres sœurs, mais ses cousines, se trouvent avoir avec lui des relations « de plaisanterie » tout à fait spéciales, qui appellent de sa part de grasses remarques scatologiques – dont elles le paieront d'ailleurs de retour. Ces filles, il sait qu'il ne doit pas les épouser; s'il en épouse une, cependant, la consience sociale ne sera pas très choquée, les relations entre générations n'étant pas bouleversées par un tel mariage, et personne n'ayant à « se lever et à le regarder dans les yeux ». Mais alors, il devra immédiatement cesser toute conversation scatologique, qui est considérée comme malséante entre mari et femme. La possibilité qu'il épouse un jour une des filles auxquelles il reproche aujourd'hui leur manque d'hygiène personnelle, ajoute quelque sel à ces plaisanteries – un peu comme si, chez nous, un homme faisait la cour à une femme dont il soupçonne qu'elle puisse devenir sa belle-mère. De tout ce jeu complexe, le petit garçon et la fillette prennent peu à peu conscience.

Les maisons où un enfant peut aller, les personnes auxquelles il peut demander à manger ou à boire, celles qu'il peut accompagner, tout cela est réglé par ces multiples considérations. Il doit aussi tenir compte des relations personnelles actuelles de ses parents avec les autres, susceptibles qu'elles sont d'être affectées à tout moment par quelque nouvelle querelle ou quelque nouveau désaccord. Les recommandations qui lui sont faites sont essentiellement négatives : « Tu ne peux pas entrer dans cette maison », lui dit-on, et non : « Tu peux entrer dans cette maison. » Rien d'étonnant à ce que les rapports familiaux et personnels soient pour l'enfant un sujet d'inquiétude et d'appréhension et qu'ils soient, dans son esprit, synonymes de difficultés, de mésintelligence et de querelles. Le fait qu'il puisse trouver refuge contre son père près de ses oncles maternels et, dans certains cas également, chez ses oncles paternels, est certes un réconfort dans un contexte déplaisant, mais le conflit permanent dans lequel il vit n'en est que plus patent.

Jusqu'au sein des groupes de jeu des enfants, l'on retrouve ces questions de parenté. Les plus grands se croient autorisés à jouer les « frères de mère » et ne cessent de malmener les plus petits, de les pincer, les pousser, les menacer, les faire enrager, les rudoyer. Le monde adulte, d'ailleurs, ne s'immisce pas plus avant dans celui des enfants, à moins que ceux-ci ne s'écartent vers la rivière, auquel cas ils sont bruyamment rappelés à l'ordre et parfois battus. Autrement, les petits vont où bon leur semble, jouent avec ces fruits non comestibles, de couleur orange vif, qui jonchent le sol, les lancent en l'air ou se les jettent les uns aux autres. Ou bien encore, ils jouent interminablement avec leurs mains, avec des bouts de bois, avec leurs doigts de pieds, l'important étant toujours de se montrer aussi adroit que possible et de surpasser les autres. Dans ces groupes où l'émulation est de règle, les plus grands ont toute liberté de se comporter en tyrans; ils en profitent pleinement. Si cependant, un « frère de mère » de douze ans fait pleurer un « fils de sœur » de quatre ans et qu'un de ses propres frères vienne à passer par là, ce dernier saisira l'occasion de lui administrer une bonne correction, sous prétexte de défendre le petit, qui est aussi pour lui un « fils de sœur ». Ainsi les relations de parenté, sous quelque angle qu'elles soient envisagées, autorisent chez les pré-adolescents toutes sortes de dérèglements : tourmenter les petits enfants, insulter leur père ou leur mère, humilier les vieillards. Sans doute une telle attitude compense-t-elle pour eux, dans une certaine mesure, le sentiment de confusion qu'on leur a enseigné à éprouver chaque fois qu'il s'agit de leur belle-famille ou de mariages irréguliers. Lorsque les garçons atteignent huit ou neuf ans, les jeux de groupe – qui ne sont jamais mixtes – ne sont plus pratiqués que sur la base des relations de parenté. L'observateur qui l'ignorerait ne pourrait rien comprendre à ce déploiement général de violence physique, qui ne semble provoquer aucun ressentiment. L'on ne peut se fâcher d'un coup donné par un « frère de mère » ou un « fils de sœur ». Aussi les petits garçons s'habituent-ils à être constamment bousculés et traités durement. Le ton ne change que lorsque ce sont deux frères qui se battent.

Les filles, de leur côté, ne forment jamais de groupes de jeu et ne sont pas soumises à des règles de comportement aussi rigides. La société leur permet de maintenir entre elles des rapports plus amènes. Cela ne signifie pas, cependant, que des sœurs aient obligatoirement des relations cordiales. L'atmosphère de lutte, de rivalité, de jalousie, est trop envahissante pour cela. Mais rien n'exige qu'elles adoptent les unes vis-à-vis des autres une attitude guindée ou réservée. Les demi-sœurs, on le sait, appartiennent à la même « corde ». Il existe, en outre, un rapport étroit entre une fille et celle contre laquelle elle a été échangée; on dit qu'elles sont « la compensation » l'une de l'autre, et il n'est entre elles aucune rivalité, aucun sentiment de préjudice subi, comme c'est le cas fréquemment entre beaux-frères. Enfin l'idéal social du mariage est celui d'un mari et de plusieurs épouses : bien que ces dernières ne s'entendent guère entre elles, bien qu'elles refusent de nourrir mutuellement leurs enfants et qu'elles rivalisent sans cesse à qui sera appelée dans le lit de l'époux, elles n'en forment pas moins l'une des organisations semi-coopératives les moins instables des Mundugumor. Elles vivent dans le même enclos, elles se voient constamment, rien ne réglemente leur conduite et ne les oblige ou à s'éviter ou à plaisanter ensemble. Elles s'appellent les unes les autres « sœur ». Mais l'atmosphère de la maisonnée change, devient tendue et embarrassée lorsque l'homme épouse une veuve qui a une fille, et plus tard épouse la fille, ou bien lorsqu'il épouse une fille qui était fiancée à l'un de ses fils. On est très sensible à la violation du tabou sur les mariages entre générations : une mère et une fille qui se trouvent être les épouses d'un même homme refusent souvent de se parler et peuvent en venir à s'injurier en public de telle façon que celle qui a le plus d'amour-propre se suicidera. Pourtant il y a parfois douze à quinze femmes vivant ensemble dans un enclos, et, en l'absence de règles fixes de conduite, elles ont tendance à former des alliances mouvantes au sein desquelles l'hostilité est, malgré tout, moins vive qu'elle ne l'est à l'égard des autres groupes de la maisonnée.

Aussi peut-on voir des filles assises tranquillement à bavarder ou à faire des jupes de fibre, sans souci de se conformer à des attitudes de commande. Les petites filles suivent partout leurs sœurs et, comme elles, sont gaies et actives.

Au sein du groupe fluctuant des garçons de son âge, l'enfant apprend à avoir ses coudées franches, à rendre coup pour coup, à faire grand cas de son indépendance physique. Très tôt garçons et filles ont été habitués à lutter contre ce qui les gêne. Les tout petits enfants mundugumor détestent tout particulièrement n'avoir pas les mains libres. Un bras qui serre, ou retient, ne protège pas : il empêche de s'enfuir. Le seul refuge qu'on leur offre, c'est l'épaule d'un père ou d'une mère, où ils doivent se jucher péniblement eux-mêmes. Mais dès qu'ils grandissent un peu, cette ressource leur est refusée, et ils n'ont plus qu'à aller se tapir sous une moustiquaire et attendre que leurs larmes sèchent, en méditant quelque vengeance. On n'a jamais essayé de les rendre dociles par la douceur ou les caresses. Plus tard, les petites filles s'attacheront passionnément à quelque fille plus âgée ou quelque femme du village; les garçons en font autant de leur côté. Cependant, leurs rapports avec leurs parents deviennent de plus en plus tendus. On voit des garçonnets de sept ans braver leur père et s'enfuir de la maison. On ne les poursuivra pas. La fille, au contraire, qui approche de l'adolescence, est surveillée avec un soin jaloux, dont elle se sent humiliée et qui la met en rage. Si les filles sont traitées autrement que les garçons, ce n'est pas que l'on reconnaisse aux femmes un tempérament différent de celui des hommes. Elles sont tout aussi violentes, tout aussi agressives, tout aussi jalouses : mais elles sont moins robustes physiquement. Et pourtant, elles sont souvent capables de fort bien se défendre : un mari qui veut battre son épouse veille d'abord à ce qu'elle ne soit pas armée, et se munit d'une mâchoire de crocodile. Mais, en règle générale, les femmes n'ont pas d'armes; on ne leur en apprend pas le maniement et, en tout état de cause, les grossesses suffisent à les ramener à la raison. Aussi, bien que les femmes choisissent leur mari tout aussi souvent que les maris leurs épouses, la société est bâtie de telle façon que ce sont les hommes qui se battent pour les femmes, tandis que celles-ci font de leur mieux pour tout compliquer. Les petites filles, donc, deviennent en grandissant aussi agressives que les petits garçons et rien ne laisse prévoir qu'elles accepteront leur rôle dans la vie avec docilité.

Ainsi, longtemps avant son adolescence, le garçon comprend-il le comportement qu'on exige de lui et ne s'y soumet-il qu'à contrecœur. Son monde est peuplé de personnes pour chacunes desquelles il doit observer une série d'interdits, de précautions, de restrictions. La famille est pour lui synonyme d'un ensemble de gens vis-à-vis de chacun desquels il est des comportements ou bien prohibés, ou bien hostiles : les maisons dans lesquelles il ne peut pas pénétrer, les garçons qu'il ne peut taquiner ou avec lesquels il ne se battre parce que ce sont ses « beaux-frères », les petites filles dont il peut tirer les cheveux, les garçons qu'il peut rudoyer, les hommes auxquels il peut subtiliser une noix d'arec ou du tabac. Il sait que, d'une façon ou d'une autre, il devra se battre pour avoir une femme : ou bien avec son père qui voudra lui prendre sa sœur, ou son frère qui voudra en faire autant pour son propre compte, ou quelque futur beau-frère qui, lui aussi, lui volera sa sœur, ou bien encore, s'il n'a pas de sœur ou l'a perdue, il lui faudra détourner une épouse et se mesurer avec les frères de celle-ci. La petite fille, elle, sait qu'elle sera au centre de tels conflits; que, pour les mâles de sa famille, elle a déjà sa place dans leurs projets matrimoniaux, que, si elle entre avant son adolescence dans une nouvelle famille, la querelle continuera, avec des acteurs différents : au lieu que ce soit son père et ses frères qui se la disputent, ce sera son mari, et les frères et le père de ce dernier.

Quand un garçon – plus rarement une fille – atteint huit ou neuf ans, il est possible qu'il soit donné en otage à une tribu étrangère pendant que l'on s'entend pour une chasse aux têtes. Bien que ce ne soit pas là un sort

commun à tous les enfants, cela prouve à quel point leur
personnalité est robuste puisqu'on estime chacun d'eux
capable d'affronter une telle épreuve. Pendant des semaines, parfois des mois, les jeunes otages vivent, effrayés,
dans une atmosphère hostile; ils ignorent la langue qu'on
parle autour d'eux, entendent des sons nouveaux, respi-
rent des odeurs nouvelles, mangent une nourriture inconnue. Il arrive aussi que de tels otages soient envoyés dans
les hameaux mundugumor : là ils seront tourmentés et
rudoyés par les autres enfants. Ainsi chacun sait ce qui
l'attend peut-être un jour en entendant parler les autres
ou parce qu'il a lui-même malmené un petit étranger.

Quelque temps avant d'atteindre l'adolescence, le jeune
garçon mundugumor devra mettre à mort un prisonnier
destiné à un festin de chair humaine. Ce n'est ni un
privilège ni un honneur. Un père ne s'empare pas d'une
victime ou n'en achève pas une (1) pour que son fils
puisse arborer les attributs du tueur d'hommes – comme
chez d'autres communautés du Sepik. C'est un enfant qui
doit accomplir le geste homicide, sans quoi les hommes
des autres villages diraient : « Vous n'avez donc pas
d'enfants chez vous, que ce sont des hommes qui doivent
tuer vos captifs? » L'enfant ne reçoit aucune marque
distinctive pour cet exploit et, s'il ne rapporte pas d'autres têtes, on lui en fera reproche : « Eh quoi! lorsque tu
étais petit, tu as tué un prisonnier qui était bien attaché,
mais tu n'as tué personne depuis. Tu n'es pas un guerrier! »

Cette formation spartiate donne aux enfants mundugumor, avant même l'adolescence, un air de dureté et de
maturité précoces. A douze ou treize ans – l'expérience
sexuelle mise à part – ils ont pratiquement assimilé les
valeurs individualistes de leur société. L'initiation est
pour les filles comme une sorte de privilège qui leur est

(1) Les prisonniers étaient vendus ou échangés lorsqu'ils appartenaient
à un groupe suffisamment en bons termes avec leurs vainqueurs pour que
ceux-ci préfèrent ne pas les manger. Ici, comme dans les autres passages
où je traite de guerre ou de cannibalisme, le présent est un procédé de
style : on sait que les autorités ont aboli ces pratiques.

accordé dans la mesure où elles sont de tempérament suffisamment agressif pour l'exiger. Pour les garçons, c'est une pénalité à laquelle ils ne peuvent échapper. Tandis que les filles se contentent de défiler devant les objets sacrés, les adolescents sont rassemblés avec force coups et jurons et scarifiés avec des mâchoires de crocodile : nul doute que les initiateurs ne prennent un plaisir sadique à l'opération. La cérémonie n'a pas lieu à une époque déterminée de la vie des adolescents. Elle dépend du bon plaisir du notable qui donne la fête, si bien que, de douze à vingt ans et plus, un garçon ou une fille en subit plusieurs. Il ne s'agit pas de *rites de passage* (1) qui marquent l'entrée de l'individu dans une nouvelle phase de sa vie. C'est simplement une épreuve à laquelle, prématurément, la société invite les filles à se soumettre, tandis qu'elle y soumet de force les garçons.

En fait, tout concourt à donner à la cérémonie un caractère imposant, impressionnant même. Au hameau, on la prépare longtemps à l'avance; les querelles, les cris irrités s'apaisent, les flûtes retentissent le matin et le soir, l'attention de chacun semble orientée vers un but commun. Solennellement, les novices sont conduits devant les masques ou représentations sacrés qui ont été disposés à l'intérieur d'une case presque obscure. On les instruit des tabous alimentaires que ce privilège leur impose : ce sont bien les seules obligations que les Mundugumor acceptent de leur plein gré. Le moment important, émouvant, est celui où l'on pénètre dans la case sombre et où l'on se trouve en présence des flûtes sacrées, sur leurs hauts supports élancés, incrustés de coquillages, et surmontés d'un personnage à l'énorme tête, lui-même coiffé d'un diadème aux riches décorations au milieu desquelles luisent ses yeux de nacre. Ces flûtes, propriété héréditaire d'une « corde » – et qui valent presque une épouse – ces flûtes auxquelles les meilleurs sculpteurs ont prodigué leurs talents et qu'enrichissent les coquillages et les ornements les plus précieux de tout

(1) En français dans le texte. (N. du Tr.)

un groupe, voilà ce dont les Mundugumor s'enorgueillissent le plus. De leurs terres, en effet, de leurs habitations, de leurs autres biens, ils se soucient peu et montrent souvent à leur endroit un désintéressement touchant à la prodigalité : ils ne sont pas avares et n'aiment pas thésauriser. Il en va autrement pour les flûtes, dont ils sont excessivement fiers. Ils leur appliquent des termes de parenté, leur offrent de la nourriture en grande cérémonie et parfois, pris de colère ou de honte, les « cassent », c'est-à-dire les dépouillent de leurs ornements et leur retirent leur nom. Que les garçons ne soient admis finalement à voir ces objets que sous les coups et les injures, souligne encore l'hostilité des mâles entre eux. Pour les filles, libres de participer ou non à la cérémonie, celle-ci renforce encore le sentiment qu'elles ont de leur indépendance. Pour les uns comme pour les autres, l'initiation sera vraisemblablement un nouveau sujet de querelle avec leurs parents et ne viendra qu'après qu'ils auront souffert dans leur amour-propre d'un sentiment d'ostracisme.

CHAPITRE XII

JEUNESSE ET MARIAGE CHEZ LES MUNDUGUMOR

Il est caractéristique des Mundugumor qu'il n'est pas possible de parler, chez eux, du déroulement de l'enfance comme d'une évolution méthodique, commune à tous. Le jeune être n'est pas systématiquement protégé; aucune tendresse paternelle ou maternelle ne vient mesurer le vent à ces fruits encore verts; la société ne se soucie pas davantage de l'éducation et de la formation des enfants : aussi peut-il y avoir d'énormes écarts entre les positions sociales de deux jeunes garçons, ou filles, du même âge. Un garçon de onze ans peut être resté pendant trois saisons l'otage d'une tribu étrangère; il s'est peut-être battu avec son père et n'a quitté la maison que pour y revenir défendre son épouse de seize ans, en présence de laquelle il se montre plein de ressentiment et de honte. Un autre garçon du même âge est peut-être encore l'enfant gâté de sa mère; il lui a été épargné d'être envoyé comme otage, d'entrer aussi en conflit avec son père, parce qu'il est beaucoup plus vieux que toutes ses sœurs et que la question de leur mariage ne s'est pas encore posée. Son père, n'ayant pas de filles capables de l'aider, travaille encore sans doute avec sa femme, si bien que le garçon n'est pas encore le principal soutien de sa mère. L'un de ces garçons peut avoir été initié, l'autre pas encore. Les groupes de garçons qui ont, de la vie, une expérience aussi dissemblable, sont très peu homogènes. S'ils organisent un jeu, celui-ci se pratique toujours entre deux camps, lesquels s'affrontent avec ardeur. Parfois, ils vont en bande vivre dans la brousse, voler dans les jardins, chasser eux-mêmes le gibier et le faire cuire. Ils le font très rarement, mais chacun garde un souvenir enthousiasmé de ces nuits dans la brousse, de l'appétit joyeux devant la nourriture volée, quelque peu tempéré cependant par la crainte des *marsalais*.

Un garçon, habituellement, aide sa mère ou quelque parent plus âgé (sauf, en général, son père ou son frère) à chercher du bois de construction ou de menuiserie, à chasser le pigeon, à abattre des sagoutiers, dont les troncs fourniront les larves comestibles, à cueillir les fruits à pain pour les festins. Rien de régulier ou de méthodique dans tout cela, rien d'organisé si ce n'est lorsqu'on prépare une fête. L'on verra un adolescent passer le plus clair de son temps, pendant plusieurs semaines, avec un jeune homme, un beau-frère par exemple, puis, à la moindre dispute, le quitter pour ne plus jamais le revoir.

Les filles de cet âge ne mènent pas toutes non plus la même existence. Certaines sont déjà mariées et vivent avec leur belle-mère, d'autres sont encore sous la coupe d'un père jaloux. La fille qui est fiancée enrage d'avoir un mari trop jeune pour accomplir ses devoirs conjugaux, ou trop vieux pour être désirable; la fille qui n'est pas encore fiancée s'irrite de voir son père la suivre partout et ne jamais lui laisser un moment d'intimité. Des alliances provisoires sont parfois contractées pour favoriser des affaires de cœur, mais, dans la plupart des cas, les amoureux mundugumor préfèrent le secret le plus complet. Les conséquences peuvent être, en effet, si dangereuses, qu'il est imprudent de se confier à qui que ce soit. Les jeunes gens voient les mariages « arrangés » susciter tant de conflits, qu'ils préfèrent de beaucoup choisir eux-mêmes leur partenaire. Habitués à lutter pour tout depuis l'enfance, même pour leurs premières gouttes de lait, ils n'acceptent pas docilement qu'on leur impose un mariage qui ne convient qu'aux autres. Il est peu de filles, fiancées ou non, qui, la peau bien luisante, la jupe de fibre élégante et teinte de couleurs gaies, ne soient à l'affût d'un amant; hommes et garçons guettent le moindre signe de faveur. Les amours des jeunes gens non encore mariés sont soudaines et violentes; il y entre plus de passion que de tendresse ou de romanesque. Quelques mots murmurés à la hâte, un rendez-vous chuchoté lorsqu'on se croise sur le sentier, voilà souvent les seuls rapports qu'il y ait entre eux du moment qu'ils se sont choisis au moment où ce choix s'exprime sexuellement. Constamment talonnés par le sentiment du temps qui passe et la crainte d'être découverts, ils ne s'attardent pas et se séparent le plus rapidement possible. Voici les conseils qu'un homme de quelque expérience donne à un garçon : « Si tu rencontres une fille dans la brousse et fais l'amour avec elle, prends soin de revenir rapidement au village avec une explication toute prête pour justifier ton absence. Si la corde de ton arc est cassée, dis que tu l'as accrochée à un buisson en passant. Si tes flèches sont brisées, explique que tu as fait un faux pas et qu'elles se sont heurtées contre une branche. Si ton pagne est déchiré, ton visage égratigné, tes cheveux en désordre, aie toujours une explication toute prête. Dis que tu es tombé, que tu t'es pris le pied dans une racine, que tu poursuivais le gibier. Sinon, les gens te riront au nez! » A une fille on dit de même : « Si tes boucles d'oreilles sont arrachées, ton collier cassé, ta jupe de fibre déchirée et salie, ta figure et tes bras écorchés et en sang, dis que tu as eu peur, que tu as entendu du bruit dans la brousse, que tu as couru et que tu es tombée. Sinon les gens te jetteront à la face que tu es allée retrouver un amant! » Car ces rencontres rapides commencent souvent par un violent corps à corps, où les partenaires se griffent et se mordent pour parvenir au maximun d'excitation dans le minimum de temps. Briser les flèches ou le panier du bien-aimé, arracher ses ornements, si possible les mettre en pièces, voilà comment s'exprime normalement une passion dévorante.

Avant de se marier, une fille peut avoir un certain nombre d'aventures, chacune caractérisée par la même

fougue, la même violence. Mais de tels écarts sont dangereux. S'ils sont découverts, la communauté tout entière
saura qu'elle n'est plus vierge, et les Mundugumor font
grand cas de la virginité de leurs filles et de leurs
fiancées. Seule une vierge peut être échangée contre une
autre vierge; une fille dont on sait qu'elle n'a plus sa
virginité ne peut être échangée que contre une dont la
valeur a été de la même façon diminuée. Cependant, si un
homme épouse une fille et découvre qu'elle n'était pas
vierge, il n'en dit rien, car son propre honneur est en jeu
et l'on se moquerait de lui. Parfois, au lieu que les amants
se rencontrent dans la brousse, le garçon se glisse, la nuit,
dans le lit-panier de la fille. Un père peut, s'il le désire,
dormir près de sa fille adolescente jusqu'à son mariage;
une mère a également le droit de dormir à côté de son
fils. Les pères et mères particulièrement jaloux usent
pleinement de ce privilège. Souvent, néanmoins, l'on
autorise deux filles à dormir ensemble dans le même
lit-panier. Lorsque l'une est absente, l'autre dispose du
panier tout entier. Si elle y reçoit alors un amant, elle
risque non seulement d'être découverte, mais de se faire
blesser : le père qui prend le couple sur le fait ferme
solidement sur les délinquants le couvercle du panier et
le fait tomber le long de l'échelle d'accès, qui est presque
verticale et a deux mètres de haut. Dans sa rage, il
donnera de grands coups de pied dans le panier ou
même y enfoncera une sagaie ou une flèche avant de
l'ouvrir. Aussi les amants n'ont pas de prédilection particulière pour ce procédé. Ce n'est que pendant la saison
des pluies, lorque la brousse est inondée, qu'ils peuvent y
avoir recours en désespoir de cause. Les jeunes hommes
racontent à voix basse les mésaventures les plus pittores-
ques survenues à leurs aînés, aventures à la fois si
bouffonnes et si humiliantes pour leurs victimes qu'elles
sont de véritables épopées comiques. Alors qu'un amant
habitant un autre village que la fille se hasarde rarement
à la retrouver chez elle, il s'établit souvent des relations
entre jeunes gens vivant sous un même toit, parce que le
risque est beaucoup moins grand.

Le lit-panier-moustiquaire joue un grand rôle dans la vie des Mundugumor. Tout petit, le nourrisson est porté dans son panier, la tête maintenue fermement sous le bras de sa mère de peur que son cou fragile ne se brise. C'est dans le lit-panier que se cache l'enfant qui a peur et, plus tard, l'adulte offensé. Les parents exaspérés chassent du panier leur enfant et l'envoient coucher dehors dans le froid, pour être harcelé des moustiques. Les pères ferment le panier de leur fille avec une sagaie, forcent leur fils adolescent à dormir sans abri. Tout ce qui a un caractère secret, orgueil blessé, larmes, colère, infractions sexuelles, aboutit au panier-moustiquaire. Il offre une possibilité d'isolement, qui est généralement peu fréquente chez les sociétés indigènes. Tandis qu'un rendez-vous amoureux dans la brousse est une affaire où la violence se donne libre cours, la rencontre dans le panier doit se dérouler sans bruit et dans une immobilité relative – style d'activité sexuelle que les Mundugumor considèrent comme beaucoup moins satisfaisant. L'homme marié qui porte un intérêt actif à son épouse l'accompagne dans la brousse, dans le but avoué de l'aider à son travail, mais en fait pour copuler avec elle dans des conditions qui permettent le déchaînement de leur brutalité amoureuse. Mais on trouve bien plus de plaisir encore à ces ébats si on leur donne pour cadre le jardin des autres, ce qui portera tort à la récolte d'ignames. Ces expéditions de couples mariés dans la brousse sont une forme d'exhibitionnisme autorisé. Les gens remarquent, avec un rire plein de sous-entendus : « Oh! il est allé *aider* sa femme à couper le sagou; il est allé *l'aider* hier aussi! » C'est un des traits caractéristiques du comportement des Mundugumor qu'ils passent sans cesse d'une réticence extrême à une désinvolture aussi impudique. Un jour une femme ne voudra porter aucun des ornements que lui aura offerts son mari et ne mettra rien d'autre que ce que son père ou son frère lui a donné; le jour suivant, elle affirmera bien haut ses droits sur son mari, en accablant d'injures une des autres épouses. Un homme ne se choque pas lorsque, prenant congé d'un groupe cérémoniel, il s'entend dire : « Ne t'arrête pas pour faire l'amour avec ta femme, dépêche-toi de rentrer, nous savons tous ce dont tu es capable. » Mais il entre dans une violente colère s'il découvre que deux petits garçons l'ont observé avec sa femme de derrière un tronc d'arbre. Il ira jusqu'à essayer de les faire périr par quelque moyen de sorcellerie. Sous le couvert de divers rapports de « plaisanterie », les Mundugumor passent continuellement d'un sentiment profond d'inviolabilité personnelle aux allusions les plus grossières, les plus rabelaisiennes. Aussi toute conversation, en particulier lorsqu'elle a trait à des sujets sexuels, donne-t-elle l'impression d'un jeu de ballon, où celui-ci serait remplacé par des grenades. Le jeu consiste à faire les remarques les plus insupportables que le personnage attaqué puisse entendre sans qu'il se croie obligé d'avoir recours à une sagaie, à la sorcellerie, à la destruction de ses propres biens, ou au suicide. C'est cette ambiance – où la conduite de chacun est exposée à des commentaires sans retenue, où toute découverte suscite chez les autres un plaisir franchement sadique – qui oblige les jeunes amoureux à se tenir constamment sur leurs gardes, à se forger sans cesse de nouveaux alibis.

Ces intrigues violentes et précipitées éveillent rapidement chez les jeunes gens, et, en particulier chez les filles lors de sa première escapade, un vif sentiment de possession à l'égard du partenaire. Les hommes mariés ont plus d'aventures de ce genre que les femmes mariées. C'est très souvent un homme marié qui est le premier amant d'une fille; celle-ci essaie alors de le persuader qu'ils doivent fuir ensemble; et, fort volontiers, elle prendra elle-même les choses en main, quittera le domicile paternel et s'imposera à son amant trop prudent. Que se passe-t-il alors? Le père de la fille est peut-être – bien que le cas soit fort rare – un homme compréhensif et accommodant; l'amant, de son côté, dispose peut-être d'une jeune sœur non encore promise qu'il pourra offrir en échange au frère de la fille : dans ce cas, celle-ci peut faire part à son frère de son choix; l'affaire s'arrange discrètement entre les parents des deux jeunes gens et la fille va s'installer chez son amant, sans plus de cérémonie. Elle y emporte sans doute la flûte sacrée couverte de coquillages, qui est sa dot et qu'elle transmettra à son fils, à moins que ses parents ne la lui donnent qu'après la naissance de ce dernier. Mais si la fille est déjà fiancée, ou si son amant n'a pas de sœur à échanger contre elle, alors la bataille devient inévitable. Une date est fixée pour l'enlèvement, et l'amant réunit autant de parents mâles qu'il peut en mobiliser. La fille s'enfuit de chez elle et rejoint, en un lieu convenu, le groupe des hommes qui doivent la défendre. Elle a emporté la flûte sacrée – si elle en a une et s'il lui a été possible de le faire – sans quoi ses parents mâles, furieux de son départ, la lui refuseraient. Sa famille la poursuit, et on en vient aux mains. Le combat est plus ou moins âpre selon qu'un échange reste possible ou non, selon aussi les sentiments du père ou du frère de la fille à son égard. Environ un tiers des mariages mundugumor commencent de cette façon.

Il existe une troisième sorte de mariage, c'est celui qui est arrangé entre de très jeunes adolescents. Parfois, s'il y a de chaque côté deux enfants dont les âges soient en rapport, les deux pères font de ces unions le gage de leur réconciliation. Dans leur acharnement à vouloir échanger, coûte que coûte, sœur contre sœur, les Mundugumor font peu attention à l'âge relatif. Une sœur de seize ans est considérée comme la propriété de son frère de cinq ans. Quand elle choisit son mari, ou même lorsqu'un mariage d'échange est conclu pour elle, l'épouse du petit frère doit être choisie en même temps. Et cette dernière peut alors avoir aussi bien un an que quatorze ou quinze. Si elle approche de l'adolescence, elle est presque aussitôt envoyée chez son fiancé, non pour qu'elle apprenne peu à peu à aimer sa nouvelle vie ou que le passage d'une famille à l'autre lui soit ainsi facilité, mais pour que ses parents se trouvent déchargés de toute responsabilité si elle venait à s'enfuir ou à se faire enlever. Ils se lavent ainsi les mains de toute l'affaire; ils ont payé pour l'épouse de leur fils, et ils ne peuvent plus être tenus pour responsables. A la hâte, sans cérémonie, ils remettent la fillette à ses futurs beaux-parents.

La fille qui a été ainsi donnée pour acquitter la dette de son frère se trouve dans une situation mal définie. Son mari est presque toujours plus jeune qu'elle, et même s'il est presque du même âge, tout au moins est-il à une période de la vie où l'on se sent embarrassé et malheureux d'avoir une femme. Ce n'est pas elle qui l'a choisi et elle ne s'attend pas qu'il l'intéresse. Il l'évitera, grognera, irrité si on lui parle d'elle comme de son épouse, et pourtant il surveillera jalousement ses moindres gestes, continuellement poussé par sa mère à imposer ses droits sur la fille. Puisqu'il est trop jeune pour donner à cette autorité une forme sexuelle, il cherchera souvent à l'affirmer en espionnant ses faits et gestes. Cependant les aînés sont divisés. En grandissant, la fille attirera peut-être l'attention du père ou du frère aîné de son gamin de mari. Alors, au sein même de la famille se déroule une lutte dont l'issue dépend avant tout de la force relative des personnages en présence, et, dans une certaine mesure, de la fille elle-même. Si elle a une préférence, son choix est souvent décisif; si, en revanche, elle déteste la famille en bloc, elle sera tiraillée en tous sens, sans avoir grand-voix au chapitre, à moins qu'elle ne se trouve un amant et ne s'enfuie avec lui. Si personne ne la désire ou considère qu'il peut réussir à se l'approprier, la famille s'appliquera à la chaperonner et sa surveillance sera beaucoup plus sévère que ne le serait celle de parents consanguins : car si la fille se faisait enlever, il serait beaucoup plus difficile de la récupérer ou d'obtenir une autre fille en échange. Aussi la belle-famille cherche-t-elle à ce que le mariage soit consommé le plus vite possible. Bien que l'on estime, comme chez les Arapesh, qu'une activité sexuelle prématurée empêche le garçon de grandir, on ne fait rien pour l'en écarter, et, au contraire, on le force à s'y adonner. Il est possible que, une fois marié, il s'attache à sa femme et qu'elle, de son côté, préfère rester avec lui plutôt que de partir avec un amant : bien des difficultés seront ainsi évitées. Voilà donc nos deux jeunes personnes, boudeuses et hostiles, enfermées dans un panier-moustiquaire. Si elles se querellent et que l'une soit éjectée, il n'est personne qui viendra à son secours : il – ou elle – devra dormir harcelé des moustiques. Si le garçon quitte la maison, va se réfugier chez quelque parent et refuse d'avoir quoi que ce soit à faire avec la fille, il se trouve déchu de son droit à exiger de ses parents une épouse : ceux-ci n'ont-ils pas rempli leurs obligations et n'a-t-il pas, lui, refusé l'épouse qu'ils lui avaient procurée ? Parfois c'est le garçon qui s'enfuit, parfois c'est la fille qui prend un amant; encore faut-il qu'elle ne soit pas trop jeune, comme c'est bien souvent le cas. La plupart du temps, s'ils sont sensiblement du même âge, ils resteront ensemble, au moins pendant quelques années. L'homme ainsi pourvu d'une première épouse lui est attaché plus par les liens de la coutume que par ceux du désir. Si elle se trouve enceinte, il sera moins contrarié que si elle était la femme de son choix passionné. Un jour en effet, ce grand garçon dégingandé, très jeune encore, est père : il en est vexé et décontenancé à la fois. Quant à la femme, avec son enfant sur les bras, elle a maintenant beaucoup moins de chances de s'enfuir, car les hommes mundugumor peuvent bien chercher les faveurs de femmes mariées, mais ils se soucient peu d'en épouser une qui a des enfants. Ces jeunes femmes s'attachent très vite à leur fils et, arrivées à l'âge mûr, elles auront plutôt l'air de veuves que d'épouses. En fait, en présence de mères d'adolescents, c'est constamment le terme de « veuve » qui me venait à l'esprit, alors que, sans doute, elles étaient les premières épouses de maris frais et gaillards.

Voilà donc comment se présente la société mundugumor et comment les jeunes y grandissent, s'y marient et ont des enfants. On y prise la virginité chez les filles, et cependant bon nombre de celles-ci, douées d'une forte sexualité, se conduisent comme elles l'entendent, malgré une surveillance sévère. L'usage veut que la sœur soit donnée en échange de l'épouse du frère, mais cette règle est constamment violée par le père, le frère ou l'amant sans sœur qui cherchent à se l'approprier. Les mariages

qui durent sont d'abord ceux qui ont été conclus entre de
très jeunes partenaires, si bien que ceux-ci sont trop
jeunes pour s'y refuser, et aussi les mariages « d'inclination » où la violente passion des premiers rapports s'ef-
face peu à peu devant les grossesses, l'arrivée au foyer
d'une autre épouse, les brouilles et la jalousie qui s'ensuivent. Finalement la mort et la répartition des veuves
ajoutent à la confusion, provoquent des querelles entre
les héritiers mâles et au sein des familles polygames,
particulièrement lorsqu'une femme amène avec elle une
fille ou un fils encore jeune. Alors que l'enlèvement d'une
femme intéresse la communauté tout entière, les querelles familiales, qui sont fréquentes, n'ont que peu d'écho
au-delà des limites de l'enclos. Une femme peut être tant
battue par son mari qu'elle se barbouille de peinture
blanche, signe de deuil, et va s'asseoir loin de chez elle,
poussant des gémissements rituels pour attirer l'attention
des passants. Par curiosité ceux-ci s'arrêteront peut-être,
mais aucun d'eux, fût-il son frère, ne se mêlera de
l'affaire. Ce n'est pas une société où les femmes soient
considérées comme des êtres fragiles qui ont besoin de
l'aide masculine. Si les femmes sont par trop indociles,
mari et frères se ligueront pour les reprendre en main.
Bien que les difficultés qu'elles peuvent susciter soient
d'un autre ordre que celles créées par les hommes, et se
limitent au domaine des relations personnelles, on les
considère comme parfaitement responsables en toutes
occasions, non comme des êtres qui ont besoin d'être
protégés et guidés. La fille a très souvent plus de maturité
que le garçon, soit en raison des conditions d'échange,
soit parce que c'est elle qui a pris l'initiative d'une
première rencontre dans la brousse; il en résulte que de
nombreux jeunes couples sont dominés par l'épouse.
Quelques années plus tard, le mari devient plus conscient
de sa force et de son importance et se trouve tout disposé
à faire preuve, à son tour, d'initiative, en courtisant
d'autres femmes, plus jeunes si possible. L'épouse agressive suit sa voie, et son agressivité s'exerce maintenant
par l'intermédiaire de son fils. Ce n'est pas une société où

l'on abdique volontiers. On voit des grand-mères qui, devenues veuves et remariées, s'efforcent d'attirer l'attention de leur nouvel époux, en comptant que leurs charmes auront pour lui au moins l'attrait de la nouveauté.

Ce n'est pas l'intérêt des enfants qui peut amener les parents à s'entendre; ce sont justement les enfants qui ont tendance à les séparer ou à servir de prétextes aux conflits qui les divisent. L'antagonisme sexuel est aussi féroce au sein d'une famille qui compte des enfants adolescents que chez un couple nouvellement marié. D'un bout de la bataille à l'autre, la femme est considérée comme un digne adversaire, qui, sans doute, est désavantagé, mais n'est jamais impuissant.

CHAPITRE XIII

COMPORTEMENTS EXCEPTIONNELS
CHEZ LES MUNDUGUMOR

Le caractère type mundugumor est donc, nous venons de le voir, identique pour les deux sexes. Chez les hommes comme chez les femmes, la norme est la violence, une sexualité agressive, la jalousie, la susceptibilité à l'insulte et la hâte à se venger, l'ostentation, l'énergie, la lutte. C'est le type même de mentalité que les Arapesh estiment incompréhensible au point qu'ils reconnaissent à peine la possibilité de son existence. Wabe et Temos, Ombomb et Sauwedjo se seraient beaucoup plus facilement adaptés aux valeurs mundugumor qu'à celles des Arapesh. Nous avons vu, à propos de ces derniers, que les personnalités les plus violentes ne pouvaient s'extérioriser que difficilement et se trouvaient conduites à réagir en paranoïaques à des exigences sociales qui leur étaient inintelligibles. Que se passe-t-il chez les Mundugumor où de tels tempéraments, sans avenir chez les Arapesh, ont au contraire toutes les chances de leur côté? Si la violence, la sexualité agressive conduisent l'Arapesh, homme ou femme, à entrer en conflit avec sa propre société, le contraire est-il vrai chez les Mundugumor? Qu'arrive-t-il à l'homme tranquille qui veut protéger ses fils aussi bien que ses filles, à la femme qui aime choyer son bébé dans ses bras? Apparaissent-ils à leur tour comme des inadaptés?

« Il n'était pas fort, il n'avait pas de frère », disent les Mundugumor, qui insistent tellement sur le climat d'hostilité et de méfiance qui règne entre frères. Par cette affirmation, qu'on entend souvent répéter, ils reconnaissent l'utilité, pour la communauté, des inadaptés, des garçons dont la main tremble lorsqu'ils doivent tuer pour la première fois, de ceux qui ne donnent pas rendez-vous à une femme dans la brousse pour en revenir fiers et griffés jusqu'au sang, de ceux qui n'essaient pas de s'approprier toutes leurs sœurs ou qui, frères cadets, acceptent qu'un aîné les monopolise à son profit, de ceux, enfin, qui ne se dressent pas contre leur père, même lorsque leur mère les y incite. Ceux-là ne trouveront jamais un frère disposé à les suivre. Mais c'est grâce à eux que la société mundugumor peut se survivre à elle-même. Ils peuvent vivre auprès d'autres hommes sans continuellement se quereller avec eux ou séduire leurs filles et leurs femmes. Sans ambition, ils se contentent d'un petit rôle dans les combats, restent derrière leurs frères plus agressifs dans les rixes entre hameaux ou dans les chasses aux têtes. Ce sont eux – frères cadets, beaux-fils et beaux-frères – qui forment la clientèle des chefs, les aident à construire leurs cases, à préparer les fêtes, et les secondent dans les razzias. Sans doute l'idéal mundugumor est-il que tout homme soit un lion, se battant fièrement pour sa part, entouré de lionnes, aussi féroces que lui. Mais en réalité, la communauté compte un bon nombre de moutons, hommes que n'attirent ni la gloire, ni la violence, ni la compétition. Grâce à eux, certaines règles sont encore observées et transmises à la génération suivante; grâce à eux, dans quelques familles, les sœurs sont également partagées entre les frères, les morts sont pleurés, les enfants nourris convenablement. Près d'eux se réfugie le garçon dont le père arrogant veut s'approprier la sœur pour l'échanger contre une nouvelle épouse. Sans eux le climat de lutte et de conflit deviendrait insupportable, et, en fait, ne saurait subsister, car chacun n'aurait plus que lui-même à mettre en ligne dans les batailles. Au lieu de compliquer la vie sociale en assumant des positions incompréhensibles et déroutantes – comme le font les inadaptés arapesh – ils rendent possible cette existence de violence et de rivalité qui est tellement incompatible avec leur nature.

A vrai dire, de tels personnages sont-ils des inadaptés? Si, par inadapté, nous désignons un individu qui trouble le fonctionnement normal de la société, ils ne le sont certes pas. Mais si nous appliquons ce terme à tous ceux auxquels la société refuse l'expression de leurs talents particuliers, à tous ceux qui ne peuvent trouver un rôle qui leur convient, alors, sans doute, ce sont des inadaptés. Chez un peuple où la fille doit arriver vierge au mariage, ils doivent se contenter de veuves, de femmes dont les autres ne veulent point. Là où la réussite sociale se mesure au nombre d'épouses, à celui des têtes capturées, au déploiement des richesses, ils ne peuvent parler que d'une seule femme, souvent d'aucune tête, et jamais de bien grands festins. Ils sont fidèles dans une société où le loyalisme est tenu pour une méconnaissance stupide de la réalité, qui est faite de l'hostilité foncière entre tous les mâles. Ils sont paternels dans un milieu qui admet explicitement l'ingratitude du métier de père.

Outre l'acceptation résignée de ce rôle de second plan sans prestige, deux voies leur sont ouvertes : ils peuvent s'abstraire de la réalité quotidienne ou bien se dérober aux impératifs de la société. La première attitude est la plus fréquente. Un homme paisible gardera ses fils près de lui, et leur parlera du temps où l'on respectait les règles, où l'on se mariait correctement, où il n'y avait aucune de ces irrégularités qui font que « l'on se lève et que l'on se regarde dans les yeux », du temps où les pères chérissaient leurs fils et où les fils veillaient à observer tous les petits rites qui préservent la vie paternelle – allant jusqu'à s'abstenir de marcher dans un sentier sur les pas de leur père. Ainsi parlait Kalekùmban, homme doux et sot, qui avait bien offert asile, à un moment ou à un autre, à une bonne douzaine de ses jeunes parents. Ainsi parlait Komeàkua le borgne, qui aimait peindre, mais qui, n'étant pas né le cordon ombilical autour du cou, devait en rester au stade d'apprenti et accepter les critiques cinglantes du maître artisan. Komeàkua avait toujours fait cause commune avec ses frères, puis ses neveux. Sur le tard, il avait pu épouser une veuve : elle lui avait donné deux fils qu'il montrait orgueilleusement à tout le village sans se soucier le moins du monde des moqueries qu'il suscitait. Lui aussi avait toujours à la bouche, comme Kalekùmban, les aphorismes d'une époque plus paisible et plus disciplinée. Il semble, à de nombreux signes – ce qui reste d'organisation familiale par exemple – que la société mundugumor ait connu des jours où la violence ne l'avait pas encore disloquée, mais rien ne permet de discerner si ce fut il y a trois générations plutôt que vingt. Des rêveurs, des utopistes comme Kalekùmban sont tout à fait capables de perpétuer et de renouveler indéfiniment la légende, celle du temps où tout allait « droit », où les « cordes » et les groupes patrilinéaires se combinaient correctement, où les gens travaillaient solidairement et respectaient les règles. Mais une telle attitude est probablement plus nuisible qu'utile à la société. Elle empêche les jeunes de s'adapter avec réalisme aux conditions existantes et de formuler les nouvelles règles qu'elles pourraient exiger. Elle paralyse la volonté des meilleurs dans une nostalgie stérile et donne à chacun un complexe de culpabilité. S'il ne restait aucun souvenir de ce prétendu Paradis perdu, on n'éprouverait ni colère ni honte à voir sa sœur devenir la femme d'un oncle. Les anciennes prescriptions sur les lieux de résidence ou sur les échanges matrimoniaux étant oubliées, il serait possible d'en élaborer de nouvelles. Mais l'inadapté rêveur et utopique y fait obstacle. Trop faible, trop inefficace, trop isolé pour avoir beaucoup d'influence, il ne sert qu'à accroître la confusion. Quels que soient ses talents et ses dons, la société n'en tire que peu de profit. Au total le résultat est négatif.

L'autre type d'inadapté est beaucoup plus rare, et nous n'en avons connu qu'un exemple pendant notre séjour dans la tribu. Il s'appelait Ombléan, et était le plus doué de nos informateurs. C'était un jeune homme mince, finement charpenté, vif et par tempérament fort éloigné de la tournure d'esprit de ses congénères. Il était doux, serviable, sensible. Sa maison était toujours pleine de gens dont rien ne le forçait à assurer la responsabilité. Outre son unique épouse Ndebáme, qu'il avait finalement obtenue par un coup de chance, et leurs trois petits enfants, il s'occupait de sa belle-mère, Sangofélia et des deux enfants qu'elle avait eus de son second mari. Ce dernier était l'un des hommes les plus importants et les plus riches de la communauté, mais il s'était fatigué de Sangofélia et s'était mis à la maltraiter. Ombléan l'avait recueillie. Il y avait aussi une sœur de Ndebáme, qui s'était querellée avec son mari et s'était refugiée avec son petit bébé chez Ombléan. Enfin, pendant notre séjour dans ce village, un adolescent dégingandé, à peine pubère, Numba, que ses parents forçaient à coucher avec sa jeune et attirante épouse, s'était enfui de la maison paternelle, avait trouvé accueil chez Ombléan qui n'était pour lui qu'un cousin, et y était resté. Ainsi Ombléan avait à sa charge trois femmes, cinq petits enfants et un grand garçon paresseux. Aucun d'eux n'avait spécialement de respect pour lui; il n'était pas assez fort, il avait un trop bon naturel pour les battre avec une mâchoire de crocodile ou leur jeter des tisons. Aussi travaillait-il beaucoup à cultiver les ignames et extraire le sagou, ainsi qu'à chasser pour nourrir tout ce monde, alors que les femmes se refusaient souvent même à pêcher. Infatigable, ingénieux, trop énergique et trop intelligent pour se réfugier dans des songes creux, il observait son milieu, connaissait toutes les règles et toutes les échappatoires qui permettent à l'intelligence de l'emporter sur la force brutale. De tous les informateurs que nous ayons jamais eus, c'était celui qui avait le plus de discernement. Il avait une forme d'esprit analytique, et, pour éviter de se répéter et d'être monotone, il en était venu à discuter du fonctionnement de sa propre société avec le Dr Fortune et, avec moi, de la façon dont, théoriquement, elle devrait fonctionner. Sa désaffection à l'égard des mobiles qui faisaient agir les autres avait aiguisé son intelligence, déjà supérieure, à un point rarement rencontré dans une société homogène. Mais c'était un sceptique là où, dans un contexte différent, c'eût été un enthousiaste. Ses magnifiques dons intellectuels, il était obligé de les employer pour se dérober à l'emprise d'une société à laquelle il n'avait pas le sentiment d'appartenir spirituellement. Quinze jours après notre départ de chez les Mundugumor, une pinasse de recruteurs de main-d'œuvre y ramena trente jeunes gens des exploitations aurifères où ils avaient été travailler. Ils étaient partis de chez eux avec la rage au cœur, secouant de leurs pieds, dans un geste rituel, la poussière de leur village, en crachant à terre, jurant de ne jamais revenir avant que ne soient morts les pères et les frères qui les avaient frustrés de leurs épouses. Après deux ans passés au loin, pendant lesquels s'était exaspérée leur rancune, ils étaient de retour : à peine débarqués, ils se ruèrent, armés de coutelas et de haches sur les hommes venus à leur rencontre. Ombléan, qui avait accepté la charge des négociations entre les Mundugumor et l'administration, avait une position officielle : il se jeta au plus fort de la mêlée pour tenter d'arrêter le massacre, et fut grièvement blessé.

Il y a aussi des inadaptées chez les femmes. Telle était, en particulier, Kwenda. Elle était rondelette et molle, alors que la femme idéale mundugumor est grande, souple et mince. Kwenda adorait les enfants. Elle avait refusé de « jeter » son premier-né, un garçon, contre la volonté de son mari, Mbunda. Celui-ci était parti avec une autre femme. Au lieu de se révolter, Kwenda l'avait suivi, lui et sa nouvelle épouse. Exaspéré, il l'avait renvoyée à Biwat, son village natal, tandis qu'il partait travailler chez les Blancs. A Biwat, Kwenda mit au monde des jumeaux, qui moururent. Elle retourna à Kenakatem vivre avec Yeshimba, un oncle paternel. Puis Gisambut, la sœur d'Ombléan, eut des jumelles, et Kwenda, bien qu'elle n'eût personne pour l'aider, en adopta une et put bientôt l'allaiter elle-même. La petite fille n'eut pas à en souffrir et grandit aussi bien que sa sœur, nourrie par sa propre mère. Mais le visage de la petite fille adoptée s'illuminait constamment d'un mignon sourire alors que l'expression de sa sœur restait figée et renfrognée. L'enfant de

Kwenda circulait davantage dans le village et, lorsque je la croisais, elle avait toujours un sourire heureux pour me répondre. C'était un cauchemar, en comparaison, de rencontrer la fille de Gisambut avec son regard inquiet : elle subissait le sort habituel de l'enfant mundugumor, tandis que Kwenda prodiguait à sa petite jumelle les trésors d'une affection spontanée et joyeuse. Non seulement Kwenda travaillait de bon cœur toute la journée pour son fils de six ans et sa petite fille adoptive, mais elle travaillait aussi pour les autres. Quiconque avait besoin d'une feuille de cocotier n'avait qu'à s'adresser à elle. La lourdeur de son corps et particulièrement de ses seins, qui lui rendait cet exercice plus pénible qu'aux autres femmes, ne l'empêchait nullement de grimper aussitôt à l'arbre, sans qu'elle cessât jamais de sourire. Non seulement elle allaitait la petite jumelle, mais elle prenait souvent en charge, pour la journée, les nourrissons d'autres femmes. Son mari revint au village, prit une jeune épouse aux traits durs, et pour lui éviter les incommodités d'une grossesse, adopta un enfant. Tous les jours, ils partaient ensemble dans la brousse faire le sagou. Il avait Kwenda en horreur et détestait jusqu'à son nom : il ne la reprendrait jamais, disait-il. Il tenta même une expérience qui répugne particulièrement aux Mundugumor bien qu'elle soit pratique courante chez un peuple voisin : il essaya de la prostituer à un garçon d'une autre tribu, en prétendant qu'il viendrait lui-même la retrouver la nuit. L'affaire échoua. Sans doute la communauté était-elle un peu scandalisée – car, pour les Mundugumor, la prostitution de leurs femmes est incompatible avec leur orgueil et leur sens de la propriété, mais elle sentait confusément qu'on ne pouvait blâmer un homme d'en avoir assez d'une femme comme Kwenda, une femme qui était si uniformément, si stupidement bonne, dévouée et maternelle. Kwenda, toute jeune, ardente et vigoureuse qu'elle fût encore, resterait demi-veuve; aucun homme fort n'en voudrait comme épouse, aucun homme faible n'essaierait de l'avoir parce que Mbunda, bien qu'il n'en voulût pas pour lui-même, n'en exigerait pas moins un bon prix. Tel est le peu de cas que fait la société mundugumor de la femme et de l'homme de caractère facile et ouvert et qui aiment leur métier de parents.

Il se trouve, d'autre part, des tempéraments aberrants d'une espèce différente. Ce sont ceux d'une violence telle qu'ils sont déplacés même chez les Mundugumor. Un individu de cette sorte passe son temps à se brouiller avec ses congénères; il sera finalement tué par traîtrise au cours de l'attaque d'une autre tribu, à moins qu'un membre de sa propre tribu ne se charge de le faire. (La peine pour ce dernier ne sera pas lourde : on lui interdira seulement de porter les marques distinctives des chasseurs de têtes.) Ou encore l'homme s'enfuira dans le marais et y périra. Une femme de tempérament similaire, insatiable dans ses exigences, toujours à l'affût de quelque nouvel amant, finira par être livrée à une autre communauté pour y être violée par tous. Mais un tel destin est conforme à l'idéal mundugumor, selon lequel une mort violente est souhaitable aussi bien pour un homme que pour une femme. Tant que le gouvernement s'est contenté de brûler des hameaux ou de tuer quelques indigènes pour faire justice d'une razzia ou de l'attaque d'un voyageur blanc, il fut impossible de soumettre les Mundugumor. Mourir des mains d'un Blanc était un peu plus honorable que mourir dans un combat avec les Andoar ou les hommes de Kandavi. Fièrement les Mundugumor relatent l'histoire de celui des leurs qui fut pendu pour meurtre par les Blancs. Il avait levé la main droite, avait invoqué le nom de ses ancêtres et de son village, et il était mort. La seule chose triste, dans cette affaire, était qu'on lui avait donné une volaille à manger avant l'exécution et que c'était justement son totem. Mais il était mort dignement – les Mundugumor sont habituellement très négligents de leurs tabous totémiques –, il avait refusé de le manger et était mort le ventre vide. Ce n'est que lorsque la crainte de voir les notables emprisonnés se substitua à celle des expéditions punitives que les Mundugumor se soumirent à l'autorité gouvernementale. Les chefs voulaient bien risquer la mort, mais non six mois de prison, six mois d'inactivité humiliante, six mois à se demander qui pouvait bien pendant ce temps séduire ou voler leurs épouses. Ainsi depuis trois ans la paix régnait, il n'y avait plus de chasses aux têtes ni de festins de chair humaine.

On comprendra que, dans un tel milieu, l'individu qui, plus violent que les autres, finissait par trouver la mort, ne fût pas considéré comme ayant eu une vie particulièrement malheureuse. C'étaient les Ombléan, les Kwenda qui étaient les vrais inadaptés, qui gaspillaient leurs dons dans un vain effort pour remonter le courant d'une tradition incompatible avec leur nature, une tradition qui exigeait de chacun, homme ou femme, qu'il fût fier, dur et violent, la douceur de caractère étant tenue pour choquante chez l'un comme chez l'autre.

TROISIÈME PARTIE

UNE TRIBU LACUSTRE :
LES CHAMBULI

POURQUOI LES CHAMBULI?

Les conclusions de notre étude des Mundugumor se trouvaient être semblables à celles de notre enquête chez les Arapesh. Dans un cas comme dans l'autre, aucune distinction n'était établie entre tempérament masculin et tempérament féminin, bien que celui des Mundugumor, par sa violence, son individualisme, son appétit de puissance et de position sociale, tranchât vivement sur la douceur, la tendresse même du naturel arapesh. Nous nous mîmes en quête d'une troisième tribu, guidés une fois de plus par des considérations sans rapport avec les recherches particulières. Pour nous conseiller, nous avions l'administrateur du district, M. Eric Robinson qui, servant depuis plusieurs années dans le bassin du Sepik, connaissait parfaitement la région. Il nous suggéra de nous intéresser ou bien aux Washkuks, montagnards qui vivaient au-dessus du poste d'Ambunti et n'étaient soumis que depuis peu de temps, ou bien à la tribu des Chambuli sur le lac Aibom. Il nous décrivit les Washkuks comme un peuple simple, vigoureux, sympathique. Ils ne connaissaient pas les Blancs depuis assez longtemps pour en avoir subi l'influence. Les premiers travailleurs recrutés parmi eux n'étaient pas encore revenus pour faire étalage de leur « pidgin English » et de leurs pagnes devant leurs aînés et introduire un élément de nouveauté dans la vie indigène. Les Chambuli étaient soumis depuis un peu plus longtemps, environ sept ans. Fuyant les chasseurs de têtes du moyen Sepik, ils s'étaient réfugiés dans la montagne, mais avaient été ramenés à leurs villages sous la protection du gouvernement. Leur art était consommé, leur culture d'une complexité qui avait bien des points en commun avec celle du moyen Sepik. Nous décidâmes de rendre visite d'abord aux Washkuks sur leur montagne. Nous y trouvâmes de petits hommes barbus avec qui nous ne pûmes converser que par le truchement de deux langues intermédiaires. Ils nous supplièrent de ne pas venir vivre parmi eux parce qu'ils seraient évidemment obligés, dans ce cas, de rester dans leurs villages pour s'occuper de nous, alors qu'ils venaient de terminer les préparatifs d'une longue expédition de chasse. Ils n'étaient pas nombreux et vivaient par groupes de deux ou trois sur les pentes escarpées de la montagne. Comme ils ressemblaient beaucoup aux Arapesh, comme, d'autre part, notre séjour parmi eux bouleverserait irrémédiablement leurs projets, comme enfin les conditions de transport et de travail s'annonçaient extrêmement difficiles, nous préférâmes ne pas insister. C'est ainsi que nous parvînmes chez les Chambuli sachant seulement d'eux qu'ils habitaient sur les bords d'un lac et que c'était un peuple d'artistes.

CHAPITRE XIV

LA VIE SOCIALE DES CHAMBULI

Les Chambuli vivent sur les bords d'un lac relié par deux canaux au Sepik, à environ trois cents kilomètres de son embouchure. Le pays d'alentour est plat et marécageux, à l'exception de petites hauteurs escarpées situées à l'extrémité sud du lac. La forme de celui-ci est irrégulière et ses contours changent continuellement, selon que le vent pousse ici ou là les grandes îles d'herbes qui flottent à la surface. Parfois l'une de ces îles, assez vastes souvent pour qu'y croissent plusieurs arbres adultes, vient s'agglutiner définitivement à une rive; elle peut obstruer le débouché d'un canal et il est nécessaire, alors, d'y tailler un passage pour les pirogues. De même les canaux secondaires qui courent parmi les hautes herbes s'ouvrent ou se bloquent selon les sautes de vent.

L'eau du lac est chargée de matière végétale foncée, d'un brun de tourbe, à tel point que sa surface, lorsque aucun vent ne l'agite, ressemble à de l'émail noir. Sur cette nappe polie, par temps calme, s'étalent les feuilles de milliers de lotus roses et blancs, et de nénuphars d'un bleu sombre. Parmi les fleurs, au petit matin, une multitude d'aigles pêcheurs blancs et de hérons bleus viennent compléter ce tableau, que la nature semble avoir brossé avec tant de soin qu'il paraît presque irréel. Quand un vent souffle et ride la surface des eaux, elle devient d'un bleu froid. Les feuilles de lotus qui, inertes et lourdes, jonchaient son émail noir, frissonnent, se soulèvent, sou-

ples et légères sur leur tige, et au vert uniforme succèdent des nuances de rose et de vert-argent. Les petites
hauteurs, au sud, se couronnent de nuages qui, semblables à de la neige, soulignent leur escarpement.

Les Chambuli représentent une tribu peu nombreuse;
ils ne sont que cinq cents à parler la langue, et encore
existe-t-il, dans une subdivision de la tribu, des différences d'accent et de vocabulaire. Ils habitent trois hameaux
situés au pied des monts Chambuli, et leurs cases cérémonielles se dressent sur de hauts pilotis, telles des
échassiers, le long de la rive bourbeuse du lac. Entre ces
cases cérémonielles – il y en a quinze en tout – court un
sentier que les hommes suivent à pied en période de
basses eaux. Lorsque le niveau du lac s'élève et qu'est
inondé l'étage inférieur des cases, ils prennent par le
même chemin, cette fois dans leurs étroites pirogues,
qu'ils poussent du bout fourchu de leurs pagaies en
herbes tressées. A l'étage inférieur des cases cérémonielles, le sol, simplement fait d'argile battue, est surélevé de
chaque côté en plates-formes où les membres de la
maison ont leur place attitrée. Au centre sont disposés les
foyers. Autour, quelques escabeaux de bois sculpté permettent de s'asseoir pour laisser l'épaisse fumée monter
le long des jambes et en éloigner les moustiques. Parfois,
pour se protéger des regards des passants, l'on garnit les
côtés de cet étage inférieur de longs stores en feuilles
tressées, où alternent en motifs savants, le vert clair et le
vert foncé. Quand du chemin s'entend un bruit de pas ou
de voix, ces légers stores oscillent et, de l'intérieur, on
jette un regard curieux, on lance quelque salutation. C'est
le chemin des hommes, que femmes et filles empruntent
seulement à l'occasion des fêtes. Il serpente le long de la
rive, découvrant à un tournant ou à l'autre une nouvelle
case cérémonielle. C'est une demeure de dix à douze
mètres de long, construite parallèlement au lac. A chaque
extrémité, les pignons sont surmontés d'une sorte de
flèche élancée, tandis que la poutre de faîte s'abaisse au
centre, donnant au toit le profil d'un croissant de lune.
Chaque pignon, fait de chaume agrémenté de motifs en

Fig. 12.
Case cérémonielle dans une zone inondable;
maison des esprits à Kanboy sur le Keram, affluent du Sepik.

feuilles, est décoré d'un énorme masque rouge et blanc,
sculpté en bas-relief. Lorsqu'on bâtit une de ces cases, les
flèches sont d'abord construites légèrement en clayonnage et, à leur sommet, on fixe deux oiseaux, l'un mâle,
l'autre femelle, également en clayonnage. Plus tard, lorsque les constructeurs auront le temps, les flèches seront
soigneusement recouvertes de chaume, et les oiseaux en

osier remplacés par des ornements plus lourds, oiseaux
en bois dont les ailes émergent d'une forme humaine.

De chaque case cérémonielle part un sentier qui, en
une centaine de mètres le long du flanc raide et rocailleux de la colline, monte jusqu'aux vastes demeures des
femmes, cachées dans les arbres. Ces cases sont plus
longues et plus basses que celles des hommes. Le faîtage
est horizontal. Construites sur des pilotis bien enfoncés,
avec un plancher résistant, des échelles robustes menant
à chaque entrée, elles sont assez solides pour durer bon
nombre d'années, assez spacieuses pour loger trois ou
quatre familles. Des porcs fouillent au bas des échelles,
des paniers inachevés pendent au plafond, des instruments de pêche sont posés un peu partout. Le sentier est
battu, qui mène au bord du lac et qu'empruntent les
femmes pour aller à la pêche, les hommes aux réjouissances des cases cérémonielles. Les maisons d'habitation,
dont le nom exact est « maisons des femmes » sont reliées
les unes aux autres par un chemin qui court à flanc de
coteau et que suivent les femmes pour aller de maison en
maison. Chaque case abrite de deux à quatre familles. Il y
a toujours, à l'intérieur, quelque groupe de femmes
occupées à cuisiner, faire de la vannerie ou réparer un
attirail de pêche. Tout y est actif, amical; on y respire une
atmosphère de solidarité, de sincère coopération et de
volonté collective que l'on chercherait en vain au bord de
l'eau, dans les maisons de cérémonie gaiement décorées,
où chaque homme s'assied avec précaution à sa place
attitrée et observe soigneusement ses compagnons.

De bon matin, dès que les premières lueurs du jour
apparaissent sur le lac, chacun est déjà debout. Les
femmes ont mis leur pèlerine à capuchon pointu, elles
descendent la colline et gagnent, au milieu des lotus,
leurs étroites pirogues pour aller relever ou poser à
nouveau leurs grandes nasses d'osier, en forme de clo-
che. Parmi les hommes, certains sont déjà descendus aux
cases cérémonielles, particulièrement s'il s'y trouve quelques novices, petits garçons de dix à douze ans, le corps
barbouillé de peinture blanche, qui attendent, recroque-

villés sur eux-mêmes dans le froid de l'aube. Les novices sont autorisés à dormir dans la case de leur mère, mais ils la quittent avant le lever du jour, complètement enveloppés dans une natte qui les protège de la pluie. D'une case au bord du lac, sur le rythme qui lui est particulier, un gong appelle les hommes à quelque tâche cérémonielle, à couper du chaume, ou tresser des masques pour une danse.

Les jours de marché, les pirogues partent au loin, dans les marais, rencontrer les gens de la brousse, êtres maussades et obstinés, pour échanger du poisson et de la monnaie de coquillage contre leur sagou et leur canne à sucre. La monnaie d'échange est constituée par des coquilles d'escargots, de couleur verte, les *talibun* (1). Ces coquilles, qui viennent de la lointaine île Wallis, au large de la côte arapesh, ont été meulées et enjolivées de vannerie par les tribus au nord du Sepik. Lorsqu'il parvient aux Chambuli, chaque *talibun* se distingue des autres par sa taille, sa forme, son poids, sa couleur, son poli, sa décoration, et les Chambuli considèrent chacun comme doué d'une personnalité et d'un sexe. Le *talibun* n'est pas, à proprement parler une monnaie qui sert à « payer », par exemple, de la nourriture. C'est un objet de troc et son possesseur doit vanter ses vertus avec plus d'éloquence encore que l'homme de la brousse qui offre ses produits de consommation.

Le soleil devient plus chaud; les femmes rentrent de la pêche et remontent la colline. Des maisons enfouies dans les arbres s'échappe le bruissement continu des voix des femmes, tel le pépiement d'une volée d'oiseaux. Quand elles se croisent sur le sentier, ou en pirogue, elles échangent des politesses sans fin : « Tu vas? – Oui, je vais cueillir des lotus. – Tu vas donc cueillir des lotus. – Oui, je vais cueillir des lotus pour manger. – Va alors cueillir des lotus. »

La vie quotidienne se déroule sur le rythme tranquille

---

(1) Terme de « pidgin-english », d'usage très répandu en Nouvelle-Guinée.

Fig. 13.
Parure de danse masculine à Maprik (brun, rouge, jaune et noir).

des tâches féminines – pêche et vannerie – et des occupations cérémonielles des hommes. Qu'une fête ou une danse masquée soit annoncée, et la communauté tout entière arrête le travail. Hommes et enfants revêtent de fastueuses parures. Sur leurs boucles soigneusement ordonnées, les hommes fixent des coiffures de plumes d'oiseau de paradis ou de casoar. Les enfants mettent des capuchons brodés de coquillages. Ils s'assemblent sur le terrain de danse. Les hommes, intimidés, n'osent manger devant la foule des femmes souriantes, actives, sans parure. Les enfants, eux, mâchonnent de la canne à sucre par tiges entières. Un décès, ou la scarification d'un enfant, garçon ou fille, exige une fête. Dans une maison, cinquante à soixante femmes se réunissent autour des feux de cuisine, nettoient méticuleusement les moules en poterie et préparent les galettes de sagou, fines et parfaitement régulières, qui sont de toutes les fêtes. A un certain moment de la cérémonie, de la nourriture spécialement préparée et des coquillages de prix sont portés d'une case à l'autre par de petits groupes d'hommes et de femmes, rituellement composés. Souvent des personnages masqués les accompagnent, bouffonnant et gesticulant parmi les groupes de danseuses. Et l'on voit celles-ci plonger entre les jambes des danseurs ou briser leurs beaux étuis à chaux et répandre une pluie de poudre blanche sous leurs pieds. La nourriture est presque toujours abondante. Les Chambuli ne sont pas tributaires du sol. Sans doute quelques-uns parmi les plus actifs se singularisent-ils parfois en cultivant des jardins d'ignames sur les hauteurs, ou de taro, en période de basses eaux. Mais ils usent surtout de sagou, qu'ils achètent en grandes quantités et conservent dans de hautes jarres de terre, au col orné de figures grotesques en ronde-bosse. Point n'est besoin de travail quotidien. Il y a du sagou dans les pots, il y a du poisson fumé et le marché n'a pas lieu tous les jours : il est toujours possible de cesser le travail pendant quelque temps et de participer sans regret à une cérémonie ou à une fête. C'est ainsi que les choses se déroulent normalement. Mais parfois la faim fait son apparition : il y a eu trop de guerres chez les gens de la savane qui fournissent le sagou, ou bien la pêche a été particulièrement mauvaise, et l'on se trouve précisément à la saison où les jardins de taro sont sous l'eau. Alors les Chambuli, accoutumés à l'abondance et à une large hospitalité, se découvrent impuissants à affronter la famine, sinon en se montrant sans merci à l'égard des

voleurs. Le voleur de nourriture était autrefois impitoyablement remis entre les mains des habitants d'un autre
hameau. Il y était exécuté et sa tête devenait un trophée
de plus à accrocher dans la maison des hommes, trophée
dont on payait le prix au hameau d'origine du voleur.

Ainsi se trouvaient combinées la chasse aux têtes et
l'éxécution des criminels. On estimait nécessaire que
chaque jeune garçon chambuli tuât, dès son enfance, une
victime humaine; dans ce but, on achetait les victimes à
d'autres tribus, habituellement des bébés ou de jeunes
enfants. Un prisonnier de guerre ou un criminel en
provenance d'un autre hameau chambuli pouvait suffire.
Le père guidait la main droite du jeune garçon qui,
tremblant d'horreur, était de cette façon initié au culte de
la chasse aux têtes. On éclaboussait du sang de la victime
les pierres dressées devant la maison cérémonielle; s'il
s'agissait d'un enfant, on enterrait le corps au pied des
pilotis. La tête elle-même était surmodelée de glaise, puis
peinte d'étranges motifs en noir et blanc; des coquillages
prenaient la place des yeux; de nouvelles boucles étaient
collées sur le crâne. Puis le trophée était suspendu dans
la maison des hommes. Les Chambuli, cependant,
n'éprouvaient que peu d'enthousiasme pour la guerre et
la chasse aux têtes. Sans doute fallait-il qu'une case
cérémonielle fût ornée de têtes, mais ils aimaient mieux
acheter aux gens de la brousse leurs bâtards, leurs
orphelins et leurs criminels, pour les tuer rituellement au
village, que courir les hasards d'une bataille. Apprêter les
têtes était un de leurs beaux-arts, les posséder un sujet
d'orgueil; mais leur acquisition devait être aussi peu
dangereuse et aussi peu violente que possible.

En cela, les Chambuli diffèrent considérablement de
leurs voisins du moyen Sepik, féroces et belliqueux, qui
considéraient la chasse aux têtes comme la plus importante des tâches masculines. Les gens du moyen Sepik
sont tributaires des Chambuli pour la fabrication des
grands sacs-moustiquaires tressés, qui sont indispensables dans cette région infestée de moustiques. Ils trouvent aussi chez les Chambuli un débouché pour leurs

pirogues. Car ils se sont procuré des outils de fer beaucoup plus tôt et en plus grandes quantités que les
Chambuli. Ils ont pour ceux-ci un souverain mépris et les
considèrent tout juste assez bons pour être razziés pério-
diquement. Quelque douze ans plus tôt, les Chambuli
avaient fini par lâcher pied devant les incursions continuelles des guerriers du moyen Sepik, leurs chasses aux
têtes et l'incendie des cases. Les habitants des trois
hameaux s'étaient réfugiés chez des peuplades amies. Un
groupe était allé jusqu'à la rivière Kolosomali, un autre
dans les montagnes au sud du pays chambuli, un troisième loin vers le nord. Cette fuite s'était exécutée en

fonction des liens les plus étroits, de commerce ou de mariage, qu'entretenaient les
Chambuli depuis des générations. Lorsque
l'administration des Blancs s'introduisit
dans le bassin du Sepik, les Chambuli
revinrent sur l'emplacement de leurs
anciens villages, persuadèrent les fonc-
tionnaires gouvernementaux de leurs
droits, délogèrent les envahisseurs du
moyen Sepik et réoccupèrent leurs cases.
L'intervention des Blancs entraînait virtuellement la fin de la chasse aux têtes.
Mais celle-ci n'avait jamais eu, pour les
Chambuli, qu'une importance rituelle, et
très relative. Ils se soucient beaucoup plus
de décorer leurs maisons cérémonielles
de beaux bois sculptés, de fabriquer des
élégants crochets doubles auxquels sus-
pendre les sacs en filet, aux dessins
recherchés, qu'ils importent de la rive
nord du Sepik, de tresser les nombreux
masques que réclament les différents
clans et les divers groupes cérémoniels. Ils

Fig. 14.
Avant de pirogue en forme de tête de caïman, 273 cm
de long (blanc et noir), Haut-Sepik.

ont maintenant des outils en fer et construisent leurs
propres pirogues, au lieu de les acheter sur le Sepik à un
prix exorbitant. Ne craignant plus les razzias, les femmes
ont le temps, non seulement de pêcher, mais de récolter
les racines de toutes sortes de nénuphars et des graines
de lotus : de quoi régaler les jeunes fils et neveux lorsqu'ils viennent mendier quelques *talibun* ou un *kina*, le
croissant de nacre qui vaut vingt *talibun*. La *Pax Britan-
nica* a donné un nouvel élan à la civilisation chambuli.
Les rives du lac résonnent des coups de hache creusant
les pirogues. Il n'est pas d'homme qu'on ne trouve occupé
à décorer un étui à chaux, à tresser un masque ou la
forme d'un oiseau, ou à transformer un os de casoar en
perroquet ou en calao.

CHAPITRE XV

RÔLES CONTRASTÉS
DES HOMMES ET FEMMES CHAMBULI

Pour les Arapesh, les grandes aventures de la vie étaient la nourriture et les enfants; chez les Mundugumor, on ne saurait trouver de plus grande satisfaction que dans le combat ou les rivalités d'acquisition de femmes. On peut dire par contre que les Chambuli vivent surtout pour l'art. Tout homme est artiste; la plupart, loin de se spécialiser, pratiquent tout à la fois : la danse, la sculpture sur bois, le tressage, la peinture, etc...; ce qui importe le plus à un Chambuli c'est le rôle qu'il tient sur la scène sociale, la recherche de son costume, la beauté de ses masques, son habileté à jouer de la flûte, la perfection et l'élan (1) de ses cérémonies – et, naturellement, la façon dont les autres reconnaissent et apprécient ses talents. Les cérémonies n'ont pas un caractère accessoire par rapport aux événements qui marquent la vie de chacun. L'on ne peut pas dire, par exemple, que dans le but d'initier les jeunes garçons, les Chambuli organisent une cérémonie, mais bien plutôt que c'est dans le but d'organiser une cérémonie qu'ils initient les jeunes garçons. La douleur que provoque un décès est assourdie, et pratiquement dissipée, par l'intérêt pris au cérémonial qui l'entoure : les flûtes qui jouent, les masques et les têtes d'argile qui décorent la tombe, l'ordonnance des groupes de pleureuses, auxquelles on donne en souvenir de char-

---

(1) En français dans le texte. (N. du Tr.)

mants petits objets de jonc. Les femmes bornent leur
activité artistique à s'associer aux gracieuses arabesques
des rapports sociaux, à peindre quelques paniers et
capuchons tressés, à participer aux danses d'ensemble.
Mais pour les hommes, l'art est l'essentiel de l'existence.

La société est de structure patrilinéaire. Tous les hommes qui ont des ancêtres mâles communs et portent un
même nom forment un groupe. Chaque groupe possède
une bande de terrain qui s'étend des crêtes jusqu'au bord
du lac. Sur la hauteur se trouvent parfois des jardins, puis
à flanc de coteau les bois parmi lesquels s'élèvent les
cases des femmes, et, sur la rive, la maison commune des
hommes, une pour chaque clan, ou quelquefois deux
clans contigus. A l'intérieur de ces groupes d'hommes
apparentés les uns aux autres existent certains tabous. Le
fils aîné se sent gêné et intimidé en présence de son père,
et son cadet immédiat observe vis-à-vis de lui la même
attitude. Ce comportement s'explique par le fait qu'ils
viennent en tête des héritiers de leur père. Entre les
autres fils, plus jeunes, donc plus éloignés dans l'ordre de
succession, il n'est aucune inhibition. Les rapports entre
oncle paternel et neveu sont affectueux. L'oncle paternel
– qu'on appelle à juste titre « petit papa » – intervient
souvent pour protéger les plus jeunes de ses neveux
contre les garçons plus âgés qui se chargent un peu trop
volontiers de leur inculquer quelque discipline. Les maisons d'hommes ont un nombre de membres essentiellement variable, car l'on s'y querelle fréquemment. Un
Chambuli se froisse pour peu de chose : qu'un membre
du clan revendique un rang de préséance auquel il n'a
pas droit, que l'épouse d'un autre n'ait pas donné à
manger à ses porcs, qu'un objet emprunté ne lui ait pas
été rendu, le voilà qui quitte la maison pour aller vivre
parmi les membres d'un autre groupe clanique auquel il
peut prétendre être apparenté. Cependant le sentiment
prévaut qu'un tel comportement est blâmable, que les
hommes d'un clan doivent rester unis, que la sagesse de
la maison cérémonielle réside dans le nombre de ses

vieillards et de ses hommes mûrs. Quand la maladie ou le malheur s'abat sur le clan, les Chambuli expliquent que les esprits chamaniques et ceux des morts, qui hantent les pilotis de la case, sont irrités parce qu'un ou plusieurs membres du clan l'ont quitté. La solidarité de ces groupes d'hommes est plus apparente que réelle. Tout se passe comme si chacun était assis d'une façon très précaire, très éphémère sur le bord de sa banquette, prêt à partir au moindre regard hostile, au moindre mot maladroit.

Chaque clan se distingue des autres par certains privilèges : la longue liste des noms à donner aux enfants de toutes les femmes du clan, les chants, et tout l'appareil des cérémonies, masques, danses, flûtes, tambourins, etc., ainsi qu'un ensemble d'êtres surnaturels, *marsalai* du lac, parfois un des esprits chamaniques, et d'autres esprits de moindre importance, dont la flûte, le tambour et le rhombe font entendre la voix. Un clan pourra exiger que tous les danseurs masqués qui passent devant sa maison cérémonielle s'arrêtent un moment devant les pierres dressées qui marquent son entrée. Un autre aura le privilège de faire gronder les rhombes lorsque les eaux montent.

A l'organisation clanique se superpose une organisation dualiste. Les membres d'un clan appartiennent habituellement soit au « peuple du Soleil », soit au « peuple de la Mère ». Parfois un clan se partage en deux et relève alors par moitié de l'un et l'autre « peuples ». En principe ces moitiés sont exogamiques, mais il n'en est pas toujours ainsi. Elles possèdent de nombreux privilèges et biens cérémoniels, ces derniers étant gardés dans l'une des maisons d'hommes. Chaque homme appartient aussi à plusieurs autres groupes, au sein desquels lui est dévolu un rôle particulier dans les cérémonies d'initiation et autres fêtes. Bien qu'il se définisse sans doute de la façon la plus permanente par son appartenance au clan, il peut tirer autant de fierté et de prestige de l'apparat cérémoniel déployé par un des autres groupes dont il est membre. Il peut aussi se sentir offensé en sa qualité de membre d'un de ces groupes et, en prenant parti dans une dispute cérémonielle, susciter à son endroit la froideur ou la mauvaise humeur de ceux auxquels il est associé dans d'autres champs d'activité. Le Chambuli est particulièrement sensible à l'importance et à la valeur de chacun de ces liens. Il est comme un acteur qui joue de nombreux rôles et qui, pour n'importe quelle pièce, peut s'intégrer naturellement au reste de la troupe. Un jour, membre de la société du Soleil, il proteste parce que la phratie de la Mère a sorti ses flûtes pour des funérailles, alors que ce n'était pas son tour. Une semaine plus tard, il oublie tout, enthousiasmé de la façon dont le groupe partenaire s'est conduit au cours d'une petite fête d'initiation. Un même homme peut être un jour un allié, un adversaire le lendemain, un spectateur indifférent dans une autre occasion. Tout ce qui reste à chaque Chambuli avec ses boucles délicatement arrangées, son beau cache-sexe en peau de roussette ornée de coquillages, ses petits pas et sa démarche affectée, c'est le sentiment qu'il est acteur et joue une série de rôles séduisants. Il lui reste cela – et ses relations avec les femmes.

Ses rapports avec les autres hommes sont difficiles. Même dans la maison de son propre clan, il n'est jamais complètement détendu; dans celle des autres, il se sent trop mal à son aise pour manger de bon appétit. Mais il sait qu'il peut faire fond sur les femmes. Chez elles, il trouve tout ce qu'il y a de sûr, de solide dans sa vie. Petit enfant, une mère rieuse et insouciante le tenait doucement dans ses bras, une mère qui l'allaitait généreusement, certes, mais non sans quelque nonchalance, tandis que, de ses doigts, elle tressait des roseaux pour en faire des paniers de couchage, et des pèlerines de pluie. Quand il tombait, elle le ramassait, le mettait sous son bras et continuait de bavarder. On ne le laissait jamais seul. Toujours, à proximité, il y avait huit à dix femmes qui travaillaient et riaient et dont chacune était prête à s'occuper de lui, si nécessaire, sans qu'il fût l'objet pour cela d'une sollicitude exagérée. Si l'autre épouse de son père ne le nourrissait pas aussi abondamment que sa mère, il suffisait à celle-ci de lui faire un léger reproche :

« Y a-t-il tellement d'enfants que tu doives les négliger ? »
Son enfance, il l'a passée dans la grande maison, où il a
pu s'ébattre librement, gambader, se rouler par terre,
s'amuser ou se battre avec les autres enfants. Sa bouche
n'a jamais été vide. Les femmes sèvrent leurs enfants avec
aussi peu de méthode et de réflexion qu'elles les ont
allaités; elles les bourrent de friandises pour les empêcher de pleurer. Plus tard elles leur donnent à manger,
outre la nourriture habituelle, une profusion de tiges de
lotus et nénuphars, de graines de lotus, de canne à sucre.
Et le petit garçon reste à grignoter ces douceurs, assis
dans la grande maison spacieuse, entouré des autres
enfants de sa famille, et de femmes indulgentes, qui
travaillent. Parfois il y a une cérémonie, et sa mère
l'emmène avec elle lorsqu'elle va passer la journée à
cuisiner dans une autre maison. Là il y a plus de femmes
encore, plus d'enfants aussi à se rouler par terre, et il y a
toujours quelque chose à manger. Sa mère a apporté dans
son panier assez de friandises pour lui en donner chaque
fois qu'il en réclamera.

A sept ou huit ans, le petit garçon commence à s'intéresser à la vie cérémonielle des hommes. S'il s'approche
trop de leur maison pendant une cérémonie, il sera
chassé, alors qu'en temps ordinaire il peut s'y glisser et
s'y cacher, sous la protection d'un « petit papa ». Les
garçons plus âgés le maltraitent quelque peu, l'envoient
faire des commissions, lui lancent des bouts de bois, ou le
battent s'il ne leur obéit pas. Alors, à toutes jambes il
monte se réfugier dans la case maternelle, où les grands
ne le suivront pas. La prochaine fois qu'il se retrouvera
en leur présence dans une maison des femmes, il profi-
tera de la gêne du plus grand, et, en toute impunité, le
taquinera, le tourmentera, singera sa démarche et ses
façons : l'autre n'osera pas lever la main sur lui.

A un âge qui se place entre huit et onze ans, selon les
ambitions cérémonielles de son père, on le scarifie. Il est
maintenu solidement contre un rocher pendant qu'un
« oncle » maternel éloigné et un artiste en scarification
incisent son dos. Il se tord de douleur, il peut hurler tant

qu'il lui plaît. Personne ne cherche à le consoler ni même à étouffer ses cris. Personne non plus n'y trouve motif de satisfaction. Préoccupés uniquement de leur tâche, les deux hommes accomplissent, l'un en tant que parent, son devoir rituel, l'autre sa besogne d'artiste. Les incisions une fois faites, ils enduisent d'huile et de curcuma le dos du jeune garçon. Celui-ci se trouve le centre d'un cérémonial complexe auquel il ne participe pas. Son père offre un cadeau au frère de sa mère. Les épouses de ce dernier reçoivent des jupes de fibre, des pèlerines de pluie, des paniers. C'est la scarification de l'enfant qui est l'occasion de toute cette pompe, mais personne ne fait attention à lui.

La cérémonie est suivie d'une longue période d'isolement. La nuit, il est autorisé à aller dormir chez sa mère, mais dans le froid matinal, avant l'aurore, il doit se glisser hors de la maison des femmes, enveloppé de la tête aux pieds d'une grande pèlerine de pluie grossièrement tressée. Son corps est barbouillé de terre blanche. Tout le jour il doit rester dans la maison des hommes; tous les quatre jours, il se lave et remet une nouvelle couche de peinture. C'est pour lui une période désagréable à passer. La plupart du temps on ne donne une cérémonie de scarification que pour un seul garçon à la fois, mais il arrive que deux hommes d'un même clan décident de scarifier leur fils le même jour. On ne considère pas que cette pratique soit nécessaire au bien de l'enfant. Rien ne suggère non plus que les autres prennent son intérêt quelconque à ses souffrances ou à l'inconfort de la situation qui lui est faite. Il n'est question autour de lui que de cérémonial. Si son père pense pouvoir donner une plus belle cérémonie en attendant encore trois mois, l'enfant ne sera pas « lavé » avant ces trois mois. Mais le père qui a été même légèrement vexé ou offensé par ceux qui doivent l'assister au cours de la cérémonie, peut, par dépit, « laver » l'enfant, sans plus tarder, une semaine ou deux seulement après l'opération. C'est un rite qui met fin à la période d'isolement. L'oncle maternel de l'enfant lui fait don d'une ceinture tressée aux motifs savants, de parures de coquillages, d'un bel étui à chaux en bambou et d'une jolie spatule sculptée en filigrane. Puis, ces cadeaux sous le bras, le garçon accompagne ceux qui vont distribuer, en son nom, de la nourriture, ou des *talibun* et des *kinas*. Il est censé maintenant consacrer plus de temps à la maison des hommes, mais il se réfugie encore parmi les femmes chaque fois qu'il le peut. Petit à petit, il devient un jeune homme, tandis que son père et ses frères aînés surveillent jalousement son attitude à l'égard de leurs jeunes épouses, prenant ombrage s'il fréquente les sentiers des femmes.

Mais il continue à s'appuyer sur ce groupe homogène et vigoureux que constituent les femmes. Ce sont elles qui s'occupent de lui, lui donnent nourriture et affection. Il n'y a pas de barrière entre les femmes de son groupe consanguin et sa future épouse, car celle-ci est fille de l'un des demi-frères ou cousins de sa mère. Il l'appelle *aiyai* comme sa propre mère. C'est d'ailleurs le nom qu'il donne à toutes les petites filles du clan maternel : une de ses « mères » sera un jour sa femme. Les dons que son père a faits en son nom alors qu'il n'était qu'un tout petit garçon, ceux qu'on lui apprend à porter lui-même maintenant aux frères de sa mère, sont le gage de son droit sur une femme du clan maternel. C'est ce droit des hommes d'un clan sur les femmes d'un autre qui lie les deux clans de génération en génération (1). Pour le jeune homme donc, il y a d'abord le groupe formé par les femmes dont il dépend : elles sont toutes des « mères » et comprennent sa propre mère, les sœurs de sa mère, les épouses des frères de son père, celles des frères de sa mère, et les filles des frères de sa mère. A l'égard de la sœur de son père et de la fille de celle-ci son attitude est plus conventionnelle, car elles ne peuvent être ni mère ni épouse ni belle-mère, trois rapports de filiation ou d'alliance qui sont toujours associés dans l'esprit chambuli. Pour le mariage lui-même, en plus des dons qui ont été envoyés lors d'occasions cérémonielles, de nombreux

(1) Cf. Dr Fortune « A Note on Cross-Cousin Marriage », *Oceania*, 1933.

kinas et *talibun* doivent être versés pour « acheter » l'épouse : ce sont les parents mâles du jeune homme qui les fournissent. Un orphelin, s'il lui a été permis de vivre, a peu d'espoir de trouver une épouse alors qu'il est encore jeune. Il n'est l'enfant de personne : comment, vraiment, pourrait-il espérer prendre femme ?

Ainsi l'attitude d'un jeune homme vis-à-vis des femmes procède-t-elle d'un seul type de sentiments, sans la complication de conduites opposées à tenir envers la mère, la sœur, l'épouse et la belle-mère. Les femmes de sa maison constituent un groupe très uni. La demeure où pénètre une jeune épouse n'est pas pour elle étrangère, c'est celle de la sœur de son père, maintenant sa belle-mère. Si un homme a deux épouses, elles sont habituellement – mais pas toujours – originaires du même clan, et se trouvent être sœurs aussi bien que co-épouses. Le fait d'avoir été co-épouses d'un même homme constitue un lien solide et durable entre deux femmes, même si elles sont séparées plus tard par la mort de leur mari et un remariage. Le mariage type est celui de deux sœurs entrant comme épouses dans une famille où une ou plusieurs des sœurs de leur père se sont déjà mariées, où la vieille femme assise près du feu, si elle leur cherche parfois chicane, est cependant de leur propre clan et par conséquent les traite sans rigueur. L'aménité et l'esprit de solidarité caractérisent ces rapports, habituellement si difficiles – ceux entre co-épouses, et ceux entre belle-mère et belle-fille : ce sont les qualités dominantes qui règnent sur l'ensemble du groupe féminin. Les femmes Chambuli travaillent en commun, souvent douze à la fois; elles tressent les grands sacs-moustiquaires dont la vente rapportera la plupart des *talibun* et *kinas* dont dispose la tribu. Pour préparer les repas de fête, elles rapprochent leurs foyers de terre (sortes de pots ronds, amovibles, à rebords plats). Chaque demeure contient dix à vingt de ces foyers, si bien qu'aucune femme ne se trouve obligée de faire la cuisine seule dans un coin. Ce qui est frappant, c'est l'atmosphère qui règne de camaraderie, de travail joyeux et efficace, animé par un bavardage incessant.

Dans un groupe d'hommes au contraire, on sent toujours une certaine tension, une vigilance méfiante. Ce sont des remarques aigres-douces, ou à double sens : « Pourquoi donc est-il allé s'asseoir en face, quand il t'a vu de ce côté-ci? » ou bien encore : « As-tu vu Koshalan avec une fleur dans les cheveux? Qu'est-ce qu'il mijote? »

En grandissant, le garçon découvre que le monde dans lequel il va pénétrer, s'il est parcouru de voies divergentes, reste toujours léger et gracieux. Il apprendra à jouer des flûtes qui imitent le casoar, ou aboient comme un chien, ou crient comme un oiseau, ou encore de celles qui, réunies, résonnent comme un orgue. S'il est diplomate, si on l'aime bien, il aura sans doute deux femmes ou peut-être même trois, comme Walinakwon. Walinakwon était beau. Il dansait avec élégance, avait de la faconde. C'était un homme fier et autoritaire, mais, à tout prendre, il avait le parler doux et ne manquait pas d'ingéniosité. En plus de sa première épouse, qui lui avait été donnée, dès l'enfance, par le clan de sa mère, deux autres femmes l'avaient choisi comme mari. Il avait bien de la chance. Toutes les trois savaient tresser les sacs-moustiquaires, et il était en passe de devenir riche.

Car, bien que les Chambuli aient une organisation patrilinéaire, bien qu'ils soient polygames et qu'ils achètent leurs épouses – ce qui est communément considéré comme dégradant pour la condition féminine – ce sont les femmes qui possèdent chez eux la véritable puissance sociale. Les règles du système patrilinéaire s'appliquent aux maisons et à la terre – celle que l'on habite et celle que l'on cultive; mais il faut un homme particulièrement énergique pour jardiner. Pour la nourriture, tout le monde dépend de la pêche des femmes. Les hommes ne pêchent jamais, à moins que ne soit soudain signalé un banc de poissons dans le lac. Alors, sans doute, on les verra sauter dans leurs pirogues et aller, pour s'amuser, attraper quelques poissons à la sagaie. Ou encore, lorsque l'eau monte et que le chemin le long du lac devient une voie d'eau, ils pêchent à la torche, également pour se divertir. Seules les femmes font, de la pêche, une occupation sérieuse. En échange du poisson, elles obtiennent du sagou, des taros et des noix d'arec. Quant aux plus importants des produits fabriqués, les sacs-moustiquaires, dont il suffit de deux pour payer une pirogue ordinaire, ce sont aussi les femmes qui les tressent entièrement. Ils sont achetés par les gens du Moyen-Sepik, et sont si recherchés qu'on les retient à l'avance, longtemps avant qu'ils ne soient terminés. Enfin ce sont encore les femmes qui ont la haute main sur la circulation des *kinas* et des *talibun*. Elles permettent à leur mari de faire les achats de nourriture au marché, et d'y vendre les sacs-moustiquaires. Les hommes se font une véritable fête de ces expéditions commerciales. Lorsque les négociations pour la vente d'un sac-moustiquaire sont près d'aboutir, le mari, tout resplendissant de plumes et de bijoux de coquillages, s'en va conclure la transaction. L'affaire prend quelques jours, dont il fait ses délices. Il hésite, tergiverse, accepte ce *talibun*, refuse celui-là, exige qu'on lui montre un *kina* plus fin, ou mieux taillé, demande soudain qu'on lui change la moitié des moyens de paiement déjà étalés devant lui; bref, il joue au difficile et se comporte exactement comme rêve de le faire toute femme de chez nous, qui, le porte-monnaie bien rempli, s'en va courir les magasins de la capitale. Mais ce n'est qu'avec l'approbation de son épouse qu'il peut dépenser les *talibun*, les *kinas*, et les chapelets d'anneaux de *conus* qu'il rapporte de son expédition. Il a réussi à obtenir un bon prix de l'acheteur; il lui reste à soutirer à sa femme la libre disposition de ce paiement. Depuis son enfance, il sait que la vraie propriété, ce que l'on possède réellement, ce sont les femmes qui en disposent. Pour en avoir sa part, il doit faire assaut de regards langoureux et de mots tendres. Entre ses mains, *kinas* et *talibun* deviennent comme des jetons dans le jeu qu'il joue avec les autres hommes. Ils n'ont plus de rôle dans l'économie fondamentale de la vie. Ils lui servent à montrer à son beau-frère dans quelle considération il le tient, à apaiser des susceptibilités, à faire le généreux lorsque le fils d'une sœur tombe par terre devant lui. Le petit jeu de guerre et de paix que pratiquent sans cesse les hommes – où l'on se complaît à froisser les autres pour ensuite les mieux apaiser – ne peut continuer que grâce au travail et à la contribution des femmes. Quand une femme est près de mourir, sa pensée va aux jeunes garçons dont elle a pris soin, à son propre fils, à celui de sa sœur. Et le fils de la sœur de son mari, comment fera-t-il lorsqu'elle ne sera plus, lui qui est déjà orphelin et n'a personne pour l'aider? Si la mort tarde, elle enverra chercher ce beau jeune homme, qui a tous les talents, et elle lui donnera un ou deux *kinas* et quelques *talibun*. Il est si beau que sûrement il suscitera des jalousies et s'attirera des ennuis; il faut lui fournir les moyens de regagner la faveur de ses pairs.

Les femmes ont, pour les hommes, une considération teintée de tolérance bienveillante. Elles aiment leurs jeux, particulièrement les parades qu'ils organisent à leur intention, ainsi que les grandes danses masquées. Une danse *mwai*, par exemple, exige la participation d'un groupe de femmes autour de chaque catégorie de danseurs masqués. Le masque est fait de bois. Il est supporté par la tête du danseur sur laquelle il repose en équilibre, au milieu de sa coiffure faite de feuillage et de fleurs, et qui est piquée de douzaines de petits motifs en bois découpé. Un gros ventre le prolonge, souligné par une longue rangée de *kinas* en forme de croissant, qui descend au-dessous de la taille à la manière de défenses d'éléphant. Dans le dos, la silhouette s'agrémente d'une sorte de tournure sur laquelle sont collés des visages grimaçants en bois. Les danseurs ont enfin des jambières de paille. Pour arriver sur le terrain de danse, ils partent d'une plate-forme spécialement érigée à cet usage et dont le fond figure les lointaines montagnes. Les deux masques mâles portent des lances, les deux masques féminins, des balais. Claironnant et poussant des chants ésotériques, ils défilent entre deux rangées de femmes et d'enfants. Lorsque les femmes voient apparaître les masques de leur clan, elles courent danser autour d'eux, en un chant joyeux, et ramassent les plumes et ornements divers qui

tombent des coiffures. Les seuls hommes admis sur le
terrain sont les quatre porteurs de masques, des hommes
mûrs sous les masques mâles, de plus jeunes et de plus
frivoles sous les masques femelles. Ces jeunes gens prennent un étrange plaisir à jouer les invertis en s'associant
au groupe féminin. Leur déguisement n'est pas une
garantie d'anonymat, car chacun a pris soin, auparavant,
de chuchoter à une femme au moins la façon de le
reconnaître d'après ses jambières. Mais sous leur masque,
ils peuvent prendre part à cette parodie joviale d'homosexualité à laquelle s'adonnent si volontiers les femmes
lors de chaque fête. Avant l'arrivée des masques, les
femmes s'amusent à mimer entre elles des rapports
sexuels. Lorsque les hommes déguisés prennent possession du terrain de danse, elles font participer à leurs jeux
les masques femelles, mais non les mâles. Vis-à-vis de ces
derniers, elles se montrent aimables, prudentes, réservées
même, de peur de les froisser. Mais elles s'occupent
surtout des autres, cherchent à enfoncer des feuilles dans
les ouvertures des masques, se cognent contre eux dans
des positions nettement provocantes, les chatouillent et
les taquinent. L'équivoque de la situation, le spectacle de
ces femmes cherchant à aguicher des hommes sous leurs
déguisements féminins illustrent, plus qu'aucun autre
acte rituel dont j'aie été témoin, la complexité des rapports entre les deux sexes chez les Chambuli : les hommes sont nominalement chefs de famille, propriétaires de
leurs demeures et même de leurs épouses, mais en
réalité, ce sont les femmes qui détiennent pouvoir et
initiative. Au masque mâle, les femmes rendent un hommage de pure forme; quelques-unes, habituellement
parmi les plus vieilles et les plus sérieuses, dansent avec
lui et ramassent ses ornements quand ils tombent. Mais
avec les masques féminins, elles stimulent un désir sexuel
agressif et affirment leur droit à l'initiative. Après tout, les
jeunes hommes n'ont pu que leur murmurer quelques
mots sur le masque et les jambières qu'ils porteraient.
Maintenant emprisonnés dans ces masques encombrants,
lourds et instables, surveillés dans une certaine mesure

par les hommes mûrs qui dansent avec les masques mâles, ils ne peuvent guère que parader en aveugles sur le terrain de danse, et attendre qu'un coup, un chuchotement, leur fassent reconnaître quelle femme s'est pressée contre eux. Les cérémonies de ce genre durent habituellement beaucoup moins longtemps qu'il n'a été prévu à l'origine : les bruits qui courent de nouvelles liaisons parviennent aux oreilles des hommes les moins jeunes; ils se rendent compte que c'est peut-être à leurs dépens qu'ils ont attiré leurs épouses sur le terrain de danse et qu'il ne peut sortir rien de bon pour eux de cette fête. Car, même si aucun nouvel attachement ne se forme à la faveur de ces réjouissances, cette danse des femmes crée un climat d'intense excitation sexuelle, qui peut devenir explosif dans les jours qui suivent. Ce sont les jeunes épouses des hommes âgés qui prennent le plus de plaisir à ces cérémonies.

En dehors de ces fêtes, les femmes mènent une vie quotidienne extrêmement active. Le pied rapide, la main habile, le geste efficace, elles vont relever les nasses, reviennent tresser des sacs-moustiquaires, cuisinent, retournent aux nasses, toujours alertes, aimables, indulgentes. Une camaraderie enjouée, assaisonnée de grosses plaisanteries, est de règle entre elles. De temps à autre, une maisonnée s'enrichit d'une femme-enfant, une fillette de dix ou onze ans qui vient épouser son cousin, un des fils de la famille. Les femmes n'ont aucune difficulté à adopter la jeune épouse. Elle est l'enfant de leur frère, elles l'ont toujours connue. Elles lui font bon accueil, lui enseignent de nouvelles techniques, lui donnent un foyer sur lequel faire la cuisine. Tandis que la vie des hommes est faite de chamailleries, de brouilles mesquines suivies de réconciliations, d'aveux, de dénégations et de protestations, appuyées de dons, celle des femmes est singulièrement sereine, libre de toutes frictions personnelles. Pour cinquante querelles chez les hommes, il n'y en a pas une entre femmes. Sérieuses, absorbées par leurs occupations, conscientes de leur puissance, la tête rasée et nue, elles travaillent et rient, assises en groupe; parfois elles organisent une danse de nuit dont les hommes sont exclus et où chaque femme se dépense sans compter et exécute, seule devant les autres, le pas qu'elle trouve le plus excitant. Une fois encore s'affirme la solidarité des femmes, le peu d'importance des hommes. De cet état de choses, la maison chambuli est d'ailleurs un excellent symbole : le centre en est solidement occupé par les femmes, tandis que les hommes s'assoient sur le pourtour, près de la porte, un pied presque posé sur l'échelle, êtres inutiles qu'on tolère à peine, prêts à fuir vers leur propre maison où eux-mêmes ramassent le bois pour leur cuisine et d'une façon générale, vivent presque en célibataires dans une atmosphère de malaise et de méfiance.

La vive concurrence qui sévit entre les jeunes hommes chambuli touchant les femmes affecte leurs rapports mutuels; personne ne sait sur lequel d'entre eux le choix d'une femme va se porter, chacun retient son souffle, espère, et se garde bien de faire confiance à qui que ce soit parmi les hommes de son âge. Ce climat est dû surtout à la présence de veuves et d'épouses insatisfaites. Celles-ci sont victimes chez les Chambuli comme chez les Mundugumor, de l'absence de réalisme des règles sociales. Si, parmi les « mères » de sa génération, dont l'une peut devenir sa femme, le garçon ne trouve pas de fille un peu plus jeune que lui, le clan de sa mère lui en donnera une un peu plus âgée. Lui n'est encore qu'un adolescent timide, affolé à l'idée même de rapports sexuels; elle, au contraire, est maintenant pleinement formée, et bientôt a une liaison avec l'un de ses frères ou peut-être un membre plus âgé de sa famille. C'est ce que les frères de sa mère tenteront d'éviter; ils se moqueront publiquement du pauvre garçon qui n'ose pénétrer dans le lit-sac de son épouse légitime; cela ne peut que finir mal, lui diront-ils, et la fille sera perdue pour le clan. Le garçon, honteux et malheureux, se hérisse, se renferme dans le silence, se dérobe encore davantage aux avances de son épouse. Alors, généralement, on cherche une solution différente et on la marie à un autre homme du même clan. Si une jeune femme se trouve être veuve, c'est à elle, encore, qu'il revient de désigner son nouveau partenaire, car aucun homme ne serait assez sot pour acheter une fille qui n'a pas indiqué son choix d'un mari en couchant avec lui. Ce serait, disent-ils, jeter l'argent dans le lac. Une jeune veuve constitue pour la communauté une pesante servitude. Personne ne s'attend qu'elle reste sage jusqu'à ce qu'un nouveau mariage ait été conclu. N'a-t-elle pas une vulve? demandent-ils. C'est ce qu'on ne cesse d'expliquer en pays chambuli : une femme est-elle une créature asexuée à laquelle on puisse demander de se résigner aux tergiversations d'un marchandage sans fin? La chair des hommes n'est pas si impatiente et ils peuvent se soumettre à la discipline des règles établies.

Les chemins de l'amour véritable ne sont cependant pas moins semés d'obstacles, dans cette société dominée par les femmes, que dans celles où les hommes font la loi. L'on a parfois tendance, en parlant de mariage, à considérer que la domination féminine a pour conséquence inévitable de permettre aux femmes d'épouser librement l'homme de leur choix; mais le mystère patrilinéaire a-t-il jamais garanti le droit du jeune homme à épouser qui lui plaît? Dans la société la plus patriarcale, l'ambition sociale d'une mère peut parvenir à complètement gâcher le bonheur matrimonial de son fils; chez les Chambuli, personne – pas plus les hommes que les femmes – n'est disposé à laisser aux jeunes gens plus de liberté qu'il n'en faut en ce domaine. L'idéal est de marier un cousin et une cousine lorsqu'ils sont encore enfants : ainsi tranche-t-on, au moins en partie, la difficulté. Car le jeune homme, pour profiter des occasions que lui offre le régime polygame, devra attendre que mûrissent ses charmes. Les hommes considèrent d'un œil jaloux la beauté et la grâce de leurs jeunes frères, et plus tard, de leurs fils; ils savent que les uns ou les autres les supplanteront bientôt aux yeux des femmes et particulièrement de leurs jeunes épouses, qui se sont peut-être laissé prendre aux derniers sursauts de leur puissance d'hommes mûrs. Amers, les jeunes gens disent que les vieux utilisent tous les moyens en leur pouvoir, toutes les manœuvres qu'ils connaissent pour évincer leurs jeunes rivaux, pour les humilier et leur faire affront devant les femmes.

Pour discréditer un jeune rival, la méthode la plus facile consiste à l'accuser d'être orphelin. Si le père d'un garçon est vivant, en effet, il contribuera à l'achat de l'épouse, pour dix, peut-être vingt pour cent, rarement davantage; ce sont les hommes du clan qui paient le reste. Ceux qui donnent le plus sont ceux dont le mariage a été financé principalement par le père du jeune homme. Etre orphelin par conséquent ne signifie pas pour ce dernier qu'il ne peut pas payer le prix de son épouse, mais seulement qu'il se trouve dans une situation fragile dont les autres sont parfaitement capables de profiter : le vieillard libidineux et sans cœur, qui approche du tombeau, utilise volontiers cette possibilité qui lui est offerte de s'interposer entre un orphelin de son clan et la jeune femme qui a porté son choix sur lui. Nous avons été témoins d'un drame de ce genre alors que nous nous trouvions en pays chambuli. Tchuikumban était orphelin; son père et sa mère avaient été tués tous les deux par des chasseurs de têtes; son clan était en voie de disparition. Il était grand, droit, charmant, bien que plus arrogant et autoritaire que ne le sont en général les Chambuli. Yepiwali était une de ses « mères ». C'était une fille du clan maternel qui, enfant, avait été mariée au loin, si bien que Tchuikumban ne l'avait pas beaucoup connue. Cependant, peu de temps après notre arrivée chez les Chambuli, les deux époux en puissance, Yepiwali, veuve maintenant depuis de nombreuses lunes, et Tchuikumban, orphelin sans fiancée d'un clan appauvri, se voyaient chaque jour. Yepiwali, qui souffrait d'un mauvais ulcère de frambœsia, se trouvait en visite chez ses parents, et Tchuikumban aidait à la construction de la nouvelle maison des hommes de Monbukimbit, service que tous les neveux doivent aux frères de leur mère. Yepiwali le vit et le trouva à son goût. Elle dit à une vieille femme que Tchuikumban lui avait donné deux bracelets de verroterie. Bien que ce ne fût pas vrai, c'était se vanter qu'elle comptait bien le conquérir. Elle envoya une tête de poisson à Tchuikumban par l'intermédiaire du beau-frère de ce dernier. Tchuikumban la mangea, mais ne fit rien pour répondre à ces ouvertures. Quelques jours plus tard quelqu'un donna à Tchuikumban deux anhingas. Yepiwali l'apprit et elle lui fit dire ceci : « Si tu es un homme, envoie-moi un peu de cet anhinga, en échange de mon poisson. » Tchuikumban lui envoya la moitié des blancs d'un des oiseaux. Le lendemain, en se rendant au hameau de Kilimbit, il rencontra Yepiwali. Ils ne se parlèrent pas, mais elle remarqua qu'il portait une ceinture blanche toute neuve (1). Ce soir-là, elle lui fit dire que, s'il était un homme, il lui enverrait cette ceinture, et, en plus, du savon et des allumettes. Il s'exécuta. Vers cette époque, le père de Yepiwali décida qu'il était urgent de la marier. On parlait beaucoup de ses liaisons, et il n'était pas prudent de la laisser si longtemps sans époux. Il ne pouvait lui-même discuter avec elle de son mariage, mais il en chargea son cousin, Tchengenbonga, qu'elle appelait « frère ». Tchengenbonga lui demanda donc qui de ses « fils » elle voulait épouser; elle répondit que Tavalavban avait essayé de faire sa conquête, l'avait croisée sur le chemin, et lui avait pris les seins; mais il ne lui plaisait pas. Elle montra à Tchengenbonga les cadeaux qu'elle avait soutirés à Tchuikumban et lui dit qu'elle voulait l'épouser. Tchengenbonga lui demanda la ceinture et elle la lui donna. Tchuikumban vit que Tchengenbonga portait sa ceinture, mais il ne dit rien. Bientôt un homme d'une autre tribu fit des offres en vue d'obtenir la main de Yepiwali; mais après de longues négociations, elles furent refusées; l'on savait déjà que Tchuikumban était l'élu. La question du paiement se posa aux membres de la famille de Tchuikumban. Ils refusèrent parce que Yepiwali ne savait pas faire les sacs-moustiquaires. Ils ne voulaient pas voir un de leurs jeunes gens épouser une femme qui n'était pas d'un bon rapport. Le père nourricier de Tchuikumban fut sans pitié : « Tu es orphelin.

(1) Nos boys la lui avaient cédée.

Comment peux-tu espérer te marier à une femme de ton choix? Cette fille n'est bonne à rien. Elle est usée par la mauvaise vie qu'elle a menée. Elle ne sait pas tresser. Quel avantage aurais-tu à l'épouser? » Tchuikumban fut accablé. Peu de temps après, il rencontra Yepiwali sur un chemin désert; elle s'arrêta et lui sourit, mais il s'enfuit, trop honteux de son état d'orphelin pour rester faire l'amour avec elle. Yepiwali perdit patience. Elle avait choisi cet homme, pourquoi hésitait-il? Elle fit tenir un message aux hommes du hameau voisin, en même temps que deux paniers de nourriture; puisqu'il n'y avait pas de vrais hommes dans son propre village, l'un d'eux pouvait venir l'enlever. Sa famille s'alarma; on la surveilla de plus près. Et puis, au beau milieu d'une cérémonie funèbre, dans la confusion générale, le bruit se répandit que Yepiwali rencontrait quelqu'un en cachette; il se révéla qu'il s'agissait d'Akerman, un homme âgé du clan, qui avait le droit de l'épouser. Elle désirait toujours Tchui-kumban, bien qu'elle fût furieuse contre lui et contre tous les jeunes gens, mais elle partit épouser Akerman, suivie de ces paroles consolantes d'une vieille femme : « L'autre femme d'Akerman est la sœur de ton père. Elle sera gentille avec toi et ne t'en voudra pas de ne pas savoir faire les paniers. » Cette autre femme faisait très bien les paniers, Akerman était vieux et riche, et cela ne regardait personne s'il prenait une jeune épouse. Ainsi l'amour fut vaincu parce que la famille de Tchuikumban lui avait fait honte d'être orphelin et parce que Yepiwali n'était pas capable de subvenir aux besoins d'un jeune mari.

Ainsi les Chambuli connaissent-ils les conflits au sujet des femmes – conflits proscrits chez les Arapesh, en raison de la nécessité de trouver des épouses pour leurs fils, mais qui sont un aspect si important de la bataille pour la vie chez les Mundugumor. Chez les Chambuli, jeunes gens et hommes âgés luttent pour obtenir la faveur des femmes; mais cette lutte est surtout souter-raine; ce n'est pas un combat, mais une concurrence furtive, où la volonté des vieux a plus de chances de l'emporter sur les désirs des jeunes gens et des jeunes femmes.

Les secrets des cultes masculins et l'inviolabilité de la maison des hommes ont aussi quelque rapport dans les positions respectives des deux sexes. Une maison d'hommes est à la fois un club et un foyer d'artistes; les hommes peuvent s'y tenir à l'écart des femmes, et y préparer eux-mêmes leur nourriture; c'est un atelier et aussi une loge où l'on s'habille pour les fêtes. Mais les femmes ont le droit d'y pénétrer en certaines occasions cérémonielles. Lorsqu'on doit scarifier un enfant, la femme qui le porte y fait une entrée solennelle et s'assied fièrement sur un escabeau. Si elles entendent les hommes s'y quereller, les femmes s'assemblent à flanc de coteau et lancent une pluie de conseils et d'avis qui ne peuvent manquer d'être perçus au milieu même de la maison des hommes. Elles se sont armées de gros bâtons pour participer à la rixe, si besoin est. Les savantes cérémonies, le battement des tambours sur les fosses remplies d'eau, le son des flûtes, rien de tout cela n'est un secret pour les femmes. Alors qu'un jour elles écoutaient, attentives et graves, la voix du crocodile, je leur demandai : « Savez-vous ce qui fait ce bruit? – Naturellement, répondirent-elles, c'est le tambour d'eau, mais nous ne le disons pas de peur de vexer les hommes. » Lorsqu'on demande aux jeunes gens si les femmes connaissent leurs secrets : « Oui, elles les connaissent, mais elles sont gentilles et prétendent que non, pour ne pas nous vexer. Et aussi, nous pourrions tellement nous vexer que nous arriverions à les battre. »

Dans cette dernière phrase se lit la contradiction sur laquelle repose la société chambuli, société où les hommes sont, en théorie et en droit, les maîtres, mais où ils jouent sur le plan émotionnel un rôle subordonné, où l'élément stable de leur existence est constitué par les femmes, et où, même dans le domaine sexuel, ils comptent sur elles pour mener le jeu. Leur magie amoureuse consiste en charmes faits de pierres volées aux femmes et que celles-ci utilisent pour leurs pratiques auto-érotiques

– pratiques dont ils s'indignent profondément car ils ont le sentiment qu'ils devraient être les bénéficiaires de la sexualité plus active et plus ardente de leurs compagnes. Ce qu'en penseront les femmes, ce qu'en diront les femmes, ce que feront les femmes, voilà ce qui préoccupe vraiment chaque homme, alors qu'il s'affaire à ourdir le réseau subtil et fragile de ses vaines relations avec les autres hommes. En fait il est seul, bien qu'il joue une multiplicité de rôles, qu'il s'allie tantôt à l'un, tantôt à l'autre. Les femmes, elles, gaies, actives, condescendantes, forment un groupe compact, que ne trouble aucune rivalité. A leurs enfants mâles, aux garçons de leur famille, elles prodiguent les graines de lotus et les racines de nénuphar; à leur mari ou leur amant, elles mesurent parcimonieusement des parcelles d'amour. Et pourtant les hommes ne sont-ils pas, après tout, les plus forts et un homme n'est-il pas capable de battre sa femme? C'est bien ce qui obscurcit le problème de la prépondérance féminine face au jeu des hommes, empreint de charme, de grâce, de coquetterie.

CHAPITRE XVI

L'INADAPTÉ CHEZ LES CHAMBULI

L'idéal social des Chambuli est fort différent de celui des Mundugumor et des Arapesh, et n'a, en fait, que bien peu de points communs avec l'un ou l'autre. Chez les Arapesh et les Mundugumor, hommes et femmes ont, en principe, des réactions sociales identiques, tandis que chez les Chambuli, les personnalités masculines et féminines s'opposent et se complètent. D'autre part, les Arapesh comme les Mundugumor s'intéressent essentiellement aux relations humaines pour elles-mêmes, tandis que les Chambuli se consacrent surtout à des fins artistiques impersonnelles. Le Mundugumor rapporte tout à lui-même, cherche à plier les autres humains à son service, à exploiter les faibles sans merci, à écarter les forts qu'il trouve sur son chemin. L'Arapesh s'efforce au contraire de mettre un frein à l'égoïsme, l'être idéal étant celui qui trouve son accomplissement dans son dévouement pour autrui. Quelle que soit la portée de ces différences, les Arapesh et les Mundugumor sont avant tout individualistes. La structure de l'édifice social est, chez les uns et les autres, constamment altérée ou mutilée pour servir des ambitions ou des besoins personnels; on ne l'estime pas assez précieuse ou assez belle pour que l'individu se considère subordonné à son élaboration et sa préservation. C'est le danseur qui compte, non la danse.

Mais ce que prisent les Chambuli par-dessus tout, c'est

leur vie collective au dessin si complexe, si délicat, ce sont les cycles sans fin de cérémonies et de danses, c'est le brillant, le chatoiement des relations sociales. Les hommes, pas plus que les femmes, n'ont à l'esprit des fins égoïstes; la femme coopère avec toute une famille, l'homme est membre de plusieurs groupes, dont il tente, en principe, de concilier les visées et les buts.

Les femmes pêchent et posent leurs nasses, partent en pirogue sur le lac dans l'aube frissonnante, remontent vers leurs cases pour y rester assises tout le jour, à tresser des moustiquaires, qui mettront plus de *kina* et de *talibun* en circulation : or c'est bien le *kina* et le *talibun* qui sont le nerf de la vie cérémonielle, puisque chaque danse, chaque cérémonie exige nourriture et objets de prix. A ces tâches, les femmes apportent une compétence vigoureuse, impersonnelle; elles travaillent non pour un mari ou un fils, mais pour que la danse puisse avoir lieu, sans rien perdre de son faste.

La tâche des femmes étant ainsi de payer pour la danse, celle des hommes est de danser, de parfaire les pas et la musique pour assurer la réussite complète de la fête; la contribution des femmes est générale; elles fournissent l'argent et la nourriture sans quoi il n'y aurait pas de danse. Celle des hommes, au contraire, est personnelle et réglée avec précision, ce qui est affaire d'entraînement, poussé jusqu'à ce que la perfection soit atteinte. Le prestige qui accompagne l'exploit personnel a été pratiquement éliminé, et des victimes achetées remplacent, dans les sacrifices, les victimes tuées à la guerre. Le mariage est en principe conclu selon des règles purement formelles, sur la base de liens émotionnels et de liens du sang établis de longue date, arrière-plan sûr pour la conduite de la vie.

L'évocation de cette utopie, impersonnelle et artistique, peut paraître étrange au lecteur du chapitre précédent, où était dépeinte l'atmosphère des querelles, blessures d'amour-propre et intrigues, qui caractérise l'existence des hommes. En effet, les Chambuli comme les Mundugumor et les Arapesh, ont choisi un mode de vie trop particulier pour convenir à tous les tempéraments. Qui plus est, ils ont ajouté à ces difficultés en édictant que les sentiments et les actes seront différents pour les hommes et pour les femmes. Il en découle immédiatement un nouveau problème, d'éducation cette fois. Si garçons et filles doivent être convenablement adaptés à des attitudes aussi différentes à l'égard de la vie, l'on pourrait s'attendre que la première éducation qu'ils reçoivent, fasse une distinction entre eux. Et pourtant, jusqu'à six ou sept ans, les enfants chambuli, qu'ils soient garçons ou filles, sont traités rigoureusement de la même façon. A cet âge la fillette est rapidement formée aux activités manuelles et commence à participer aux occupations sérieuses des femmes, mais le garçon ne reçoit aucune éducation appropriée à son futur rôle. Il reste en marge de la société, un petit peu trop vieux pour les femmes, un petit peu trop jeune pour les hommes. Il n'est pas assez âgé pour être admis dans la maison des hommes pendant que se déroulent des préparatifs secrets. Sa langue ignorante pourrait les trahir. Il n'est pas assez vieux non plus pour apprendre à jouer impeccablement des grosses flûtes, et l'on ne peut lui confier les chants claniques secrets qu'il apprendra plus tard à moduler dans un porte-voix. L'essentiel n'est pas l'habileté, l'acquisition d'une technique parfaite et régulière, sinon ces garçonnets pourraient, dès qu'ils quittent leur mère, être entraînés à devenir de jeunes exécutants. Le mystère du « foyer des artistes » qu'est la forme chambuli des cultes *tamberan* de la Nouvelle-Guinée, intervient pour les en empêcher. Ce mystère, qui a si peu de sens, si peu d'utilité, qui pèse d'un poids si lourd sur les intérêts de la tribu chambuli – intérêts qui sont toujours d'ordre artistique et non religieux – est aussi leur perte. Il les met dans l'impossibilité d'astreindre le jeune garçon à un effort impersonnel. La disposition des participants, lors d'une grande cérémonie, fait particulièrement bien ressortir la situation du garçonnet de huit ans. Dans le foyer, derrière l'écran de nattes de palmes, s'affairent les vieillards, les jeunes gens et les garçons qui viennent d'être initiés. Sur le terrain de danse, les femmes et les filles, ou bien dansent avec les personnages masqués, ou bavardent joyeusement, assises par petits groupes. Quant aux fillettes, certaines dansent, d'autres restent près des femmes, tiennent des bébés, pèlent des cannes à sucre; elles s'identifient complètement, fermement avec leur propre sexe. Seuls sont exclus les petits garçons. Sans place ni groupe attitré, ils gênent tout le monde. Par deux ou trois, maussades, ils demeurent assis sur des souches. S'ils acceptent la nourriture qu'on leur offre parfois, c'est pour aller la manger d'un air boudeur, peut-être se quereller avec un autre garçonnet, lui aussi exclu du groupe. Pour tous c'est la fête, sauf pour eux.

Pendant cette période de trois, quelquefois quatre ans, s'installent des habitudes qui persistent toute leur vie. Le sentiment d'être négligés, exclus, s'insinue en eux. Lorsque les hommes ou les garçons plus âgés leur demandent un service, ils ont le sentiment qu'on se sert d'eux, eux dont on ne veut à aucun autre moment. A la tombée du jour, les grands leur donnent la chasse pour les faire rentrer dans les cases, et là, parmi les femmes, où ils sont encore choyés avec une générosité impartiale et impersonnelle qui ne parvient pas à apaiser leur amour-propre blessé, ils restent à écouter les flûtes. Même les femmes, ils ne l'ignorent pas, sont au courant des secrets; et leurs petites sœurs qui, étant plus souvent avec les femmes, ont surpris bien des propos, baissent le ton de leur commentaire rieur lorsqu'un garçon non initié s'approche d'elles. Personne ne suggère – comme cela se fait chez les Arapesh – que cette attente leur est imposée dans leur propre intérêt. Non, c'est simplement qu'il ne faut pas déranger les hommes. Aussi les garçonnets continuent-ils de nourrir un dépit secret, qui jamais ne les quitte complètement; ils deviennent des Chambuli typiques, chatouilleux, susceptibles, prompts à éclater en invectives hystériques. Un à un, les années passant, ils sont initiés aux secrets, sans avoir le sentiment qu'on leur montre enfin quelque chose d'une beauté terrible et mystérieuse, car les Chambuli n'ont pas le sens religieux. Le beau, le

grand et terrifiant mystérieux, c'est le spectacle para-
chevé que les petits enfants connaissent depuis toujours.
Les secrets du « foyer » se révèlent n'être qu'un assem-
blage de chiffonneries, de moitiés de masques, de dra-
peaux peints, de bouts de rotin, qui servent à monter le
spectacle. Lorsqu'ils sont initiés, ils pénètrent dans un
groupe où règnent déjà rivalités et jalousies – du genre de
celles qui déchirent une troupe de ballets – et où la
subordination de tous à l'ensemble est toujours en conflit
avec la vanité et l'ambition de chacun. Enfin les secrets
ne leur sont révélés que par bribes et, en tant que jeunes
initiés, ils sont de simples figurants, sans aucun rôle
personnel. Ainsi ne parviennent-ils jamais à atteindre
cette complète dévotion à la danse, sur laquelle repose
l'idéal chambuli.

Néanmoins, ce léger accroc à l'unanimité et à l'harmonie ne porte pas sérieusement atteinte à la façade de la
vie chambuli. La représentation continue, de nouveaux
masques sont montés, avec leurs yeux obliques qui évo-
quent un loup-garou, de nouvelles flûtes sont taillées,
ornées à l'extrémité de gracieux petits oiseaux, et lorsque
le soleil sombre dans les eaux calmes du lac – ce lac de
rêve, la musique des flûtes s'élève des maisons des
hommes. Si les acteurs s'intéressent davantage à leurs
propres pas qu'à l'ensemble de la danse, leur façon de
danser n'en est pas moins parfaite. Il est vrai qu'il y a
dans toute cette vie quelque chose de légèrement irréel.
Les émotions vraies sont tellement amorties par les rites
et les pratiques cérémonielles, que tout sentiment perd
quelque chose de sa réalité, jusqu'à ce que l'expression de
la colère ou de la crainte ne devienne plus, à son tour,
qu'une figure de danse. Ainsi des bords bourbeux du lac
où se baignent les jeunes hommes montent des cris
d'angoisse, des appels au secours, les râles de la mort. Ce
n'est personne qui se noie – bien qu'en fait il se produise
des noyades, comme celle, la semaine dernière, de l'enfant de Kalingmale qui a perdu pied et s'est empêtré dans
les herbes. Ces cris ne sont que jeux : les jeunes gens
jouent à la mort. Non loin, sur la colline, Kalingmale est

assis; il ne quitte pas des yeux une hache que les femmes tiennent hors de sa portée. Sa femme l'a accusé d'être responsable : c'est de sa faute si l'enfant s'est aventuré dans l'eau; il veut que cette hache tue la mère de l'enfant qui était avec le sien, mais qui, lui, ne s'est pas noyé. Deux fois déjà il l'a attaquée et maintenant les femmes le surveillent sans cesse. En bas, sur le bord du lac, les jeunes hommes ont des rires hystériques en entendant imiter le râle de la mort, tantôt par l'un, tantôt par l'autre.

Ou bien l'on apprend qu'une femme a été enlevée par une autre tribu. Elle a été attaquée alors qu'elle pêchait et elle a été emportée pour devenir la femme d'un ennemi. Les jeunes hommes sont assis dans la maison des hommes, dessinant des motifs sur de nouvelles calebasses et faisant un bon mot à chaque coup de leur ciseau à graver. « Etes-vous irrités, demande-t-on, du rapt de votre sœur ? – Nous ne savons pas encore, répondent-ils, les anciens n'ont encore rien dit. »

Mais sous cet espèce de dédoublement, implicite dans une conception de la vie qui écarte les émotions de base au profit d'un formalisme harmonieux, se dissimule un grave motif d'inadaptation. On se souvient que, d'une façon assez contradictoire d'ailleurs, la société chambuli, sous des formes patriarcales, est en fait dominée par les femmes. Jouissant d'une prépondérance plus solidement établie qu'il n'est commun même sous un régime matriarcal, les femmes restent, théoriquement, subordonnées aux hommes. Elles ont, il est vrai, été achetées; le prix a été payé, et les hommes ne se font pas faute de le rappeler. Ainsi, dans l'esprit du jeune Chambuli, s'affrontent deux conceptions. Il sait que son père a acheté sa mère, il sait même combien il l'a payée, et combien il doit maintenant réunir pour donner une jeune épouse à son fils. Il entend des remarques du genre de celles que je citais à la fin du chapitre précédent : « Nous pourrions avoir tellement honte que nous arriverions à les battre. » Il voit de jeunes femmes, qui ont fait un mariage malheureux, prendre des amants, être enceintes, et, harcelées par hommes et femmes, descendre comme des folles les échelles des cases, dévaler et remonter les sentiers rocailleux, jusqu'à ce qu'elles fassent une fausse couche. Et il remarque qu'on finit néanmoins toujours par s'enquérir de leur désir. En même temps, il constate que ce sont les femmes qui donnent partout le ton, que c'est pour elles que l'on organise les fêtes, que ce sont elles encore qui, dans les activités économiques de la tribu, ont le premier et le dernier mot. Tout ce qu'il entend dire de la vie sexuelle souligne le droit de la femme à l'initiative. La fille qui a jeté son dévolu sur un jeune homme lui envoie un cadeau, qui est tout à la fois une invitation et un défi. Les hommes ont peut-être pour eux le désir, mais à quoi leur sert-il si leur femme y reste insensible, et préfère, comme cela arrive parfois, les plaisirs solitaires? Il y a donc un conflit à l'origine même de l'ajustement psychosexuel. Le garçon apprend de la société qu'il est le maître; son expérience lui enseigne qu'en toute circonstance les femmes s'attendent qu'il se soumette à leur autorité, tout comme son père et son frère.

Mais la suprématie des femmes est réelle alors que celle des hommes n'est que théorique; ainsi la plupart des jeunes Chambuli s'en accommodent-ils, et apprennent à s'incliner devant la volonté des femmes. A l'étage des maisons d'hommes, on dissimule aux yeux des passants derrière des stores, une statuette en bois qui représente une femme avec une vulve énorme, peinte en rouge écarlate. Voilà le symbole qui domine la vie affective masculine. Cependant, de même que dans les deux autres sociétés que nous avons précédemment étudiées, il y a ici des inadaptés. Ils se rencontrent, comme chez les Arapesh, parmi les jeunes gens particulièrement violents, tyranniques, doués d'une sexualité agressive, impatients de tout joug, de toute activité dont ils n'ont pas eux-mêmes pris l'initiative. Mais chez les Arapesh, toute la société pesait contre ces jeunes gens. A l'exception de quelques lambeaux de folklore, de quelques vieilles magies de jardin, ils n'avaient rien de concret sur quoi fixer leur méfiance et leurs soupçons. S'ils se montraient

plus ardents que ne le perçoivent les convenances arapesh à l'égard de leurs épouses, tout au moins celles-ci n'y
voyaient pas une atteinte à leurs prérogatives féminines.
Il n'en est pas de même, cependant, chez les Chambuli. En
théorie, l'énergie, l'autorité apparaissent pleinement justi-
fiées. Aux murs de la maison des hommes sont accrochées des rangées de têtes, qui en principe ont été prises
à l'ennemi. Le jeune homme rêve de chasse aux têtes
depuis des années, jusqu'au jour où il se rend compte que
ces têtes sont le butin non d'une victoire mais du trafic et
de la traîtrise. Sous ses yeux, se font les paiements pour
sa future épouse. Un jour, elle sera à lui et il en fera ce
qu'il voudra : n'a-t-elle pas été achetée ? Voilà bien assez
pour le troubler. Les jeunes hommes de ce genre sont
nettement inadaptés à la société chambuli; leur cas est
plus grave d'ailleurs que celui des inadaptés que nous
avons rencontrés chez les Arapesh et les Mundugumor.
Tóukumbank était couvert de teigne; absent pendant
quelque temps de son village, il avait oublié sa langue
maternelle, et ne savait parler à son père que dans le
jargon commercial du moyen Sepik. (Comme pour ajouter à la confusion de son esprit, le mariage de ses parents
n'était pas « régulier », si bien qu'il se trouvait appartenir
à deux groupes rivaux et ne comprenait absolument plus
rien à la structure de sa propre société.) Tchuikumban
était affecté de surdité nerveuse : si on lui donnait un
ordre, il n'entendait rien. Yangítimi faisait de la furonculose, et boitait chaque jour davantage. Kavíwon, beau
jeune homme bien musclé, était fils du Luluai, représentant du gouvernement; il essayait d'utiliser la position de
son père pour satisfaire sa soif de pouvoir. Mais le Luluai
secouait ses boucles et se dérobait. Alors Kavíwon, assis
sur le plancher de sa maison, fut saisi d'une envie
irrésistible de lancer une sagaie dans un groupe de
femmes – ses deux épouses et leurs sœurs – qui bavar-
daient au-dessous. Il dit simplement qu'il ne pouvait plus
supporter leurs rires. Il passa la sagaie dans un des
interstices du plancher et perça la joue d'une de ses
femmes. On crut un moment qu'elle allait en mourir. De

tels troubles névrosiques, de tels actes incompréhensibles de violence et de colère sont caractéristiques des jeunes gens qui croient au principe de l'autorité masculine, alors même que, dans la pratique, il est complètement tombé en désuétude.

Les épouses de ces jeunes inadaptés souffrent aussi; non seulement risquent-elles de recevoir quelque sagaie dans la figure, mais elles estiment nécessaire d'affirmer leur autorité avec plus de force. C'était le cas de Tchubukéima, femme de Yangítimi, grande belle fille, qui avait un tempérament de prima donna. Pendant sa grossesse, son mari s'intéressa peu à elle; il bouda et eut plus de furoncles encore. En représailles, elle se mit à se trouver mal en public, pour se faire remarquer le plus possible. A chaque évanouissement, il fallait s'occuper d'elle, l'entourer, pratiquer certains rites. Ainsi Yangítimi pendant quelque temps était-il obligé de se montrer un peu plus empressé, comme il convient d'ailleurs. Quand commencèrent les douleurs de l'enfantement, Yangítimi se lassa bien vite de son rôle de spectateur impuissant et inquiet, condamné à rester assis à l'autre bout de la maison, tandis que son épouse était enfermée avec la sage-femme et les sœurs de son père, agenouillée entre ces dernières. Yangítimi se mit à plaisanter avec le magicien que l'on avait appelé pour jeter un charme propitiatoire sur l'accouchement. Sa femme entendit son rire léger et devint folle de rage. Elle s'avança jusqu'au centre de la maison, où elle n'était pas censée aller, en gémisssant et en se lamentant. Les rires se turent. Elle se retira. De nouveau parvint à ses oreilles l'écho d'une conversation insouciante, si typiquement masculine. Ses plaintes cessèrent soudain, alors qu'elles avaient atteint une périodicité de cinq secondes, et elle s'endormit. L'on s'inquiéta. Si ses forces l'abandonnaient, elle mourrait, ainsi que l'enfant. Les femmes essayèrent de la réveiller. Les hommes firent silence. Elle s'éveilla. Les plaintes recommencèrent et de nouveau Yangítimi ne put s'empêcher de montrer combien son rôle lui pesait. De nouveau Tchubukéima vint tragiquement faire parade de ses souffrances pour finalement s'assoupir encore une fois. Et cela continua toute la matinée. Vers le milieu du jour, les hommes prirent peur. Tchubukéima avait-elle été ensorcelée? Ils passèrent en revue toutes les possibilités, pour les rejeter une à une. Les femmes déclarèrent froidement qu'elle n'avait pas assez porté de bois pendant sa grossesse. Au milieu de l'après-midi, on eut recours aux grands remèdes. On décida que les esprits de la maison étaient hostiles et que l'épouse de Yangítimi devait aller accoucher dans une case à l'autre bout du village. Cela, disait-on, décidait souvent la femme à faire l'effort nécessaire pour mettre l'enfant au monde. Et nous voilà toutes gravissant un sentier rocailleux et glissant, pour nous rendre à une maison située à plus de deux kilomètres de là, la femme en travail, devant, écumant de rage, suivie de toutes les autres. Quant à moi, relevant d'un accès de fièvre, je fermais la marche. Arrivées à la case, il fallut élever une cloison pour isoler la parturiente, qui enfin put s'agenouiller de nouveau entre les cuisses de sa tante paternelle. Mais là, nouvelle complication, les femmes à leur tour avaient perdu patience. Sans regarder sa nièce, la tante bavardait sans trêve avec les autres, et des planches de palmier que coupaient les gens d'Indéngai, et d'une réconciliation qui venait d'avoir lieu à Wópun, et de la joue de la femme de Kavíwon, et de ce qu'elle pensait des hommes qui blessent leur femme avec une sagaie. De temps en temps elle se retournait vers la femme agenouillée, qui ne décolérait pas, et lui lançait : « Fais ton enfant! » Tchubukéima se rendormit. Ce ne fut pas avant deux heures du matin – après que Yangítimi, qui maintenant se faisait vraiment du mauvais sang, eut payé un *kina* au représentant terrestre d'un des esprits chamaniques – que Tchubukéima se décida à accoucher. Epouse autoritaire d'un homme inadapté, voilà jusqu'où il lui avait fallu pousser les choses pour affirmer sa position.

Nous avons vu que, chez les Mundugumor, l'individu est, somme toute, moins mal adapté à sa société où dominent la violence et l'agressivité, que le violent, condamné par les circonstances à être doux et docile sans que rien l'y ait préparé. L'observation de ce qui se passe chez les Chambuli confirme ces conclusions. De toute évidence, ce sont les hommes qui sont inadaptés, enclins à la neurasthénie, à l'hystérie, aux accès de folie furieuse. En règle générale, la femme modeste ou résignée est absorbée par le large groupe féminin, peut-être éclipsée par une plus jeune épouse, ou dominée par une belle-mère. Mais rien ne signale vraiment qu'elle échappe à la norme. Si elle ne joue pas un rôle aussi marquant que son sexe l'autorise à le faire, elle ne se révolte pas exagérément contre son destin.

Si elle est particulièrement intelligente, elle peut, tel Ombléan chez les Mundugumor, triompher de sa propre culture. Ainsi Tchengokwále : mère de neuf enfants, c'était la première épouse de Tanum, homme violent, autoritaire, type même de l'inadapté, qui était notre voisin immédiat. Tchengokwále acceptait cette violence, et par sa soumission l'accentuait encore. Elle n'avait pas non plus la sexualité exigeante ni l'agressivité des plus jeunes femmes de la maison, la seconde épouse, et la fiancée de son fils. Elle était devenue sage-femme, métier qui pour les Chambuli a presque quelque chose d'efféminé et de sentimental. Mais quand un groupe d'hommes se réunissait pour discuter de quelque cas difficile, la seule femme parmi eux, la seule femme qui se sentît assez proche de ces pauvres êtres inquiets et tourmentés, était Tchengokwále, l'accoucheuse.

QUATRIÈME PARTIE

LA LEÇON DES FAITS

CHAPITRE XVII

SEXE ET TEMPÉRAMENT

Cette enquête nous a conduits à examiner dans le détail les traits caractéristiques que trois peuples primitifs assignent normalement à la personnalité de chaque sexe. Chez les Arapesh, aussi bien hommes que femmes, nous dirions que les traits, vus sous l'angle familial, nous apparaissent comme maternels, et qu'ils sont féminins si on les envisage du point du vue sexuel. Garçons et filles apprennent, dès le jeune âge, à acquérir le sens de la solidarité, à éviter les attitudes agressives, à porter attention aux besoins et aux désirs d'autrui. Ni les hommes ni les femmes n'ont le sentiment que la sexualité est une force puissante dont ils sont esclaves. Les Mundugumor se sont, au contraire, révélés être, à quelque sexe qu'ils appartiennent, d'un tempérament brutal et agressif, d'une sexualité exigeante : rien chez eux, de tendre et de maternel. C'est un type de tempérament que nous associerons, chez nous, à un caractère rétif et violent. Ni les Arapesh ni les Mundugumor n'ont éprouvé le besoin d'instituer une différence entre les sexes. L'idéal arapesh est celui d'un homme doux et sensible, marié à une femme également douce et sensible. Pour les Mundugumor, c'est celui d'un homme violent, et agressif marié à une femme tout aussi violente et agressive. Les Chambuli, en revanche, nous ont donné une image renversée de ce qui se passe dans notre société. La femme y est le partenaire dominant; elle a la tête froide, et c'est elle qui mène la barque; l'homme est, des deux, le moins capable et le plus émotif. D'une telle confrontation se dégagent des conclusions très précises. Si certaines attitudes, que nous considérons comme traditionnellement associées au tempérament féminin – telles que la passivité, la sensibilité, l'amour des enfants – peuvent si aisément être typiques des hommes d'une tribu, et dans une autre, au contraire, être rejetées par la majorité des hommes comme des femmes, nous n'avons plus aucune raison de croire qu'elles soient irrévocablement déterminées par le sexe de l'individu. Et cette conclusion s'impose avec d'autant plus de force que les Chambuli ont inversé les rôles, tout en conservant officiellement des institutions patriliénaires.

Il nous est maintenant permis d'affirmer que les traits de caractère que nous qualifions de masculins ou de féminins sont pour un grand nombre d'entre eux, sinon en totalité, déterminés par le sexe d'une façon aussi superficielle que le sont les vêtements, les manières, ou la coiffure qu'une époque assigne à l'un ou l'autre sexe. Quand nous opposons le comportement typique de l'homme ou de la femme arapesh à celui, non moins typique de l'homme ou de la femme mundugumor, l'un et l'autre apparaissent de toute évidence être le résultat d'un conditionnement social. Comment expliquer autrement que les enfants arapesh deviennent presque uniformément des adultes paisibles, passifs et confiants, alors que les jeunes Mundugumor, d'une façon tout aussi caractéristique, se transforment en êtres violents, agressifs et inquiets? Seule la société, pesant de tout son poids sur l'enfant, peut être l'artisan de tels contrastes. Il ne saurait y avoir d'autre explication – que l'on invoque la race, l'alimentation ou la sélection naturelle. Nous sommes obligés de conclure que la nature humaine est éminemment malléable, obéit fidèlement aux impulsions que lui communique le corps social. Si deux individus, appartenant chacun à une civilisation différente, ne sont pas semblables (et le raisonnement s'applique aussi bien aux membres d'une même société) c'est, avant tout, qu'ils ont été conditionnés de façon différente, particulièrement au cours de leurs premières années : or c'est la société qui décide de la nature de ce conditionnement. La formation de la personnalité de chaque sexe n'échappe pas à cette règle : elle est le fait d'une société qui veille à ce que chaque génération, masculine ou féminine, se plie au type qu'elle a imposé. Il reste, cependant, à expliquer l'origine de ces différences.

Alors que l'importance fondamentale du conditionnement social est encore imparfaitement reconnue – non seulement par les profanes, mais même par les spécialistes, – ce serait s'aventurer que d'aller plus loin et envisager la possibilité de mutations dans les caractères héréditaires. Les pages qui suivent auront un sens différent selon que le lecteur reconnaît la force de l'étonnant mécanisme du conditionnement culturel – admet, par exemple, que le même enfant pourrait s'adapter parfaitement à n'importe laquelle de ces trois sociétés – ou qu'il croit encore que le comportement culturel se trouve tout entier en puissance dans le plasma germinatif. Si l'on a saisi la pleine signification de la plasticité de l'organisme humain, et l'importance prépondérante du conditionnement social, l'on peut admettre qu'il reste encore bien des problèmes à résoudre; mais ils ne sauraient se poser qu'une fois parfaitement appréciée la portée de ce conditionnement. Ce qui, d'un enfant né chez les Arapesh, fait un Arapesh typique, ne peut être que d'essence sociale, et s'il est des exceptions à la norme, elles doivent être examinées sous cet angle.

Ainsi avertis, nous pourrons poser une autre question. La plasticité de la nature humaine étant admise, d'où proviennent les différences que l'on constate entre les types de tempérament assignés par les diverses sociétés soit à tous leurs membres, soit respectivement à chaque sexe. Si ces différences résultent de la culture propre de chaque société, comme l'enquête qui précède semble bien le suggérer, si tout nouveau-né peut aussi aisément devenir un paisible Arapesh qu'un brutal Mundugumor, comment expliquer l'existence même de telles dissimilitudes? Si rien, dans la constitution physique des Chambuli, ne paraît justifier l'inégalité entre hommes et femmes – supposition que nous devons écarter en ce qui concerne tant les Chambuli que nous-mêmes – quels principes sont à la base d'évolutions si diverses? Les civilisations sont œuvre humaine, leur substance est humaine; ce sont des édifices différents les uns des autres, mais comparables entre eux, et qui permettent à l'humain d'atteindre la plénitude de son développement. Sur quoi repose cette diversité?

Si une société homogène, dans ses institutions les plus importantes comme dans ses moindres coutumes, met l'accent par exemple sur la sérénité et l'esprit de solidarité, il ne fait aucun doute que les enfants élevés dans son sein respecteront ces principes : certains se trouveront en parfaite sympathie avec eux, la plupart les accepteront sans difficulté, seuls quelques-uns échapperont à leur influence. Il n'est plus possible, à la lumière des faits, de considérer que des traits tels que la passivité ou l'agressivité soient déterminés par le sexe de l'individu. Le tempérament, de son côté, peut-il être à l'origine de dispositions telles que l'agressivité ou la passivité, l'orgueil ou l'humilité, l'objectivité ou le goût des rapports personnels, la sympathie ou l'hostilité à l'égard des jeunes et des faibles, une tendance à prendre l'initiative dans les rapports sexuels, ou à simplement obéir aux impératifs d'une situation ou aux avances du partenaire. S'agit-il là de virtualités humaines qui exigent, pour se développer, l'action d'un conditionnement social, et qui risqueraient, à défaut, de ne pas apparaître?

La réponse à cette question nous amène à insister sur un autre point. Comment peut-on expliquer que le type de personnalité masculine ou féminine chez les Arapesh soit tel que nous avons pu le décrire dans la première partie de cet ouvrage? Par la civilisation arapesh elle-même; par la puissance et la sûreté avec lesquelles toute société modèle minutieusement chaque enfant nouveau-né selon son image particulière de l'homme. Et si nous posons la même question pour un ou une Mundugumor, ou pour un homme chambuli par rapport à une femme chambuli, la réponse sera du même ordre. Ils ont la personnalité propre à la civilisation au sein de laquelle ils sont nés et ont été élevés. Nous avons mis l'accent sur ce qui sépare les hommes et femmes arapesh, en tant que groupe, des hommes et femmes mundugumor, envisagés également comme un groupe. C'est comme si nous avions représenté les Arapesh par un jaune clair, les Mundugumor par un rouge intense, la femme chambuli par un orange foncé, et l'homme chambuli par un vert pâle. Si nous voulons remonter aux sources de chaque tendance, il nous faut regarder de plus près : nous discernerons alors, sous le jaune uniformément vif des Arapesh, sous le rouge uniformément soutenu des Mundugumor, sous l'orange et le vert des Chambuli, toutes les composantes du spectre, c'est-à-dire toute la diversité des caractères individuels qui se découvrent à l'arrière-plan des traits culturels dominants et permettent d'en retrouver l'origine.

Il semble que la gamme des tempéraments de base soit aussi étendue chez les Arapesh que chez les Mundugumor, même si le violent est un inadapté chez les premiers, et un chef chez les seconds. Si la nature humaine était comme une substance parfaitement homogène, qu'il n'y eût point de forces spécifiques ni de sérieuses différences de structure individuelle, alors sans doute les personnalités qui s'opposent trop violemment à la pression sociale ne devraient pas se retrouver dans des milieux si dissemblables. Si la diversité des individus était attribuable à des accidents dans le processus génétique, on ne verrait pas ces mêmes accidents se répéter avec une même fréquence dans des civilisations très contrastées les unes par rapport aux autres, ne serait-ce que par leurs méthodes d'éducation opposées.

Or cette diversité se retrouve, sous le même aspect relatif, dans toutes les civilisations, quelles que soient les divergences qui les séparent. Il paraît donc justifiable de proposer une hypothèse qui permette de dégager les principes selon lesquels des types de personnalité si différents, si variables, ont pu être assignés aux hommes et aux femmes au cours de l'histoire de la race humaine. Notre hypothèse n'est qu'un prolongement de celle qu'avance Ruth Benedict dans ses *Patterns of Culture*. Admettons qu'il existe entre les êtres humains des différences de tempérament bien définies, différences qui, si elles ne sont pas entièrement héréditaires, s'établissent du moins sur une base héréditaire très peu de temps après la naissance. (Nous ne pouvons préciser davantage le problème pour l'instant.) Ces différences, qui s'agrègent finalement à la structure caractérielle des adultes, constituent la substance même à partir de laquelle la civilisation s'élabore. Un certain type de tempérament, ou une combinaison de types connexes et assortis, semble être préféré à d'autres, et ce choix colore toute la structure de la société – qu'il s'agisse des soins donnés aux jeunes enfants, des jeux, des chants, de l'organisation politique, du culte religieux, de l'art ou de la philosophie.

Certaines sociétés ont eu le temps et la vigueur nécessaires pour refondre l'ensemble de leurs institutions afin de les adapter à un type de tempérament extrême, et instaurer les méthodes d'éducation susceptibles d'en assurer la perpétuation. D'autres ont suivi une voie moins nette, prenant comme modèles les individus non pas les plus différenciés, mais, au contraire, les moins marqués. Le type de personnalité agréé par ces sociétés est moins accusé, et leur civilisation, dans son ensemble, reflète souvent les contradictions internes propres à bien des hommes : l'on trouvera par exemple que certaines institutions répondent aux aspirations de la vanité, d'autres à une humilité non délibérée et très éloignée d'être le contraire de la vanité; la structure sociale, également, y sera souvent moins rigide. L'on pourrait comparer une civilisation de ce genre à une maison dont la décoration n'a été inspirée par aucun goût bien défini, aucun souci exclusif de dignité ou de confort, d'ostentation ou de beauté, mais où chacune de ces tendances s'est exprimée par quelque détail.

Il est possible, d'autre part, qu'une civilisation se prononce en faveur non pas d'un tempérament type, mais de plusieurs. Au lieu cependant de prendre les traits dominants de ces divers tempéraments et d'en faire un amalgame confus, ou bien de les fusionner en un ensemble harmonieux mais peu original, elle peut fort bien isoler chaque type et l'affecter à un groupe donné, défini par l'âge, le sexe, le rang, ou la profession. Une telle société n'est pas un tout monochrome sur lequel tranchent quelques taches disparates, c'est une véritable mosaïque. Cette spécialisation peut être fondée sur n'importe quel aspect des virtualités humaines, qu'il soit d'ordre intellectuel, artistique, ou émotif. Ainsi, aux Samoa, l'on exige des jeunes un comportement paisible et l'on réprouve sévèrement l'enfant agressif qui se conduit comme il est seulement loisible de le faire aux hommes mûrs et détenteurs d'un titre. Dans les sociétés hiérarchisées, les membres de l'aristocratie sont autorisés, et même contraints, d'afficher une certaine morgue, de se montrer susceptibles à l'insulte – attitudes qui seraient considérées comme inconvenantes chez un plébéien. Les groupes professionnels et les sectes religieuses exigent également de leurs membres des traits de caractère particuliers qu'ils enseignent aux nouveaux venus. Ainsi le médecin apprend-il comment il faut parler aux malades; ce comportement est naturel chez certains, mais aucun praticien de médecine générale ne saurait s'en dispenser. De même le quaker acquiert-il au moins l'attitude extérieure et les éléments d'une technique de la méditation, alors que les capacités à ce faire ne sont pas nécessairement innées chez la plupart des membres de la Société des Amis.

Il en est de même des tempéraments « masculin » et « féminin » sur le plan social. Certains traits communs aux hommes et aux femmes sont assignés à un sexe, et refusés à l'autre. L'histoire du statut social des sexes est pleine de ces restrictions arbitraires dans le domaine intellectuel et artistique; mais comme l'on suppose toujours qu'il existe une certaine correspondance entre les données physiologiques et l'émotivité, nous avons plus de difficulté à reconnaître que le choix s'est opéré de façon tout aussi arbitraire sur le plan affectif. Du moment que la femme aime s'occuper de son enfant, nous avons admis que c'était là une disposition naturelle dont le sexe féminin avait été doté plus généreusement que l'autre par un processus téléologique d'évolution. Du fait que les hommes se soient adonnés à la chasse, activité qui exige de la hardiesse, du courage et de l'initiative, nous avons décidé que ces qualités étaient propres au tempérament masculin.

Le choix s'est fait à la fois ouvertement et de façon implicite. Si une société estime que la guerre est l'occupation principale du sexe « fort », elle exigera du même coup que tous les enfants mâles se montrent vaillants et batailleurs. Même si l'on n'affirme pas formellement que les hommes sont plus courageux que les femmes, c'est l'admettre tacitement que leur reconnaître un rôle différent. Il ne subsiste aucune équivoque dans les sociétés où le courage est devenu l'apanage exclusif de l'homme, la pusillanimité une disposition naturelle de la femme, où toute manifestation de peur est interdite au premier, ouvertement tolérée chez la seconde. Etre brave, se défendre de toute faiblesse, de toute défaillance devant la douleur ou le danger, c'est là une attitude dominante chez certains tempéraments, mais c'est elle qui est devenue le critère du comportement masculin, de même que la réaction opposée, naturelle à d'*autres* tempéraments, est devenue celui du comportement féminin.

Ce qui, à l'origine, n'était qu'une nuance du tempérament s'est transformé, sous l'influence sociale, en une caractéristique essentielle et inaliénable d'un sexe. Les enfants seront éduqués selon cette norme : les garçons devront dominer leur peur, les filles pourront la manifester ostensiblement. Si la société n'a rien décidé en cette matière, l'orgueilleux, qui répugne à trahir ses sentiments, s'affirmera, quel que soit son sexe, par son impassibilité. A moins que cela ne lui soit formellement interdit, tout individu, qu'il soit homme ou femme, et qui est par nature sincère et expansif, se laissera aller à pleurer et à exprimer sa frayeur ou sa souffrance. De telles attitudes, fortement marquées chez certains tempéraments, la société fera peut-être une norme pour chacun, à moins qu'elle ne les interdise à tous, ou qu'elle les ignore, ou encore qu'elle les assigne, d'une façon exclusive, à l'un des deux sexes seulement.

Ni les Arapesh ni les Mundugumor n'ont réservé à un sexe ou à l'autre certaines attitudes spécifiques. Toutes les énergies de leur civilisation ont tendu vers la création d'un seul type humain, indépendamment des notions de classe, d'âge ou de sexe. La société n'est pas chez eux divisée en groupes d'âge qui exigent chacun une attitude morale différente. Ils n'ont pas une classe de voyants ou de médiums qui puisse se tenir à l'écart grâce à une inspiration puisée à des sources psychologiques dont ne dispose pas la majorité. Sans doute les Mundugumor ont-ils, sur un point, établi une distinction arbitraire, en ne reconnaissant de talent artistique qu'aux individus nés avec le cordon ombilical autour du cou en refusant à ceux qui sont nés normalement toute possibilité d'exercer de semblables dons avec succès. Sans doute aussi les Arapesh voient-ils dans le jeune teigneux un être aigri et antisocial et lui imposent-ils finalement, si gai et si serviable soit-il, un comportement de paria. Mais, à ces deux exceptions près, l'individu n'est astreint à aucune attitude d'ordre affectif qui soit dictée par sa naissance ou le hasard de sa condition. De même que l'on ignore toute notion de rang social, de même l'on ne conçoit pas qu'hommes et femmes puissent avoir des réactions affectives différentes. L'on constate donc ici l'absence d'un des principes possibles d'organisation sociale, l'attribution d'un type de personnalité différent à chaque membre de la communauté, selon le groupe d'âge, la caste ou le sexe auquel il appartient.

Si nous considérons cependant les Chambuli, nous nous trouvons devant une situation qui, toute bizarre qu'elle apparaisse à un certain égard, semble néanmoins plus intelligible sous d'autres rapports. Contrairement aux Arapesh et aux Mundugumor, les Chambuli ont marqué la différence entre les sexes. De cette distinction évidente, ils ont fait un principe de la formation de la personnalité sociale, même si à nos yeux ils paraissent avoir interverti les rôles. Il y a bien des raisons de croire que les femmes chambuli ne sont pas toutes douées à la naissance d'un tempérament précis, pratique et flegmatique, ni d'une sexualité exigeante et entreprenante, ni d'une nature qui les porte à dominer, organiser et régenter : et cependant la plupart d'entre elles se révèlent être ainsi. De même, rien ne prouve que les hommes chambuli aient tous des dispositions innées pour être les acteurs maniérés et sensibles d'un spectacle monté à l'intention des femmes : et pourtant il en est peu parmi les jeunes gens qui ne justifient une telle interprétation. Les attitudes typiques de chaque sexe, chez les Chambuli, étant symétriquement opposées aux nôtres, il nous est d'autant plus facile de constater combien est arbitraire la répartition qu'ils ont faite, entre hommes et femmes, de certains traits de caractère.

Ainsi se sont révélées à nous ces sociétés primitives qui, à l'écart, depuis des siècles, du grand courant de l'histoire, ont pu édifier des civilisations plus entières, plus originales que ne l'ont permis chez nous les échanges entre peuples, facteurs d'hétérogénéité. Que conclure de ce que nous avons ainsi appris ? Quelle leçon tirer du fait qu'une civilisation est capable de choisir dans la vaste gamme des virtualités humaines un certain nombre de traits, et d'en faire la marque distinctive, soit d'un des sexes, soit de toute la communauté ? En quoi ces observations peuvent-elles intéresser le sociologue ? Avant de répondre à ces questions, il apparaît nécessaire d'analyser plus avant la situation de l'anormal, de l'atypique, de l'individu dont les dispositions innées sont trop étrangères au type de personnalité assigné à son âge, son sexe ou son rang, pour qu'il puisse se sentir à l'aise dans le vêtement que lui a taillé la société.

CHAPITRE XVIII

L'INDIVIDU ATYPIQUE

En quoi les observations que nous venons d'exposer peuvent-elles nous permettre de mieux comprendre l'atypique social? Dans mon esprit, ce terme « atypique » s'applique à tout individu qui, par disposition innée ou accident dans sa première éducation, ou encore sous l'effet d'influences contradictoires d'une civilisation hétérogène, est devenu, sur le plan culturel, un étranger pour sa propre communauté – tout individu à qui les tendances fondamentales de la collectivité apparaissent absurdes, illusoires, irrationnelles, ou même foncièrement mauvaises. Dans n'importe quelle société, l'homme normal regarde en lui-même et y trouve le reflet du monde qui l'entoure. Le délicat processus éducatif, qui a fait de lui un adulte, lui a assuré cette appartenance spirituelle à sa propre société. Mais cela n'est pas vrai de l'individu qui se trouve posséder des dispositions naturelles dont la société n'a que faire, et qu'elle ne saurait même tolérer. Il suffit de jeter un rapide coup d'œil sur l'histoire de notre propre civilisation pour s'apercevoir que les dons personnels qu'un siècle honore n'ont plus la faveur du siècle suivant. Des hommes qui auraient été des saints au Moyen Age sont ignorés de l'Amérique et de l'Angleterre d'aujourd'hui. Si nous considérons ce qui se passe dans des sociétés primitives qui ont adopté des attitudes plus extrêmes, et beaucoup plus tranchées que ne le firent nos ancêtres, le problème s'éclaire encore davantage. Dans la mesure où une société est intégrée et précise dans ses buts, intransigeante dans ses aspirations morales et spirituelles, dans cette mesure même elle condamne certains de ses membres – qui le sont uniquement par leur naissance – à vivre en étrangers en son sein; dans le meilleur des cas ils s'y sentiront mal à leur aise; au pire ils adopteront une attitude de révolte, qui pourra dégénérer en folie.

C'est devenu une habitude de notre époque de désigner sous le nom de « névrosés » tous ceux qui refusent de se plier aux normes de leur société – les individus qui se sont détournés du « réel » (c'est-à-dire des solutions actuellement préconisées par leur communauté) pour rechercher le réconfort ou l'inspiration que peuvent leur apporter des situations imaginaires, pour trouver refuge dans une philosophie transcendantale, dans l'activité artistique, dans l'extrémisme politique, ou simplement dans l'inversion sexuelle ou quelque autre singularité de comportement, végétarianisme ou port d'un cilice. On considère en outre que le névrosé manque de maturité, qu'il n'a pas évolué suffisamment pour comprendre que sa société obéit à des motifs parfaitement réalistes, et, à tout prendre, fort louables.

Définir ainsi le névrosé, c'est confondre deux notions totalement différentes. Toute société a ses atypiques physiologiques : débiles mentaux, souffrant d'insuffisance glandulaire ou d'une tare physique quelconque, et qui, sous peine d'échec, ne peuvent assumer que les tâches les plus simples. Parfois – c'est un cas extrêmement rare – ils ont presque tous les caractères physiologiques du sexe opposé. Aucun de ces individus ne se trouve réellement tiraillé entre ses aspirations personnelles et les impératifs sociaux; ils constituent une catégorie de débiles et de déficients et sont atypiques en ce sens qu'ils s'écartent trop des normes de l'humanité en général (et non d'une civilisation particulière) pour tenir d'une façon satisfaisante le rôle que la société assigne généralement à ses membres. Toute communauté se doit de les traiter sans dureté, de leur procurer une ambiance protectrice et spécifique, différente de celle où baigne la vie de la plus grande partie de ses membres.

Mais il existe des névrosés d'un autre type, que l'on confond constamment avec les précédents dont l'infériorité est d'origine purement physiologique : ce sont les « atypiques culturels », c'est-à-dire ceux qui ne s'accommodent pas des valeurs propres à leur société. La psychiatrie moderne tend à imputer ce genre d'inadaptation au conditionnement précoce, et classe ceux qui en souffrent dans la catégorie des malades mentaux. C'est là une interprétation simpliste que ne corroborent aucunement les conclusions d'une étude des sociétés primitives. Car elle n'explique pas que ces inadaptés soient précisément des individus dont les tendances naturelles dominantes s'opposent aux normes de leur communauté, ni que, par exemple, l'inadapté chez les Mundugumor soit différent de l'inadapté chez les Arapesh. Elle n'explique pas pourquoi l'Amérique matérialiste et dynamique, et telle tribu également dynamique et matérialiste des Iles de l'Amirauté produisent toutes deux des clochards, ni pourquoi encore l'individu trop sensible est considéré comme anormal aussi bien chez les Zunais qu'aux Samoa. Il semble bien qu'il existe des inadaptés d'une autre sorte, dont la singularité doit être attribuée non à une débilité ou déficience quelconque, mais à une profonde antinomie entre leurs dispositions innées et les normes de la société à laquelle ils appartiennent.

Dans une société sans classes, où, de plus, la personnalité sociale des deux sexes est foncièrement la même, ces « atypiques » se recrutent aussi bien chez les hommes que chez les femmes. La violence chez les Arapesh, la confiance et la solidarité chez les Mundugumor, sont signes d'inadaptation pour l'un comme pour l'autre sexe. L'inadaptation, chez les Arapesh, correspond à une sensibilité interne de sens trop positif; chez les Mundugumor, au même phénomène inverse. Nous avons, dans un chapitre précédent, montré comment les qualités en honneur chez les Mundugumor n'ont aucune signification chez les Arapesh, comment l'existence mundugumor aurait été parfai-

tement intelligible pour Wabe, Temos et Amitoa, alors
que Kwenda et Ombléan ne se seraient pas sentis déplacés chez les Arapesh. Mais les uns et les autres avaient
beau vivre comme des étrangers au milieu de leur propre
communauté et être incapables de la faire profiter de
leurs dons exceptionnels, ils n'en demeuraient pas moins
parfaitement normaux sur le plan psycho-sexuel. Amitoa,
toute dynamique qu'elle fût, ne se comportait pas comme
un homme, mais comme une femme des Plaines.
Ombléan aimait certes les enfants, et ne ménageait pas sa
peine pour nourrir une vaste famille : on ne prétendait
pas pour cela qu'il n'agissait pas en homme, et personne
ne l'accusait d'être efféminé. En aimant les enfants,
l'ordre et la tranquillité, il se conduisait peut-être comme
certains Blancs ou comme les hommes d'une tribu inconnue, mais certainement pas plus comme une femme
mundugumor que comme un homme de cette même
tribu. Il convient de noter qu'il n'y avait d'homosexualité
ni chez les Mundugumor ni chez les Arapesh.
   C'est cependant à des inadaptations beaucoup plus
graves que s'expose toute société où la personnalité est
fonction du sexe, où certains traits de caractère ont été
assignés exclusivement aux hommes, d'autres aux femmes, que ce soit l'amour des enfants, les goûts artistiques,
le mépris du danger, un penchant au bavardage, la
passivité dans les rapports sexuels, en fait une multitude
de dispositions naturelles de toutes sortes. Là où n'existe
aucune dichotomie de ce genre, il se peut fort bien qu'un
homme ne se sente aucunement en sympathie avec le
monde qui l'entoure et, cependant, se marie, ait des
enfants, et peut-être même découvre un certain palliatif à
sa détresse dans cette participation, faite d'un cœur
entier. Une femme peut rêver toute sa vie d'un univers où
règneraient la dignité et la fierté, au lieu de la mesquine
moralité de boutiquier qu'elle doit supporter, et, néanmoins, elle accueillera son mari avec un sourire décon-
tracté et se dévouera au chevet de ses enfants diphtéri-
ques. Un atypique trouvera peut-être dans la peinture, la
musique ou quelque activité révolutionnaire le moyen

d'exprimer son sentiment d'isolement; il n'en conservera pas moins, dans sa vie privée, des rapports tout à fait normaux avec les individus de l'un et l'autre sexe. Il en va autrement, cependant, dans les sociétés qui, telles celles des Chambuli et des peuples modernes d'Europe et d'Afrique, définissent certains traits de caractère comme proprement masculins, d'autres comme spécifiquement féminins. Il est beaucoup d'hommes, dans de telles communautés, qui, non seulement souffrent d'appartenir à une civilisation avec laquelle ils ne se sentent aucune affinité, mais sont, par surcroît, tourmentés dans leur vie psycho-sexuelle. Non seulement ils réagissent à contresens, mais ils éprouvent des sentiments féminins, ce qui est, pour eux, beaucoup plus grave et beaucoup plus inquiétant. Il importe peu que cette aberration, orientation faussée qui rend incompréhensibles les buts féminins avoués, et ceux des hommes étrangers et désagréables, aboutisse ou non à l'inversion sexuelle. Dans certains cas extrêmes, si le tempérament d'un homme se rapproche étroitement du type de personnalité féminin agréé par la société, et si, de plus, celle-ci comporte une catégorie qui puisse l'accueillir, il se pourra alors qu'il puisse s'adonner ouvertement à l'inversion et au travestissement. Chez les Indiens des Plaines, celui qui préférait la tranquille existence féminine aux activités dangereuses et angoissantes des hommes, avait la faculté d'exprimer son penchant, en termes sexuels : il pouvait s'habiller comme une femme, travailler comme une femme, proclamer qu'il était réellement plus une femme qu'un homme. Chez les Mundugumor, où cette coutume est inconnue, un homme peut vaquer à des occupations féminines, telles que la pêche, sans qu'il ait envie de souligner davantage son comportement en se déguisant en femme. Lorsque le type de personnalité n'est pas différencié selon le sexe, et que n'existe aucune tradition reconnaissant le travestissement, ces déviations de tempérament n'incitent nullement les individus à l'homosexualité, ni à se vêtir comme le sexe opposé. Inégalement répartis dans le monde, les cas de travestissement ne se rencontrent

326   MŒURS ET SEXUALITÉ EN OCÉANIE

que dans les sociétés où le type de personnalité est différent pour les hommes et pour les femmes, mais ils n'apparaissent pas nécessairement. C'est en fait un phénomène social, qui s'est stabilisé chez les Indiens d'Amérique et en Sibérie, mais non en Océanie.

J'ai observé d'assez près la naissance d'une volonté de s'afficher dans l'évolution du penchant au travestissement d'un jeune Indien qui était, selon toute probabilité, un inverti congénital. Tout jeune, il avait tellement l'air d'une fille qu'un groupe de femmes s'était emparé de lui et l'avait déshabillé pour voir si c'était vraiment un garçon. En grandissant, il marqua sa préférence pour les travaux des femmes et se mit à porter des sous-vêtements féminins, bien qu'il continuât de s'habiller extérieurement comme un homme. Mais, dans ses poches, il avait toute une série de bagues et de bracelets comme seules les femmes en portent. Dans les danses, il se mettait d'abord du côté des hommes, vêtu comme eux, puis, comme poussé par une force irrésistible, il se rapprochait peu à peu des femmes, se parant d'un nouveau bijou à chaque pas qu'il faisait vers elles. Finalement, il tirait de sa poche un châle et se trouvait, en fin de soirée, habillé en *berdache*, complètement travesti. On commençait à dire « elle » en parlant de lui. J'ai cité ce cas pour souligner que ce n'est pas ce type d'inadapté qui nous intéresse ici. Son anomalie semblait avoir une origine spécifiquement physiologique; ce n'était pas une simple déviation de tempérament, définie comme féminine par sa société.

Il ne s'agit ici ni de l'inverti congénital, ni de l'homosexuel déclaré. Sans doute les différents types d'inadaptation se recoupent-ils parfois, et l'on peut fort bien trouver un inverti congénital parmi ceux qui se sont réfugiés dans le travestissement. Mais les atypiques dont nous voulons parler ici sont des individus dont l'adaptation à la vie est conditionnée par une affinité entre leur tempérament et un type de comportement considéré comme anormal pour leur propre sexe, et naturel pour le sexe opposé. Pour qu'apparaisse ce genre d'inadapté, il est nécessaire, non seulement qu'existe un type de personnalité sociale bien défini, mais aussi qu'il soit strictement réservé à l'un des deux sexes. L'un des moyens les plus efficaces qu'ait la société pour modeler l'enfant selon les normes reçues est précisément de le contraindre à se comporter comme un individu de son propre sexe. Une société sans rigoureuse dichotomie sexuelle dit simplement à l'enfant qui s'écarte de la normale : « Ne fais pas cela », « On ne doit pas faire cela », « Si tu fais cela on ne t'aimera pas », « Si tu te conduis ainsi, tu ne pourras jamais te marier », « Si tu fais cela, on dira que tu es ensorcelé », etc... Pour combattre l'inclination naturelle de l'enfant à rire, pleurer ou bouder mal à propos, à voir l'insulte là où il n'y en a pas, ou au contraire à ne pas la percevoir lorsqu'elle est intentionnelle, la société invoque les normes d'un comportement général humain défini par elle-même, et non d'un comportement tel qu'il pourrait être déterminé par le sexe de l'enfant. En substance, elle dit : « Tu ne seras pas un homme véritable si tu ne supprimes pas ces tendances qui sont incompatibles avec notre définition de l'humain. » Mais il ne vient à l'idée ni de l'Arapesh ni du Mundugumor d'ajouter : « Tu ne te conduis pas du tout comme un garçon, tu fais comme les filles » — même lorsque c'est bien ce qui se passe en réalité. On se souvient peut-être que, chez les Arapesh, les garçons élevés d'une façon légèrement différente des filles, pleurent davantage et font des crises de colère jusqu'à un âge plus avancé. Pourtant, c'est un argument que l'on n'invoque jamais, simplement parce qu'on ne conçoit pas que le comportement émotif puisse varier selon le sexe. Dans ce genre de société, l'on ne porte pas atteinte au sentiment qu'a l'enfant de sa position dans le monde, dans un de ses aspects fondamentaux; on ne conteste jamais qu'il appartienne à son propre sexe. Il peut observer les gestes érotiques de ses aînés et là-dessus rêver et bâtir son avenir. Il n'est pas forcé de s'indentifier avec celui de ses parents qui n'est pas de son sexe, puisqu'on ne met pas en doute le sien. Si une fille imite un tant soit peu son père, ou un fils, sa mère, on n'entendra pas de reproches; personne ne prédira à la fille qu'elle sera un garçon manqué, au fils qu'il est une poule mouillée. L'esprit des enfants arapesh et mundugumor n'est pas exposé à de tels désarrois.

Considérons, en revanche, comment, dans notre civilisation, on plie l'enfant aux normes sociales : « Ne te conduis pas comme une fille », entend-on, ou encore : « Les petites filles ne font pas ça. » C'est en faisant craindre à l'enfant que son comportement ne soit pas celui de son sexe qu'on lui inculque mille petits principes, qui touchent aussi bien à la propreté du corps, à la façon de s'asseoir et de se détendre, qu'à l'esprit sportif, la loyauté ou l'expression des émotions, de même que des attitudes distinctes – comme par exemple l'intérêt manifesté pour les vêtements ou pour les événements d'actualité – que nous reconnaissons comme celles fixées pour chaque sexe par la société. Ce sont sans cesse des observations de ce genre : « Les filles ne font pas cela », « Ne veux-tu pas devenir un vrai homme comme papa ? » qui jettent le trouble dans l'affectivité de l'enfant; s'il a le malheur d'être, le moins du monde porté à réagir comme le sexe opposé, ces interventions peuvent fort bien l'empêcher de s'adapter normalement au monde qui l'entoure. Chaque fois que l'on insiste près d'un enfant pour qu'il se conforme au code établi pour son sexe, chaque fois que l'on invoque son sexe pour l'inciter à préférer les pantalons aux jupons, un ballon de football à une poupée, les coups de poing aux larmes, l'on crée en lui un sentiment de crainte – crainte que, en dépit des apparences physiques, il n'appartienne pas réellement à son sexe.

D'ailleurs cette évidence physique a bien peu de poids au regard du conditionnement social. L'on a vu récemment le cas, dans un village du Middle West, d'un garçon de douze ans qui vivait depuis sa naissance comme une fille, sous le nom de Maggie, portait des vêtements de fille, se conduisait en tout comme une fille. Il avait bien découvert, quelques années auparavant, qu'il était physiquement parlant, un garçon, mais cela ne lui avait pas suggéré qu'il pût être rangé socialement dans la catégorie masculine. Cependant, lorsque les assistantes sociales eurent connaissance du cas et eurent remis les choses en ordre, il n'y eut chez lui aucune manifestation d'inversion. C'était simplement un garçon qui avait été, par méprise, déclaré comme fille, et dont les parents, pour une raison inconnue, avaient refusé de reconnaître et de rectifier leur erreur. Comme le souligne ce cas bizarre, la simple appartenance physique à un sexe n'est pas une raison suffisante pour prévenir une classification contraire de la part de la société; et c'est ainsi que cette dernière parvient à semer, dans l'esprit des enfants, le désarroi, et le doute quant à l'authenticité de leur sexe.

La pression sociale s'exerce d'un certain nombre de façons. Tout d'abord, on peut brandir cette menace d'ostracisme de son groupe sexuel devant l'enfant qui révèle des dispositions aberrantes, devant le garçon qui répugne aux jeux quelque peu brutaux ou pleure lorsqu'on le réprimande, la fille endiablée qui préfère se battre avec ses compagnes à la moindre dispute plutôt que de fondre en larmes. En second lieu, on peut attribuer des sentiments définis comme féminins à un garçon qui montre un intérêt, si faible soit-il, pour quelqu'une des petites occupations caractéristiques de l'autre sexe. Un garçonnet aime-t-il tricoter? Il prend probablement plaisir à manipuler les aiguilles. A-t-il des dispositions pour la cuisine? C'est peut-être signe qu'il sera plus tard un brillant chimiste. Joue-t-il à la poupée? Ce n'est sans doute pas pour extérioriser des sentiments maternels, mais pour concrétiser, en une sorte de théâtre personnel, le souvenir de quelque incident. De même une fille qui se passionne pour l'équitation peut-elle trouver une intense joie physique dans l'effort harmonieux qu'exige la pratique de ce sport; si elle s'intéresse à l'émetteur de radio de son frère, c'est peut-être qu'elle est fière de connaître le morse et de savoir s'en servir. Une aptitude physique, intellectuelle ou artistique peut donc parfois s'exprimer sous la forme d'une activité réservée, en général, à l'autre sexe. Quelles en sont les conséquences? D'une part on fait reproche à l'enfant de la singularité de ses goûts et on l'accuse de se conduire comme une personne du sexe opposé; d'autre part, son occupation ou sa distraction préférée le mettant davantage en contact avec les individus de l'autre sexe, il risque, avec le temps, d'en assumer plus ou moins le comportement particulier.

La dichotomie de la personnalité sociale selon le sexe joue encore un rôle important dans l'évolution de l'enfant en ce qu'elle est à l'origine des identifications « croisées » avec les parents. La psychiatrie moderne invoque couramment l'identification d'un garçon avec sa mère pour expliquer sa passivité ultérieure à l'égard des individus de son propre sexe. On pense que la formation de la personnalité ne suit plus son cours régulier, que le garçon cesse de s'identifier avec son père, et n'a plus rien alors pour lui montrer l'exemple d'un comportement « masculin » normal. Il n'y a certes aucun doute que l'enfant qui cherche à élucider la nature de son rôle social prend surtout modèle, au cours de ses premières années, sur ses parents. Mais il reste à expliquer pourquoi, précisément, ces identifications apparaissent, et j'estime que la cause n'en est pas le caractère fondamentalement féminin du jeune garçon, mais bien l'existence d'une dualité dans le comportement type des sexes. Pourquoi un enfant donné s'identifie-t-il avec celui de ses parents du sexe opposé plutôt qu'avec l'autre? Dans notre société – comme dans la plupart d'ailleurs – les catégories sociales les plus marquées, les plus évidentes, sont celles que constitue chaque sexe. Vêtements, occupations, vocabulaire, tout sert à attirer l'attention de l'enfant sur son affinité avec celui de ses parents qui est du même sexe que lui. Certains, néanmoins, résistent à cette pression et choisissent l'autre, non pas qu'ils l'aiment davantage, mais parce qu'ils se sentent plus en sympathie avec ses manières d'être et ses aspirations, qui, leur semble-t-il, pourront être les leurs un jour.

Avant d'approfondir ce problème, qu'on me permette de formuler mon hypothèse à nouveau. Certains aspects du tempérament humain, ai-je avancé, ont été sélectionnés par la société comme étant caractéristiques des attitudes et du comportement d'un des deux sexes, tandis que d'autres ont été assignés au sexe opposé. Cette répartition a donné naissance, sur le plan rationnel à la théorie selon laquelle un comportement type approuvé par la société est naturel pour un sexe, anormal chez l'autre, et que l'atypique est une victime de troubles glandulaires ou d'accidents dans le processus du développement. Prenons un exemple, purement hypothétique. L'attitude des individus, et même des sociétés, à l'égard des gestes traduisant l'intimité, varie considérablement. Nous trouvons des sociétés primitives, telles que celles des Dobu et des Manus, où tout contact physique familier est soumis à des interdits, à des règles si sévères et complexes que seul un dément touchera avec désinvolture une autre personne. D'autres, les Arapesh par exemple, autorisent une grande liberté en ce domaine aux individus de tout âge, quel que soit leur sexe. Imaginons une société qui ait réparti les rôles, où il soit caractéristique des hommes que les attouchements de cet ordre leur sont intolérables, et où il soit « naturel » pour les femmes, au contraire, de les accepter volontiers. Poser la main sur le bras d'un autre homme, le prendre par l'épaule, dormir dans la même chambre, l'asseoir sur les genoux dans une voiture trop étroite, voilà qui répugnera aux hommes de cette société et même, si le conditionnement social est assez puissant, provoquera en eux dégoût et crainte. Les femmes, en revanche, trouveront plaisir à s'embrasser, se caresser les cheveux, s'ajuster mutuellement leurs vêtements, dormir dans le même lit; elles n'en ressentiront aucune gêne. Supposons maintenant que se marient, dans cette société, un homme bien élevé, qui ne puisse donc supporter aucune familiarité physique, et une femme, également bien élevée, qui considère cette familiarité naturelle de la part des autres femmes, mais anormale chez les garçons et les hommes. Il leur naît une fille qui, dès le berceau, manifeste les signes d'une attitude de *noli me tangere*, dont sa mère ne parvient pas à triompher. L'enfant ne veut pas rester sur ses genoux, lui glisse des mains et s'échappe dès qu'elle tente de l'embrasser. Elle préfère son père, qui ne la met pas mal à l'aise par des effusions de tendresse, et n'insiste même pas pour lui tenir la main en promenade. A partir d'indices aussi simples – ce penchant qui est naturel chez elle, et conforme, chez son père, au comportement type imposé par la société – la petite fille ira peut-être jusqu'à s'identifier avec son père et s'imaginer qu'elle est plus garçon que fille. Elle pourra même, avec le temps, mieux s'adapter en fait, en bien d'autres domaines, au comportement du sexe opposé. Le psychiatre qui la rencontrera, plus tard, habillée d'une manière masculine, exerçant un métier d'homme, et incapable de trouver le bonheur dans le mariage, pourra dire que c'est son identification avec l'autre sexe qui est la cause de son inadaptation. Mais cette explication ne mettra pas en lumière le fait que cette identification ne se serait pas produite s'il n'avait pas existé dans la communauté une dichotomie des attitudes sociales entre les sexes. La jeune Arapesh, qui se sent plus proche de la réserve paternelle que de l'expansivité maternelle, aura peut-être l'impression qu'elle ressemble plus à son père qu'à sa mère, mais cela n'aura aucune répercussion sur sa personnalité, puisqu'il n'est pas possible, dans sa société d'avoir « des sentiments d'homme » ou « des sentiments de femme ».

L'exemple que nous venons de donner est, nous l'avons dit, purement hypothétique, et fort simple. La réalité, dans une société moderne, est infiniment plus complexe. Un des parents peut être anormal et, par conséquent, ne pas constituer pour l'enfant un guide sûr. Les parents peuvent, l'un et l'autre, s'écarter de la norme dans des directions opposées, le tempérament de la mère se rapprochant davantage du type « masculin » habituel, celui de l'homme s'affirmant dans le sens inverse. C'est là un cas qui est fort susceptible de se produire dans la société moderne, où l'on croit que dans un bon mariage, il faut que « les contraires s'assemblent », et où l'homme atypique recherche précisément la femme atypique. Ainsi, il est possible que l'enfant établisse une identification aberrante, soit parce que son tempérament correspond aux normes traditionnelles de l'autre sexe, soit parce que – alors qu'il est lui-même prédisposé à une adaptation normale – celui de ses parents qui est de son propre sexe est un inadapté.

L'identification peut avoir d'autres origines que le tempérament. Elle peut procéder initialement de l'intelligence ou d'une vocation artistique particulière, l'enfant qui a des dispositions s'identifiant avec le mieux doué de ses parents, quel que soit son sexe. Par la suite, dans une société qui impose les deux types de personnalité, cette première et simple identification, établie sur la base du talent ou des préoccupations intellectuelles, se traduira en termes sexuels; et l'on entendra la mère se lamenter: « Mary se sert continuellement du matériel de dessin de Will. Elle ne s'intéresse pas du tout à ce que font normalement les filles. Will dit que c'est bien dommage qu'elle ne soit pas un garçon. » Et si Mary entend cela, il ne doit pas lui être difficile d'aboutir à la même conclusion.

Il convient de noter ici que, dans presque toutes les sociétés connues, la condition du garçon diffère considérablement en ce domaine de celle de la fille. Quelles que soient les dispositions qui règlent la transmission et la propriété des biens, et même si elles se reflètent, sur le plan du tempérament, dans les rapports entre les sexes, les occupations masculines jouissent toujours d'un prestige particulier, qui s'affirme dans une large mesure, sinon totalement au détriment des occupations féminines. Il en résulte presque toujours, par conséquent, que la fille « qui aurait dû être un garçon » a la possibilité de se livrer, au moins partiellement, à des activités auréolées du prestige masculin. Mais pour le garçon, « qui aurait dû être une fille », il n'existe rien de semblable. S'il participe aux tâches des femmes, on lui fera, la plupart du temps, un double reproche: il se montre indigne d'être compté dans la catégorie des hommes, et il se condamne, par là même, à un état sans prestige.

Il est rare, en outre, que les attitudes et les préoccupations qui ont été classées comme féminines, dans une société donnée, inspirent très largement la création artistique et littéraire. La fille qui se découvre une affinité pour les entreprises des hommes peut trouver, pour ainsi dire par procuration, les formes d'expression qui conviennent à son tempérament. Mais il n'y a pas d'art et de littérature comparables d'inspiration féminine pour apporter une satisfaction du même ordre au garçon qui pourrait en ressentir le besoin. Kenneth Grahame a immortalisé l'étonnement perplexe de tous les petits garçons devant la particularité et l'étroitesse des préoccupations des filles, dans son célèbre chapitre : « Mais de quoi parlaient-elles donc ? » :

« Elle va encore voir ces filles du pasteur, dit Edouard, en regardant s'éloigner les longues jambes sautillantes. Elle sort avec elles tous les jours maintenant ; et chaque fois, c'est la même chose, elles rapprochent leurs têtes, et elles papotent, et elles jacassent... elles n'arrêtent pas ! Je ne vois pas du tout ce qu'elles trouvent à se dire...

– P't-être bien qu'elles parlent d'œufs d'oiseaux, répondis-je mollement, et de bateaux, et de buffles et d'îles désertes, et pourquoi les lapins ont la queue blanche, et si elles aimeraient mieux avoir une goélette ou un cotre, et ce qu'elles feront quand elles seront grandes – il y a vraiment des tas de choses à dire si on veut vraiment parler.

– Oui, mais elles ne parlent pas du tout de ces choses-là, s'obstina Edouard. Comment le pourraient-elles ? Elles ne savent rien, et elles ne savent rien faire – excepté jouer du piano, et personne ne va aller parler de ça ! Et elles ne s'intéressent à rien, rien de sensé, évidemment. Alors de quoi peuvent-elles bien parler ?... Mais ce sont ces filles que je ne comprends pas. Si elles ont vraiment des choses intéressantes à se dire, comment se fait-il que personne ne sache de quoi il s'agit ? Et si elles n'en ont pas – et nous savons bien qu'il est impossible qu'elles en aient – pourquoi est-ce qu'elles ne la ferment pas ? Ce vieux lapin-là, il n'a pas envie de parler, lui !...

– Oh ! mais si ! Les lapins parlent, intervint Harold. Je

les ai regardés souvent dans leur cabane. Ils rapprochent leurs têtes, et leur nez monte et descend, comme celui de Selina et des filles du pasteur!

– ... Peut-être, dit Edouard à regret, mais je parie bien qu'ils ne se disent pas tant de bêtises que ces filles! » Remarque mesquine aussi bien qu'injuste, car on n'a jamais su de quoi parlaient Selina et ses amies – et qu'on ne le sait toujours pas » (1).

Cette incertitude est susceptible de durer toute une vie. La femme qui pour une raison ou pour une autre, se trouve pencher vers les préoccupations masculines, faillira, faute de s'adapter aux normes sexuelles en vigueur, à la fonction essentielle de son sexe, qui est d'avoir des enfants. L'homme, à qui est refusée toute vocation masculine, est aliéné de façon plus subtile encore, puisqu'une grande partie du symbolisme artistique de sa société est pour lui sans objet, et qu'il n'existe rien qui puisse le remplacer. Il sera toute sa vie désorienté, égaré, incapable d'éprouver les sentiments qui sont « naturels » aux autres hommes, et également incapable de trouver le contentement dans un rôle semblable à celui assigné aux femmes, bien que la personnalité sociale de celles-ci soit plus proche de son tempérament.

Ainsi, c'est la nécessité devant laquelle se trouve tout individu, d'avoir les mille et une réactions affectives approuvées non seulement par une société donnée à une époque déterminée, mais aussi par l'ensemble de son propre sexe par opposition à l'autre, qui, de multiples façons, conditionne l'évolution de l'enfant et est à l'origine de tant d'inadaptations sociales. Beaucoup attribuent celles-ci à une « homosexualité latente ». Mais cette opinion est précisément déterminée par l'existence d'une dualité de tempérament reconnue par notre société; c'est le diagnostic *a posteriori* d'un effet, non le diagnostic d'une cause. C'est un jugement qui s'applique non seulement à l'inverti, mais aux individus infiniment plus nom-

(1) Dans *The Golden Age*, par Kenneth Grahame. Copyright 1895-1922 by Dodd, Mead and Company Inc.

breux qui s'écartent du comportement défini par la
société pour leur sexe.

Si les traits de caractère que différentes sociétés considèrent comme propres à un sexe ou à l'autre ne le sont
pas en réalité, mais sont seulement des virtualités communes à tous les humains, et qui ont été attribuées en
partage soit aux hommes, soit aux femmes, l'existence de
l'individu atypique – qui ne doit plus être alors accusé
d'homosexualité latente – est inévitable dans toute
société qui établit un rapport artificiel entre, par exemple, le sexe et le courage, ou le sexe et un égotisme
affirmé, ou encore le sexe et l'esprit de sociabilité. Il faut
ajouter que la nature réelle du tempérament des individus de chaque sexe ne correspond pas obligatoirement
au rôle que la civilisation leur assigne; cela ne manque
pas d'avoir des répercussions sur l'existence de ceux qui
naissent doués du tempérament que la communauté
attend d'eux. On admet souvent que, dans une société où
les hommes doivent être autoritaires et agressifs, les
femmes sensibles et dociles, les inadaptés seront les
femmes autoritaires et agressives, les hommes sensibles
et dociles. Ce sont sans doute ceux-ci qui se trouvent dans
la position la plus difficile. Les rapports humains de toute
sorte, et particulièrement ceux qui précèdent le mariage,
et le mariage lui-même, peuvent présenter pour eux des
problèmes insolubles. Mais il faut aussi imaginer la
situation du jeune garçon qui, naturellement doué d'un
tempérament agressif et autoritaire, a reçu une formation
l'autorisant à penser que c'est son rôle de mâle de
dominer le sexe sensible et docile. La passivité de caractère chez les autres ne provoque en lui qu'un redouble-
ment d'agressivité. Et voilà qu'il se trouve en présence
non seulement de femmes qui se soumettent, mais d'hommes sans volonté. Ce qui stimulait son comportement
autoritaire, ce qui lui permettait de réaffirmer à chaque
instant sa propre importance, ne lui apparaît plus comme
étant l'apanage d'un seul sexe, et il se crée une situation
d'« homosexualité latente ». De même, comme il a appris
que sa virilité est à la mesure de sa capacité de domina-

tion, la soumission des autres ne manque pas de le rassurer. Mais s'il rencontre une femme qui soit naturellement aussi autoritaire que lui-même, ou qui soit capable de le surpasser dans une activité artistique ou professionnelle quelconque, il commence à douter de sa condition de mâle. C'est une des raisons pour lesquelles les hommes qui se conforment le plus fidèlement aux normes définies par la société pour leur sexe, se montrent particulièrement ombrageux et même hostiles à l'égard des femmes atypiques qui, en dépit de l'éducation reçue, manifestent un tempérament semblable au leur. Pour que reste intacte leur conviction d'appartenir à leur propre sexe, il est nécessaire que le sexe opposé n'emprunte rien de leur personnalité type.

Quant à la femme docile et malléable, elle peut se trouver dans une position également anormale, même si son tempérament correspond bien aux exigences de sa culture. Habituée, dès l'enfance, à se plier à l'autorité d'une voix dominatrice, à mettre tout en œuvre pour satisfaire l'égotisme plus vulnérable des hommes, elle peut fort bien un jour, percevoir la même note d'autorité dans une voix féminine; alors, elle qui était, par tempérament, la femme idéale de sa société, peut prendre un tel intérêt aux autres femmes que l'idée de mariage ne lui vient même pas à l'esprit, et qu'elle en arrive, peu à peu, à douter de sa propre féminité.

Ainsi, l'existence, dans une société donnée, d'une dichotomie de la personnalité sociale ayant son principe dans la différence des sexes, pèse plus ou moins sur tous les membres de cette société. Ceux dont le tempérament est, sans doute possible, aberrant, ne parviennent pas à se conformer au code en vigueur, et, par leur présence même, par le caractère anormal de leurs réactions, jettent le trouble chez ceux qui sont doués du tempérament requis. Dans tout esprit, pratiquement, gît un germe de doute et d'inquiétude, qui affecte le cours normal de la vie.

Mais ce n'est pas la seule confusion possible. Les Chambuli et, à un moindre degré, certaines parties de

338   MŒURS ET SEXUALITÉ EN OCÉANIE

l'Amérique moderne, offrent l'exemple de difficultés d'un
autre ordre, telles que peuvent en susciter des civilisations qui définissent la personnalité en termes sexuels.
On se souvient que, en théorie, la société chambuli est
partriliénaire, mais que, en pratique, ce sont les femmes
qui dominent, si bien que la position des hommes atypiques – c'est-à-dire doués d'un tempérament autoritaire –
est doublement difficile. La théorie de leur culture étant
qu'ils ont acheté leur épouse, et peuvent exiger d'elle une
obéissance de tous les instants, ces inadaptés commettent
l'erreur de vouloir continuellement réaffirmer ce droit :
leur attitude est alors en désaccord avec l'éducation qu'ils
ont reçue, et qui les a habitués à respecter les femmes et
à leur obéir; ils se trouvent également en conflit avec leur
épouse, qui s'attend, de la part de son mari, à cette
soumission et à ce respect. Les institutions des Chambuli
et les traits dominants de leur société sont, dans une
certaine mesure, contradictoires. Selon eux, il faudrait
attribuer cette grande proportion de tempéraments autoritaires à l'influence de diverses tribus voisines, dont les
femmes, depuis de nombreuses générations, s'échappent
pour épouser des Chambuli. Ils expliquent ainsi les
contradictions de leur société en invoquant des circonstances semblables à celles qui étaient, assez fréquemment, génératrices d'inadaptations masculines et féminines chez les Arapesh. Ces inconséquences s'aggravèrent
probablement lorsque déclina le goût de la guerre et de
la chasse aux têtes et que progressa celui des arts de la
paix. Il se peut aussi que le rôle économique des femmes
ait gagné en importance sans que celui des hommes se
soit accru dans les mêmes proportions. Quelles qu'en
puissent être les causes historiques, sans aucun doute
multiples et complexes, il reste que la société chambuli
d'aujourd'hui présente une antinomie frappante entre ses
institutions et ses traits fondamentaux. Mais elle compte
aussi plus d'hommes névrosés que je n'en ai rencontré
dans aucune autre société primitive. Voir les institutions
apparemment entériner sa propre aberration, sa propre
inaptitude à se conformer au rôle prescrit et à s'empres-

ser docilement auprès des femmes – voilà qui dépasse la mesure, même pour les membres d'une société primitive, vivant dans des conditions beaucoup moins complexes que nous.

Ce sont des difficultés du même ordre auxquelles se heurtent les sociétés modernes, dans leur effort pour s'adapter à la situation nouvelle créée par l'évolution du rôle économique des femmes. Les hommes estiment que s'est ainsi effondrée l'une des assises de leur prépondérance, assise qu'ils ont été souvent amenés à confondre avec cette prépondérance elle-même – leur aptitude exclusive à faire vivre leur famille. Habituées à croire que l'argent gagné donne droit à l'autorité, doctrine qui s'est révélée assez efficace tant que les femmes n'ont pas gagné d'argent, les femmes d'aujourd'hui se sentent de plus en plus désorientées, tiraillées entre la réalité de leur position au foyer et la formation qu'elles ont reçue. Quant aux hommes qui ne sont pas très sûrs d'eux-mêmes, et pour qui gagner de l'argent est une preuve de masculinité, le chômage les plonge dans une double incertitude, qui viendra encore à s'exaspérer si leur épouse peut trouver du travail.

En Amérique, toutes ces difficultés s'aggravent encore du fait de l'extrême diversité des impératifs sociaux. D'une part, les groupes nationaux et régionaux imposent pour chaque sexe un type de comportement différent, d'autre part, le foyer, dans son intimité et son indépendance, joue un rôle capital en inculquant à l'enfant ses règles particulières concernant les rapports entre les sexes. Il n'est pas de fraction, il n'est pas de cellule de notre société qui n'ait son code pour définir et maintenir l'équilibre entre les sexes. Ces codes diffèrent, et sont parfois même contradictoires, selon le groupe national ou la classe sociale qui les promulgue. Ainsi, en l'absence d'une tradition qui oblige les individus à prendre femme dans le groupe même où ils ont été élevés, des mariages continuent d'être contractés entre partenaires dont les conceptions sur les rapports entre les sexes sont souvent radicalement différentes. Les enfants héritent à leur tour de leurs erreurs et de leurs inconséquences. Et voilà une société où presque personne ne met en doute qu'il existe un comportement « naturel » différent pour chaque sexe, mais où personne ne sait vraiment en quoi consiste ce comportement « naturel ». Devant les définitions contradictoires qui en sont données, chaque individu est en droit de se demander s'il appartient authentiquement et complètement à son propre sexe. Nous avons conservé la notion d'un impératif social, nous sentons l'importance d'une adaptation harmonieuse mais nous avons perdu l'aptitude de la réaliser effectivement.

CONCLUSION

Que la personnalité de chaque sexe soit déterminée par la société, voilà qui ne peut manquer de séduire les avocats d'un régime social planifié. Mais c'est une arme à deux tranchants. Elle peut permettre d'édifier un système social plus souple et plus divers, tel que l'humanité n'en a jamais connu de semblable. Elle risque aussi de servir à tracer une route étroite qu'hommes ou femmes – ou les uns et les autres – devront obligatoirement suivre, sévèrement enrégimentés, sans pouvoir regarder à droite ni à gauche. Elle peut être la caution d'un programme d'éducation fasciste condamnant les femmes à retrouver un carcan que l'Europe moderne croyait brisé à jamais. Elle peut ouvrir la voie à un système communiste qui traite les deux sexes exactement sur le même pied, dans toute la mesure où la différence de leurs fonctions physiologiques le permet. Le conditionnement social étant déterminant, l'Amérique a pu, sans plan prémédité, mais avec tout autant d'efficacité, renverser partiellement la tradition européenne de prédominance masculine, et donner naissance à une génération de femmes qui ont hérité du tempérament agressif et despotique de leurs mères, et modèlent leur vie sur celle de leurs maîtresses d'école. Leurs frères s'efforcent en vain de conserver vivant le mythe de la prédominance masculine dans une société où les filles en sont venues à considérer la suprématie comme leur droit naturel. Une jeune Américaine de quatorze ans, à qui l'on demandait ce que lui suggérait l'expression « garçon manqué », répondit : « Oui, je sais bien, autrefois cela voulait dire une fille qui essayait de jouer au garçon, de s'habiller comme un garçon, etc..., mais c'était à l'époque des crinolines. Aujourd'hui, les filles se conduisent exactement comme les garçons, sans faire tant d'histoires. » La tradition américaine se modifie si rapidement que le terme de « poule mouillée » qui, il y a dix ans, s'appliquait à un garçon quelque peu efféminé, est devenu un sarcasme que se lancent les filles les unes aux autres. Une petite fille le définissait comme s'appliquant à un garçon qui va partout avec un gant de baseball et crie toujours : « Envoyez la balle ici ! » et, quand on lui envoie une balle douce, n'est pas capable de l'attraper. Voilà qui est significatif d'une tendance qui, bien qu'elle ne soit pas « dirigée » à la manière fasciste ou communiste, ne s'en affirme pas moins avec une force croissante depuis une trentaine d'années. Les systèmes qui enchaînent les femmes à leur foyer, ou qui, au contraire, ne font pas de distinction entre les sexes, ont au moins le mérite d'être clairs et nets. La situation actuelle aux Etats-Unis, en ce domaine, a tout de l'insidieuse ambiguïté que nous avons constatée chez les chasseurs de têtes chambuli, où l'homme est encore théoriquement le maître de la maison, bien que sa femme ait été formée dès l'enfance à assumer ce rôle avec plus d'efficacité et de sûreté. Il en résulte que les Américains, en nombre croissant, s'imaginent qu'ils doivent parler fort pour défendre leur position si vulnérable, et que les Américaines, de plus en plus, se cramponnent sans joie à une prédominance que la société leur a accordée – sans les doter cependant d'une charte qui leur permette de l'exercer sans dommage pour elles-mêmes, leur mari et leurs enfants.

Trois solutions au moins s'offrent à une société consciente de son rôle déterminant dans la formation de la personnalité masculine et féminine. Deux d'entre elles ont été déjà tentées à maintes reprises, et à différentes époques, au cours de la longue histoire de la race humaine. La première consiste à fixer des types de personnalité clairement contrastés, complémentaires et antithétiques, et à faire en sorte que l'organisation sociale réponde aux exigences de cette distinction. Si la seule fonction de la femme est de mettre au monde des enfants et de veiller sur eux pendant leur jeune âge, la société devra prendre les dispositions nécessaires pour que toute femme physiologiquement apte puisse être mère dans les meilleures conditions de sécurité morale et matérielle. Du moment que la place de la femme est au foyer, le nombre de foyers possibles devra être suffisant. L'on mettra fin à l'illogisme d'une situation où les femmes sont formées en vue du mariage mais sont obligées de rester vieilles filles afin de faire vivre leurs parents.

Ce serait là gaspiller les dons de nombreuses femmes beaucoup plus souvent qualifiées pour exercer d'autres fonctions que pour donner le jour à des enfants dans un monde déjà surpeuplé. Ce serait gaspiller les dons de bien des hommes, dont les aptitudes peuvent trouver un meilleur emploi à la maison que sur la place plublique. Ce serait du gaspillage, mais ce serait clair. L'individu, dans un tel système, pourrait avoir la certitude d'occuper la place que la société a voulu lui donner et pour laquelle elle l'a formé : seuls seraient pénalisés ceux qui, en dépit de cette formation, ne se conformeraient pas au type de personnalité requis. Il y a des millions de gens qui seraient heureux de revenir à une norme aussi rigide des rapports entre les sexes; et il ne faut pas oublier que la possibilité demeure de voir la liberté dont jouissent aujourd'hui les femmes leur être complètement retirée, d'assister au retour d'une stricte enrégimentation du sexe « faible ».

Le gaspillage, dans cette éventualité, porterait non seulement sur un grand nombre de femmes, mais sur autant d'hommes, car l'enrégimentation d'un sexe ne peut manquer d'entraîner, dans une plus ou moins large mesure, l'enrégimentation de l'autre. Lorsque les parents définissent comme féminine une façon de s'asseoir, de réagir à une réprimande ou une menace, de jouer, dessiner, chanter, danser ou peindre, ils façonnent certes la personnalité de leur fille, mais, du même coup, celle de son frère. Dans aucune société il n'est possible d'obliger les femmes à se conformer à un type de personnalité particulier – défini comme étant féminin – sans faire violence à l'individualité de bien des hommes.

Il est une deuxième solution, que l'on associe généralement aujourd'hui aux principes dont se réclament les milieux progressistes : admettre que la personnalité des hommes et des femmes peut être modelée selon un type unique aussi facilement qu'elle peut l'être selon un type différent; cesser d'exiger qu'une distinction soit faite entre les deux sexes; donner aux filles la même formation qu'aux garçons, leur apprendre le même code de vie, les mêmes formes d'expression, les mêmes métiers. Il y a là une certaine logique, qui procède de la conviction que les aptitudes qualifiées, selon les sociétés, de masculines ou de féminines, sont en réalité les aptitudes de certains représentants seulement de chaque sexe, et ne sont, en aucune façon, déterminées par le sexe et l'individu. Si l'on accepte ce point de vue, n'est-il pas raisonnable de renoncer aux distinctions qui sont depuis si longtemps caractéristiques de la société européenne, et de reconnaître qu'il s'agit seulement de fictions sociales, dont nous n'avons que faire? Aujourd'hui, grâce aux procédés anticonceptionnels, aucune femme ne devrait être mère contre son gré. La plus évidente des différences réelles entre les sexes, l'inégalité de force physique, perd peu à peu de son importance. De même que la différence de taille entre les hommes n'a plus de sens depuis que la cour de justice s'est substituée à la rencontre corps à corps, de même l'infériorité physique des femmes n'intervient plus dans l'organisation sociale.

Pour apprécier un tel système à sa juste valeur, il convient de ne pas se dissimuler ce qu'a pu gagner la société à revêtir des formes plus complexes. Sacrifier la différenciation des sexes risque d'entraîner un appauvrissement de la civilisation. Les Arapesh font, si peu soit-il, une certaine distinction, en matière de personnalité, entre vieux et jeunes, entre hommes et femmes, mais ils ignorent toute hiérarchie. Nous avons vu que, chez eux, ceux qui ne se plient pas aux exigences pourtant rudimentaires de la société, ne peuvent échapper à un sentiment de frustration, quand ils ne deviennent pas franchement des inadaptés. L'Arapesh de nature violente ne trouve reflété dans la littérature, l'art, le cérémonial ou l'histoire de son peuple, aucun des élans qui troublent la paix de son esprit. N'est pas seul perdant, non plus, celui dont le type de personnalité n'est nulle part reconnu autour de lui. L'imaginatif, l'individu doué d'une forte intelligence, et qui est foncièrement en communion d'idées avec sa société, risque également de souffrir de l'étroitesse et du manque de profondeur qui sont la rançon inévitable d'une trop grande simplicité. J'ai connu un jeune Arapesh dont l'esprit actif et énergique s'impatientait des solutions de laissez-faire, de l'absence de stimulant, qui sont tellement caractéristiques de son milieu. Avide d'une existence riche d'émotions fortes, il n'avait, pour nourrir son imagination, que le récit des crises passionnelles des inadaptés, dont les éclats étaient empreints d'une violente hostilité à l'égard des autres, hostilité que, pour sa part, il ne ressentait nullement.

L'individu n'est pas seul à souffrir. La société est également perdante. Les manifestations cérémonielles des Mundugumor nous en offrent une illustration. Les Arapesh, on le sait, interdisent aux femmes le culte du *tamberan* et considèrent cette exclusion comme une mesure de protection utile à l'un et l'autre sexes; les femmes constituent donc l'indispensable audience, et le culte est resté vivant. Mais chez les Mundugumor, c'est une insulte des plus graves d'écarter un homme ou une femme d'une activité sociale quelconque. Les femmes ont exigé et obtenu le droit d'être initiées. Aussi n'est-il pas étonnant que la vie cérémonielle mundugumor ait peu à peu périclité, que les acteurs aient perdu leur audience, et qu'un aspect essentiel de la vie artistique de la communauté mundugumor soit en voie de disparition. L'absence de différenciation entre les sexes s'est traduite par un appauvrissement de la société.

Il en est de même dans notre société. Il est sans doute aussi artificiel de prétendre qu'il n'existe pas de différence entre les sexes, dans une société qui y a toujours cru, que de la souligner exagérément. C'est ce qui se passe en particulier lorsque la tradition est en voie d'évolution, lorsqu'un groupe influent tente de créer une nouvelle personnalité, ainsi qu'on peut l'observer aujourd'hui dans nombre de pays européens. On admet couramment, par exemple, que la guerre n'a pas de pire adversaire que les femmes, et qu'il est beaucoup plus horrible, plus choquant, de la voir approuver par une femme que par un homme. Il en résulte que les femmes peuvent œuvrer pour la paix sans se heurter à la réprobation de la société, là où leurs frères ou leur mari seraient cloués au pilori s'ils se livraient à une semblable propagande. La notion d'un sexe féminin moins belliqueux que le masculin semble en tous points artificielle, et fait partie du mythe selon lequel la femme est un être plus doux, plus tendre que l'homme. Imaginons, en revanche, qu'une minorité puissante cherche à déchaîner la passion guerrière de toute une communauté. Il serait alors très efficace de souligner que les femmes ont des motifs et un intérêt semblables à ceux des hommes et qu'elles doivent, assoiffées de sang, prendre un plaisir égal à préparer la guerre. Néanmoins, le fait que la mère l'emporte sur la citoyenne met en général un frein à l'agitation belliciste et protège, dans une certaine mesure, la jeune génération de la contagion de l'enthousiasme guerrier. Il en est de même lorsque le clergé doit, par vocation, croire en la paix. Les membres de ce clergé peuvent, individuellement, se sentir plus ou moins portés vers la guerre, et, en conséquence, s'accommoder plus ou moins du rôle qui leur est prescrit; il n'en reste pas moins que la société ne manquera pas de percevoir cette note discordante. Il y a standardisation dangereuse des attitudes là où l'on ne considère pas que l'âge, le sexe ou les croyances religieuses prédisposent automatiquement certains individus à des attitudes minoritaires et où l'on refuse la possibilité de notes discordantes. Faire tomber

toutes les barrières économiques et légales qui empêchent les femmes de participer à la vie du monde sur un
pied d'égalité avec les hommes peut être en soi un
premier pas vers l'uniformisation générale des tempéraments, vers l'élimination de toute diversité dans les
attitudes, de cette variété que notre civilisation a si
chèrement payée.

Dans une telle société, où les hommes, femmes, enfants,
prêtres, soldats seraient formés selon un système de
valeurs cohérent et indifférencié, il doit nécessairement
apparaître des inadaptés, de l'espèce que nous avons
rencontrée chez les Arapesh et les Mundugumor, des
individus qui, quel que soit leur sexe ou leur profession,
se révoltent contre les normes de leur communauté,
parce qu'ils sont, par tempérament, incapables de se plier
à ses exigences exclusives. Sans doute disparaîtraient
ceux qui seraient spécifiquement inadaptés sur le plan
psychosexuel, mais avec eux s'évanouirait aussi la notion
qu'il peut exister plus d'un système de valeurs.

Abolir la distinction entre la personnalité type des
hommes et celle des femmes, c'est, dans une certaine
mesure, supprimer toute expression d'un type de personnalité jadis considéré comme exclusivement féminin ou
exclusivement masculin : c'est nécessairement appauvrir
la société. Un fête où des hommes et femmes seraient
habillés de la même manière ne serait ni gaie ni plaisante.
Il en est de même dans des domaines moins matériels :
l'habit est en lui-même un symbole, le châle d'une femme
est à l'image de la douceur de son caractère. Les relations
personnelles trouvent dans cette diversité un ton plus
subtil, plus nuancé, et, à bien des égards, plus satisfaisant.
Dans une telle société, le poète chantera des vertus qui,
bien que féminines, auraient pu ne jamais fleurir dans la
société utopique qui ignorerait toute distinction entre
hommes et femmes.

Dans une société qui admet différents types de tempérament, si bien que les aspirations d'un groupe d'âge,
d'une classe sociale, d'un des sexes, lui appartiennent en
propre et sont interdites aux autres, l'individu bénéficie

des conditions les plus favorables à son épanouissement. Assigner un vêtement, des relations sociales, des gestes particuliers à des individus d'une certaine classe, d'un certain sexe, ou d'une certaine couleur de peau, à ceux nés tel jour de la semaine, ou qui sont blonds, bruns ou roux, c'est sans doute faire bon marché de leurs dons personnels, mais c'est surtout œuvrer dans le sens de l'enrichissement, de la plénitude de la civilisation. Aucune société n'a atteint, aux dépens de l'individu, un degré de complexité comparable à celui de l'Inde, où les attitudes, les occupations, mille détails du comportement étaient, en fait, irrévocablement déterminés par le hasard de la naissance. Pour chacun, cela signifiait la sécurité – fût-elle celle du désespoir – du rôle immuable, de la satisfaction d'appartenir à une civilisation extrêmement complexe et diverse.

Il faut observer en outre que dans une société hétérogène l'individu atypique, qui ne parvient pas à trouver son plein épanouissement, se trouve cependant dans une situation préférable à celle de l'atypique d'une communauté plus rudimentaire, qui n'a aucune possibilité d'exercer ses dons particuliers. La femme de tempérament violent dans une société qui n'autorise la violence qu'aux hommes, l'aristocrate sentimental dans une civilisation où seuls les paysans peuvent extérioriser ce qu'ils éprouvent, l'individu attiré par les rites, qui a été élevé dans la religion protestante là où existent aussi des institutions catholiques – chacun peut trouver exprimés dans quelque autre groupe de sa société les sentiments qu'il lui est interdit de manifester. C'est pour lui un réconfort de savoir que ces valeurs, qui lui sont chères, existent, même si le hasard de sa naissance les a placées hors de sa portée. Cela peut presque suffire à ceux qui limitent leur rôle à celui du spectateur, ou qui cherchent seulement de quoi alimenter leur imagination. Ils peuvent se contenter de ressentir, du trottoir pendant un défilé militaire, du fauteuil d'un théâtre ou de la nef d'une église, les émotions dont l'expression directe leur est refusée. Les grossières compensations qu'offre le cinéma à ceux que l'existence à brimés dans leur vie affective, l'atypique les trouve, sous une forme plus subtile, dans l'art et la littérature d'une civilisation suffisamment riche et variée.

En matière d'adaptation sexuelle, cependant, on ne peut parler de compensation de cet ordre. L'individu le plus passif doit jouer un rôle s'il veut pleinement participer à la vie. Et alors que nous reconnaissons tous les mérites d'une civilisation aux rouages complexes, nous sommes en droit de nous demander ici : la rançon n'est-elle pas trop élevée? La beauté qui réside dans le contraste et la diversité ne pourrait-elle pas être retrouvée par d'autres moyens? Si le fait d'assigner une personnalité à chaque sexe entraîne tant de confusion, crée tant de malheureux, d'inadaptés, de désorientés, est-il possible d'imaginer une société qui délaisserait cette distinction sans pour cela renoncer aux valeurs qui, pour l'instant, en dépendent?

Supposons qu'au lieu de prendre la race ou le sexe comme principes « naturels » de classification des tempéraments, une société leur préfère la couleur des yeux. On décrète, par exemple, que tous ceux qui ont les yeux bleus sont doux, dociles, attentifs aux besoins des autres, que tous ceux qui ont des yeux noirs sont arrogants, égoïstes, autoritaires, volontaires. Il y aurait en présence deux thèmes sociaux complémentaires, deux fils directeurs, au lieu d'un seul, dans l'art, la religion, les rapports personnels. Il y aurait des hommes aux yeux bleus et des femmes aux yeux bleus – c'est-à-dire, des femmes douces et « maternelles » et des hommes également doux et « maternels ». Un homme aux yeux bleus épouserait soit une femme de même personnalité que lui, soit une femme aux yeux noirs, de type opposé. L'un des facteurs d'homosexualité les plus importants, la tendance à aimer le semblable plutôt que l'opposé, se trouverait ainsi éliminé. L'hostilité entre les deux sexes en tant que groupes serait réduite au minimum, puisque les aspirations personnelles de chaque sexe seraient imbriquées les unes dans les autres de mille façons, et que les mariages entre semblables et les amitiés entre opposés ne comporteraient pas nécessairement le risque d'inadaptation psychosexuelle. L'individu souffrirait toujours d'un sentiment d'inassouvissement, car ce serait la couleur de ses yeux, sans rapport avec son tempérament réel, qui déterminerait son comportement social. Quiconque aurait les yeux bleus serait tenu d'être docile, et considéré comme un inadapté s'il manifestait une inclination réservée exclusivement à ceux qui ont les yeux noirs. Mais cette société, ignorant la classification de la personnalité selon le sexe, n'en connaîtrait pas non plus tous les inconvénients. Les rapports humains, et particulièrement ceux qui touchent à la sexualité, ne seraient pas artificiellement faussés et dénaturés.

Mais une telle méthode, si même elle constitue un progrès très net par rapport à la classification par sexe, reste une simple parodie de toutes les tentatives que la société a pu faire au cours de l'histoire pour définir le rôle de l'individu en termes de sexe, de couleur de peau, de date de naissance, ou de forme de tête.

Cependant, la solution du problème ne se limite pas à cette alternative : accepter la distinction de tempéraments types selon le sexe avec, comme conséquence, les difficultés d'adaptation, et la ruine de maint bonheur personnel; ou bien abolir cette distinction au prix d'un appauvrissement des valeurs sociales. L'on peut concevoir que, au lieu de se régler sur des catégories aussi simples que l'âge ou le sexe, la race ou la position dans la lignée familiale, une civilisation puisse reconnaître droit de cité à des formes de tempéraments aussi nombreuses que variées, les provoquer même et asseoir ses fondations sur la diversité même des prédispositions qu'elle cherche artificiellement aujourd'hui soit à décourager, soit à cultiver, selon le cas.

L'assouplissement dans la classification par sexes s'est produit à différentes époques au cours de l'histoire, soit que l'on ait créé de nouvelles catégories, soit que l'on ait admis de réelles différences individuelles. Parfois la notion de position sociale l'a emporté sur celle de caté-

gories sexuelles. Dans les communautés qui reconnaissaient une hiérarchie de richesse ou de rang social, les
femmes riches et nobles ont pu se permettre un comportement arrogant, alors interdit chez les petites gens des
deux sexes. Ce fut sans doute un pas dans la voie de
l'émancipation des femmes, mais non d'une plus grande
liberté de l'individu. Si la personnalité de quelques femmes a pu en bénéficier, celle de bien des hommes et de
bien des femmes est restée dominée par la crainte et la
servilité. De tels changements se résument, en fait, à la
substitution d'une norme arbitraire à une autre, tout
aussi arbitraire. Une société se montre aussi peu réaliste
en exigeant que seuls les hommes soient braves, qu'en
voulant faire du courage l'apanage exclusif des individus
de haut rang.

Ce n'est pas un progrès d'abandonner une ligne de
démarcation, celle des sexes, pour une autre, celle des
classes sociales. Car les individus nés dans une famille
noble sont inexorablement formés selon un certain type
de personnalité, dont l'arrogance ne convient sans doute
pas à certains, alors que les arrogants, dans les classes
pauvres enragent sous le joug d'humilité qui leur est
imposé. Il y a le fils doux et paisible de parents riches qui
est obligé de commander, et il y a l'enfant agressif et
entreprenant des taudis qui est condamné à ne jamais
sortir du rang. Si notre but est de donner une plus large
expression à chaque tempérament individuel, il nous faut
admettre, plutôt que de prendre parti pour un sexe et son
destin, que les circonstances qui ont aidé à libérer
quelques femmes ont néanmoins provoqué un très notable appauvrissement social.

La deuxième façon, dont on a quelque peu atténué la
rigueur de la distinction entre les sexes, est la reconnaissance de la matérialité d'un certain nombre de dons
naturels. Ici le réel s'est substitué à l'artificiel, et le
bénéfice, pour la société comme pour l'individu, est
immense. Si l'on admet que les femmes, aussi bien que
les hommes, peuvent, sans déroger, devenir écrivains, les
individus qui éprouvent une vocation de cet ordre ne s'en

sentiront pas détournés par leur sexe, et s'ils écrivent, n'auront pas à douter de leur masculinité ou de leur féminité essentielles. Toute activité qui n'exige pas des dispositions prédéterminées par le sexe, peut faire appel à deux fois plus de talents. Voilà bien le principe de base d'une société qui voudrait substituer des distinctions réelles aux distinctions arbitraires. N'est-il pas vrai que, derrière les classifications par sexe ou par race, les mêmes virtualités existent, se retrouvent génération après génération, vouées chaque fois à la mort parce que la communauté n'en a que faire? De la même façon qu'elle admet aujourd'hui les deux sexes à la pratique d'un art, la société pourrait autoriser, chez les hommes comme chez les femmes, l'épanouissement de dons personnels extrêmement divers. Elle pourrait renoncer à exiger des garçons un esprit combatif et la passivité chez les filles, ou la combativité à la fois chez les uns et les autres, elle pourrait établir un système d'éducation qui assurerait le plein développement des facultés du garçon « maternel » aussi bien que de la fille que stimulent les obstacles à vaincre. Aucun talent, aucune aptitude particulière, aucune vigueur d'imagination ou précision de la pensée ne passerait inaperçu sous prétexte que l'enfant appartient à un sexe plutôt qu'à un autre. Aucun ne serait impitoyablement modelé selon une norme unique de comportement; les normes seraient innombrables dans un monde qui aurait appris à laisser l'individu libre de choisir sa voie selon ses aspirations.

Une telle civilisation ne sacrifierait en rien l'effort si divers de milliers d'années; chaque enfant serait encouragé dans le sens où le porte son tempérament réel. Là où nous avons des normes de comportement pour les femmes, et d'autres pour les hommes, nous en aurions qui exprimeraient les aspirations d'individus très différents les uns des autres. Il y aurait un code moral, un symbolisme social, un art, un mode de vie, pour chaque tempérament.

Au cours de son histoire, notre civilisation, pour susciter des valeurs fécondes et diverses, a fait fond sur bien des distinctions artificielles, dont la plus remarquable est le sexe. Ce n'est pas en abolissant simplement ces distinctions que la société instaurera des normes qui laisseront s'épanouir les facultés personnelles au lieu de les enfermer dans un moule étroit et tyrannique. Si nous voulons assister à l'avènement d'une civilisation plus belle, plus riche et plus variée, il nous faut accueillir toute la gamme des virtualités humaines, édifier une société moins arbitraire, où le génie de chacun trouvera la place qui lui convient.

NOTE

Les observations et conclusions enregistrées dans les chapitres qui précèdent ont été choisies parmi les matériaux accumulés par le Dr Fortune et moi-même au cours des deux années que dura notre expédition en Nouvelle-Guinée, en 1931-1933. Cette enquête, en ce qui me concerne, a été entreprise dans le cadre normal des tâches que j'assume à la section d'anthropologie de l'American Museum of Natural History, et a été financée par le Voss Research Fund. Je remercie donc tout spécialement le Museum et, en particulier, le Dr Clark Wissler, conservateur en chef de la section d'anthropologie de cette institution, de m'avoir donné la possibilité de me livrer à ces recherches. Les travaux du Dr Fortune ont été subventionnés par le Social Science Research Council de l'Université Columbia. Comme nous avons travaillé ensemble tout au long de l'expédition, nous avons pu partager, et ainsi réduire, nos dépenses, et mes remerciements vont donc aux deux institutions qui ont subventionné nos recherches respectives.

J'exprime ma plus vive gratitude au Dr Fortune pour son aide sur le terrain, pour cette association qui m'a permis d'étudier des sociétés sauvages et difficiles d'accès, que je n'aurais pu atteindre seule, pour sa coopération dans la réunion des matériaux linguistiques et ethnologiques sur lesquels se fonde cette étude, et pour son apport d'abondants matériaux concrets relatifs aux cultes des hommes et aux aspects spécifiques de la vie masculine, dont l'observation est pratiquement interdite à une femme ethnologue. Je lui suis particulièrement reconnaissante de l'analyse qu'il a faite du difficile langage arapesh, ainsi que des descriptions qu'il m'a rapportées de cérémonies se déroulant en dehors d'Alitoa – où la nature escarpée du pays m'obligeait à rester – et plus spécialement des observations concernant les Plaines. Nous nous partagions les tâches d'une façon différente selon les tribus. Chez les Mundugumor et les Chambuli, le Dr Fortune a assumé une grande partie du travail ethnographique; c'est pour cette raison que j'ai traité des Arapesh plus en détail et que, dans les chapitres consacrés aux deux autres tribus, je n'ai donné, en fait d'indications ethnographiques, que le minimum nécessaire à la compréhension des problèmes particuliers qui y sont discutés.

Le choix du terrain de notre enquête – qui s'est finalement arrêté sur le pays des Arapesh – a été influencé par le Dr Briggs de l'Université de Sydney, que je tiens à remercier ici, et qui avait accompli dans cette même région un voyage de reconnaissance quelques années auparavant. Dans la préparation de mon travail sur les Chambuli, je dois aussi beaucoup aux travaux, publiés et inédits, de M. Bateson; je le remercie de m'avoir aidée à acquérir une certaine connaissance de la culture du Moyen Sepik, ce qui m'a permis d'orienter mes recherches sur les Chambuli dans le sens de l'étude détaillée d'une variante d'une forme culturelle connue.

En ce qui concerne les appuis officiels, je dois remercier le Department of Home and Territories of the Commonwealth of Australia. Pour l'aide, les encouragements et l'hospitalité que m'ont accordés les membres de l'administration, j'ai une dette de reconnaissance envers His Honour the Acting Administrator, Judge Wanless; His Honour Judge Philips; Mr. Chinnery, anthropologue du gouvernement; les chefs de district T.E. McAdam et E.D. Robinson; les officiers inspecteurs MacDonald, Thomas et Bloxam. Je tiens à remercier très vivement Mr. et

Mrs. M.V. Cobb de la plantation Karawop qui m'ont offert la plus large hospitalité et m'ont permis d'utiliser leur plantation comme base de travail pendant mes recherches sur les Arapesh. Je n'oublie pas toutes les bontés, en particulier en ce qui concerne le ravitaillement, de Mr. et Mrs. Thomas Ifould de Boram, de Mr. et Mrs. MacKenzie de la *Lady Betty*, et MM. Mason, Overall, Gibson et Eichorn.

Alors que je rédigeais cette étude, j'avais encore présents à l'esprit les souvenirs du séminaire des Relations Humaines qui s'était tenu à Hanovre au cours de l'été 1934, et je tiens à reconnaître tout ce que je dois à Mr. Laurence K. Frank et au Dr Earle T. Engle pour certaines idées exprimées pendant ce séminaire. Mes sentiments infiniment reconnaissants vont aussi aux Dr Ruth F. Benedict et John Dollard pour leurs conseils concernant les aspects théoriques de cette étude et leur aide minutieuse dans son organisation. Enfin je remercie de leur assistance dans la préparation de cet ouvrage, ma mère Emily Fogg Mead, Miss Marie Eichelberger, Miss Isabel Ely Lord et Mrs. Violet Whittington.

M. M.

The American Museum of Natural History,
  New York.
  Janvier 1935.

LIVRE II

ADOLESCENCE A SAMOA

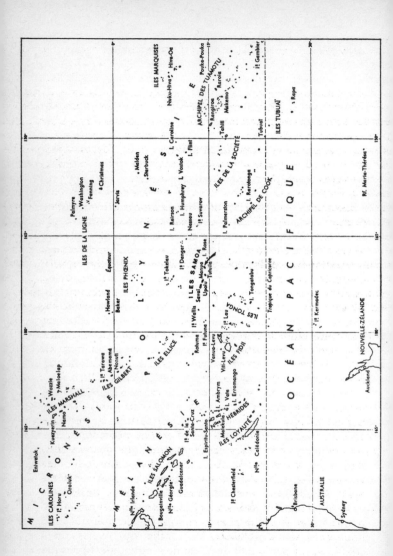

AVANT-PROPOS

Les ouvrages que l'on écrit aujourd'hui sur les peuples primitifs nous apportent une image de leur culture organisée selon les divers aspects de la vie humaine. On nous décrit les inventions, l'économie familiale, l'organisation domestique et politique, les croyances et les rites religieux. En comparant ces données, en nous informant de leur développement et de leur évolution, nous tentons de reconstruire, aussi exactement que possible, l'histoire de chaque société. Quelques anthropologues espèrent même que cette étude comparée mettra en évidence certaines tendances de l'évolution qui, se retrouvant fréquemment, permettront d'aboutir à des généralisations significatives concernant les processus de l'évolution culturelle.

Pour le profane, ces études sont intéressantes par la nouveauté du décor, par l'étrangeté des attitudes caractéristiques des sociétés étrangères, qui mettent en lumière ce que nous-mêmes avons fait et ce que nous sommes.

Cependant, une description systématique des activités humaines ne nous permet guère de comprendre les attitudes mentales de l'individu. Ses pensées et ses actes apparaissent simplement comme l'expression de formes culturelles rigoureusement définies. Nous ne sommes que peu renseignés sur sa pensée rationnelle, les amitiés qu'il noue avec ses semblables, les conflits qui l'opposent à eux. L'aspect personnel de la vie de l'individu est presque oublié dans la présentation systématique de la vie culturelle d'une société. L'image est standardisée, tel un recueil de lois qui nous disent comment nous devrions nous conduire et non comment nous nous conduisons en fait, telles les règles qui définissent un style, mais non la façon dont l'artiste élabore son idée du beau, telle une liste d'inventions, qui n'indique pas comment l'individu vient à bout des difficultés techniques auxquelles il se heurte.

Et cependant, la façon dont la personnalité réagit face à la culture est un sujet qui devrait nous préoccuper profondément, et qui fait de l'étude des cultures étrangères une activité utile et fructueuse. Nous avons l'habitude de considérer que les actes qui font partie intégrante de notre culture, les normes que nous observons automatiquement, sont communs à l'humanité tout entière. Ils sont profondément enracinés dans notre comportement. Nous sommes coulés dans ce moule et nous ne pouvons imaginer qu'il en soit autrement ailleurs.

La courtoisie, la modestie, les bonnes manières, le respect de normes morales bien définies, sont universels, mais ce qui ne l'est pas, c'est ce qui constitue cette courtoisie, cette modestie, ces bonnes manières, ce respect de lois morales. Il est intéressant de savoir que ces

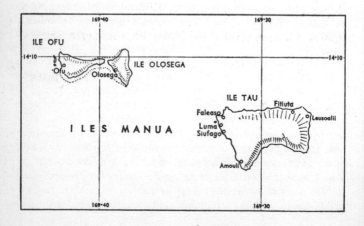

normes peuvent différer de la façon la plus inattendue. Il est plus important encore de savoir comment l'individu réagit devant ces règles.

Dans notre propre société, l'individu est assiégé de difficultés que nous imputons généralement aux traits fondamentaux de la nature humaine. Quand nous parlons des problèmes de l'enfance et de l'adolescence, nous estimons que ce sont là des périodes d'adaptation inévitables, par lesquelles tout le monde doit passer. Le raisonnement psychoanalytique est, en grande partie, fondé sur cette supposition.

L'anthropologue met en doute l'exactitude de cette manière de voir, mais jusqu'à présent, il n'est guère de chercheurs qui aient pris la peine de s'intégrer suffisamment à une population primitive pour parvenir à la compréhension de ces problèmes. Nous sommes donc reconnaissants à Miss Mead d'avoir entrepris de s'intégrer à la jeunesse samoane d'une façon assez complète pour nous donner une image lucide et claire des joies et des difficultés éprouvées par le jeune individu dans une société tellement différente de la nôtre. Les résultats de cette minutieuse enquête confirment ce dont les anthropologues se doutent depuis longtemps, à savoir que bien des comportements que nous attribuons communément à la nature humaine, ne sont en fait que des réactions contre les contraintes que nous impose notre civilisation.

Franz BOAS.

CHAPITRE PREMIER

INTRODUCTION

Il n'y a guère plus d'un siècle, il n'existait, pour les parents comme pour les éducateurs, aucun problème de l'enfance, aucun de l'adolescence. Depuis cent ans, néanmoins, se manifeste une nouvelle tendance : au lieu d'essayer de modeler l'enfant selon un système rigide, on tente d'adapter l'éducation à ses besoins. Deux facteurs principaux ont encouragé cette entreprise : d'une part, les progrès de la psychologie, devenue une véritable science, d'autre part les difficultés croissantes auxquelles se heurte la jeunesse dans son effort d'adaptation. Le psychologue était en droit de supposer qu'il trouverait grand profit à connaître le processus de développement de l'enfant, à préciser les stades successifs qu'il franchit, à déterminer ce que le monde adulte peut raisonnablement attendre d'un bébé de deux mois ou d'un enfant de deux ans. Cependant, les foudres brandies de la chaire, les bruyantes lamentations des philosophes du conservatisme social, les dossiers des Œuvres et des tribunaux pour enfants, tout poussait, d'autre part, à ce que l'on se penchât sérieusement sur cette période de la vie qu'il est convenu d'appeler adolescence. La jeune génération s'écartait chaque jour davantage des normes et des idéaux du passé, dérivait loin du havre des valeurs reconnues, familiales ou religieuses : le prudent réactionnaire en était épouvanté, le propagandisme y trouvait prétexte à prosélytisme parmi une jeunesse désarmée, éminemment vulnérable. Les moins attentifs parmi nous s'inquiétaient.

Aux États-Unis, les multiples courants d'immigration, les normes de conduite qui se comptent par dizaines et souvent s'opposent les unes aux autres, les sectes religieuses, dont on dénombre des centaines, les conditions économiques elles-mêmes, extrêmement fluctuantes, tout concourt à faire apparaître la jeunesse plus instable, plus déréglée qu'en Europe, continent de civilisation plus ancienne et mieux assise. Un tel état de choses devait inciter psychologues, éducateurs et sociologues à rendre compte d'une façon acceptable des difficultés éprouvées par l'enfant et l'adolescent. Ainsi aujourd'hui, dans l'Allemagne d'après-guerre, où la nouvelle génération se trouve aux prises avec des problèmes d'adaptation encore plus ardus que ceux auxquels doivent faire face nos propres enfants, les ouvrages théoriques sur l'adolescence envahissent les devantures de librairie : le psychologue américain d'alors tenta d'expliquer de même le malaise de la jeunesse. Et ce furent des ouvrages tels que celui de Stanley Hall sur « l'Adolescence », où les troubles et l'angoisse de l'enfant étaient simplement attribués à son « âge ». On y caractérisait l'adolescence comme l'époque de la vie où fleurit l'idéalisme, où prend corps la révolte contre toute autorité, où heurts et conflits sont inévitables.

Les spécialistes de psychologie juvénile, qui ne faisaient fond que sur la méthode expérimentale, refusèrent de souscrire à ces théories. « Ce sont les données qui nous manquent, dirent-ils. Nous n'avons que quelques minces certitudes sur les tout premiers mois de la vie de l'enfant. Nous n'en sommes qu'à pouvoir discerner le moment où l'œil commence à suivre la lumière. Comment voulez-vous que nous puissions indiquer avec précision les réactions que produira la religion, par exemple, sur un sujet déjà développé, et dont nous ne savons rien? »

Le public n'a que faire des précautions négatives de la science. L'expérimentaliste refuse-t-il de s'engager? Le sociologue, le prédicateur, le pédagogue n'en essayèrent qu'avec plus d'ardeur d'aller droit au but et de trouver une solution rapide. Ils observèrent le comportement des adolescents dans notre société, notèrent les traits d'instabilité – évidents et omniprésents –, en conclurent qu'ils constituaient les caractéristiques de cet âge. On avertit les mères que leurs jeunes filles présentaient des problèmes particuliers : « C'est une période difficile, dirent les théoriciens; les transformations physiques que subissent vos fils et vos filles s'accompagnent de modifications psychologiques. Vous ne pouvez pas éviter les unes plus que les autres; de même que le corps de votre fille, hier celui d'une enfant, devient celui d'une femme, de même, et inévitablement, son esprit se transforme, non sans heurts ni confusion. » Les théoriciens jetèrent une fois de plus les yeux sur les adolescents de notre civilisation : « Non sans heurts ni confusion », répétèrent-ils avec sérieux.

De telles notions, bien qu'elles n'eussent pas reçu la sanction de l'expérimentaliste, toujours circonspect, s'accréditèrent largement et exercèrent une influence sur nos méthodes d'éducation; du même coup, elles paralysèrent les efforts des parents. La mère devait se durcir aux pleurs du nourrisson qui perce sa première dent; elle devait également s'armer de courage et essuyer, d'une âme aussi égale que possible, les manifestations désagréables et turbulentes de « l'âge ingrat ». S'il n'y avait rien à reprocher à l'enfant, il n'y avait aucune méthode non plus, hormis la patience, qu'on pût recommander à l'éducateur. Le théoricien continua d'observer le comportement de l'adolescent américain, et chaque année apporta de nouvelles justifications à son hypothèse, tandis que les témoignages s'accumulaient dans les dossiers des écoles et des tribunaux pour mineurs.

Cependant, une autre méthode avait gagné du terrain dans l'étude de l'évolution humaine, celle de l'anthropologue, qui envisage l'homme dans son cadre social, quel qu'il soit. En méditant sur la documentation, sans cesse croissante, recueillie sur les mœurs des peuples primitifs, l'anthropologue en vint à rendre compte du rôle majeur joué dans la vie de l'individu par le milieu social dans lequel il est né et a été élevé. Un à un, des aspects du comportement que nous avions coutume de considérer comme faisant invariablement partie de la nature humaine, se révélèrent être simplement des résultantes du milieu. On en constatait l'existence dans un pays, l'absence dans un autre, alors que les habitants de l'un et de l'autre étaient de même race. Ni la race, en effet, ni la constitution même de l'homme, ne suffisent à expliquer la multiplicité des formes qu'assument, dans des conditions sociales différentes, des émotions aussi fondamentales que l'amour, la crainte ou la colère.

Raisonnant d'après ses observations du comportement de l'homme adulte chez d'autres civilisations, l'anthropologue parvient souvent aux mêmes conclusions que le « behavioriste », qui étudie le tout jeune enfant, non encore façonné par son milieu. Se penchant, lui aussi, sur le problème de l'adolescence, il lui apparut que certains comportements de l'adolescent dépendaient du milieu social – révolte contre l'autorité, doutes religieux, idéalisme, luttes et conflits – cependant qu'on voulait en faire une caractéristique d'un certain stade de son développement physique. Il connaissait le déterminisme de la civilisation, la plasticité de l'être humain : est-ce donc, se demanda-t-il, à l'adolescence en tant que telle, ou à l'adolescence en Amérique que l'on doit attribuer ces difficultés ?

Lorsque le biologiste désire mettre à l'épreuve une hypothèse ancienne ou en vérifier une nouvelle, il peut disposer d'un laboratoire. Dans des conditions sur lesquelles il peut exercer le contrôle le plus rigoureux, il lui est loisible de faire varier la quantité de lumière, d'air, de nourriture, que reçoivent ses plantes ou ses animaux, du moment de la naissance jusqu'à celui de la mort. En gardant constants tous les facteurs sauf un, il peut procéder à des mesures exactes des effets de ce dernier. C'est la méthode scientifique par excellence, celle de l'expérience contrôlée; elle permet de soumettre toutes les hypothèses à une vérification strictement objective.

Le spécialiste de psychologie infantile ne peut que

partiellement retrouver de telles conditions. Il ne lui est pas possible, en effet, d'avoir une connaissance exacte du milieu prénatal de l'enfant auquel il va appliquer ses méthodes objectives. Du moins lui est-il permis de décider, dès que son sujet est venu au monde, ce qui doit être proposé à sa vue, son ouïe, son odorat et son goût. Mais il n'est pas si simple d'étudier l'adolescence. Car ce que nous cherchons à connaître n'est rien moins que l'influence du milieu sur un être humain en plein développement, à l'âge de la puberté. L'investigation, pour être rigoureuse, exigerait que fussent créées différentes sortes de civilisations et qu'à l'influence de chacune fussent soumis un grand nombre d'adolescents. Nous dresserions alors une liste des facteurs dont nous désirons connaître l'action. Ainsi, pour étudier l'influence du nombre des membres de la famille, nous bâtirions une série de sociétés semblables entre elles, sauf en ce qui concerne l'organisation familiale. Si nous constatons alors des comportements différents, nous pourrions assurer que ce sont les variations dans l'importance numérique de la famille qui sont causes de ces différences; nous pourrions alors affirmer, par exemple, que l'enfant unique a une existence plus troublée que celui d'une famille nombreuse. Nous procéderions de la même manière à l'égard d'un certain nombre d'autres situations : éducation sexuelle précoce ou tardive, expérience sexuelle également précoce ou tardive, précocité encouragée ou non, ségrégation des sexes ou éducation mixte, division du travail entre les sexes ou activités communes, etc... Nous ferions varier l'un des facteurs, les autres restants constants, et nous analyserions celles des caractéristiques de notre société éventuellement responsables des difficultés éprouvées par nos adolescents.

Malheureusement, ces méthodes idéales d'expérimentation sont impossibles lorsqu'on traite de l'humain et de l'ensemble de l'édifice social. La colonie expérimentale d'Hérodote, où les tout jeunes enfants devraient être isolés et les résultats enregistrés, n'est pas viable. Pas davantage ne l'est la méthode qui consisterait à choisir

cinq cents adolescents par exemple, appartenant à des
familles restreintes, et cinq cents autres à des familles
nombreuses, et à tenter de découvrir le groupe ayant
éprouvé les plus grandes difficultés au moment de
l'adolescence. Car nous ne saurions rien des autres
influences qui ont pu s'exercer sur les enfants; nous
ignorerions, entre autres, les effets qu'ont pu avoir sur le
déroulement de leur adolescence, le milieu environnant
ou leur degré d'éducation sexuelle.

Quelle méthode reste donc accessible à ceux qui,
comme nous, désirent conduire une expérience sur de
l'humain, mais n'ont la possibilité ni de créer les conditions expérimentales nécessaires, ni de trouver des exemples contrôlables de ces conditions dans notre propre
société? Il n'y en a qu'une seule, c'est celle de l'anthropologue. Elle consiste à se porter en une civilisation
différente, à faire une étude de sociétés vivant dans des
conditions particulières. Pour mener à bien de telles
investigations, l'anthropologue se tourne vers les peuples
primitifs, dont la société n'a jamais atteint la complexité
de la nôtre : Esquimaux, Australiens, Océaniens, Pueblos.
Il sait que plus une culture est simple, plus son analyse
est aisée.

Dans de grandes civilisations, comme celles d'Europe
ou d'Orient, des années d'études sont nécessaires avant
de pouvoir commencer à saisir les forces qui jouent en
elles. Une simple enquête sur la famille française, par
exemple, implique une étude préliminaire de l'histoire de
France, du droit français, des attitudes respectives du
catholicisme et du protestantisme à l'égard des questions
sexuelles et des relations personnelles. La connaissance
d'un peuple primitif sans langue écrite constitue, en
revanche, un problème beaucoup moins ardu, et un
spécialiste expérimenté peut comprendre la structure
fondamentale d'une société primitive en quelques mois.

Nous ne choisirons pas non plus une communauté
paysanne d'Europe ou un groupe isolé de montagnards
blancs dans le sud de l'Amérique. Leur mode de vie, bien
que simple, appartient essentiellement à la même tradi-

tion historique que celui des grandes civilisations d'Europe ou d'Amérique. Aussi porterons-nous notre choix sur des groupes primitifs dont le développement historique se déroule depuis des milliers d'années selon des préoccupations complètement différentes des nôtres : leur langue ne se classe dans aucune de nos catégories indo-européennes, leurs idées religieuses sont d'essence différente, leur organisation sociale est non seulement plus simple que la nôtre, mais lui est totalement étrangère. De ces contrastes, suffisamment vifs pour surprendre et éclairer ceux qui sont accoutumés à notre propre mode de vie, et suffisamment simples pour être rapidement saisis, il est possible d'apprendre beaucoup quant à l'influence exercée par une civilisation sur les individus qui lui appartiennent.

*

C'est ainsi que je décidai de faire porter mon enquête non sur l'Allemagne ou la Russie, mais sur les îles Samoa, archipel des mers du Sud, situé à environ 13 degrés de l'Équateur et habité par des Polynésiens au teint foncé. Étant femme, je pouvais espérer pénétrer davantage dans l'intimité des filles que dans celle des garçons; il se trouvait, d'autre part, qu'en raison du petit nombre de femmes ethnologues, notre connaissance de la fillette et de la jeune fille primitive est beaucoup moins profonde que celle des garçons. Ce sont ces deux principales raisons qui me poussèrent à étudier l'adolescente samoane.

Mais en cela, j'adoptai une méthode très différente de celle dont je me serais servie pour étudier, par exemple, l'adolescente de Kokomo, dans l'Indiana. Dans ce dernier cas, je serais allée droit au cœur du problème. Je ne me serais pas attardée sur la langue parlée en Indiana, ni sur la façon de se conduire à table ou de se coucher; je ne me serais pas inquiétée de savoir comment les adolescentes de l'Indiana apprennent à s'habiller, à se servir du téléphone, ou encore ce que signifie le concept de conscience à Kokomo. Tout cela appartient à la structure générale de la vie américaine et est connu de mes lecteurs comme de moi-même.

Mais il en est autrement lorsqu'on expérimente en milieu primitif. L'adolescente y parle une langue dont les sons mêmes nous paraissent étranges; les substantifs s'y transforment en verbes et les verbes en substantifs avec une aisance déconcertante. Toute sa façon de vivre est différente. Ainsi elle s'assied par terre, les jambes croisées et se sent raide et mal à l'aise sur une chaise. Elle mange avec ses doigts dans un plat en vannerie; elle dort sur le sol. La maison qu'elle habite n'est constituée que de poteaux plantés en cercle et supportant un toit conique de chaume. Par terre, elle ne dispose, pour tout tapis, que de fragments de corail usé. Cocotiers, arbres à pain, manguiers ombragent les cases. Elle n'a jamais vu de cheval, ne connaît d'autre animal que le cochon, le chien et le rat. Elle se nourrit de taro, de fruit d'arbre à pain et de bananes, de poisson, de pigeon sauvage et de porc rôti ainsi que de crabes de terre. Autant ce milieu physique, ces habitudes de vie sont différentes des nôtres, autant le milieu social, l'attitude à l'égard des enfants, des questions sexuelles ou de la personnalité contrastent avec ceux de l'adolescente américaine.

M'attachant particulièrement aux fillettes et jeunes filles de la communauté, c'est avec elles que j'ai passé la plus grande partie de mon temps. J'ai étudié de très près les familles où elles vivaient. J'ai consacré plus d'heures à jouer avec les enfants qu'à assister aux conseils de leurs aînés. J'ai parlé leur langue, partagé leur nourriture. Assise les jambes croisées et les pieds nus, j'ai fait de mon mieux pour réduire au minimum ce qui pouvait nous séparer, pour apprendre à connaître et comprendre les petites filles de trois villages sur la côte de la petite île de Tau. Pendant les neuf mois de mon séjour à Samoa, j'ai rassemblé de nombreuses données concernant la position sociale et la richesse des parents de ces filles, le nombre de leurs frères et de leurs sœurs, l'expérience sexuelle qu'elles avaient pu avoir; ces faits bruts sont résumés en annexe. Ils ne constituent d'ailleurs que l'ossature, à peine la matière première d'une étude des problèmes familiaux et des relations sexuelles, des concepts d'amitié, de loyauté et de responsabilité, qui, pour nos adolescentes, sont autant de sources de troubles.

Ces notions, peu mesurables, se sont révélées si peu variables d'un cas à l'autre, la vie d'une jeune Samoane ressemble tellement à celle de sa voisine dans cette civilisation simple et uniforme, que je n'aperçois aucun inconvénient à généraliser, bien que mon enquête ait porté seulement, en fait, sur cinquante fillettes et jeunes filles des trois villages.

Les chapitres qui suivent décrivent la vie de ces adolescentes, celles de leurs sœurs cadettes, de leurs frères, auxquels un tabou extrêmement strict leur interdit de parler, de leurs sœurs aînées, qui ont dépassé l'âge de la puberté, de leurs parents, dont l'attitude à l'égard de la vie détermine celle des enfants. J'ai ainsi tenté de répondre à la question que je me posais en allant aux Samoa : Les troubles dont souffre notre adolescence sont-ils dus à la nature même de l'adolescence ou à notre civilisation ? L'adolescence, dans des conditions totalement différentes, se présente-t-elle d'une façon également différente ?

D'autre part, en raison du caractère même du problème, et de l'aspect tellement nouveau, pour beaucoup, de cette vie océanienne, j'ai été amenée à tracer un tableau de l'ensemble de la vie sociale aux Samoa; ce faisant, j'ai toujours souligné les particularités propres à éclairer le problème de l'adolescence. J'ai passé sous silence les questions d'organisation politique qui n'intéressent pas la jeune fille et n'ont aucune influence sur elle. Ce qui concerne les systèmes de rapports sociaux, ou le culte des ancêtres, les généalogies et la mythologie, sera publié d'autre part. Mon propos est de présenter au lecteur l'adolescente samoane dans son cadre social, de suivre le cours de sa vie de la naissance à la mort, de décrire les problèmes qu'elle aura à résoudre, l'échelle des valeurs auxquelles elle se référera, les joies et les peines de ce jeune être qui vit là-bas, sur son lointain îlot des mers du Sud.

Mais nous ne voudrions pas, pour autant, nous limiter à ce problème particulier, et ces lignes ont une autre ambition. Elles voudraient donner au lecteur quelque idée d'une civilisation, d'un mode de vie différents des nôtres et qui, cependant, apportent satisfaction et bonheur à d'autres humains. Notre sensibilité, même dans ce qu'elle a de plus subtil, notre jugement, même le plus exigeant, sont fondés, nous ne l'ignorons pas, sur le jeu des contrastes; la lumière sans l'obscurité, la beauté sans la laideur, perdraient les qualités qu'elles nous paraissent posséder. De même, s'il nous faut reconnaître ses mérites à notre propre civilisation, à ce système de vie que, en tant que nation, nous avons élaborés pour nous-mêmes, et que nous nous donnons tant de mal à transmettre à nos enfants, nous devons les opposer, pour les leur comparer, à des civilisations très différentes. Tel qui voyage en Europe et revient en Amérique perçoit des aspects de ses propres mœurs qui lui avaient échappé jusque-là : l'Europe et l'Amérique appartiennent cependant à une même civilisation. C'est par la perception des nuances à l'intérieur même d'un grand système que le spécialiste de l'histoire européenne ou américaine aiguise son sens critique. Mais si nous nous écartons franchement du cours des civilisations indo-européennes, le jugement que nous pourrons porter sur notre propre civilisation n'en acquiert que plus de poids. Car, dans ces parties reculées du globe, dans des conditions historiques très différentes de celles qui ont fait la grandeur et la décadence de Rome et d'Athènes, des groupes d'êtres humains ont élaboré des modes de vie si différents du nôtre qu'il est impossible d'imaginer qu'ils aient jamais pu parvenir aux mêmes résultats que nous. Chaque peuple primitif a choisi un aspect du génie humain, un ensemble de valeurs humaines, et s'est donné un art, une organisation sociale, une religion qui sont sa contribution originale à l'histoire de l'esprit humain.

Les Samoa n'offrent qu'un exemple parmi tant de

civilisations aimables et diverses. Mais le voyageur qui a quitté son village, ne serait-ce qu'une seule fois, a plus de sagesse que celui qui est resté sur le pas de sa porte. De même, la connaissance d'une autre culture doit nous permettre d'examiner la nôtre avec plus d'attention, de la juger avec plus d'amour.

En raison du problème particulier que nous avons entrepris de résoudre, ce récit et cette description se rapportent principalement à l'éducation, au processus par lequel l'enfant qui arrive sur la scène humaine nu et pur de toute influence, devient, à l'âge adulte, un membre accompli de sa société. Prenant le mot « éducation » dans son sens le plus large, nous nous attacherons particulièrement à ce qui, dans l'éducation samoane, diffère de la nôtre. Le contraste nous fera prendre plus vivement conscience de nous-mêmes et réveillera notre sens critique. Alors nous pourrons nous permettre de porter un nouveau jugement sur l'éducation que nous donnons à nos enfants, et peut-être la réformer.

CHAPITRE II

UNE JOURNÉE AUX SAMOA

Le village s'éveille avec l'aurore. Les nuits, cependant, où la lune brille jusqu'au lever du jour, on entend, juste encore avant l'aube, les cris des jeunes gens au flanc de la montagne. Ils se hâtent d'achever leur travail, et s'interpellent à pleine gorge pour se donner courage dans l'ombre peuplée de fantômes. Les premières lueurs du jour descendent sur les toits fauves. Les sveltes cocotiers se profilent sur une mer miroitante, sans couleur. De l'abri des pirogues échouées, ou sous les palmiers, les amoureux se séparent et rejoignent furtivement leurs cases respectives : le jour doit trouver chacun à sa place attitrée. Les coqs chantent, comme par habitude; des arbres à pain jaillit la note aiguë d'un oiseau. Le grondement obstiné du récif semble baisser d'un ton devant les bruits du village qui s'éveille. Un bébé vagit, bientôt calmé par le sein d'une mère ensommeillée. Impatients, de petits enfants se glissent de leur lit et, encore somnolents, descendent se débarbouiller à la mer. Des garçons, qui ont convenu d'une partie de pêche matinale, rassemblent leur attirail et vont réveiller leurs camarades attardés. Des feux s'allument, çà et là, leur fumée blanche à peine visible dans la pâleur de l'aube. Le village tout entier s'arrache au sommeil, s'ébroue, se frotte les yeux et s'achemine vers la plage. « Talofa! Talofa! Ce voyage est-il pour aujourd'hui? Est-ce la bonite que va pêcher votre seigneurie? » Des filles s'arrêtent, et l'on entend de petits rires : un propre à rien s'est dérobé cette nuit à la poursuite d'un père outragé, et, sûrement, la fille en sait plus long là-dessus qu'elle ne le dit. Un garçon reçoit les moqueries d'un autre, qui lui a succédé dans les faveurs d'une fille; ils se collettent et l'un d'eux glisse dans le sable mouillé. A l'autre bout du village, on entend un cri perçant, prolongé. Un messager vient d'arriver et annonce la mort de quelque parent habitant un autre hameau. Des femmes flânent, encore à moitié vêtues, leur poupon au sein, où à califourchon sur la hanche. Elles s'interrompent un instant, se demandent qui est mort, puis reprennent leur histoire : ne dit-on pas que Losa a quitté la maison paternelle et s'est réfugiée chez son oncle, plus accueillant? Des parents pauvres murmurent leurs requêtes à des parents riches, des hommes se concertent pour poser une nasse à poissons, une femme quémande de la teinture jaune à une parente; par tout le village résonne l'appel rythmé qui rassemble les jeunes hommes. Ils arrivent de tous côtés, le bâton à fouir à la main, prêts à partir pour la plantation. D'autres, plus âgés, se mettent en route vers des occupations plus solitaires. Chaque maisonnée, rassemblée sous son toit pointu, s'attelle aux besognes matinales. De petits enfants ont trop faim pour attendre le déjeuner; ils mendient un morceau de taro froid et, avidement, le mâchonnent. Des femmes vont à la mer, ou à la source, laver leur linge. D'autres partent vers l'intérieur des terres chercher de quoi tisser. Les jeunes filles vont pêcher sur le récif, à moins qu'elles ne se mettent à tresser un nouveau jeu de stores.

Dans les cases, on a nettoyé le sol de gravier avec un balai dur à long manche; les femmes enceintes et celles qui allaitent encore s'installent et bavardent. Des vieillards se tiennent à l'écart et, sur leur cuisse nue, tordent sans arrêt la fibre de cocotier, marmottant de vieilles histoires. Des charpentiers commencent une nouvelle case; le propriétaire s'agite, se donne du mal pour qu'ils gardent leur entrain au travail. Les familles qui cuisineront aujourd'hui s'affairent. Le taro, les ignames et les

bananes ont déjà été apportés des terres; les enfants vont
et viennent, partent chercher de l'eau de mer, rapportent
des feuilles pour farcir le porc. Le soleil monte dans le
ciel, l'ombre devient plus dense sous les toits de chaume,
le sable brûle au toucher, les fleurs d'hibiscus se flétris-
sent sur les haies, les enfants répètent à leurs cadets :
« Ne reste pas au soleil ! » Certains reviennent déjà au
village; les femmes portent des corbeilles de coquillages
et de crustacés, les hommes, des noix de coco, dans des
paniers qu'ils tiennent au bout d'un bâton en équilibre
sur l'épaule. Femmes et enfants prennent leur premier
déjeuner qui sort tout chaud du four – si c'est jour de
cuisine – et les jeunes gens se hâtent, dans la chaleur
méridienne, de préparer le repas de midi pour leurs
aînés.

Le soleil est au zénith. Le sable brûle les pieds des
petits enfants. Ils abandonnent leur balle en feuille de
palmier, laissent se flétrir au soleil les couronnes qu'ils
ont faites en fleurs de frangipanier, et se glissent dans
l'ombre des cases. Les femmes, pour sortir, se font une
ombrelle d'une feuille de bananier, ou s'enroulent autour
de la tête des étoffes mouillées. On baisse quelques
stores, on se met la tête dans les draps, et l'on s'endort.
Seuls, probablement, quelques enfants intrépides s'échapperont pour aller nager dans l'ombre d'un gros rocher;
quelque femme laborieuse continuera de tisser; un petit
groupe de femmes se penchera anxieusement sur une de
leurs compagnes en travail. Le ciel est aveuglant, le
village est mort. Tout bruit résonne, étrangement fort et
insolite. Les mots doivent se frayer un chemin à travers le
bloc solide de la chaleur. Puis le soleil commence à
tomber, peu à peu, sur la mer.

De nouveau, les dormeurs s'éveillent, peut-être alertés
par le cri : « Un bateau ! » qui se répercute dans tout le
village. Les pêcheurs tirent leur pirogue à sec, épuisés de
chaleur, malgré le platras de chaux dont ils se sont enduit
le crâne, pour tenter à la fois de se rafraîchir la tête et de
se rougir les cheveux. Les poissons aux vives couleurs
sont disposés sur le sol ou laissés en tas devant les

maisons. Encore un instant et les femmes viendront les arroser d'eau pour les libérer du « tabou ». A regret les jeunes pêcheurs mettent de côté le « poisson tabou » qui doit être envoyé au chef. Mais, fièrement, ils garnissent de petits paniers en feuille de cocotier pour aller les offrir à leur belle. Des hommes reviennent de la brousse, sales, lourdement chargés, bruyants, au rythme de l'accueil sonore, allant crescendo, de ceux qui sont restés au village. Ils se rassemblent à la maison commune pour boire le kava du soir. Le son mat des mains qui battent, les intonations aiguës de l'orateur qui sert le kava retentissent par tout le village. Les filles cueillent des fleurs pour en faire des colliers; les enfants, ragaillardis par leur sieste, et n'ayant rien de particulier à faire, jouent en rond dans l'ombre claire de l'après-midi finissante. Enfin le soleil se couche; la montagne rougeoie d'une ultime flamme; le dernier baigneur remonte de la plage; des groupes d'enfants rejoignent le village et s'étirent, noires petites silhouettes se profilant sur le ciel. Dans les cases, des lumières brillent; chaque famille se rassemble pour le repas du soir. Le soupirant humblement présente son offrande. On a appelé les enfants et fait cesser les jeux bruyants. Peut-être y a-t-il un hôte à honorer : le premier, il doit être servi, après le chant doux, primitif, des hymnes chrétiens et la brève et gracieuse prière du soir. Devant une case, à l'autre bout du village, un père annonce à grands cris la naissance d'un fils. Dans certaines familles, on compte un absent. Dans d'autres, de jeunes fugitifs ont trouvé asile. Le calme de nouveau règne sur le village tandis que dînent d'abord le chef de famille, puis les femmes et les enfants et, en dernier, patients, les jeunes garçons.

Sitôt terminé le repas, on envoie se coucher vieillards et petits enfants. Si les jeunes ont des invités, le devant de la maison leur est abandonné. Car le jour, les vieillards peuvent tenir conseil et la jeunesse travailler, mais la nuit est le domaine de choses plus légères. Deux parents, ou un chef et son conseiller, vont s'asseoir à l'écart; ils bavardent des événements de la journée, font des projets pour le lendemain. Dehors, un crieur parcourt le village : le silo communal pour fruits à pain sera ouvert le lendemain matin, ou bien on organisera une pêche collective. S'il fait clair de lune, des groupes de jeunes hommes, des femmes par deux ou trois, se promènent par les cases, et des nuées d'enfants chassent des crabes de terre ou se poursuivent parmi les arbres à pain. La moitié du village ira peut-être pêcher à la torche, et le récif brasillera de lueurs vacillantes, retentira des cris de triomphe et de déception, de taquineries, ou des protestations étouffées de pudeurs outragées. Ou encore un groupe de jeunes dansera en l'honneur de quelque fille en visite. Beaucoup de ceux qui s'en étaient allés dormir, attirés par la musique joyeuse, s'enroulent dans leurs draps et se dirigent vers l'endroit où l'on danse. Une foule vêtue de blanc, une foule de fantômes, fait le cercle autour de la maison gaiement illuminée. De temps à autre un couple se détache pour aller se perdre sous les arbres. Certains soirs, le village ne s'endormira que longtemps après minuit. Enfin il ne restera plus que le doux grondement du récif et le murmure des amants, tandis que tout reposera jusqu'à l'aube.

CHAPITRE III

L'ÉDUCATION DE L'ENFANT AUX SAMOA

Aux Samoa, la naissance n'est pas un événement dont on fasse beaucoup de cas. Dans une famille de haut rang, cependant, la venue au monde d'un enfant est l'occasion d'une grande fête, où quantité de cadeaux sont échangés. Le premier enfant doit toujours naître dans le village de sa mère; si celle-ci est allée vivre ailleurs avec son mari, elle doit revenir dans sa propre famille pour la circonstance. Pendant plusieurs mois avant la naissance, la famille du père apporte des victuailles à la future mère, tandis que les parents de celle-ci s'affairent à confectionner la layette : tissu blanc d'écorce pour les vêtements et douzaines de minuscules nattes de pandanus. Lorsqu'elle rejoint la famille de ses parents, la future maman apporte des dons de nourriture; à son départ, on lui en donnera l'exact équivalent en nattes et tissu d'écorce, pour la famille de son mari. Au moment de la naissance, sa belle-mère ou sa belle-sœur doit être là pour s'occuper du nouveau-né; elle-même est soignée par la sage-femme et par ses propres parentes. L'accouchement n'est entouré d'aucune intimité. Les convenances exigent que la parturiente ne se laisse aller ni à se tordre dans les douleurs, ni à pousser des cris, pas davantage à protester contre la présence dans la maison de vingt à trente personnes, qui veillent toute la nuit s'il le faut, sans cesser de rire, jouer ou plaisanter. La sage-femme coupe le cordon ombilical avec un couteau neuf de bambou et tous, alors, attendent avec impatience la délivrance, qui doit donner le signal de la fête. Si l'enfant est une fille, on enterre le cordon sous un mûrier à papier (l'arbre qui fournit l'écorce pour les tissus) : on s'assure ainsi qu'elle grandira, travailleuse et adroite aux tâches du ménage; pour un garçon, il est jeté à la mer, s'il doit être habile pêcheur; ou enfoui sous un pied de taro, pour qu'il soit bon cultivateur. Puis les visiteurs s'en vont, la mère se lève et vaque à ses travaux quotidiens, et le nouveau-né cesse d'avoir grande importance pour qui que ce soit. Le jour, le mois même où il est né, sont oubliés. On remarque ses premiers pas ou ses premiers mots, mais sans exubérance ni solennité aucunes. Il a perdu toute importance cérémonielle et n'en retrouvera plus avant que sa puberté ne soit achevée; dans la plupart des villages samoans, on ignorera une fille, du point de vue cérémoniel, jusqu'à son mariage. La mère elle-même se souvient seulement que Losa est plus vieille que Tupu, et que Fale, le petit garçon de sa sœur, est plus jeune que Vigo, le fils de son frère. C'est l'âge relatif qui est important, puisque les aînés peuvent toujours donner des ordres aux cadets; plus tard, à l'âge adulte, les positions sociales bouleverseront ces conventions : on peut donc sans dommage oublier l'âge réel.

Les enfants sont toujours nourris au sein; dans les rares cas où le lait maternel fait défaut, on cherche une nourrice dans la famille. Dès la première semaine, on fait prendre au nourrisson d'autres aliments, papaye, lait de coco, jus de canne à sucre. Ces aliments sont mastiqués par la mère qui les introduit ensuite sur son doigt dans la bouche du bébé; s'ils sont liquides, on y trempe de l'étoffe d'écorce que l'on fait sucer à l'enfant, ainsi que procèdent les bergers avec les agneaux orphelins. On allaite les nourrissons chaque fois qu'ils pleurent et rien n'est tenté pour organiser un régime régulier. A moins qu'une femme ne se trouve de nouveau enceinte, elle nourrit son enfant jusqu'à ce qu'il ait deux ou trois ans : n'est-ce pas le moyen le plus simple pour l'empêcher de pleurer? Tant qu'ils sont au sein, les enfants dorment avec leur mère; une fois sevrés, ils sont remis aux soins de quelque

fillette de la famille. On les lave fréquemment avec le jus
d'une orange sauvage, et on les frotte d'huile de noix de
coco pour rendre leur peau luisante.

La nurse par excellence est habituellement une gamine
de six ou sept ans, qui n'a pas la force de soulever un
bébé de plus de six mois, mais qui peut le porter à
califourchon sur la hanche gauche ou sur les reins. Un
enfant de six à sept mois prend naturellement cette
position dès qu'on le soulève. Ces jeunes nurses n'encou-
ragent pas les enfants à marcher : elles savent bien qu'un
enfant qui sait marcher donne beaucoup plus de soucis.
Les premiers pas devancent les premiers mots, mais il est
impossible d'en fixer l'âge avec précision, bien que j'aie
vu marcher deux petits enfants qui, à ma connaissance,
avaient seulement neuf mois. Mon impression est que
l'âge moyen est d'environ un an. Toute l'activité de la
maison samoane se déroule sur le sol même, ce qui
encourage les petits à marcher à quatre pattes. C'est ainsi
qu'au-dessous de trois ou quatre ans, on verra les enfants
tout aussi bien marcher que se traîner à quatre pattes,
selon les circonstances.

Jusqu'à l'âge de quatre ou cinq ans, l'éducation des
enfants est extrêmement simple. Ils doivent être propres,
ce que ne facilite pas l'indifférence que l'on manifeste
habituellement à leur égard. Ils doivent apprendre à
rester assis ou à se traîner dans la maison, à ne jamais se
mettre debout sauf si c'est absolument nécessaire, à ne
jamais s'adresser debout à un adulte, à ne pas rester au
soleil, à ne pas emmêler les fibres du nattage, à ne pas
éparpiller le coprah étendu pour sécher, à faire au moins
semblant de garder leur petit pagne autour de leurs reins,
à traiter le feu et les couteaux avec les précautions
appropriées, à ne pas toucher au plat ni à la coupe de
kava, et, si leur père est chef, à ne pas aller à la maison
s'ébattre à l'endroit où il couche. L'enfant doit donc
simplement savoir « ce qu'il ne faut pas faire ». Il l'apprend au prix de quelques taloches, d'une quantité de cris
exaspérés, de remontrances inefficaces.

La punition s'abat généralement, non pas sur le délin-

quant, mais sur son aîné immédiat, celui qui a appris à
crier « ne reste pas au soleil », avant d'avoir pleinement
compris la nécessité d'en faire autant lui-même. Lorsque
garçons et filles atteignent seize ou dix-sept ans, ces
admonestations sont devenues partie intégrante de leur
conversation. Toutes les deux ou trois minutes, j'ai pu le
constater, ils s'interrompent machinalement, et une pluie
de « restez tranquilles », « taisez-vous », « ne faites pas ce
bruit », s'abat sur des petits qui, peut-être à ce moment précis, sont aussi sages qu'une rangée de souris effarouchées.
En fait, on demande constamment le silence, on l'obtient
rarement. Les jeunes nurses s'inquiètent beaucoup plus
d'avoir la paix que de former les caractères. Lorsqu'un
enfant commence à pleurer, on l'emmène assez loin
pour que les adultes ne puissent l'entendre. Aucune mère
ne se donnera la peine de faire l'éducation de son jeune enfant si elle peut le confier à quelque autre plus âgé que lui.

Si les Samoa étaient un pays de familles peu nombreuses, la moitié de la population, selon ce système d'éducation, serait soumise à la tyrannie et à l'égoïsme de l'autre.
Mais il se trouve que juste au moment où un enfant
devient insupportable, on lui en met un plus jeune sur les
bras. Et c'est ainsi – par cette responsabilité qui lui est imposée – que, le procédé se répétant, chaque jeune Samoan
acquiert les rudiments de l'art de vivre en commun.

Qu'un enfant pleure, et toute la famille s'irrite : il en
cuira à celle qui en a la charge. Elle le sait si bien qu'on la
verra, bien plus longtemps qu'il n'est nécessaire, céder en
tout à son petit tyran, de peur de quelque bruyante
colère. Des enfants de cinq ans obligent ainsi leurs aînés à
les faire participer à toutes les expéditions; il faudra les
porter; si l'on natte, ils viendront emmêler les fibres, si
l'on cuisine, ils déchireront les feuilles qui garnissent le
four, se barbouilleront de suie, et il n'y aura plus qu'à les
laver des pieds à la tête. Tout cela parce que les plus
grands sont tellement accoutumés à céder pour éviter
une crise de pleurs.

Céder, prier, cajoler, promettre, tout est bon pour
obtenir le silence. Cependant de telles méthodes n'ont

cours que dans le cadre de la maison ou de la famille, là
où les autorités dûment constituées punissent à coup sûr
la sœur ou la cousine aînée qui n'aurait pas su faire taire
les petits enfants. Mais ceux du voisin, ceux qui s'aventurent dans une foule, essuient eux-mêmes l'humeur de
leurs aînés et même des adultes. S'ils s'approchent, se
faufilent jusqu'au premier rang pour assister à quelque
spectacle où leur présence est indésirable, on les disperse
à grands coups de palmes, ou d'une volée de ces petits
cailloux dont le sol des cases fournit toujours une provision. Peine perdue d'ailleurs, ils ne se cramponnent que
davantage à leurs jeunes gardiens, indulgents et craintifs.
Sans doute est-ce un soulagement bien nécessaire de
chasser à coups de pierres les enfants du voisin, lorsqu'on
a passé tant d'heures à apaiser les bébés de sa propre
famille. En fait, ces mouvements de colère ne sont guère
que des gestes. Personne ne cherche, en leur jetant des
pierres, à atteindre vraiment les enfants; mais ceux-ci
semblent savoir qu'à renouveler trop fréquemment leurs
intrusions, les lois du hasard veulent qu'ils reçoivent un
jour sur la tête un morceau de corail. Il n'est pas
jusqu'aux chiens qui n'aient appris la part du geste dans
l'injonction samoane : « Fiche le camp d'ici! » Ils sortent
tranquillement, d'un côté pour rentrer de l'autre, tout
aussi dignes, comme si de rien n'était.

Une petite fille de six ou sept ans sait suffisamment
tout ce qu'il ne faut pas faire pour qu'on puisse lui confier
la garde d'un enfant plus jeune. Mais c'est aussi l'âge où
elle commence à savoir se servir de ses mains. Elle
apprend à fabriquer des balles dures en feuilles de
palmier. Elle en fait aussi des rosaces, à moins qu'elle
n'utilise la fleur de frangipanier. Sur ses petits pieds
souples, elle s'aventure à monter le long du tronc des
cocotiers. Pour ouvrir une noix de coco d'un coup net et
ferme, elle manie un coutelas aussi grand qu'elle. Elle
s'initie à toutes sortes de jeux collectifs et aux chansons
qui les accompagnent. A la maison elle se risque au
ménage, ramasse les détritus sur le sol de galets. Elle va
chercher de l'eau à la mer, étale le coprah pour qu'il

sèche, aide à le rentrer lorsque menace la pluie, roule les
feuilles de pandanus que l'on tressera. Elle court chez le
voisin demander un tison pour allumer la pipe du chef,
ou le feu de la cuisine. Et ce n'est pas sans tact qu'elle sait
maintenant mendier quelque menue faveur dans la maisonnée.

Mais ce ne sont là, pour une petite fille, que tâches
accessoires : son affaire est, avant tout, de s'occuper des
tout petits. Les jeunes garçons, eux aussi, doivent surveiller leurs cadets, mais dès huit ou neuf ans, ils en sont
habituellement dispensés. S'il reste alors quelques angles
à arrondir, le contact de leurs aînés y suffira. Ils ne sont
admis, en effet, à participer aux activités de quelque
importance ou de quelque intérêt que s'ils savent à la fois
garder leur place et se montrer serviables. Alors que l'on
écarte les petites filles, non sans brusquerie, on tolère
patiemment la présence de garçonnets qui parviennent
ainsi à se rendre utiles. Un « grand » va-t-il prendre au
nœud coulant des anguilles sur le récif ? Il y a bien quatre
ou cinq petits garçons pour vouloir l'aider dans cette
importante besogne. Ils savent alors s'organiser en une
équipe fort efficace ; l'un porte l'appât, un second un
nœud coulant de secours, d'autres sondent activement les
trous de rocher pour en déloger les anguilles, un dernier
garde précieusement les prises dans son *lavalava*. Les
fillettes, elles, n'ont que peu l'occasion de s'initier aux
travaux ou aux jeux où entre quelque esprit d'aventure.
Découragées par l'hostilité des petits garçons et le mépris
des plus grands, elles ont surtout à porter un lourd bébé,
ou à surveiller des pas trop mal assurés encore pour se
risquer sur le récif. Aussi leur éducation est-elle moins
complète. Certes, elles ont un sens élevé de leur responsabilité personnelle, mais la communauté ne leur enseigne pas à coopérer les unes avec les autres. Il y paraît
surtout dans les activités des jeunes : alors que les garçons s'organisent rapidement, les filles passent des heures à se chamailler.

Comme, d'autre part, une femme qui veut aller à la
pêche, ne peut le faire qu'en confiant les jeunes enfants

aux petites filles de la maison, celles-ci ne peuvent accompagner leur mère ou leur tante. Aussi apprennent-elles les rudiments de la pêche sur le récif beaucoup plus tard que les garçons. Elles sont enchaînées à leurs tâches de bonnes d'enfants ou de petits trottins jusqu'à ce qu'elles soient assez âgées et assez robustes pour travailler aux plantations et rapporter au village les paniers de nourriture.

Ces travaux plus ardus leur échoient à l'approche de la puberté. Mais c'est moins leur maturité physique qui est en cause que leur taille, leur force et leur sens de la responsabilité. Sans doute avaient-elles déjà accompagné aux plantations les membres plus âgés de la famille, s'ils consentaient à y emmener les tout petits. Mais, une fois arrivées, tandis que leurs frères et leurs cousins récoltaient les noix de coco et vagabondaient joyeusement par la brousse, il leur fallait rester près des marmots, les rattraper, les surveiller, les consoler.

Dès qu'une fille est assez robuste pour porter de lourdes charges, c'est l'intérêt de la famille de confier les tout petits à ses cadettes et de dispenser l'adolescente de cette tâche. Ainsi s'achève, il faut le reconnaître, la période la moins agréable de sa vie. Plus jamais elle ne sera continuellement soumise, comme elle l'était, aux moindres volontés de ses aînés et à la tyrannie des petits. Tous les tracas du train-train quotidien, que l'on accuse chez nous de déformer l'esprit et d'aigrir l'humeur des femmes, ce sont, aux Samoa, des fillettes de moins de quatorze ans qui les subissent. Du matin au soir, ce ne sont que feux, pipes ou lampes à allumer, boissons à servir, bébés qui pleurent, commissions à faire pour quelque adulte exigeant. Depuis qu'ont été fondées les écoles gouvernementales, ces enfants sont absentes de la maison la plus grande partie de la journée, pendant plusieurs mois par an. Les familles autochtones en sont toutes désorganisées : les mères doivent apprendre à rester à la maison et s'occuper de leurs propres enfants, chaque adulte à participer aux mille petites tâches de la vie quotidienne.

Au moment où elles cessent d'être astreintes à la garde des petits enfants, les fillettes n'ont que des connaissances pratiques fort limitées. Certaines savent déjà, pour la cuisine, peler les bananes, râper les noix de coco et gratter le taro. Quelques-unes peuvent tresser un panier tout simple, mais il leur faut maintenant apprendre à tresser elles-mêmes tous les paniers nécessaires pour rapporter les provisions. Elles doivent aussi savoir choisir les jeunes feuilles de taro bonnes à cuire et n'arracher que les pieds d'un certain âge dont les tubercules peuvent être récoltés. Elles doivent encore savoir faire le *palusami* : râper l'amande de coco, sécher cette pulpe sur des pierres chauffées, la délayer dans de l'eau de la mer, la passer au tamis, puis verser ce mélange laiteux dans un petit récipient fait de feuilles de taro, dont on a au préalable brûlé la queue trop odorante, envelopper le tout solidement dans une feuille d'arbre à pain, qui ne doit pas se défaire à la cuisson. Puis elles apprennent comment coudre un gros poisson dans une feuille de palmier, comment en enrouler plusieurs petits dans une feuille d'arbre à pain, comment reconnaître les feuilles dont on farcit le porc, quand retirer du four de pierres chaudes les mets qui lui ont été confiés. Théoriquement, ce sont les garçons qui font le plus gros de la cuisine, et s'il arrive qu'une fille doive s'en charger, cela se remarque : «Pauvre Losa, dit-on, il n'y a pas de garçons chez elle, et c'est toujours elle qui doit faire le four. » En vérité, les filles sont toujours là pour aider, et font souvent une grande partie du travail.

Maintenant que les filles peuvent se consacrer à des activités suivies, on les envoie participer à des expéditions de pêche. Elles apprennent à tresser les nasses à poisson, à préparer les fascines pour la pêche au flambeau, à taquiner les pieuvres pour qu'elles sortent de leur trou et viennent monter docilement sur le bâton qu'on leur tend (que l'on nomme fort à propos le « bâton à aguicher »), à enfiler les grandes méduses roses (que l'on appelle *lole*, nom que les enfants donnent aussi aux bonbons) sur une longue corde en écorce d'hibiscus terminée par une nervure de palmier en guise d'aiguille. Elles doivent savoir reconnaître le bon poisson du mauvais, les poissons de saison de ceux qui sont dangereux à certaines périodes de l'année. Il leur faut apprendre encore que cela porte malheur au pêcheur de prendre deux pieuvres s'il les trouve accouplées sur un rocher.

Des plantes et des arbres, elles ne connaissent jusqu'ici que ce qui sert leurs jeux; avec des graines de pandanus, elles font des colliers, des balles avec les feuilles de cocotier; une feuille de bananier fournit une ombrelle; une demi-feuille, déchirée en languettes, un « tour de cou »; une coquille de coco, coupée en deux, fera une paire de hauts sabots que l'on attachera avec des tresses de fibres de coco; les fleurs du *pua* seront cousues en magnifiques colliers. Mais maintenant il faut apprendre à reconnaître ces mêmes arbres, ces mêmes plantes, à des fins plus utiles : il faut savoir quand les feuilles de pandanus sont bonnes à cueillir, comment les couper d'une main ferme et rapide, comment encore distinguer entre les trois espèces de pandanus, dont chacune fournit des nattes différentes. Ces jolies graines orangées, qui faisaient des colliers ravissants et comestibles à la fois, doivent devenir maintenant de petits pinceaux pour orner l'étoffe d'écorce. Les feuilles de bananier viennent garnir les plateaux de vannerie, envelopper les mets sucrés que l'on cuit au four, tapisser le four lui-même. L'écorce de bananier ne peut être détachée qu'au bon endroit si elle doit fournir ces bandes unies, noires et souples, dont on décore nattes et paniers. Parmi les bananes elles-mêmes, il faut pouvoir distinguer celles à mettre à silo, celles, croissants d'or, qui se mangent sans attendre, celles encore que l'on séchera au soleil avant d'en fourrer les gâteaux de fruits. Quant à l'écorce d'hibiscus, il n'est plus question de l'arracher à tort et à travers et d'en faire la cordelette d'une poignée de coquillages : il faut aller maintenant loin dans les terres pour trouver celle qui est convenable au nattage.

A la maison, notre jeune Samoane va surtout apprendre les mille et une façons de tresser et natter. Dans un premier stade, elle utilisera la feuille de cocotier, dont la nervure centrale servira de bord au panier ou à la natte projetée. Pour faire un panier, par exemple, avec une demi-palme, elle recourbera la nervure (qui en sera le bord rigide) et entrelacera les folioles pour faire un fond solide. Elle apprend ensuite à tresser les stores que l'on suspend entre les poteaux de la case, en posant deux moitiés de feuilles l'une sur l'autre et en entrelaçant les extrémités ensemble. Plus difficiles à faire sont les nattes que l'on tresse avec quatre grandes palmes, et les assiettes, aux motifs compliqués. Il faut aussi fabriquer des éventails : elle apprend rapidement à faire les plus simples, tressés à deux brins, mais les entrelacs élaborés restent l'apanage des femmes plus âgées et plus expertes. C'est habituellement l'une de ces dernières qui, au sein de la famille, instruit la fillette et veille à ce qu'elle exécute au moins un travail de chaque sorte. Mais on ne lui demande de produire en quantités que les objets les plus simples, des stores par exemple. En pandanus, elle apprend aussi à tresser les nattes ordinaires et certaines nattes de couchage un peu plus compliquées. Puis, à treize ou quatorze ans, elle commence sa première natte fine. La natte fine représente le sommet de la virtuosité samoane dans l'art du nattage. On prend du pandanus de la meilleure qualité, on le fait tremper et passer au four, puis on le racle jusqu'à ce qu'il soit d'un blanc doré et mince comme du papier, en lanières d'un millimètre et demi de large. Il faut un an ou deux pour faire ces nattes fines qui sont aussi douces et aussi souples que de la toile de lin. La natte fine est, aux Samoa, l'unité de valeur : la dot de la mariée en comporte obligatoirement une ou plusieurs. Une fille termine rarement sa première natte fine avant d'avoir dix-neuf ou vingt ans. Mais l'essentiel est de l'avoir commencée. Enveloppée dans une natte de facture plus grossière, elle est rangée sur un des chevrons du toit et porte témoignage de la diligence et de la dextérité de la jeune artisane. Celle-ci apprend enfin les rudiments de la fabrication de l'étoffe d'écorce : elle peut choisir et couper les baguettes de mûrier à papier, en peler l'écorce, la battre après qu'elle a été passée au racloir par des mains plus habiles. La décoration même de l'étoffe, à la main ou avec l'aide d'une matrice, est laissée aux soins d'adultes plus expertes.

Au cours de cette période d'éducation plus ou moins systématique, la fillette s'applique à se tenir dans un juste milieu : il ne convient pas qu'elle ait la réputation de savoir le strict nécessaire, mais il lui faut se garder d'une virtuosité qui exigerait trop d'elle. Une fille se mariera beaucoup plus difficilement s'il s'ébruite dans le village qu'elle est paresseuse et inapte aux tâches du ménage. Mais lorsqu'elle a acquis ces premiers rudiments, elle s'en tient là pendant trois ou quatre ans. Elle fait de la vannerie courante, surtout des stores et des paniers. Elle aide aux plantations et à la cuisine, elle tresse quelques centimètres de sa natte fine. Mais à quoi bon essayer de mieux faire ? A cela elle répond, comme pour le reste : « *Laititi a'u* » (« Je suis bien jeune encore »). Ce qui l'intéresse vraiment, ce sont les amours clandestines. Pour ce qui est du travail, elle se limite aux besognes courantes.

Il en est de même, dans une certaine mesure, pour son frère, bien qu'à dix-sept ans, il ne soit pas autant livré à lui-même. Il a déjà appris les rudiments de la pêche, il sait passer le récif en pirogue ou tenir la pagaie de queue sur une pirogue de pêche à la bonite. Il sait planter le taro et repiquer les plants de cocotier, décortiquer les noix de coco sur un piquet, et en détacher l'amande d'un tour rapide de son couteau. Mais surtout, à dix-sept ou dix-huit ans, il entre obligatoirement dans l'*Aumaga*, cette société qui groupe les jeunes hommes et les adultes sans titres, et qu'on appelle, non par emphase mais parce qu'elle l'est en fait, « la force du village ». Là, tout le pousse à aller de l'avant : l'émulation, le précepte et l'exemple. Les chefs qui surveillent les activités de l'*Aumaga* sont aussi sévères pour les relâchements que pour la précocité excessive. Le prestige du groupe est continuellement mis à l'épreuve par l'*Aumaga* des villages voisins. A l'intérieur du groupe, on ridiculise et on persécute le jeune homme qui s'abstient de participer aux activités communes : travaux sur les plantations du village, pêche, cuisine des chefs, visites cérémonielles à quelque jeune fille de passage. Non seulement il est plus poussé à apprendre que sa sœur, mais des occupations plus nombreuses lui sont offertes. Les femmes ne se spécialisent pas, si ce n'est en matière de médecine et d'accouchements. C'est là d'ailleurs l'apanage des très vieilles femmes qui transmettent leur art à leurs filles et à leurs nièces lorsque celles-ci ont déjà un certain âge. La seule autre profession féminine est celle d'épouse d'orateur officiel; mais aucune jeune fille ne se préparera à ce genre de mariage qui demande des connaissances particulières, car elle n'est jamais sûre d'épouser un homme de ce rang.

Il en est autrement pour le garçon. Il espère être un jour *matai* et faire alors partie de l'assemblée des nota-

Fig. 15.
Technique d'une couverture de toit aux Samoa.

bles, le *Fono*. Alors il aura le droit de boire le kava avec les chefs, de travailler avec eux plutôt qu'avec les jeunes gens, de s'asseoir à l'intérieur du *Fono*, même si son nouveau titre n'est que du rang « entre les poteaux » et pas assez élevé pour lui donner droit de s'adosser. Il est très rare cependant qu'il soit assuré d'être *matai*. Chaque famille détient plusieurs de ces titres qu'elle confère à ceux de ses jeunes hommes qui offrent le plus de promesses. Il a beaucoup de rivaux, qui appartiennent aussi à l'*Aumaga*. Sans cesse, il doit se mesurer avec eux dans les activités du groupe. Il est nécessaire, d'autre part, qu'il se spécialise : il lui faut devenir constructeur de cases, pêcheur, orateur ou sculpteur sur bois. Sa compétence technique doit le distinguer quelque peu des autres. Pêcheur, un exploit trouve sa récompense immédiate sous la forme de dons de nourriture qu'il peut offrir à sa belle, sans quoi ses avances seraient repoussées. Celui qui est habile à construire les cases sera riche et considéré; car un charpentier compétent doit être traité avec autant de politesse qu'un chef et l'on doit employer à son adresse le langage des chefs et tout le vocabulaire honorifique qui est dû aux gens de rang. En même temps, il est indispensable que le jeune homme ne se montre pas trop efficace, ne se fasse pas trop remarquer, ne soit pas trop précoce. Il ne doit surpasser que de peu les jeunes gens de son âge. Il doit éviter de susciter leur jalousie. Il doit savoir que ses aînés sont beaucoup plus disposés à encourager et excuser la paresse qu'à pardonner à la précocité. Mais aussi, comme sa sœur, il répugne aux responsabilités. S'il l'emporte sur ses rivaux, avec discrétion, il a de bonnes chances de devenir chef. S'il est suffisamment doué, le *Fono* lui-même délibérera peut-être et cherchera un titre vacant à lui conférer pour qu'il puisse venir s'asseoir parmi les vieillards et apprendre la sagesse. Les jeunes, cependant, boudent un tel honneur; aussi les prévient-on : « Si le jeune homme s'enfuit, il ne sera jamais chef, et toujours il devra rester dehors avec les jeunes gens, préparer et servir la nourriture des *matais* et ne jamais s'asseoir près d'eux au *Fono*. » Mais il est encore plus probable que, doué comme il l'est, ce sera le groupe familial auquel il appartient qui lui décernera un titre de *matai*. Et *matai*, il veut l'être, un jour, mais plus tard, lorsque ses membres auront perdu un peu de leur souplesse, et son cœur le goût de la danse et du rire. Un chef de vingt-sept ans m'a dit une fois : « Je suis chef seulement depuis quatre ans, et voyez : mes cheveux sont gris, bien qu'aux Samoa les cheveux gris ne viennent que tard et non dès la jeunesse comme chez les Blancs. Mais il me faut toujours me conduire comme si j'étais vieux. Mon pas doit être grave et mesuré. Je ne puis danser que dans les occasions les plus solennelles, et je ne dois pas partager les jeux des jeunes hommes. Mes compagnons sont des vieillards de soixante ans, qui guettent mes moindres paroles, à l'affût d'une faute. Ils sont trente et un dans ma maisonnée, dont je suis le chef. Pour eux, je dois prévoir, trouver nourriture et vêtements, apaiser les disputes, arranger les mariages. Pas un qui ose me quereller ou même m'appeler par mon prénom. C'est dur d'être si jeune et cependant d'être chef. » Et les vieillards de branler la tête et de trouver, eux aussi, qu'il n'est pas bienséant d'être chef si jeune.

Il est un autre frein à l'ambition naturelle : le jeune homme qui devient *matai* ne sera pas le plus grand parmi ses anciens compagnons, mais le plus novice et le plus jeune des membres du *Fono*. Car il ne peut plus frayer familièrement avec les premiers : un *matai* se doit de ne fréquenter que des *matais*, de travailler avec eux dans la brousse, et, la fin du jour venue, de s'asseoir et parler avec eux calmement.

Ainsi le garçon se trouve enfermé dans un dilemme bien plus embarrassant que celui des filles. Il répugne à toute responsabilité, mais il veut percer parmi son groupe; ses talents hâteront le jour où il deviendra chef; il est blâmé et ridiculisé s'il relâche son effort, tout en étant réprimandé s'il progresse trop rapidement. Cependant, pour réussir en amour, il doit se distinguer de ses camarades, et, réciproquement, ses exploits amoureux augmentent son prestige social.

En somme, tandis que la fille se contente d'acquérir et de faire ce qui est strictement nécessaire, le garçon, lui, est toujours stimulé vers de nouveaux efforts. Un garçon évite une fille dont la réputation est de ne rien savoir faire : il a peur d'être amené à vouloir l'épouser, décision des plus imprudentes qui entraînerait des chamailleries sans fin avec sa famille. La fille n'aura d'autre ressource que de prendre des amants d'occasion, des blasés, des hommes mariés, qui n'auront plus peur d'être trahis par leurs sens, et entraînés dans un mariage imprudent.

Il est vrai que la jeune fille de dix-sept ans ne désire pas se marier – pas encore du moins. Ne vaut-il pas mieux vivre sans responsabilité, et profiter de la possibilité de varier ses expériences sentimentales? C'est la meilleure période de sa vie. Il y a autant de cadets qu'elle peut régenter que d'aînés qui ont le droit de la tyranniser. Ce qu'elle perd en prestige, elle le gagne en liberté. Elle ne s'occupe plus beaucoup des petits enfants. Le peu qu'elle tresse ne lui fait pas mal aux yeux, et elle n'attrapera pas de courbatures à se pencher des journées entières sur la planche à *tapa*. Les longues expéditions de pêche et de cueillette sont d'excellentes occasions de rendez-vous. Compétence et talent signifieraient pour elle : travailler davantage, passer plus de temps à la maison, et se marier plus tôt. Or le mariage est la chose inévitable qu'il convient de remettre au plus tard possible.

CHAPITRE IV

LA FAMILLE SAMOANE

Un village samoan se compose de quelque trente à quarante familles; à la tête de chacune se trouve un *matai* qui porte ou le titre de chef ou celui de « chef de la parole » ou « orateur » – c'est-à-dire harangueur officiel, porte-parole et ambassadeur du chef. Dans chaque assemblée de village, chaque *matai* à sa place attribuée. Il y représente tous les membres de sa famille et est responsable de chacun d'eux. La « maisonnée » comprend tous les individus qui vivent pendant un laps de temps quelconque sous l'autorité et la protection d'un même *matai*. Sa composition varie de la simple famille biologique, parents et enfants, au groupe familial de quinze à vingt personnes, toutes apparentées au *matai* ou à son épouse par les liens du sang, du mariage ou de l'adoption, sans être toujours de proches parents. Les membres adoptifs d'une famille sont habituellement des parents éloignés, encore ne le sont-ils pas nécessairement.

Les veufs et les veuves, surtout lorsqu'ils n'ont pas d'enfants, retournent d'ordinaire chez des parents du même sang, tandis qu'un ménage pourra aller vivre dans la famille de l'un ou de l'autre époux. Une telle maisonnée n'est pas obligatoirement concentrée sous un même toit. Elle peut être dispersée, dans un même village, entre trois ou quatre cases. Mais c'est une cellule strictement locale et aucune personne vivant d'une façon permanente dans un autre village ne peut être comptée comme l'un de ses membres. C'est aussi une cellule économique, car tous travaillent dans les plantations sous la direction du *matai* qui, en retour, pourvoit à la vie matérielle de chacun.

Au sein de la famille elle-même, c'est à l'âge plus qu'au degré de parenté que s'attache l'autorité. Le *matai* jouit d'une autorité nominale, et habituellement effective, sur tout individu se trouvant sous sa protection, même sur son père et sa mère. Sans doute ce pouvoir s'exerce-t-il avec des nuances selon la personnalité de chacun, mais il est reconnu par tous. Le dernier-né est soumis à l'autorité de tous les autres membres de la famille, et sa position ne s'améliore qu'avec l'entrée en scène d'un enfant plus jeune que lui. Dans la plupart des familles, cependant, personne ne reste longtemps le plus jeune. Des nièces, des neveux ou des cousins sans ressources viennent grossir les rangs. Lorsqu'elle atteint l'adolescence, une fille se trouve avoir autant de cadets et de cadettes pour lui obéir que d'individus à qui elle doit obéissance. A l'âge où sa personnalité et sa compétence s'affirment, cette même fille risquerait, dans une organisation familiale différente, de se rebeller, tout au moins de ronger impatiemment son frein. Ici, son besoin grandissant d'autorité peut se donner libre cours.

Le processus se poursuit de façon parfaitement régulière. Le mariage n'y apporte pratiquement pas de changement, si ce n'est que les enfants qui en seront issus viendront, comme il se doit, s'ajouter au nombre des subordonnés de bonne volonté. Mais les filles qui, passé vingt ans, ne sont pas encore mariées, n'ont pas droit à moins de considération ni de responsabilité que leurs sœurs en puissance d'époux. Cette primauté de l'âge sur l'état de mariage se retrouve dans la vie communale : les épouses d'hommes sans titre et toutes les filles pubères ne forment qu'un seul groupe dans l'organisation cérémonielle du village.

La vie de l'enfant dépend de tous ceux qui ont un lien de parenté avec lui, même s'ils n'habitent pas sous le même toit. Tout parent plus âgé a le droit d'exiger un service personnel, de critiquer sa conduite, de se mêler de ses affaires. Ainsi une fillette, qui s'échappe un instant pour aller se baigner à la plage, n'est pas vraiment libre : qu'elle rencontre une cousine qui soit son aînée, et il lui faudra laver, s'occuper d'un bébé, trouver une noix de coco pour nettoyer des vêtements. La vie quotidienne est faite de cet esclavage continuel. Si nombreux sont ceux qui ont le droit d'exiger d'elle quelque service qu'il lui est bien difficile de se soustraire, même pour une heure, à toute surveillance.

Mais ces exigences ne vont pas sans contrepartie. A l'intérieur de ce groupe aux limites élastiques, un enfant de trois ans peut évoluer en toute sécurité. Il y trouvera toujours de quoi calmer sa faim ou sa soif, un drap pour s'envelopper s'il a sommeil, une main compatissante pour sécher quelques larmes ou soigner ses blessures. Si, le soir, un petit manque à l'appel, on le cherchera simplement « dans la famille ». Si une mère est allée travailler à la plantation, on se passe son bébé de main en main d'un bout à l'autre du village.

Il est peu d'exceptions à la hiérarchie de l'âge. Dans chaque village, cependant, un ou deux chefs de haut rang possèdent héréditairement le droit de nommer *taupo* une fille de leur famille. La *taupo* est, en quelque sorte, la princesse cérémonielle de la maison. La fille qui devient *taupo* à quinze ou seize ans ne fait plus partie désormais de son groupe d'âge; elle est parfois enlevée à ses parents immédiats; elle s'entoure d'un halo de prestige. Les femmes du village, bien que plus âgées, lui accordent des titres de courtoisie. Sa proche famille exploite souvent sa position à des fins personnelles, mais ne manque pas de répondre à ses moindres désirs. Mais comme il n'y a que deux ou trois *taupo* par village, ces cas singuliers ne font guère que confirmer la règle générale, et la condition des autres jeunes filles n'en est en rien modifiée.

Si l'exercice de l'autorité se trouve ainsi partagé entre une foule d'individus, il s'accompagne toujours du respect de la personnalité de chacun, et l'on veille à ne pas abuser des droits que donnent les liens de parenté. Le

nombre même de ceux au bon plaisir desquels une
fillette est soumise, est, pour elle, une sauvegarde; qu'on
la harcèle un peu trop, elle a toujours la ressource d'aller
vivre chez quelque parent plus accommodant. Elle a
classé dans son esprit les différentes familles où elle peut
trouver refuge. Dans l'une il y a plus de travail, dans
l'autre la surveillance est moins sévère, ici l'on se fait
gronder moins souvent, là il y a de nombreuses filles de
son âge, ailleurs il n'y a que quelques bébés, dans une
autre encore la nourriture est meilleure. Aussi les enfants
ont-ils sans cesse l'essai de nouvelles résidences éventuel-
les, ce qui est facile sous le prétexte de visites, et sans
donner l'éveil. Cette possibilité qu'ils ont d'aller vivre
ailleurs, atténue en eux le sentiment de subordination
tandis qu'elle incite leurs aînés à assouplir la discipline
dès que surgit le moindre conflit à la maison. Aucun enfant samoan, excepté la *taupo* ou le délinquant consommé,
n'a jamais l'impression d'être dans une situation sans
issue. Il y a toujours des parents chez lesquels se réfugier.
C'est d'ailleurs ce que répond invariablement un Samoan
quand il se trouve confronté avec une difficulté d'ordre
familial : « Mais elle ira chez quelqu'un d'*autre* de la
famille. » Et, en principe, la famille est inépuisable. Une
fille qui, le matin, a reçu de son père une sévère correction, on la retrouvera, le soir, hautaine, dans l'asile
inviolable d'une autre maisonnée, à moins de cent mètres
de chez elle. Ce système de refuge chez des consanguins
fait tellement partie des mœurs qu'on verra un homme
sans titre, ou de rang peu élevé, affronter sans crainte le
parent de haute noblesse qui vient réclamer son enfant
fugitif. Non sans grandes manifestations de politesse et
paroles conciliantes, il priera son noble chef de s'en
retourner à sa noble demeure et d'y attendre tranquillement que s'apaise sa noble colère contre sa noble fille.

Au sein de la famille samoane, les rapports (1) qui ont
le plus d'influence sur la vie des jeunes sont ceux entre
garçons et filles qui s'appellent « frère » et « sœur » —

_____

(1) Voir Appendice I, p. 565.

qu'ils le soient par parenté naturelle, mariage ou adoption – et ceux qu'impose la différence d'âge. Un code
rigoureux réglemente les rapports entre membres d'une
même famille, de sexes opposés. Une fois atteint l'âge de
discernement – neuf ou dix ans dans ce cas – ils n'ont pas
le droit de se toucher, de s'asseoir côte à côte, de manger
ensemble, de se parler sur un ton familier ou de mentionner en présence l'un de l'autre un sujet immodeste. Ils ne
peuvent rester ensemble dans une même maison, sauf la
leur, s'il ne s'y trouve la moitié du village. Ils ne peuvent
pas non plus se promener ensemble, s'emprunter des
objets personnels, danser au même endroit ou prendre
part aux activités du même groupe. Ces interdits s'appliquent à tous les individus de sexe opposé qui ont jusqu'à
cinq ans de plus ou de moins l'un que l'autre, et qui ont
été élevés ensemble ou sont apparentés d'une façon
quelconque. Ils sont observés dès le moment qu'un
des deux enfants se sent « confus » au seul toucher de
l'autre; ils continuent de l'être jusqu'à ce que, vieillards
édentés et décrépits, il ne se sentent plus « confus » lorsqu'ils s'assoient l'un près de l'autre sur la même natte.

Un sentiment aussi puissant s'attache aux rapports avec
les *tei*, c'est-à-dire les jeunes membres de la famille. Son
premier enthousiasme maternel, une femme ne l'éprouve
jamais pour ses propres enfants, mais pour quelque jeune
parent. Le terme *tei* est d'ailleurs surtout employé par les
filles et les femmes, longtemps encore après qu'elles-
mêmes, et les cadettes auxquelles il s'applique, sont
devenues adultes. De son côté, l'enfant dirige ses affections vers quelque autre plus jeune que lui sans manifester d'ardeur excessive à l'égard de ses propres aînés
nourriciers.

Le terme *aiga* s'emploie pour désigner généralement
tous rapports de parenté – consanguine, d'affinité ou
d'adoption – et ne semble pas avoir moins de poids dans
un cas que dans les autres. On ne tient compte de la
parenté par alliance qu'autant qu'un mariage lie effectivement les deux groupes familiaux. S'il est rompu d'une
façon ou d'une autre, par abandon, divorce ou décès, les

Fig. 16.
Costume de danse de la taupo.

rapports de parenté disparaissent du même coup et des mariages peuvent intervenir librement entre les deux familles. Si, du mariage, sont nés des enfants, ces dernières restent apparentées l'une à l'autre tant qu'ils survivent; car chaque fois qu'il conviendra de faire des dons au nom de l'un des enfants, la famille du père et celle de la mère devront chacune contribuer pour sa part.

Etre apparenté à une personne, c'est avoir sur elle une multitude de droits, et vis-à-vis d'elle d'aussi nombreuses obligations. A un parent l'on peut réclamer nourriture, vêtements, toit, aide dans une querelle. S'il refuse, il est désormais marqué comme un être mesquin, dépourvu de toute humanité – dans une société où la bonté est la plus estimée des vertus. Il n'y a pas de remboursement précis sur le moment même, sauf dans le cas de la nourriture distribuée à tous ceux qui collaborent aux entreprises familiales. Mais on tient soigneusement compte de la valeur de ce qui est donné, ou du service rendu, et l'on saisira la première occasion pour se faire payer de retour. Néanmoins, les deux actes sont théoriquement considérés comme distincts; chacun, à son tour, s'adresse à la générosité de l'autre; chacun à son tour « mendie ». Autrefois le quémandeur mettait une ceinture spéciale pour suggérer discrètement l'objet de sa visite. Voici, selon les paroles mêmes d'un vieux chef, comment se comportait un solliciteur : « Il vient tôt le matin, entre humblement et s'assied au fond, loin de la place d'honneur. Vous lui dites : "Ainsi tu es arrivé, sois le bienvenu!", et il répond : " Je suis venu en effet, sauf votre noble respect. " Alors vous lui dites : " As-tu soif? Hélas pour toi, il n'y a pas grand-chose de bon à la maison. " Il répond : " Merci, cela ne fait rien, car vraiment je n'ai pas faim ni ne veux boire. " Et vous restez là, assis tous les deux, sans parler du motif de sa visite. Toute la journée, avec le plus grand soin, il balaie les cendres de l'âtre, tâche vile et sale. Si quelqu'un doit partir dans les terres pour chercher de quoi manger à la plantation, il est le premier à offrir de l'accompagner. S'il manque un homme dans une pirogue pour aller à la pêche, il se dit trop heureux de combler le vide, bien que le soleil soit chaud, et qu'il ait déjà fait une longue route. Et, tout le jour, vous vous interrogez : " Qu'est-il donc bien venu demander ? Est-ce ce gros porc qu'il désire, ou peut-être a-t-il entendu dire que ma fille vient de terminer une belle et grande pièce de *tapa* ? Ne serait-ce pas une bonne chose de faire cadeau de ce *tapa* – comme j'en avais peut-être l'intention – à mon chef-orateur, de le lui envoyer maintenant, de façon à pouvoir le refuser à cet homme de bonne foi ?" Et l'autre reste là, surveille votre visage, et se demande si vous répondrez à sa requête. Il joue avec les enfants, mais refuse le collier de fleurs qu'ils ont fait pour lui, et le donne à votre fille. Finalement la nuit tombe. Il est l'heure de dormir, et il n'a pas encore parlé. Alors vous lui dites : " Voilà, je vais dormir. Veux-tu dormir aussi, ou veux-tu retourner là d'où tu es venu ? " Et c'est seulement alors qu'il parle et vous dit ce que désire son cœur. »

Ainsi les intrigues, les besoins, les obligations du vaste groupe familial dont le fil traverse, en un chemin soigneusement repéré, maintes maisons et maints villages, interviennent-ils dans la vie de chaque maisonnée. Un jour ce sont les parents de l'épouse qui arrivent pour passer un mois, ou emprunter une natte fine ; le lendemain ce sont ceux du mari ; un autre jour une nièce, dont on apprécie le travail, retourne chez elle parce que son père est malade. Il est très rare que tous les enfants d'une famille biologique, même les plus jeunes, vivent sous un même toit. Sans doute, dans la vie quotidienne, la maisonnée qui les a accueillis passe-t-elle avant tout ; mais que leur plus proche parent soit malade ou ait besoin d'eux, ils retourneront près de lui.

Les obligations générales, ou d'autres, de caractère particulier – comme celles, traditionnelles, qu'impose un mariage ou une naissance – découlent uniquement des relations de parenté. La maisonnée n'entre pas en ligne de compte. Mais un mariage qui dure de nombreuses années rapproche si étroitement les groupes familiaux du mari et de la femme qu'on a l'impression d'une seule cellule familiale qui, apparemment, apporte aux parents

de l'un et de l'autre l'assistance nécessaire. Dans les
familles de haut rang, néanmoins, le côté féminin a la
priorité dans les décisions, et fournit également la *taupo*,
princesse de la maison, tandis que les titres se transmettent en lignée masculine : aussi les rapports de parenté
par le sang continuent-ils d'avoir une grande importance
pratique. Ils la perdent d'ailleurs, au niveau de la maisonnée, de composition moins stricte, fondée à la fois sur les
liens de parenté naturelle, d'alliance ou d'adoption, auxquels s'ajoutent ceux que forge la nécessaire solidarité
imposée quotidiennement par les exigences de la vie
matérielle.

En principe, le *matai* est dispensé de l'accomplissement
des petites tâches domestiques, mais en réalité, il en va
rarement ainsi, à moins qu'il ne s'agisse d'un chef de haut
rang. Il tient le premier rôle, cependant, dans toutes les
activités importantes. Il apprête le porc pour le repas de
fête, débite les noix de coco que garçons et femmes ont
rassemblées. La préparation de la nourriture incombe
aux hommes comme aux femmes, mais le gros du travail
est assuré par les garçons et les jeunes hommes. Les
vieillards filent et tressent la fibre de cocotier pour faire
de la ficelle, qui sert pour les lignes et filets, ainsi qu'à
assembler les différentes parties des pirogues, ou des
cases. Le tressage et la fabrication du tissu d'écorce
reviennent en majeure partie aux femmes âgées. Les
vieillards des deux sexes surveillent les jeunes enfants
restés à la maison. Les lourds travaux agricoles échoient
aux femmes. Elles doivent sarcler, repiquer, récolter et
transporter. Il leur faut également ramasser les baguettes
de mûrier à papier, dont l'écorce sert à faire le *tapa*, ainsi
que l'écorce d'hibiscus et les feuilles de pandanus pour le
tissage des nattes. Les grandes filles et les femmes vont
aussi pêcher sur le récif les poulpes, oursins, méduses,
crabes et autres menus produits de la mer. Les fillettes
portent l'eau, balaient la maison, y mettent de l'ordre,
prennent soin des lampes. (Aujourd'hui, les indigènes
utilisent des lampes et lanternes à pétrole, mais en cas de
pénurie, ils ont encore recours à l'huile d'amande ou de

coco). Dans la répartition des tâches, on tient honnête-
ment compte des possibilités de chaque âge; un adulte,
sauf s'il s'agit d'un personnage de très haut rang, ne
refuse pas un travail parce qu'il le juge incompatible avec
sa dignité, mais seulement parce qu'il se trouve quelqu'un
de plus jeune pour savoir parfaitement le faire.

Les jeunes enfants n'ont guère à se soucier du rang
qu'occupe un individu dans la hiérarchie du village. Si le
père de la fille est *matai*, le *matai* de la famille où elle vit,
elle n'a aucun recours contre lui. Mais si le *matai* se
trouve être quelque autre parent, il peut, lui et sa femme,
la protéger d'un père tyrannique. Dans le premier cas, si
elle ne s'entend pas avec son père, elle quitte la maison et
va vivre chez quelque autre membre de la famille; dans le
second, l'affaire s'arrange rapidement. Dans la famille
d'un chef ou d'un chef-orateur de haut rang, on met, plus
qu'ailleurs, l'accent sur le cérémonial, sur les devoirs de
l'hospitalité. Les enfants sont mieux élevés; on les fait
aussi travailler plus dur. L'atmosphère d'une famille est
toujours en rapport avec le rang de son chef, mais dans
l'ensemble, les jeunes enfants ne ressentent guère la
différence. Le tempérament de ceux qui ont autorité sur
eux leur importe plus que leur rang social. Un oncle qui
habite un autre village et est un très grand chef signifie
beaucoup moins pour eux que la vieille femme acariâtre
qui vit à la maison.

Il n'en reste pas moins vrai que le rang – celui que
donne le titre, non la naissance – est, aux Samoa, de la
plus grande importance. Le statut social d'un village
dépend du rang de son chef, le prestige d'une famille, du
titre de son *matai*. Il y a deux sortes de titres : chef et
chef-orateur; chacun comporte des prérogatives et des
devoirs particuliers qui s'ajoutent à ceux qu'entraîne la
direction du groupe. La hiérarchie est, pour les Samoans,
une source inépuisable d'intérêt. Ils ont inventé un langage de courtoisie extrêmement élaboré, qui doit être
employé à l'égard des personnes de qualité; une étiquette
complexe doit être observée selon le rang de chacun. La
vie des enfants ne peut manquer d'être affectée par des

préoccupations qui touchent leurs aînés d'aussi près, particulièrement en ce qui concerne leurs rapports réciproques, s'ils appartiennent à une famille qui détient un titre, auquel l'un d'eux accédera un jour. L'examen de cas particuliers permettra de mieux comprendre comment ces lointaines perspectives de leur vie adulte influent sur l'existence que mènent les enfants.

Dans la famille d'un chef de haut rang nommé Malae, vivaient deux petites filles, Meta, douze ans, et Timu, onze ans. Meta avait de l'assurance et se montrait capable dans son travail. C'était la fille d'une cousine de Malae, et celui-ci l'avait prise chez lui parce qu'elle était d'une précocité et d'une intelligence exceptionnelles. Timu, elle, était une enfant anormalement timide, et d'une intelligence attardée par rapport à son groupe d'âge. Mais la mère de Meta n'était qu'une cousine éloignée de Malae. Si elle ne s'était pas mariée dans un autre viilage, où Malae se trouvait vivre à l'époque, sa fille Meta n'aurait jamais été remarquée par son noble parent. Et Timu était la fille unique de la défunte sœur de Malae. Son père était un quarteron, ce qui la singularisait, et augmentait encore sa timidité. Danser était pour elle un supplice. Elle fuyait précipitamment devant les remontrances d'un aîné. Mais Timu serait la prochaine *taupo* de Malae. Elle était jolie, ce qui est la qualité principale requise, et dans la famille, elle venait du côté des femmes, ce qui est préférable pour une *taupo*. Ainsi Meta, qui, à tous points de vue, était la plus capable, se trouvait écartée, et Timu, si malheureuse qu'on s'occupât tant d'elle, était, bien contre son gré, poussée sur le devant de la scène. La simple présence d'une autre fillette, moins maladroite et plus hardie, aurait suffi sans doute à accentuer le sentiment qu'elle avait de son infériorité, mais cette publicité faite autour d'elle le lui faisait éprouver plus douloureusement encore. Quand elle dansait – comme on le lui demandait en chaque occasion – elle s'arrêtait dès qu'elle rencontrait le regard d'un spectateur, et restait un instant à se tordre les mains avant de continuer.

Dans une autre maison, ce même titre de *taupo* de

Malae avait des résonances différentes. C'était chez la tante paternelle de Malae, qui habitait avec son mari dans la maison d'hôtes du chef, dans le village natal de celui-ci. La fille aînée, Pana, était tenante du titre de *taupo* de la maison de Malae. Mais Pana, à vingt-six ans, était encore célibataire. Il allait falloir bientôt la marier et lui trouver une remplaçante pour le titre. Timu serait encore trop jeune. Pana avait trois sœurs moins âgées, qui, par leur naissance, étaient parfaitement éligibles. Mais Mele qui avait vingt ans, était boiteuse; Pepe, qui avait quatorze ans était aveugle d'un œil, et de plus, se comportait comme un vrai garçon manqué; la cadette enfin était encore plus jeune que Timu. Si bien que la succession du titre leur était interdite à toutes trois. Cette situation n'était pas sans avantage pour Filita, la nièce de leur père, qui avait dix-sept ans. Elle n'avait aucun droit à un titre quelconque dans la maison de Malae, mais elle vivait avec ses cousines depuis l'enfance. Filita était jolie, travailleuse, capable; elle n'était pas boiteuse comme Mele, ni borgne ou turbulente comme Pepe. Sans doute ne pouvait-elle prétendre être jamais *taupo*, mais les autres non plus, en raison de leurs imperfections et malgré la supériorité de leur naissance : aussi vivaient-elles toutes en parfaite intelligence. Il y avait une autre fillette encore, Pula, petite-cousine qui habitait un troisième village, et qui eût pu, bien que de parenté plus éloignée, avoir quelque prétention au titre. Mais elle était la petite-fille unique du plus grand chef de son propre village : il était inévitable qu'elle devînt sa *taupo*, et sa vie ne pouvait se trouver affectée par aucune autre possibilité. Ainsi la succession au titre de *taupo* de Malae jouait-elle un certain rôle, bon ou mauvais, dans la vie de six filles, outre la *taupo* en fonctions. Mais comme il y a rarement plus d'une ou deux *taupo* par village, l'attribution de cette distinction n'a qu'une influence assez limitée. Il n'en est pas de même pour les garçons. La hiérarchie villageoise a des résonances considérables dans leur vie, car il y a un titre de *matai* au moins par groupe familial.

La compétition est ici beaucoup plus âpre. Certes, la

taupo, ou le *manaia* (l'héritier présomptif) se choisissent-
ils parmi les descendants naturels, la *taupo* dans la ligne
féminine, le *manaia* dans la ligne masculine. Mais l'on vise
surtout à l'utile; et il se trouve que la plupart des titres
sont tenus par les jeunes gens les plus estimables, quel
que soit leur degré de parenté – directe ou par alliance –
à l'intérieur du large groupe familial. Il en était ainsi à
Alofi. Tui, qui y occupait une position importante, avait
un fils, garçon intelligent et capable. Les frères de Tui,
bornés et ineptes, ne pouvaient être des prétendants
valables au titre. L'un d'eux avait un jeune fils, laid,
stupide, antipathique. Il n'y avait pas d'autres mâles
parmi les proches parents. Le fils brillant devait, c'était
admis, succéder à son père. Mais voilà qu'à vingt ans, il
mourut. Le petit neveu montrait bien peu de promesses,
et Tui dut envisager de chercher son héritier soit hors du
village, soit hors de son proche groupe familial. A Alofi,
l'esprit de village est des plus vifs. Les parents consanguins de Tui vivaient à plusieurs villages de là : c'étaient
des étrangers. S'il n'allait pas chercher parmi eux un
garçon d'avenir pour le former afin qu'il lui succédât, il
devait soit trouver un jeune mari acceptable pour sa fille,
soit choisir quelqu'un dans la famille de sa femme. En
attendant il s'arrêta à cette dernière solution et le fils du
frère de sa femme vint vivre près de lui. Un an plus tard il
promit au garçon qu'il pourrait prendre le nom de son
cousin s'il s'en montrait digne.

Dans la famille du grand chef Fua, le problème était
tout à fait différent. Il portait le titre le plus élevé du
village. Il avait plus de soixante ans et la question de sa
succession se posait. Les garçons de sa maison étaient :
Tata, son fils aîné, de naissance illégitime, Molo et Nua,
les fils de sa sœur qui était veuve, Sisi, son fils par sa
première femme légitime (dont il avait divorcé et qui
s'était remariée dans une autre île), Tuai, enfin, le mari de
sa nièce, sœur de Molo et de Nua. D'autre part, la fille de
son frère aîné avait donné à celui-ci un petit-fils, Alo, qui
était plein de promesses. Il y avait là assez de prétendants
pour que s'intaure une vive compétition. Tuai était le plus

âgé; c'était un homme calme et compétent. Mais ses
espoirs n'étaient pas suffisants pour influencer sa conduite. Il se contentait d'affirmer les droits que l'âge lui
donnait sur les jeunes frères de sa femme, dont les titres
à la succession étaient supérieurs aux siens. Ensuite
venait Tata, le bâtard, revêche et sourcilleux, dont les
chances étaient à peu près nulles tant qu'existaient des
fils légitimes. Mais Tata n'avait pas perdu espoir. Prudent,
l'esprit tortueux, il gardait l'œil ouvert et attendait. Il était
amoureux de Lotu, la fille d'un chef-orateur de rang
seulement moyen. Pour un fils de Fua, Lotu aurait été un
beau parti. Mais, bâtard de Fua et avide de lui succéder, il
devait s'allier à une grande famille ou ne pas se marier du
tout. Les deux neveux, Molo et Nua, jouaient chacun un
jeu différent. Nua, le cadet, était parti chercher fortune à
la Station navale et s'était engagé comme fusilier marin
indigène. Cela signifiait un revenu régulier, quelques
connaissances d'anglais, un certain prestige. Molo, l'aîné,
était resté à la maison et se rendait indispensable. Il était
le *tamafafine*, l'enfant du côté des femmes, et, comme il se
doit, prenait son rôle au sérieux : le *tamafafine* de la
maison de Fua, quoi de plus prestigieux pouvait-il demander pour le moment ? Quant à l'avenir – il se comportait
de façon irréprochable. Tous ces jeunes gens, et aussi
Alo, le petit-neveu, faisaient partie de l'*Aumaga*, et, ayant
atteint l'âge d'homme, étaient prêts à assurer leurs responsabilités d'adultes. Sisi, le fils légitime, était encore, à
seize ans, un garçon fluet et timide. Il se prévalait
beaucoup moins que son cousin de sa position de fils et
d'héritier présomptif. C'était un garçon sympathique et
intelligent. Si son père vivait jusqu'à ce qu'il ait vingt-cinq
ou trente ans, il lui succéderait inévitablement. Même si
son père mourait plus tôt, le titre pourrait lui être gardé.
Mais une telle éventualité comportait un danger. Samala,
le frère aîné de son père, aurait beaucoup de poids dans
le choix d'un successeur au titre. Et Alo était le petit-fils
adoré de Samala, le fils de sa fille préférée. Alo était le
modèle de tout ce qu'un jeune homme doit être. Il évitait
la compagnie des femmes, restait beaucoup à la maison

et veillait avec fermeté aux progrès de ses jeunes frère et
sœur. Tandis que les autres jeunes gens jouaient au
cricket, lui, assis, aux pieds de Samala, apprenait par
cœur les généalogies. Jamais il n'oubliait qu'il était fils de
Sàfuá, la maison de Fua. Il était plus compétent que Molo,
et ses droits au titre étaient pratiquement aussi solides;
cependant, à l'intérieur du groupe familial, Molo, en tant
qu'enfant du côté féminin, l'emporterait toujours sur lui.
Ainsi Alo était-il le rival le plus dangereux de Sisi, si du
moins le père de ce dernier mourait trop tôt. Si d'autre
part Fua vivait encore vingt ans, sa succession serait
menacée de nouvelles complications. Fua s'était en effet
récemment remarié, avec une femme fort riche et de très
haut rang, qui avait un fils illégitime, Nifo, âgé de cinq
ans. Elle ne cessait de penser à ce garçonnet, car Fua et
elle n'avaient pas d'enfants, et elle faisait tout son possible pour saper la position de Sisi en tant qu'héritier
présomptif. Il y avait beaucoup de chances pour que, son
ascendant sur Fua augmentant au fur et à mesure qu'il
vieillissait, elle fît nommer Nifo à la succession du titre.
Son illégitimité et l'absence de liens du sang seraient
contre-balancés par le fait qu'il était le descendant par les
femmes d'une des plus nobles familles de l'île et qu'il
hériterait une grande fortune de sa mère.

Tout autre était le cas de Sila, aînée de sept enfants,
belle-fille d'Ono, *matai* d'humble rang, vieillard décrépit
et incapable. Sa seconde femme, Lefu, mère de Sila, était
épuisée, usée par onze grossesses. Les seuls adultes mâles
du groupe familial étaient Laisa, frère d'Ono et, comme
lui, un vieillard, et le fils de Laisa, paresseux, désœuvré, et
qui ne s'intéressait qu'aux femmes. Il était célibataire et
se dérobait au mariage comme à toute autre responsabilité. Sila avait une sœur de seize ans, sa cadette immédiate, qui avait quitté la maison et vivait tantôt ici, tantôt
là, chez des parents. Sila avait vingt-deux ans; on l'avait
mariée à seize ans contre son gré à un homme beaucoup
plus âgé qu'elle, qui, la trouvant trop enfant, l'avait
battue. Après deux ans de cette vie, elle s'était enfuie et
était retournée vivre chez ses parents, emmenant avec

elle son petit garçon de deux ans – qui en avait maintenant cinq. A vingt ans, elle avait eu une fille d'un garçon
du village. L'enfant n'avait vécu que quelques mois, et
lorsqu'elle était morte, son amant l'avait quittée. Sila
haïssait le mariage. Elle avait la dent dure, mais elle était
consciencieuse et laborieuse. Elle travaillait inlassablement pour son enfant et ses jeunes frères et sœurs. Elle
ne voulait pas se remarier. Mais il y avait trois vieillards
et six enfants dans la famille, et elle était seule – avec son
fainéant de cousin – à subvenir à leurs besoins. Elle
perdit courage. « Je pense, dit-elle un jour, que je vais
épouser ce garçon. – Lequel ? lui dis-je. – Le père de ma
petite fille qui est morte. – Mais n'avais-tu pas dit que tu
n'en voulais pas ? – C'est vrai, mais je dois bien trouver
quelqu'un pour s'occuper de ma famille. » Et vraiment il
n'y avait pas d'autre issue. Le titre de son beau-père était
fort modeste. Il n'y avait aucun jeune homme dans la
famille pour lui succéder. Son amant était d'une extraction plus modeste encore, mais il était travailleur. L'appât
du titre procurerait les deux bras nécessaires à la famille.

Ainsi, dans de nombreuses familles, le poids de la
noblesse se fait sentir sur les enfants, parfois légèrement,
parfois lourdement, souvent bien avant qu'ils ne soient
assez vieux pour comprendre le sens de ces intrusions du
monde adulte.

CHAPITRE V

LA JEUNE SAMOANE ET SON GROUPE D'ÂGE

Jusqu'à six ou sept ans au moins, la petite Samoane se mêle peu aux enfants de son âge. Naturellement, les frères, sœurs et cousins qui vivent sous un même toit s'ébattent et jouent ensemble; mais, sortie des limites de la famille, chaque petite fille reste aussi près que possible de l'aînée à laquelle elle a été confiée. Elle ne rencontrera d'autres enfants que dans la mesure où sa petite nurse est amie de la leur. Vers sept ans, des groupes plus larges commencent à se former, qui naissent spontanément; on ne retrouvera jamais plus ce genre d'association qui se recrute à la fois dans le groupe familial et le groupe de voisinage. Les sexes n'y sont jamais mélangés, et l'un de leurs traits caractéristiques est précisément l'antagonisme qui oppose filles et garçons. Les fillettes, à cet âge, commencent juste à se sentir « confuses » en présence de leurs frères aînés, et à respecter l'interdiction qui leur a été faite de jouer avec les garçons. Ceux-ci d'ailleurs, ne sont pas alourdis dans leurs mouvements par quelque bébé dont ils doivent s'occuper : ils peuvent s'éloigner davantage en quête d'aventures, ce qui souligne encore la division des sexes. Sans doute autour des adultes qui travaillent, y a-t-il souvent des groupes de petits badauds, composés de garçons comme de filles, mais ces rapprochements sont dus au respect des différences d'âge qu'exigent leurs aînés, et non à quoi que ce soit de volontaire ou de spontané de la part des enfants eux-mêmes.

Les enfants du même âge, qui s'agglomèrent ainsi en bandes, n'appartiennent guère qu'à huit ou dix familles, voisines les unes des autres. Il n'y a rien de rigide dans ces associations, où le hasard est maître, mais les enfants y manifestent une vive hostilité à l'égard de leurs homologues des villages environnants, et parfois même d'autres bandes de leur proche village. Les liens du sang, néanmoins, permettent de franchir les démarcations de voisinage, et l'on verra un enfant être en très bons termes avec les membres de deux ou trois groupes différents. La bande acceptera habituellement une nouvelle venue si elle est seule et protégée par une fillette de sa famille qui en fait déjà partie. Mais les petites filles de Siufaga regardaient de travers celles de Luma, le village le plus proche, et les unes comme les autres se méfiaient encore davantage des fillettes de Faleasao, à vingt minutes de marche de chez elles. Rien de très durable, cependant, dans cette hostilité. Quand le frère de Tua fut malade, toute la famille se déplaça de l'autre bout de Siufaga au centre même de Luma. Pendant quelques jours, Tua resta à la maison, un peu triste; au bout de la semaine cependant, elle était complètement adoptée par les enfants du centre de Luma. Mais lorsque, quelques semaines plus tard, elle retourna à Siufaga, elle redevint pour ses compagnes de Luma une « fille de Siufaga », objet par excellence de mépris et de moquerie.

A cet âge, on ne noue pas d'amitiés très profondes. Les individualités sont noyées dans le groupe, dominé par les influences de la famille et du voisinage. Les affections les plus vives vont toujours à la parenté la plus proche, et les relations sont plus intimes entre deux petites sœurs qu'entre deux camarades de jeux. Nous disons chez nous : « Marie et Julie sont sœurs mais ce sont aussi de si bonnes amies! » Aux Samoa, parlant de deux amies, on dira : « Mais elles sont parentes. » Les aînées protègent leurs cadettes, leur tressent des colliers de fleurs, leur donnent leur plus précieux coquillages, c'est le seul élément permanent dans les relations internes du groupe, mais il n'est pas lui-même sans être menacé par les changements de résidence. Les sentiments d'hostilité que les enfants éprouvent à l'égard de leurs congénères d'un autre village leur font considérer un peu comme une étrangère telle cousine qu'ils connaissent fort bien, si sa famille s'est transportée ailleurs.

Des différents groupes de fillettes que j'ai connus, il n'y en avait qu'un qui pût être classé comme une « bande ». C'était au centre de Luma, où, par pur accident, se trouvaient habiter les unes près des autres neuf petites filles presque du même âge, unies par de nombreux liens de parenté. Jouant constamment ensemble, témoignant d'une tenace hostilité de principe à l'égard de toute étrangère, elles formaient un groupe cohérent beaucoup plus parce qu'elles étaient simplement voisines que grâce à la personnalité et l'autorité de l'une d'entre elles. Elles étaient moins timides, moins méfiantes, plus généreuses les unes avec les autres, plus hardies, sur le plan social, que les autres enfants du même âge, marquées en cela par la vie du groupe. Privées de ce climat, les autres devaient davantage compter sur leur groupe familial immédiat, augmenté, peut-être, d'une ou deux petites voisines. Si par hasard une enfant faisait preuve d'une personnalité plus marquée, il fallait l'attribuer beaucoup plus à l'influence d'un milieu familial exceptionnel qu'à la fréquentation d'autres fillettes sur un pied d'égalité.

La seule activité de groupe que l'on connaisse à cet âge, est le jeu. A la maison, au contraire, la vie de l'enfant n'est que travail. Il lui faut s'occuper des petits, faire d'innombrables courses, accomplir quantité de menues besognes. Les fillettes se retrouvent en général vers la fin de l'après-midi, avant le souper (qui, aux Samoa, se prend fort tard) et parfois pendant l'heure de la sieste. Les soirs où brille la lune, elles battent le village, attaquent les bandes de garçons, ou bien s'enfuient à leur approche, épient les gens derrière les stores baissés, attrappent des crabes de terre, surprennent les couples d'amoureux, s'approchent furtivement d'une case écartée pour assister à une naissance ou une fausse couche. Mais elles ne s'aventurent pas dans ces expéditions nocturnes à moins de quatre ou cinq, car elles ont peur des chefs, peur des garçons, peur de leurs parents, peur des fantômes. Ce sont de véritables petits bandits qui tentent d'échapper à la contrainte des tâches quotidiennes. La valeur du temps ainsi dérobé, le rôle joué par la famille et le village, la nécessité de mettre immédiatement à exécution les décisions du groupe, la punition qui menace celles qui s'éloignent hors de portée de la voix – tout cela fait que la vie de la petite Samoane est directement affectée par la densité de la population de son village, tout comme l'est celle de l'enfant américain dans une communauté rurale de l'ouest des Etats-Unis. Sans doute ne s'écarte-t-elle guère, mais le soleil aveuglant, les sables brûlants, le nombre de parents auxquels il lui faut se soustraire le jour, et celui des fantômes auxquels échapper la nuit, semblent amplifier les distances; et deux cents mètres pour elles représentent cinq à sept kilomètres pour sa sœur des campagnes américaines. Ainsi le cas peut-il se présenter de la petite fille isolée dans un village fourmillant d'enfants de son âge. Voici par exemple Luna, qui avait dix ans et habitait l'une des cases appartenant à un chef de haut rang. La maison était située à l'extrême bout du village. Elle y vivait avec sa grand-mère, Sami, la sœur de sa mère, le mari et l'enfant de Sami, et deux jeunes tantes maternelles de dix-sept et quinze ans. Sa mère était morte. Ses frères et sœurs étaient fixés dans une autre île avec la famille de son père. A dix ans, elle était jeune pour son âge, tranquille, apathique même, répugnant à toute initiative, exactement le genre d'enfant qui a besoin de vivre dans un groupe organisé. De sa famille, il n'y avait à proximité que deux filles de quatorze ans. Avec leurs longues jambes, et leurs occupations presque d'adultes, elles étaient bien trop grandes pour Luna. D'autres filles de quatorze ans auraient pu tolérer sa compagnie, mais il ne fallait pas s'y attendre de la part de Selu, la plus jeune des deux cousines, qui avait déjà tressé près d'un mètre de natte fine. A quelques pas de là, habitaient deux petites filles, Pimi et Vana, âgées respectivement de huit et dix ans. Mais elles n'étaient pas de la famille, et comme elles avaient à s'occuper de quatre jeunes enfants, elles ne trouvaient pas le temps d'aller à la découverte. Les trois enfants n'avaient pas non plus de parente commune pour servir de trait d'union. Aussi Luna vivait-elle solitaire, sauf lorsque sa jeune tante Diva, fille très délurée de onze ans, rendait visite à sa mère. Siva était une enfant vive et précoce, une compagne fascinante que Luna suivait partout, bouche bée d'admiration. Son père était mort et elle avait donné tant de fil à retordre à sa mère que le *matai*, son oncle, l'avait prise chez lui, à l'autre extrémité du village, au-delà du rayon d'action de la bande de Luma-centre; celle-ci avait pour Siva tellement d'attraits que, dans ses moments de liberté, elle poussait bien rarement jusqu'à la case de sa mère. Si bien qu'en fin de compte, la pauvre Luna, qui aimait tant sa petite cousine, restait, l'air souvent désolé et pitoyable, près de sa grand-mère et de sa tante.

A l'opposé, voici Lusi. Elle n'avait que sept ans et était en principe trop jeune pour être admise parmi les filles de dix et onze ans. Si elle avait vécu dans un endroit écarté, ces dernières l'auraient considérée juste comme un bébé du voisinage. Mais la case qu'elle habitait était contiguë à celle de ses cousines, Maliu et Pola, membres influents de la bande de Luma. Maliu, l'une des plus âgées de cette bande, adorait toutes ses jeunes parentes, et Lusi était sa cousine germaine. Voilà pourquoi Lusi, si petite encore, participait pleinement à la vie du groupe, alors que Luna n'en pouvait bénéficier.

Vina demeurait tout au bout du village de Siufaga. Elle avait quatorze ans, était douce et modeste. La maison de son père était isolée au milieu d'un bosquet de palmiers, cachée aux regards, et hors de portée de la voix du plus proche voisin. Ses seuls compagnes étaient sa cousine germaine, jeune fille de dix-huit ans, capable et réservée, et deux autres cousines, de dix-sept et dix-neuf ans. Elle avait bien une autre petite cousine de douze ans dans le voisinage, mais celle-ci avait cinq jeunes frères et sœurs qui suffisaient à l'occuper. Vina avait, elle aussi, plusieurs frères et sœurs plus jeunes qu'elle, mais ils étaient assez grands pour se débrouiller tout seuls et elle pouvait trouver le temps de suivre ses aînés à la pêche. Aussi continuait-elle d'être une petite fille, sans cesse sur les talons des plus grandes, portant leurs charges, et faisant leurs commissions. C'était une enfant inquiète, toujours en émoi, préoccupée d'être agréable aux autres, complaisante par habitude lorsque, par hasard, elle rencontrait des filles de son âge. Elle ignorait, et ignorerait toujours, les rapports d'égal à égal dans le cadre du groupe d'âge. Ces rapports ne sont possibles en effet qu'entre huit et douze ans. La puberté approchant, la force physique et les compétences s'accroissant, l'adolescente sera bientôt absorbée de nouveau par la famille. Il lui faudra faire le four, aller à la plantation, pêcher. Ses jours seront occupés par de longs travaux et peuplés de responsabilités nouvelles.

C'est ce qui se passait pour Fitu. En septembre, elle était l'un des personnages les plus marquants de la bande, un peu plus grande que les autres, un peu plus dégingandée, plus débrouillarde, la voix plus stridente et autoritaire, mais au fond, une petite écervelée au milieu d'autres, avec toujours, sur sa hanche, un gros bébé. Mais en avril, elle avait passé le bébé à sa sœur de neuf ans; un autre, encore plus jeune, avait été confié à une sœur de cinq ans : Fitu, maintenant, travaillait avec sa mère aux plantations, pêchait, et partait en expéditions lointaines chercher de l'écorce d'hibiscus. Elle allait à la mer faire la lessive familiale, et, les jours de cuisine, aidait à préparer le four. Parfois, le soir, elle s'échappait pour jouer avec ses anciennes compagnes, mais elle était, d'ordinaire, trop fatiguée par ces durs travaux dont elle n'avait pas encore l'habitude. Et aussi, elle était gagnée par une sensation nouvelle. Il lui semblait que ses activités, plus proches maintenant de celles des adultes, la distinguaient du reste du groupe au milieu duquel elle se sentait tellement à l'aise l'automne précédent. Elle n'essayait qu'à demi de frayer avec les filles plus âgées du voisinage. Sa mère l'avait envoyée coucher chez le pasteur, à côté, mais elle était revenue trois jours après. Les filles étaient trop grandes, avait-elle dit. « *Laititi a'u* » (« Je suis bien jeune encore »). Et pourtant, c'en était bien fini avec la vieille bande.

Les trois villages comptaient quatorze filles comme elle : elles avaient presque atteint l'âge de la puberté, elles étaient absorbées par des tâches nouvelles qui les rapprochaient des adultes de la famille; elles ne s'intéressaient pas encore aux garçons, et ainsi ne nouaient aucun lien nouveau d'ordre sexuel. Tranquillement donc ces filles accomplissent leurs travaux domestiques, choisissent dans la famille quelque vieille femme pour compléter leur formation, s'accoutument à ne plus entendre prononcer le suffixe qui signifie « petit » dans le terme de « petite fille » qui les désignait jusqu'alors. Mais jamais plus elles ne retrouvent l'ambiance amicale et désinvolte des groupes des moins de douze ans. A seize ou dix-sept ans, c'est dans la famille qu'elles trouvent encore leurs compagnes. Les groupes sont de deux ou trois, jamais plus. Les amitiés de voisinage s'estompent; une fille de dix-sept ans ignorera une proche voisine du même âge et traversera tout le village pour rendre visite à une parente. Les facteurs décisifs dans la formation des amitiés sont maintenant les liens de famille et les préoccupations communes d'ordre sexuel. L'autorité des garçons joue aussi un rôle. Si deux cousines ont des amoureux qui soient camarades, elles se prendront l'une pour l'autre d'une amitié très vive, même si elle est éphémère. Il arrivera parfois, dans des cas de ce genre, que les deux filles n'appartiennent pas au même groupe familial.

Bien que les filles ne se confient qu'à une ou deux de leurs parentes, les autres femmes du village savent intuitivement où elles en sont du point de vue sexuel, et les amitiés se nouent et se dénouent à l'avenant; il y a l'adolescente timide qui se méfie de toutes ses aînées, la fille pour laquelle sa première ou deuxième intrigue amoureuse est encore de toute première importance, celle qui ne s'intéresse plus qu'à un seul garçon et commence à penser au mariage. Enfin lorsqu'il s'agit d'une fille-mère, elle choisit ses amies, chaque fois que possible, parmi les femmes qui sont dans le même cas qu'elle, celles en situation matrimoniale équivoque ou les jeunes épouses abandonnées ou de réputation douteuse.

On voit peu d'amitiés de cadettes à aînée intervenir après la puberté. A douze ans, la jeune Samoane a peut-être éprouvé beaucoup d'affection et une grande admiration pour sa cousine de seize ans (bien qu'aucun de ces enthousiasmes n'ait la force du « béguin » qu'ont nos écolières pour certaines de leurs aînées). Mais lorsqu'elle a quinze ans et sa cousine dix-neuf, le tableau change. Tout le monde adulte, et presque adulte, lui est hostile, épie ses amours avec des airs blasés et circonspects : elle ne peut se livrer à quiconque n'est pas personnellement engagé dans des aventures aussi hasardeuses.

Les filles, cela semble certain, ne vont pas chercher leurs amies en dehors du groupe familial. Une telle affirmation ne tient naturellement pas compte des conditions artificielles que crée le passage de certaines jeunes filles chez le pasteur indigène ou au grand pensionnat de la Mission. (Outre le grand pensionnat qui desservait toutes les Samoa américaines, il existait dans chaque communauté une sorte d'école avec internat pour garçons et filles, organisée par le pasteur indigène. Ces écoles étaient fréquentées par les filles que leur père voulait envoyer plus tard au grand pensionnat, et par celles auxquelles leurs parents désiraient donner trois ou quatre ans d'une meilleure éducation et les avantages d'une discipline plus stricte.) Là, sans doute, des filles de différentes familles vivaient ensemble, quelquefois pendant des années. Mais, comme l'une des deux caractéristiques principales de la famille samoane est le domicile commun, les amitiés nouées entre pensionnaires du pasteur ne sont pas très différentes sur le plan psychologique de celles entre cousines, ou parentes par alliance, vivant dans une même famille. Les seules amitiés qui soient de nature différente, qui n'aient pas leur origine dans un domicile commun ou un même groupe familial, sont les liens structurels qui unissent entre elles les épouses de chefs et les épouses d'orateurs. Mais ces relations ne peuvent se comprendre que par rapport aux amitiés entre garçons et entre hommes.

Les petits garçons, comme les petites filles, se groupent en bandes, recrutées selon les mêmes principes du voisinage et de la parenté. Le sentiment de supériorité que donne l'âge est toujours beaucoup plus affirmé que chez les filles parce que les plus grands ne sont pas réclamés par leur famille comme le sont leurs sœurs. A quinze et seize ans, ils forment des bandes, tout comme ceux de douze ans. La ligne de démarcation entre petits et grands est par conséquent mouvante; les garçons d'âge intermédiaire tantôt cherchent à en imposer aux plus jeunes, tantôt suivent, obséquieux, dans le sillage de leurs aînés. Il existe entre garçons deux sortes de rapports qui portent le même nom et furent, sans doute, confondus à une certaine époque : c'est l'institution du *soa*, compagnon de circoncision et ambassadeur en amour. Les garçons se font circoncire deux par deux. Ils s'en occupent eux-mêmes et, en particulier, cherchent quelqu'un de plus âgé ayant la réputation d'être habile en la matière. Il semble qu'il y ait là simplement une relation logique de cause à effet; un garçon choisit un de ses amis (habituellement dans la famille) comme compagnon, et l'épreuve commune les rapproche encore davantage. Il y avait au village plusieurs couples d'amis de ce genre, qui avaient été circoncis en même temps et étaient encore inséparables, dormant souvent ensemble chez l'un ou chez l'autre. Ces relations n'allaient pas sans être parfois teintées d'homosexualité. Cependant, en examinant de près les amitiés entre jeunes gens, on constatait qu'elles ne correspondaient plus exactement aux liens formés pendant l'adolescence, et qu'elles s'étendaient souvent à des groupes de trois ou quatre garçons.

La convention selon laquelle un jeune homme parle rarement pour lui-même en amour, et jamais pour une demande en mariage, est un facteur important dans le choix des amitiés, deux ou trois ans après la puberté. Car il a besoin d'un ami qui ait à peu près son âge et à qui il puisse se fier du soin de chanter ses louanges et d'appuyer sa requête avec la ferveur et le tact voulus. C'est, d'ordinaire, un autre garçon de la famille qui remplit ce rôle; dans les cas désespérés, on fait appel à plusieurs. L'ambassadeur ainsi choisi doit être non seulement honnête et fidèle, mais se montrer, dans son métier d'entremetteur, enjôleur et adroit. Cette relation *soa* est, en général, mais non nécessairement, réciproque. Le virtuose en amour arrivera un jour à se passer des services d'un intermédiaire, pour goûter pleinement aux joies de chaque étape de sa conquête. Il est, d'autre part, très sollicité par les autres jeunes gens, s'il existe quelque espoir qu'il se conduise en homme d'honneur vis-à-vis de son mandant.

Il n'est pas qu'en amour que les garçons doivent coopérer. Il faut être trois pour l'équipage d'une pirogue pour la pêche à la bonite; ils vont habituellement à deux

Fig. 17.
Pêcheurs aux Samoa.

sur le récif pour attraper les anguilles au nœud coulant; les plantations communales de taro exigent la participation de tous. Aussi, bien que le garçon choisisse – comme la fille – ses meilleurs amis dans le groupe familial, son sens de la solidarité sociale est toujours beaucoup plus développé que chez une fille. L'*Aualuma*, l'organisme commun des jeunes filles et des épouses d'hommes non titrés, n'a rien de rigide dans sa structure, et se réunit au hasard des circonstances, pour un travail collectif ou une fête. Dans les villages où les complexités de l'ancienne organisation sociale commencent à tomber en désuétude, c'est l'*Aualuma* qui disparaît la première, alors que l'*Aumaga*, qui groupe les jeunes hommes, joue un rôle trop important dans l'économie villageoise pour tomber ainsi dans l'oubli. En fait, l'*Aumaga* constitue le facteur social le plus permanent de la communauté. Les *matais* ont des réunions souvent de pure forme; ils doivent d'autre part passer beaucoup de temps dans leur famille. Les jeunes gens, au contraire, œuvrent ensemble pendant la journée, festoient avant et après leurs travaux, forment un groupe de serviteurs à toutes les réunions des *matais*, et, lorsque la journée prend fin, ensemble encore dansent et vont faire leur cour aux filles. Beaucoup parmi ces jeunes hommes vont dormir chez des amis, privilège rarement accordé aux filles.

Les amitiés entre hommes sont aussi influencées par les relations qui existent entre chef et orateur. Ceux qui détiennent ces titres ne sont pas nécessairement apparentés, bien que ce soit fréquemment le cas, puisque l'on considère profitable d'avoir des parents communs de l'un et l'autre bord. L'orateur jouera le rôle de majordome, d'adjoint, d'ambassadeur, d'homme de confiance du chef, et ces rapports se trouvent souvent préfigurés chez les jeunes gens, héritiers présomptifs des titres familiaux, ou candidats à ces titres.

Chez les femmes, se nouent parfois des relations étroites entre la *taupo* et la fille du principal orateur de son père. Mais de telles amitiés pâtissent toujours de leur caractère éphémère; il est inévitable que la *taupo* épouse un homme d'un autre village. Aussi est-ce plutôt entre la femme du chef et la femme de l'orateur que s'instaure une amitié durable, presque organique. La femme de l'orateur sert d'adjointe, de conseillère, de porte-parole à l'épouse du chef; en retour, elle compte sur son appui moral et matériel. Leur amitié est fondée sur des obligations réciproques, procédant elles-mêmes des rapports qui existent entre leurs maris; c'est la seule amitié entre femmes qui franchisse les bornes du groupe familial. Mais il est difficile de dire qu'elle soit spontanée, puisqu'elle dépend des hasards du mariage et est également imposée par la société. Au sein du groupe familial lui-même, l'amitié est tellement déterminée qu'elle en perd tout son sens. Je demandai une fois à une femme mariée si une certaine voisine, avec laquelle elle entretenait des relations médiocres et parfois orageuses, était de ses amis : « Mais bien sûr, répondit-elle, le grand-père paternel de sa mère et le grand-père maternel de mon père étaient frères. » L'amitié fondée sur des affinités de caractère et de tempérament se révèle être chez eux des plus fragiles, soumise aux fluctuations des intérêts personnels et aux changements de résidence; si bien que la femme en vient à compter de plus en plus sur les compagnes dont les liens du sang et du mariage l'ont rapprochée.

Ainsi donc les filles du même âge ne nouent plus guère de relations amicales après la puberté en raison de la nature très personnelle des tâches qu'elles doivent assumer et de la discrétion dont elles veulent entourer leurs aventures amoureuses. Les garçons, quant à eux, jouissent d'une plus grande liberté, doivent davantage à la société, collaborent continuellement à des tâches communes : le temps n'a pas prise sur les groupes d'âge qu'ils constituent. La formation de ces groupes est influencée, mais non déterminée par les relations de parenté; elle est affectée par la hiérarchie sociale, les ambitions du jeune homme, et, plus tard, les différences d'âge.

CHAPITRE VI

PLACE DE LA FILLE DANS LA COMMUNAUTÉ

De leur naissance jusqu'à leur quinzième ou seizième année, garçons et filles restent ignorés de la communauté. Ils n'y ont aucune place reconnue; personne n'accorde attention à leurs activités de groupe, ils ne participent pas à la vie sociale, sauf lorsque, parfois, on les convoque pour se joindre à quelque danse sans cérémonie. Mais un ou deux ans après la puberté – l'âge varie selon les villages, si bien que des adolescents de seize ans sont considérés en un endroit comme de petits garçons, en un autre comme des *taule'ale'a* ou jeunes hommes – garçons et filles sont groupés en organismes approximativement parallèles à ceux des adultes, ces organismes reçoivent un nom, et on leur confère d'une façon précise des obligations aussi bien que des privilèges dans la vie de la communauté.

L'*Aumaga* rassemble les jeunes hommes, l'*Aualuma* les jeunes filles, les épouses d'hommes sans titre et les veuves; enfin il y a la réunion des épouses d'hommes titrés. Ces trois groupes font écho à l'organisme politique central du village, le *Fono*, composé des *matais*, c'est-à-dire des hommes qui ont le titre de chef ou de chef-orateur. Le *Fono* est toujours une case ronde où chaque personnage titré à sa place assignée; on ne peut lui parler qu'en usant d'un langage cérémoniel particulier; on lui sert le kava selon un ordre de préséance rigoureusement établi. Cette maison est divisée de façon théoriquement immua-

Fig. 18.
Intérieur d'une case de Fono *aux Samoa.*

ble : à droite siègent le grand chef et ses assistants directs;
en avant, les chefs-orateurs à qui il revient de faire les
discours, d'accueillir les étrangers, de recevoir les dons,
de présider aux distributions de nourriture, d'organiser
les activités collectives. Les *matais* d'humble rang s'ados-
sent aux poteaux du fond. Entre ces poteaux et au centre
s'assoient tous ceux de si peu d'importance qu'ils n'ont
droit à aucune place réservée. Cette hiérarchie des titres
se perpétue de génération en génération et s'intègre en
principe dans une hiérarchie plus vaste qui s'étend à l'île,
à l'archipel, à toutes les Samoa. A quelques-uns de ces
titres, propriété de certaines familles, sont attachés des
privilèges particuliers, tels que celui de posséder un nom
de famille, ou de nommer *taupo* – princesse de la maison
– une jeune parente, et *manaia* – hérétier présomptif –

quelque garçon de la famille. En outre, chefs et chefs-
orateurs jouissent de certains droits cérémoniels. A l'orateur, on doit servir le kava avec un geste particulier, et
parler en utilisant les verbes et les noms réservés à son
rang. Le chef doit rémunérer ses services cérémoniels en
tapa et nattes fines. Le chef a droit à un autre langage de
courtoisie et à un geste différent et plus respectueux
lorsqu'on lui sert le kava; les orateurs doivent lui fournir
la nourriture, l'escorter en toute occasion importante. Le
nom du village, le nom de la place publique où se
déroulent les grandes cérémonies, le nom de la case où se
réunit le *Fono*, le nom des principaux chefs et orateurs,
des *taupo* et des *manaia*, de l'*Aualuma* et de l'*Aumaga*
figurent dans une liste de salutations cérémonielles appelée *Fa'alupega*, ou titres de courtoisie du village ou du
district. Les visiteurs qui y font une entrée officielle
doivent réciter le *Fa'alupega* en premier hommage à leurs
hôtes.

Au *Fono* des chefs correspond l'*Aumaga* des jeunes
hommes. Ceux-ci y apprennent à faire un discours, à se
conduire avec gravité et dignité, à servir et à boire le
kava, à organiser des entreprises collectives et les mener
à bonne fin. Quand un garçon est assez âgé pour entrer à
l'*Aumaga*, le chef de sa famille envoie un don de nourriture au groupe en lui annonçant qu'il compte un nouveau
membre, ou bien conduit lui-même le jeune homme à
l'endroit où l'*Aumaga* est réunie, et dépose, en présent,
une grosse racine de kava. Le garçon fait maintenant
définitivement partie d'un groupe qui est presque toujours réuni. C'est à lui en effet qu'incombent les durs
travaux du village et la plus grande partie des rapports
sociaux avec les autres communautés, rapports qui s'organisent autour des jeunes gens non mariés.

L'*Aualuma* est la version féminine de l'*Aumaga*, sans
toutefois qu'on y observe le même formalisme. Quand
une fille atteint l'âge requis – deux ou trois ans après la
puberté, selon l'endroit – son *matai* envoie un don de
nourriture chez la principale *taupo* du village : il indique
ainsi son désir de voir la fille de sa maison faire désor-

mais partie du groupe de jeunes filles qui forment la cour
de la *taupo*. Mais tandis que l'*Aumaga* existe en fonction
du *Fono* – se réunissant à l'intérieur de la grande case
ronde ou sous un autre toit, mais reflétant exactement ses
pratiques et son cérémonial – l'*Aualuma* a pour centre
d'attraction la personne même de la *taupo* et l'entoure de
demoiselles d'honneur. Elle ne possède aucune organisation intérieure comparable à celle de l'*Aumaga*, et n'accomplit pratiquement aucun travail. Parfois, on pourra
faire appel aux jeunes filles pour préparer du chaume
pour un toit ou récolter l'écorce du mûrier à papier;
parfois encore elles plantent et cultivent le mûrier, mais
leur fonction principale est de servir les épouses de *matai*
lorsque celles-ci se réunissent, et de jouer le rôle d'hôtesses dans les rapports entre villages. En bien des régions
des Samoa, l'*Aualuma* s'est complètement désintégrée et
n'a d'autre existence que dans l'énoncé des salutations
qui tombent des lèvres d'un étranger. Mais si l'*Aumaga*
disparaissait, la vie du village samoan devrait être complètement réorganisée, car elle repose entièrement sur le
travail, cérémoniel et matériel, des jeunes hommes et des
adultes sans titres.

Bien que les épouses de *matais* n'aient aucune organisation reconnue dans le *Fa'alupega*, leur association est plus
assise et plus importante que l'*Aualama*. Les femmes
d'hommes titrés tiennent des réunions dont le protocole
est réglé selon la position sociale du mari de chacune;
l'épouse s'adosse au poteau de son mari, boit son kava. La
femme du chef qui a le rang le plus élevé a droit aux plus
grands honneurs, celle du principal orateur fait les discours les plus importants. La position sociale de la femme
mariée dépend entièrement de celle de son époux. Une
foix qu'un homme a reçu un titre, il n'appartient plus à
l'*Aumaga*. Si on le lui retire parce qu'il est trop vieux ou
incapable, on lui en confère un moins élevé de façon qu'il
puisse tout de même siéger et boire son kava avec ses
anciens compagnons. En revanche, la veuve ou l'épouse
divorcée d'un *matai* doit retourner à l'*Aualuma*, rester
avec les jeunes filles à l'extérieur de la case où se réunit le

fono des femmes titrées, n'y pénétrer que pour les servir ou les distraire.

Les *fono* des femmes sont de deux sortes : ceux qui précèdent ou suivent un travail collectif – qu'elles aient préparé le chaume pour le toit d'une maison d'hôtes, apporté des galets de corail pour en garnir le sol, ou tissé des nattes fines pour la dot de la *taupo* – et les *fono* cérémoniels pour accueillir les visiteurs d'un autre village. Chacune de ces réunions est désignée selon son but : il y a les *falelalaga*, où l'on travaille en commun, les *'aiga fiafia tama'ita'i* où l'on festoie. Lorsqu'un *malaga* ou groupe de voyage arrive au village, les femmes qui en font partie sont seules à reconnaître la position sociale de leurs hôtesses, alors que la *taupo* et sa cour reçoivent les hommages aussi bien des hommes que des femmes. Ces épouses de grands chefs doivent traiter leur propre *taupo* avec beaucoup de respect, et une grande courtoisie, l'appeler « Votre Grandeur », l'accompagner lorsqu'elle voyage, utiliser à son adresse le vocabulaire cérémoniel qui lui est particulièrement destiné. Il y a donc ici une certaine contradiction : les jeunes filles qui, au sein de leur famille, vivent dans la sujétion la plus rigoureuse, ont le pas sur leur mère ou tante dans les relations sociales entre villages. Ces privilèges cérémoniels risqueraient, en théorie, d'ébranler l'autorité des femmes mûres et de sérieusement compromettre la discipline intérieure de la maisonnée. Mais il n'en est rien. D'une part, en effet, l'organisme qui groupe les filles est de structure fragile ; leur principale raison d'être dans leur village est de se trouver toujours aux côtés des femmes plus âgées qui ont des tâches matérielles précises à accomplir ; d'autre part l'on considère que le devoir principal de la *taupo* est de servir. La princesse du village en est aussi la servante. C'est elle qui s'occupe des étrangers, prépare leur coucher et fait leur kava, danse s'ils le désirent, et interrompt son sommeil pour veiller aux besoins de ses hôtes ou de son chef. Elle est aussi obligée de satisfaire aux exigences sociales des femmes. Décide-t-on d'emprunter du chaume à un autre village, la *taupo* revêt ses plus beaux atours et

accompagne le *malaga*, dont elle est l'attraction principale. Son mariage est une affaire qui intéresse tout le
village, préparée et menée à bonne fin par les orateurs
aidés de leurs épouses, qui sont ses conseillères en même
temps que ses chaperons. Si bien que pour la *taupo*, les
obligations quotidiennes que lui impose son rang sont
autant d'empiètements sur sa liberté individuelle, tandis
que la surveillance incessante à laquelle elle est soumise,
et la façon dont on la marie sans tenir compte de ses
propres désirs, sont un véritable déni de sa personnalité.
Quant à ses sœurs non titrées, qui n'ont pas son prestige,
et dont la tâche principale consiste à servir leurs aînées,
le rôle qu'elles jouent vis-à-vis de l'extérieur a encore
moins de répercussion sur la vie quotidienne du village.

A l'exception de la *taupo*, dont l'avènement est l'occasion d'une grande fête où le chef distribue force cadeaux
aux orateurs, qui doivent désormais confirmer et soutenir
son rang, une Samoane a deux façons de faire ses débuts
dans la société. La première, l'entrée officielle dans
l'*Aualuma*, est souvent négligée; il s'agit beaucoup plus de
verser une redevance de principe à la communauté que
de faire reconnaître la fille elle-même. La deuxième
consiste pour cette dernière à s'intégrer dans un *malaga*,
c'est-à-dire dans un groupe de voyage officiel. Elle peut
s'y joindre en tant que proche parente de la *taupo*; dans
ce cas elle sera entraînée dans le tourbillon des réjouissances que les jeunes gens du village visité organisent
pour leurs hôtes. Ou bien, seule fille d'un *malaga* plus
modeste, elle en sera traitée comme la *taupo*. (En toute
occasion de la vie publique, il faut une *taupo*, un *manaia*
et un orateur; si ceux qui détiennent ces titres ne sont pas
présents, d'autres doivent remplir leur office.) Ainsi ce
sont surtout les relations sociales entre villages qui permettent à la jeune Samoane d'être, avant son mariage,
honorée, et reconnue par sa communauté, soit que,
membre de l'*Aualuma*, elle soit appelée à danser pour le
manaia du *malaga* en visite, soit qu'elle fasse elle-même
partie d'un *malaga* accueilli dans un autre village.

Mais ce sont là des occasions exceptionnelles. On peut ne recevoir un *malaga* qu'une fois par an, particulièrement aux Manu'a qui ne comptent que sept villages pour l'archipel entier. Dans les événements importants de la vie quotidienne, naissances, morts, mariages, les filles célibataires n'ont aucun rôle cérémoniel à jouer. Elles font simplement partie des « femmes de la maison » dont l'office est de préparer la layette, ou d'apporter des pierres pour marquer une nouvelle tombe. Tout se passe presque comme si la communauté, par le cas excessif qu'elle fait de la fille en tant que *taupo* ou membre de l'*Aualuma*, s'estimait dispensée de lui accorder davantage d'attention.

Cette attitude se trouve renforcée par le fait que les tabous sont fort peu nombreux. En bien des parties de la Polynésie, toutes les femmes, singulièrement au moment de la menstruation, sont considérées comme souillées et dangereuses. La société se doit d'exercer un contrôle rigoureux et constant, car elle ne peut pas plus se permettre d'ignorer ses membres les plus dangereux que de négliger les plus précieux. Mais aux Samoa, une fille n'a pas beaucoup de possibilités de faire du mal. Pendant ses règles, elle n'a pas le droit de préparer le kava ni le *tafolo*, sorte de gâteau de fruit à pain, qui, de toute façon, est généralement fait par les jeunes gens. Mais on ne l'oblige pas à se retirer dans une case spéciale, ni à manger seule. Son toucher, son regard ne sauraient contaminer rien ni personne. Tout comme les jeunes gens et les femmes plus âgées, la fille se tiendra éloignée de l'endroit où les chefs s'adonnent à quelque tâche de leur fonction, à moins qu'elle n'y ait précisément à faire. Ce n'est pas la présence d'une femme qui est interdite, mais l'intrusion injustifiée de qui que ce soit, à quelque sexe qu'il appartienne. Théoriquement aucune femme ne peut assister à une réunion des chefs, hormis la *taupo* qui prépare le kava. Mais toute épouse peut venir apporter une pipe à son mari ou lui faire une commission, tant qu'il n'est pas nécessaire de reconnaître officiellement sa présence. C'est seulement en matière de pêche que l'on considère la femme, en tant que telle, comme dangereuse. La pêche ne saurait être bonne si elle a touché aux pirogues ou aux instruments. A chaque pêcheur, il revient de faire respecter cet interdit chez lui, où sont gardés ses outils de pêche.

Il en va tout autrement au sein même du groupe familial. Les femmes y tiennent une place qui leur est propre et reconnue de tous. L'ascendante la plus âgée de la lignée, c'est-à-dire la sœur du dernier tenant du titre, ou celle de son prédécesseur, jouit de droits particuliers en ce qui concerne la répartition de tout l'apport dotal qui pénètre dans la famille. Elle a également un droit de veto dans la vente des terres et autres affaires importantes. Sa malédiction est la plus redoutable de celles que puisse recevoir un homme, car elle a le pouvoir de « couper la lignée », et de provoquer l'extinction du nom. Si un homme tombe malade, sa sœur doit, la première, jurer solennellement qu'elle ne lui a souhaité aucun mal, car la colère dans son cœur est des plus maléfiques. Quand un homme meurt, c'est sa tante paternelle, ou sa sœur, qui prépare le corps pour l'inhumation, l'oint de curcuma et d'huile, reste assise près de lui pour chasser les mouches – et garde le chasse-mouche qui lui a ainsi servi, désormais en sa possession. Dans les affaires ordinaires de la maison, dans les tractations entre parents, dans les contestations d'intérêt ou les querelles de famille, les femmes jouent un rôle aussi actif que les hommes.

La fille et la femme paient de retour l'indifférence de la société à leur égard, par une égale insouciance. Elles se désintéressent complètement des traditions du village, des généalogies, des légendes et mythes locaux, des complexités de l'organisation sociale. Il est tout à fait exceptionnel qu'une fille connaisse le nom de son arrière-grand-père, qu'un garçon, en revanche, ne puisse pas réciter sa généalogie sous la forme traditionnelle, sur plusieurs générations. Alors que le garçon de seize ou dix-sept ans se montre impatient d'acquérir le style, plein d'allusions ésotériques, de l'orateur qu'il admire le plus, la fille du même âge apprend le minimum de ce qu'il lui faut savoir en fait d'étiquette. Non qu'elle en soit incapable : la *taupo* doit avoir une connaissance méticuleuse de la hiérarchie sociale non seulement de son propre village, mais de toutes les communautés voisines. Elle doit servir les visiteurs dans les formes voulues et sans aucune hésitation, une fois que l'orateur a chanté leurs titres et le nom que porte leur coupe de kava. Si elle s'adosse au poteau qui revient de droit à une *taupo* qui a le pas sur elle, la suite féminine de cette dernière la rappellera aux convenances en lui tirant vigoureusement les cheveux. Elle apprend, tout comme son frère, à y voir clair dans les entrelacs de l'organisation sociale. Mais, plus remarquable encore est le cas de l'épouse de l'orateur. Qu'elle ait été choisie pour sa docilité par un homme qui a déjà reçu ce titre, ou, comme cela arrive souvent, qu'elle ait épousé un garçon qui plus tard a été promu orateur, la *tausi*, l'épouse de l'orateur, est tout à fait à la hauteur de sa tâche. Dans les réunions de femmes, elle est maîtresse des cérémonies et doit faire respecter les règles en vigueur; il lui faut introduire dans ses discours une profusion de fragments traditionnels inintelligibles, les enrichir d'allusions; elle doit garder la même voix égale, la même attitude altière que son mari. Enfin, l'épouse d'un orateur important doit être professeur aussi bien qu'exécutant, car c'est à elle qu'il incombe de former la *taupo*. Hors ces cas où la communauté reconnaît à la femme une place particulière et exige officiellement qu'elle lui consacre son temps et ses talents, il n'apparaît pas que l'élément féminin se préoccupe de cette communauté plus qu'il n'est absolument indispensable.

Le code pénal primitif ne s'applique d'ailleurs pas aux femmes. Un homme coupable d'adultère avec l'épouse d'un chef était battu et banni, parfois noyé, par le groupe indigné, mais la femme était simplement chassée par son mari. La *taupo* qu'on découvrait ne pas être vierge était seulement battue par ses parentes. Aujourd'hui, si le malheur s'abat sur un village et est attribué à quelque faute non avouée de la part d'un membre de la communauté, le *Fono* et l'*Aumaga* se réunissent et l'on ordonne à quiconque peut avoir quelque méfait sur la conscience de s'en accuser : mais on ne l'exige pas de l'*Aualuma* ni des épouses de *matais*. Voilà qui contraste vivement avec le confessionnal familial où c'est la sœur qui est la première interrogée.

En ce qui concerne le travail, la communauté villageoise a peu d'exigences précises à l'égard des femmes. Ce sont elles qui cultivent la canne à sucre, assemblent et cousent le chaume pour le toit de la maison d'hôtes, en tressent les stores, et apportent les fragments de corail pour en garnir le sol. Quand les filles ont une plantation de mûrier à papier, l'*Aumaga* les aide parfois; les filles leur préparent alors un bon repas, et cela devient un pique-nique de travail. Mais s'il s'agit de besognes auxquelles s'attache un certain caractère cérémoniel, une règle rigoureuse sépare les hommes des femmes. Celles-ci ne peuvent intervenir dans la construction des cases ou des pirogues ni prendre place dans les embarcations de pêche; de même les hommes n'ont pas le droit de pénétrer dans la maison réservée au tissage ni dans celle où les femmes sont réunies pour faire du tapa. Si pour un travail de ce genre, les femmes doivent traverser le village, comme c'est le cas lorsqu'elles apportent du corail brisé pour la maison d'hôtes, les hommes disparaissent, soit qu'ils se rassemblent dans une case à l'écart, soit qu'ils partent dans la brousse ou dans un autre village. Mais cette règle n'est observée que dans les grandes occasions. Si son mari est occupé à construire une nouvelle case de cuisine, une femme peut très bien faire du tapa à quelques mètres de lui; et l'on verra un chef assis tranquillement à tresser de la corde de fibres de coco tandis que son épouse tisse une natte fine à ses côtés.

Ainsi, bien que, contrairement à son mari et à ses frères, une femme passe la plus grande partie de son temps dans le cercle relativement étroit de la maisonnée et du groupe familial, lorsqu'elle participe réellement aux affaires de la communauté, elle est traitée avec le formalisme pointilleux qui marque toutes les phases de la vie sociale aux Samoa. Ses préoccupations et ses inclinations ont un aspect plus personnel, la portent à se concentrer sur un groupe plus restreint. C'est pourquoi il est impossible, aux Samoa, d'évaluer avec précision le dynamisme social naturel des femmes par rapport à celui des hommes. Là où l'on donne à la femme la possibilité de jouer un rôle, elle fait preuve d'autant d'aptitudes que l'homme. Ces épouses d'orateurs témoignent même d'une plus grande faculté d'adaptation que leurs maris. Car ceux-ci sont choisis pour leur éloquence et leurs qualités intellectuelles, tandis que leurs épouses, qui n'y sont nullement préparées, se voient imposer par leur mariage une tâche qui exige des talents oratoires, une imagination fertile, du tact et une mémoire facile.

CHAPITRE VII

LES RELATIONS SEXUELLES
SUR LE PLAN FORMEL

Une petite fille doit fuir les garçons et les traiter en ennemis : voilà ce qu'apprend d'abord toute jeune Samoane. Elle sait que le tabou « frère-sœur » s'applique aux garçons de son groupe familial et à ceux qui vivent sous le même toit qu'elle, mais, comme toutes les fillettes de son âge, elle étend ce sentiment d'inimitié à tous les autres petits garçons. Quant aux plus grands, elle sait aussi, dès huit ou neuf ans, qu'il ne faut pas s'en approcher. Cette attitude à l'égard des garçons, faite d'hostilité envers les plus jeunes, de timidité effarouchée vis-à-vis des plus âgés, s'observe jusqu'à l'âge de treize ou quatorze ans : les filles sont alors sur le point d'être pubères, et les garçons viennent d'être circoncis. C'est le moment où ils se retirent des activités du groupe d'âge et oublient ses antagonismes. Ils ne sont encore guère conscients des questions sexuelles. Aussi est-ce l'âge où les rapports entre les sexes sont le moins teintés d'affectivité. Cette sérénité, la Samoane la retrouvera seulement lorsque, mariée depuis longtemps et mère de plusieurs enfants, elle commencera à vieillir. Très à l'aise entre eux, ces adolescents badinent gentiment, et surtout se taquinent, à tort et à travers : telle fillette ne brûle-t-elle pas d'une passion dévorante pour un vieillard décrépit de quatre-vingts ans ? Tel garçonnet n'est-il pas le père du huitième enfant de cette plantureuse matrone ? Parfois on prête à un garçon et à une fille de mutuels sentiments de

436 MŒURS ET SEXUALITÉ EN OCÉANIE

tendresse, et les intéressés de protester, de s'indigner, et de rire! A cet âge, les enfants se rencontrent dans les *siva*, petites réunions sans protocole, à l'occasion et en marge des grandes cérémonies, au cours des pêches communales, ou à la torche, sur le récif : on se bouscule, on se taquine, sans pour autant se séparer. Malheureusement, ces rencontres ne se prolongent, ni ne sont assez fréquentes pour que les filles s'initient à l'esprit des activités collectives, ou que garçons et filles apprennent à se connaître personnellement entre eux.

Deux ou trois ans plus tard, tout change. La fille n'appartient plus à un groupe d'âge et son absence se remarque moins. Le garçon qui commence à s'intéresser aux filles passe moins de temps avec sa « bande » et davantage avec son camarade attitré. Les filles ont perdu de leur indifférence. Elles ricanent, rougissent, prennent la mouche, s'enfuient. Les garçons sont gauches, empruntés, taciturnes, ils évitent les filles le jour et les soirs de clair de lune, qu'ils les accusent de préférer par exhibitionnisme. Les amitiés se nouent de moins en moins en dehors du groupe familial. Le garçon a besoin, plus que la fille, d'un confident, car seul le don Juan le plus adroit, le plus expérimenté peut se permettre de faire la cour lui-même à sa belle. Sans doute arrive-t-il, là comme ailleurs, que deux tout jeunes gens, à peine sortis de l'adolescence, craignant de se ridiculiser aux yeux de leurs meilleurs amis et de leurs proches, s'échappent seuls dans la brousse. Mais le premier amant d'une fille est, plus fréquemment encore, un homme plus âgé, veuf ou divorcé. Là, il n'est pas besoin d'ambassadeur. L'homme n'est ni timide ni inquiet, et, d'autre part, il ne saurait faire confiance à un intermédiaire qui, plus jeune, le trahirait, plus vieux, ne le prendrait pas au sérieux. Il est également fréquent qu'un garçon perde sa virginité avec une femme plus âgée. Si bien que l'initiation à l'amour se solde rarement par un échec, les partenaires n'étant presque jamais novices tous les deux. Cependant, les premières amours entre adolescents et les relations des adultes avec les tout jeunes gens restent en marge des rapports reconnus comme normaux. Le garçon et la fille sont considérés par leurs camarades comme coupables de *tautala lai titi* (présumer de son âge), comme l'est le jeune homme qui aime ou veut conquérir une femme plus âgée, tandis que la simple idée d'un adulte poursuivant une jeune fille de ses assiduités fait sourire, et choque même si la fille est trop jeune et trop ingénue. « Elle est trop jeune, trop jeune encore, il est trop vieux », dit-on, et de réprouver avec vigueur le *matai* qui, on le sait bien, est le père de l'enfant de Lotu, cette fille d'Olesega, simple d'esprit, et qui n'a que seize ans. La disparité des âges ou de l'expérience vécue frappe toujours les Samoans comme comique, ou pathétique, selon le cas. En théorie, on punit la fille désobéissante, qui s'enfuit de chez elle, en la mariant à un vieillard; j'ai entendu, d'autre part, une fille de neuf ans ricaner d'un air méprisant parce que sa mère avait un faible pour un garçon de dix-sept ans. Le pire écart est celui de l'homme qui séduit quelque jeune femme de sa maisonnée, dont il a la charge, ou une fille adoptive, ou la jeune sœur de son épouse. Il est accusé d'inceste, et la réprobation publique est parfois si vive qu'il est obligé de quitter le groupe.

En dehors du mariage normal, il n'y a que deux espèces de relations sexuelles qui soient réellement reconnues par la communauté – celles entre jeunes gens non mariés (y compris les veufs) qui ont environ le même âge, qu'elles soient une préface au mariage ou simplement une distraction passagère – et l'adultère.

Les rapports entre célibataires sont de trois sortes : les rencontres en cachette « sous les palmiers », l'enlèvement au vu et au su de tout le monde, que l'on appelle *avaga*, et la cour cérémonieuse du garçon qui « est assis devant la fille »; en marge, il convient de noter cette curieuse forme de viol clandestin, le *moetotolo* (se faufiler pendant le sommeil), auquel ont recours les garçons qui ne trouvent grâce auprès d'aucune fille.

Dans les trois cas, le jeune homme a besoin d'un confident et ambassadeur, qui est son *soa*. Lorsque les deux garçons sont amis intimes, ce sera le même *soa* qui interviendra dans les intrigues successives de son compagnon; autrement, son rôle sera éphémère, et limité à une aventure particulière. Le *soa* est comparable à l'orateur qui reçoit de son chef le salaire matériel des services immatériels qu'il rend. Si son ambassade aboutit à un mariage, son ami lui réservera un cadeau privilégié. Le choix d'un *soa* présente de nombreuses difficultés. Si l'amoureux emploie un garçon sérieux et sûr, un membre de sa famille un peu plus jeune que lui et qui lui soit tout dévoué, sans ambitions dans les affaires de cœur, il est probable que l'ambassadeur échouera par inexpérience et manque de tact. Si, au contraire, il se fie à quelque beau jeune homme expert en la matière, qui sache « prononcer les mots tendres et marcher doucement », alors il y a de fortes chances pour que la fille préfère le mandataire au mandant. C'est ce qu'on cherche à prévenir parfois en employant deux ou trois *soa* avec mission de s'espionner les uns les autres. Mais une telle méfiance est contagieuse et risque fort d'atteindre les *soa* eux-mêmes. Un amoureux dont l'excès de prudence s'était soldé par un échec me disait tristement : « J'avais cinq *soa*; un seul a été loyal, les quatre autres m'ont trahi. »

Parmi les *soa* possibles, le choix se porte de préférence sur un frère, ou une fille. Un frère est, par définition, loyal, mais une fille est beaucoup plus adroite. Un garçon ne peut approcher une jeune fille que le soir, ou lorsqu'elle est seule, tandis qu'une fille peut passer toute la journée avec elle, l'accompagnant lorsqu'elle se déplace, s'étendre près d'elle sur la natte, manger au même plat, et murmurer entre les bouchées le nom du garçon, parler sans cesse de lui, dire comme il est bien, comme il est doux, comme il est honnête, combien il est digne d'amour. Oui, ce qu'il y a de mieux c'est la *soafafine*, l'« ambassadrice ». Mais il est très difficile de trouver une *soafafine*. Le garçon ne peut demander de tels services à aucune des femmes de sa famille. Il lui est formellement interdit de parler de ces questions en leur présence. Mais il peut arriver que l'amie de son frère soit une parente de la fille sur laquelle il a jeté son dévolu; ou bien encore, un heureux hasard peut lui faire rencontrer une fille ou une femme qui acceptera d'agir pour son compte. Les haines les plus virulentes qui se manifestent à cet âge ne sont pas celles qui, nourries du venin de l'amour-propre blessé, pourraient dresser l'un contre l'autre deux anciens amants; ce sont celles que conçoivent le garçon contre le *soa* qui l'a trahi, le soupirant contre l'amie de sa bien-aimée qui s'est mise en travers de son chemin.

Dans les intrigues rigoureusement clandestines, le garçon ne se présente jamais chez la fille. C'est son *soa* qui s'y rend en se mêlant à un groupe, ou sous un prétexte quelconque; à moins que, évitant sa maison, il ne trouve l'occasion de parler à la fille alors qu'elle pêche ou revient de la plantation. Il doit chanter les louanges de son ami, réfuter les craintes et les objections de la fille, obtenir enfin un rendez-vous. Ces liaisons sont, habituellement, de courte durée, et le garçon comme la fille en ont souvent plusieurs à la fois. La rupture est fréquemment provoquée par le dépit du premier amant contre celui qui, la même nuit, lui succède dans les bras de sa maîtresse, « car le garçon qui est venu après se moquera de lui ». Les amants se donnent rendez-vous aux abords du village. On dit d'ailleurs de ces liaisons qu'elles sont du genre « sous les palmiers ». Très souvent trois ou quatre couples choisissent un même lieu de rendez-vous, lorsque soit les garçons, soit les filles, sont entre eux apparentés, et liés d'amitié. Si la fille se sent mal, si elle a un étourdissement, le garçon grimpe au cocotier le plus proche, rapporte une noix fraîche et, se servant de son lait comme eau de Cologne, lui en asperge la figure. Les Samoans estiment que la promiscuité est punie de stérilité, et inversement, que concevoir ne peut être que la récompense d'une monogamie prolongée. Lorsque deux jeunes amants s'éprennent sincèrement l'un de l'autre, et que leur liaison dure déjà depuis plusieurs mois, il n'est pas rare que cela se termine par un mariage, si toutefois ils ne sont pas d'un rang social assez élevé pour que cette union ait d'importantes répercussions d'ordre économique. L'on ne manque pas de faire une distinction entre l'amant expérimenté dont les aventures sont nombreuses et de courte durée et celui qui, moins doué, ne sait prouver sa virilité que par une longue liaison qui finira bien par le rendre père.

La fille a souvent peur de s'aventurer dehors dans la nuit; car la nuit samoane est infestée de démons et de fantômes qui vous étranglent, des fantômes qui arrivent en pirogue de lointains villages pour enlever les filles, des fantômes qui sautent sur votre dos et dont vous ne parvenez pas à vous dégager. Parfois aussi, elle estime plus sage de rester à la maison, afin de faire entendre sa voix, si nécessaire, pour prouver qu'elle est bien là. Alors l'amant n'a plus qu'à affronter le danger et se risquer dans la case. Il enlève son *lavalava*, se passe le corps entier à l'huile de noix de coco pour pouvoir glisser entre les doigts de ses éventuels poursuivants et ne leur laisser aucun indice, puis, doucement, il soulève un store, et se glisse à pas de loup dans la maison. Cette pratique n'a rien d'exceptionnel; elle donne toute sa saveur à un incident que l'on retrouve dans maints récits populaires de Polynésie, et qui conte la mésaventure de l'infortuné héros qui « dort jusqu'au matin, jusqu'à ce que le soleil levant révèle sa présence aux habitants de la maison ». Comme il y a peut-être une douzaine au moins de personnes, sans compter plusieurs chiens qui dorment dans la case, il suffit de ne pas faire de bruit. Mais cette coutume de la rencontre silencieuse sous le toit familial se prête à un abus très particulier, le *moetotolo*.

Le *moetotolo* est la seule activité sexuelle ayant nettement le caractère d'une anomalie. Depuis que les Samoans ont pris contact avec la civilisation blanche, le viol, sous sa forme brutale, a fait chez eux des apparitions sporadiques. Mais il a beaucoup moins d'affinités avec le tempérament samoan que le *moetotolo*, où un homme s'approprie furtivement les faveurs destinées à un autre. Profitant de la règle du silence qu'on observe toujours pour ne pas être découvert, et qui interdit donc toute conversation, le *moetotolo* compte que la fille attend son amant, ou que, peut-être, elle acceptera quiconque se présentera. S'il éveille ses soupçons – ou s'il lui déplaît – elle pousse de grands cris et toute la maison se lance à la poursuite du délinquant. Attraper un *moetotolo* est considéré comme un exploit, et les femmes, qui se sentent menacées dans leur sécurité, ne sont pas les moins empressées. Un malheureux jeune homme de Luma avait négligé d'enlever son *lavalava*. La fille se rendit compte qu'il n'était pas l'amant attendu, et sa sœur réussit à arracher d'un coup de dents un morceau de son *lavalava* avant qu'il n'ait eu le temps de s'enfuir. Elle le montra fièrement à tout le monde le lendemain. Comme le garçon n'avait pas été assez intelligent pour détruire son *lavalava*, c'était là la preuve par présomption de sa culpabilité; il fut la risée du village, les enfants firent une chanson sur lui et il l'entendait partout où il allait. Le problème du *moetotolo* se complique du fait que le délinquant peut très bien être un garçon de la maison, qui a la faculté alors de couvrir sa retraite en feignant de participer au tollé général. Enfin il fournit à la fille un excellent alibi, puisqu'elle n'a qu'à pousser le cri de *moetotolo* si son amant est découvert. « Pour la famille et le village c'est peut-être bien un *moetotolo*, mais il n'en est pas ainsi dans le cœur de la fille et du garçon. »

On donne deux motifs à cette déplaisante conduite : la colère et l'échec amoureux. C'est à ses risques et périls que la jeune Samoane fait la coquette. « Elle dira : " Oui, je te rencontrerai ce soir près du vieux cocotier, juste à côté du rocher aux pieuvres, lorsque la lune se couchera." Et le garçon attendra, attendra toute la nuit. Il fera très noir, les lézards se laisseront tomber sur sa tête; les pirogues fantômes entreront dans le chenal. Il aura très peur. Mais il attendra jusqu'à l'aurore, jusqu'à ce que ses cheveux soient humides de rosée et que son cœur soit irrité. Et toujours, elle ne viendra pas. Alors, pour se venger, il tentera un *moetotolo*, surtout s'il apprend qu'elle a rencontré un autre garçon cette nuit-là. » La seconde explication habituelle est que le garçon en question ne parvient par aucun moyen légitime à se trouver une maîtresse; il n'y a pas de prostitution aux Samoa, sous aucune forme, si ce n'est celle qui se pratique à l'égard des invités. Comme certains *moetotolo* notoires étaient parmi les plus beaux garçons et les plus charmants du village, cette explication est assez difficile à accepter. Apparemment, ces jeunes gens avaient dû subir un ou deux échecs, et, exaspérés par la tapageuse forfanterie des autres et de leurs sarcasmes, avaient renoncé à faire leur cour selon les méthodes reconnues, et finalement tenté un *moetotolo*. Mais qui est pris une fois est marqué pour toujours. Aucune fille ne s'intéressera jamais à lui. Il devra attendre jusqu'à ce que, l'âge lui ayant donné une position sociale et un titre à offrir, il ait le choix entre quelque dévergondée, lasse et misérable, et la jeune fille que ses parents ambitieux et égoïstes veulent marier contre son gré. Il faudra des années avant que cela devienne possible. Aussi, exclu des amours permises à ses compagnons, le garçon tentera-t-il un *moetotolo* après l'autre, pour en sortir parfois triomphant, parfois seulement pour être pris, battu, tourné en ridicule, se perdant de réputation chaque fois davantage. Souvent une solution partiellement satisfaisante est trouvée dans l'établissement de rapports avec d'autres hommes. Tel était le cas, au village, d'un *moetotolo* notoire et d'un jeune homme sérieux qui voulait garder son cœur libre pour se consacrer aux intrigues politiques. En résumé, donc, si le *moetotolo* ajoute aux risques de ses amours clandestines sous le toit familial, tout en leur donnant quelque piquant, les rencontres « sous les palmiers » ne laissent pas de faire hésiter les filles, qui craignent de voir leur absence remarquée, appréhendent de mauvaises rencontres, redoutent la pluie et les fantômes.

Entre ces liaisons secrètes et la demande en mariage se place une forme intermédiaire de relations, celle où le jeune homme fait publiquement sa cour. Ceci étant considéré comme un premier pas en vue d'une union légale, les deux groupes familiaux doivent être plus ou moins d'accord. Accompagné de son *soa* et muni d'un panier de poisson, d'une ou deux pieuvres ou d'un poulet, le soupirant se présente chez la fille avant le repas du soir. Si l'on accepte son don, c'est signe que la famille autorise ses avances. Il est accueilli avec formalité par le *matai*, courbe respectueusement la tête pendant la prière, et reste à dîner, toujours avec son *soa*. Mais il n'approche pas de la fille. Voici ce que disent les Samoans : « Si vous voulez savoir qui est réellement le prétendant, ne regardez pas le garçon qui est assis près de la fille, la dévisage effrontément, passe ses doigts dans les fleurs de son collier et dérobe de ses cheveux la fleur d'hibiscus pour la mettre derrière sa propre oreille. Ne pensez pas que ce soit celui qui la taquine en l'accusant d'avoir beaucoup d'amants ou qui lui chuchote doucement : " Chérie, attends-moi ce soir. Quand la lune se sera couchée, je viendrai. " Mais regardez le jeune homme qui est assis au fond, la tête baissée et qui ne participe pas aux plaisanteries. Et vous verrez que ses yeux ne quittent pas la fille. Il ne cesse de l'observer, ne manque pas un mouvement de ses lèvres. Car peut-être lui clignera-t-elle de l'œil, ou lui fera-t-elle un signe de la main ou des sourcils. Il doit être vigilant pour ne pas la manquer. » Cependant, le *soa* fait ostensiblement, scrupuleusement la cour à la jeune fille, mais, à voix basse, il plaide la cause de son ami. Le dîner terminé, le centre de la case appartient aux jeunes, qui jouent aux cartes, chantent, ou restent simplement assis à échanger de grosses plaisanteries. Les visites de ce genre peuvent être espacées, ou devenir quotidiennes. Le don de nourriture n'est pas obligatoire à chaque occasion, mais il est aussi essentiel la première fois que les présentations officielles le sont chez nous. Le chemin est malaisé que doit parcourir le prétendant déclaré. La fille ne veut pas encore se marier, ni voir des fiançailles définitives mettre fin à ses intrigues galantes. Il est possible aussi que le jeune homme lui déplaise, ou qu'il soit, de son côté, victime d'ambitions familiales. Maintenant que tous dans le village savent qu'il prétend à sa main, la fille, par pure vanité, l'évite, fait tout pour le contrarier. Quand il arrive, le soir, elle est partie chez des voisins; il la rejoint; elle retourne immédiatement chez elle. Lorsque la demande en mariage est finalement

acceptée, il n'est pas rare que le garçon aille dormir dans
la case de sa future épouse, et c'est ainsi que l'union est
subrepticement consommée. La cérémonie du mariage
est retardée jusqu'à ce que la famille du garçon ait eu le
temps de planter, et de rassembler suffisamment de
nourriture et autres biens, et que celle de la fille ait pu
réunir une dot convenable de tapa et de nattes.

C'est ainsi que se déroulent les amours de la plupart
des jeunes gens du village. De cette liberté, de cette
facilité de mœurs, la *taupo* ne saurait profiter. Pour être
taupo, il faut être vierge. Le soir de son mariage, devant
tout le village assemblé, dans une case brillamment
illuminée, le chef-orateur du jeune marié exhibera les
témoignages de sa défloration (1). Autrefois si elle se
révélait ne plus être vierge, ses parents se jetaient sur elle
et, à coups de pierres, défiguraient, blessaient parfois
mortellement celle qui avait couvert de honte leur famille. L'épreuve publique plongeait la fille dans un état
de dépression qui parfois durait une semaine, alors que
d'ordinaire une fille ne met pas plus de deux ou trois
heures à se remettre de ses premiers rapports sexuels et
que les femmes ne restent au lit que quelques heures
après avoir accouché. Le cérémonial était, en principe,
observé dans toutes les classes de la société; mais on
feignait de l'ignorer si le garçon savait déjà à qui s'en
tenir. « Si une fille a quelque bon sens, dit-on, et qu'elle
ne soit plus vierge, elle ira le dire au chef-orateur de son
futur époux de façon à ne pas être couverte de honte
devant tout le monde. »

Les Samoans ont une attitude curieuse à l'égard de la
virginité. Le christianisme a, naturellement, introduit la
chasteté en tant que valeur morale. Ils considèrent une
telle conception avec respect certes, mais scepticisme; de
même la notion de célibat est pour eux complètement
vide de sens. Mais, d'autre part, la virginité ajoute certainement aux charmes d'une fille, et la conquête d'une
vierge est regardée comme un exploit bien plus remar-

(1) Cette coutume est aujourd'hui interdite par la loi, mais elle ne
disparaît que graduellement.

quable, recherché par les véritables don Juan, que celle d'un cœur plus expérimenté. Un jeune homme de vingt-quatre ans, qui venait d'épouser une fille encore vierge ne put s'empêcher de faire part de son émoi à tout un chacun. L'on se moqua de lui : à vingt-quatre ans, il avait eu de nombreuses liaisons mais, son langage le prouvait bien, il n'avait jamais eu les faveurs d'une vierge.

La virginité de la jeune épouse est pour tous une question de prestige, pour chacun des nouveaux époux comme pour les deux familles. Si une fille de haut rang veut prévenir la pénible cérémonie de défloration publique, elle en sera empêchée non seulement par l'étroite surveillance de ses proches, mais par la soif de prestige de son futur mari. Un jeune dévoyé avait un jour enlevé une jeune fille de haut rang dans un village voisin. Il l'amena chez son père, mais refusa de vivre avec elle . « Je pensais que j'épouserais peut-être la fille, qu'il y aurait un grand *malaga* et une belle cérémonie, et que j'aurais devant tous le mérite d'avoir épousé une vierge. Mais le lendemain son père est venu et a dit qu'elle ne pouvait pas m'épouser; elle a beaucoup pleuré. Alors je lui ai dit : « Eh bien, ce n'est pas la peine d'attendre plus longtemps, sauvons-nous ensemble dans la brousse. » L'on conçoit aisément qu'une fille puisse souvent préférer faire le sacrifice d'un prestige éphémère plutôt que d'affronter l'épreuve publique; mais un garçon ambitieux s'y refusera toujours.

A l'« amour sous les palmiers » des gens d'humble naissance correspond l'enlèvement pour la *taupo* et les filles de chefs en général. Les filles de haut rang sont surveillées de très près; pour elles il n'y a pas de rendez-vous secrets la nuit, de rencontres en cachette le jour; alors que dans la classe populaire, les parents ferment les yeux complaisamment sur les écarts de leurs filles, le chef veille sur la virginité de la sienne comme il défend l'honneur de son nom, sa place dans la cérémonie du kava, ou toute autre prérogative attachée à son rang. Une vieille femme de la maison est désignée pour être la duègne de la fille, et elle a mission de ne jamais la quitter. La *taupo* ne peut aller seule en visite dans les autres

maisons du village, ni sortir seule la nuit. Lorsqu'elle dort,
sa vieille gouvernante dort près d'elle. Elle n'a pas non
plus le droit de se rendre sans chaperon dans un autre
village. Elle vaque sagement à ses occupations, se baigne
dans la mer, travaille à la plantation, jalousement surveillée par toutes les femmes. Elle ne court que peu de
risques de la part d'éventuels *moetotolo* car quiconque
ferait outrage à une *taupo*, autrefois était battu jusqu'à ce
que mort s'ensuive, aujourd'hui serait obligé de quitter le
village. Le prestige de la communauté est étroitement lié
à la réputation de la *taupo*, et peu de jeunes gens du
village oseraient tenter de la séduire. Pour eux, il ne peut
être question de mariage, et leurs camarades, loin de leur
envier une gloire aussi suspecte, les accuseraient de
forfaiture. Il arrive qu'un jeune homme de très grande
famille se risque à enlever une des *taupo* de son village,
mais le cas est extrêmement rare. Car la tradition exige
que la *taupo* se marie dans une autre communauté,
épouse un chef ou un *manaia* d'un autre village. De tels
mariages sont l'occasion de grandes fêtes et de cérémonies solennelles. Le chef entouré de tous ses orateurs doit
venir faire la demande et apporter lui-même les dons
réservés aux chefs-orateurs de la *taupo*. Si ces derniers
ont alors la certitude que l'union envisagée est lucrative
donc souhaitable, et si le rang et le physique du prétendant conviennent à la famille, on se met d'accord. On
tient fort peu compte de l'opinion de la fille. L'idée est
tellement ancrée dans les esprits que le mariage de la
taupo est l'affaire des chefs-orateurs, que les indigènes
européanisés de la grande île refusent aujourd'hui de
donner à leur fille le titre de *taupo* : comme les missionnaires ont déclaré qu'une fille doit choisir elle-même son
mari, l'on considère que si la fille devient *taupo*, la
possibilité d'un libre choix ne dépend plus d'elle.

Une fois conclues les fiançailles, le futur époux
retourne à son village pour rassembler la nourriture et
les autres objets nécessaires au mariage. Son village
réserve une parcelle de terre qui s'appelle « la terre et la
Dame » et qui devient la propriété de la future épouse et

restera à jamais celle de ses descendants. On y bâtit pour elle une case. Cependant le fiancé a laissé derrière lui, chez la *taupo*, un chef-orateur, homologue du *soa* des gens d'humble condition. C'est pour l'orateur l'occasion, ou jamais, de s'enrichir. Il est là, en tant qu'émissaire de son chef, pour veiller sur sa future épouse. Il travaille pour la famille de celle-ci, et, chaque semaine, le *matai* de la *taupo* doit lui donner un beau cadeau en échange de ses services. Fiancée d'un chef, la fille doit observer une attitude de plus en plus prudente. Lui arrivait-il autrefois de plaisanter avec les garçons du village? Elle doit s'en abstenir désormais, sinon l'orateur, à l'affût de tout manquement à la bienséance, retournera chez son chef et lui dira que sa fiancée est indigne de l'honneur qui l'attend. La coutume se prête particulièrement bien à une révision des engagements pris de part et d'autre. Si le fiancé regrette quoi que ce soit et change d'avis, il convainc son orateur (habituellement un jeune homme et non l'un des grands chefs-orateurs qui ont tout intérêt à ce que le mariage se fasse) de se montrer particulièrement exigeant à l'égard du comportement de la fiancée ou de la façon dont il est traité dans sa famille. C'est ce moment-là aussi que choisira la fille pour s'enfuir avec un autre, si son fiancé lui apparaît par trop déplaisant. Car, si aucun garçon du village ne veut se risquer à lui faire une cour dangereuse, un jeune homme venu d'ailleurs acquerra chez lui un énorme prestige en enlevant la *taupo* d'une communauté rivale. Si elle quitte sa famille, les fiançailles sont naturellement rompues, mais ses parents, dépités, peuvent ne pas l'autoriser à épouser son amant, et, pour la punir, lui donner un vieillard comme mari.

Si grand est le prestige qui rejaillit sur tout le village lorsqu'un de ses fils réussit à enlever une *taupo*, qu'un *malaga* s'emploie souvent à cette unique tâche. La virginité de la *taupo* sera respectée s'il apparaît possible que la famille et le village consentent à approuver le mariage. Comme l'auteur de l'enlèvement est souvent lui-même de rang élevé, le village de la *taupo* finit, la plupart du temps, par accepter le compromis de mauvaise grâce.

L'enlèvement s'explique donc par la discipline exigée de la *taupo* et les rivalités entre villages. Mais il se rencontre aussi à un niveau social moins élevé, où il perd alors toute sa signification. Il est rare que la surveillance qui s'exerce sur une fille de famille ordinaire soit assez sévère pour que la fuite et l'enlèvement soient le seul aboutissement d'une intrigue amoureuse. Mais il y a quelque chose de spectaculaire dans l'enlèvement : le garçon cherche à se bâtir une réputation de don Juan, la fille veut afficher sa conquête et souvent espère que tout se terminera par un mariage. Le couple se réfugie chez les parents du garçon, ou tout au moins chez quelqu'un de sa famille, et attend que les parents de la fille se lancent à sa poursuite : « Nous nous sommes enfuis dans la pluie, nous avons fait quinze kilomètres jusqu'à Leone, jusqu'à la maison de mon père, sous une pluie diluvienne. Le lendemain, sa famille est venue la réclamer et mon père m'a dit : " Qu'y a-t-il ? veux-tu épouser cette fille et demanderai-je à son père de la laisser ici ? " Et j'ai répondu : " Oh non. " Je l'ai enlevée juste pour que cela se sache. » Les enlèvements sont beaucoup moins fréquents que les liaisons clandestines parce que la fille y court beaucoup plus de risques. En acceptant de s'enfuir, elle renonce publiquement à prétendre être vierge – prétention toute fictive la plupart du temps ; elle se brouille avec sa famille, qui autrefois – et cela s'observe parfois aujourd'hui – lui aurait administré une sévère correction et lui aurait rasé les cheveux. Neuf fois sur dix son amant agit par vanité et ostentation : les garçons ne disent-ils pas : « Les filles ont horreur du *moetotolo*, mais toutes adorent l'*avaga* (celui qui les enlève). »

Si deux jeunes gens sont décidés à s'épouser et qu'une des familles s'y oppose, l'enlèvement reste la seule solution pratique. Ils se réfugient chez la famille consentante. Mais à moins que l'autre ne se radoucisse et légalise le mariage par les échanges de rigueur, il n'est aucun moyen pour eux d'être considérés comme des gens mariés. Ils peuvent avoir plusieurs enfants et être classés encore comme des « amants en fuite ». Même si l'union, après de longues années, est finalement reconnue, ils resteront marqués toute leur vie. Leur faute est beaucoup plus grave que toute autre inconduite sexuelle, le sentiment général étant que toute la communauté a été défiée par un couple de jeunes insolents.

Tant que dure le mariage, et même au-delà, s'il y a des enfants, les relations sont entretenues entre les deux familles par des dons réciproques. La naissance de chaque enfant, la mort de chaque membre de l'une ou l'autre maisonnée, les visites de l'épouse à ses parents, ou du mari aux siens, s'il habite chez sa femme, sont autant d'occasions pour distribuer des cadeaux.

Avant le mariage, l'on observe rigoureusement les conventions de la cour amoureuse. A vrai dire, ces conventions sont plutôt de paroles, que d'action. Sans doute le garçon proteste-t-il qu'il mourra si la fille lui refuse ses faveurs, mais pour les Samoans, l'amour romanesque, la fidélité prolongée prêtent à rire, et ils croient formellement qu'un amour chasse l'autre. La fidélité qui se matérialise par une grossesse est considérée comme la preuve positive d'une affection authentique. Mais avoir de nombreuses maîtresses n'empêche jamais de faire à chacune des déclarations enflammées. Les chants passionnés, les lettres aussi longues que fleuries, les invocations à la lune, aux étoiles et à l'océan sont du répertoire amoureux samoan comme du nôtre; mais la ressemblance reste superficielle et leur attitude se rapproche de celle du héros de Schnitzler dans *Anatole*. Les Samoans ignorent l'amour romanesque tel que nous le connaissons, exclusif et jaloux, étroitement lié à nos notions de monogamie et de fidélité inébranlable. Nos conceptions en la matière sont le produit d'un certain nombre de facteurs inhérents à notre civilisation occidentale, l'institution de la monogamie, l'esprit chevaleresque du Moyen Age, le message moral du christianisme. L'on rencontre rarement chez les Samoans cette passion durable pour un être qui persiste malgré les déboires, sans pour cela interdire d'autres affections. Le mariage d'autre part est considéré comme un accord économique et social où la richesse, le rang social, les capacités du mari et de la femme entrent en ligne de compte. Nombreux sont les époux qui, surtout passé trente ans, sont parfaitement fidèles l'un à l'autre. Il semble qu'il faille en trouver l'explication non dans l'ardeur de l'amour conjugal, mais d'une part dans la facilité de d'adaptation sexuelle, de l'autre dans le fait qu'à cet âge, d'autres intérêts – organisation sociale pour les hommes, enfants pour les femmes – prennent le pas sur la recherche des plaisirs sexuels. Comme les Samoans ignorent les inhibitions et la complexité des exigences sexuelles, qui condamnent à l'échec les mariages de convenance, il leur est possible d'asseoir le bonheur conjugal sur d'autres bases qu'une passion éphémère. L'empirisme et la recherche d'avantages communs sont ici de règle.

L'adultère n'entraîne pas forcément la rupture du mariage. Si la femme d'un chef se rend coupable d'adultère, on estime qu'elle s'est déshonorée, et elle est habituellement chassée; mais le chef répugne ouvertement à ce qu'elle se remarie avec un homme de rang inférieur au sien. Si c'est l'amant qui apparaît le plus coupable, le village entier exercera sa vengeance. Dans les cas moins marquants, le bruit qu'on fait autour de l'adultère dépend beaucoup plus de la position relative, dans l'échelle sociale, de l'offenseur et de l'offensé, ou de la jalousie personnelle qu'il suscite parfois. Si le mari lésé – ou la femme – est suffisamment irrité pour menacer d'en venir aux mains, le coupable devra peut-être avoir recours à une *ifoga* publique, humiliation cérémonielle devant quelqu'un dont on demande le pardon. Il se rend devant la maison de celui qu'il a offensé, accompagné de tous les hommes de sa famille, chacun enveloppé d'une natte fine – la monnaie du pays; les suppliants s'assoient à l'extérieur de la case, la tête baissée couverte de leur natte, les mains croisées sur la poitrine, suggérant par leur attitude la mortification et l'accablement les plus profonds. « Et si l'homme est très irrité, il ne prononcera pas un mot. Tout le jour, il vaquera à ses affaires; il tressera de la corde d'une main rapide, criera après sa femme, saluera ceux qui passeront sur la route. Mais il ne prêtera pas la moindre attention à ceux qui sont assis devant chez lui, qui n'oseront pas lever les yeux ou faire un mouvement pour s'en aller. Autrefois, quand les cœurs étaient durs, il aurait peut-être pris une massue et aurait tué ces hommes. Mais maintenant il se contente de les faire attendre, attendre toute la journée. Le soleil peut bien donner à plomb sur leur tête, la pluie s'abattre sur eux, il ne parlera pas. Enfin, vers le soir, il dira : « Venez, c'en est assez. Entrez boire le kava. Mangez la nourriture que je poserai devant vous et nous jetterons nos difficultés à la mer. » Il accepte alors les nattes fines en dédommagement, et l'*ifoga* entre dans l'histoire du village. L'on entendra de vieilles commères affirmer : « Oh oui! Lua! non, ce n'est pas l'enfant d'Iona. Son père est ce chef qui habite l'autre village. Il a *ifod* à Iona avant sa naissance. » Si l'offenseur est de rang beaucoup moins élevé que le mari outragé, son chef, ou son père (s'il est encore très jeune) devra s'humilier à sa place. Quand c'est une femme qui est coupable, elle vient elle-même accompagnée de ses parentes faire amende honorable. Mais elles courent fort le risque de recevoir une bonne correction et d'être tancées vertement. Le christianisme – sans doute parce qu'il vise plus à interdire le meurtre qu'à empêcher ces batailles de femmes, malgré tout moins dangereuses – a beaucoup moins adouci les instincts belliqueux des femmes que ceux des hommes.

Si, d'autre part, une femme se lasse vraiment de son époux, ou un mari de sa femme, le divorce est simple et facile; celui des deux époux qui n'est pas du village retourne dans sa famille; on dit alors que leurs relations « se sont éteintes ». Il s'agit donc d'une union monogame très fragile, qui subit bien des entorses, et plus souvent encore se brise complètement. S'il y a beaucoup d'adultères – entre un jeune célibataire peu enclin au mariage et une femme mariée, entre un veuf à titre temporaire et quelque jeune fille – ils ne menacent guère la continuité des liens établis. Les droits de la femme sur les terres de sa famille lui donnent autant d'indépendance que son mari. Si deux époux continuent à vivre ensemble après un certain temps, on peut être sûr qu'aucun d'eux n'est réellement malheureux. Une scène un peu vive, et la femme retourne chez les siens; si son mari ne cherche pas la réconciliation, chacun, de son côté, se cherchera un autre partenaire.

Au sein de la famille, la femme obéit à son époux et le sert – en principe tout au moins, car les maris tyrannisés par leur femme ne sont pas rares. Dans les familles de haut rang, ces fonctions domestiques sont assurées par la *taupo* et le chef-orateur, mais l'épouse conserve toujours le droit d'accomplir pour le chef des services personnels de caractère sacré, comme par exemple lui couper les cheveux. Le rang social d'une femme ne peut être supérieur à celui de son mari dont il dépend. Sa famille peut être plus riche, plus illustre que la sienne, elle peut, en fait, exercer plus d'influence sur les affaires de la communauté par l'intermédiaire de ses parents consanguins, mais à la maison, et dans le village, elle est simplement une *tausi*, femme de chef-orateur, ou une *faletua*, femme de chef. Cette situation crée parfois des conflits. Ce fut le cas de Pusa, dont le frère était le tenant du plus haut titre de l'île, titre qui, pour l'instant, était tombé en désuétude. Pusa était aussi l'épouse du plus grand chef du village. Si son frère recouvrait le titre, le rang de son mari et son rang à elle, en tant qu'épouse, en pâtiraient. Aider son frère, c'était rabaisser le prestige de son mari. Comme c'était le genre de femmes qui, à la considération publique, préfèrent le pouvoir de l'intrigue, elle fit jouer toute son influence en faveur de son frère. De tels conflits ne sont pas rares, mais ils se présentent sous la forme d'une alternative bien définie. Dans l'attitude finalement adoptée, les considérations de résidence sont souvent essentielles. La femme qui habite avec son mari dans un autre village que le sien propre, défendra surtout les intérêts de son époux. Mais si elle vit dans sa famille, dans son village à elle, elle se rangera le plus souvent du côté de ses parents consanguins. Sans doute ne lui apportent-ils aucun statut, aucune position sociale, mais leur prestige rejaillit sur elle, et dans une certaine mesure – non officielle – elle partage leurs privilèges.

CHAPITRE VIII

LE RÔLE DE LA DANSE

La danse est la seule activité à laquelle participent tous les âges, sans distinction de sexe; aussi offre-t-elle l'occasion unique d'analyser les méthodes d'éducation.

Il y a des virtuoses de la danse, mais pas de professeurs attitrés. Elle a un caractère éminemment individuel bien qu'elle se situe dans un cadre social. Ce dernier n'est pas toujours le même. Ce peut être une petite réunion intime avec dix ou vingt personnes; ce peut être aussi une de ces grandes fêtes que l'on donne à l'occasion d'un mariage ou d'un *malaga* (groupe de visiteurs officiels d'un autre village) : alors la grande maison d'hôtes est comble et une foule de spectateurs se presse à l'extérieur. Le cérémonial varie selon l'importance de la fête. La présence de deux ou trois jeunes gens d'un autre village suffit d'habitude pour que l'on organise une petite *siva*. A tour de rôle, hôtes et visiteurs dansent et assurent l'accompagnement musical, même lorsque le *malaga* se compose de deux personnes seulement; dans ce cas, quelques-uns des hôtes vont prêter main-forte aux visiteurs.

C'est au cours des petites réunions familiales que les enfants apprennent à danser. Devant sont assis les jeunes gens qui sont à la fois les protagonistes et les arbitres de la fête. Le *matai* et sa femme, peut-être aussi un autre *matai* de leurs parents, et les vieillards de la maisonnée restent derrière, à l'inverse de l'ordre habituel qui relègue les jeunes à l'arrière-plan. De chaque côté se grou-

pent les femmes et les enfants; dehors attendent les
garçons et les filles qui ne participent pas à la danse, mais
qui peuvent y être entraînés d'un instant à l'autre. Le
départ est généralement donné par les enfants, en commençant peut-être par ceux de sept ou huit ans. La
femme du chef, et l'un des jeunes gens appellent les
noms, et ils se groupent par trois, parfois trois garçons et
trois filles, parfois une fille entre deux garçons – ce qui
reflète le groupe type de la *taupo* entre ses deux chefs-
orateurs. Les jeunes gens, assis ensemble au centre de la
maison, se chargent de la musique; l'un d'eux, qui reste
debout, conduit les chants en s'accompagnant d'un instrument à cordes d'importation, qui a remplacé le gros-
sier tambourin de bambou d'autrefois. Il donne le ton, et
toute l'assistance se met de la partie, soit en chantant, soit
en battant des mains ou en frappant le sol du poing. Les
danseurs sont seuls juges des mérites de la musique, et
l'on n'est pas obligatoirement taxé d'impertinence lorsqu'on s'arrête au beau milieu de la danse et que l'on exige
de meilleure musique pour prix de la poursuite de la
danse. Les chants sont peu variés. Les jeunes gens d'un
village connaissent rarement plus d'une douzaine d'airs,
et peut-être une trentaine de chansons qu'ils chantent
tantôt sur un air, tantôt sur un autre. Le vers se mesure
simplement au nombre de syllabes, les changements
d'accent y sont autorisés, et la rime n'est pas indispensable, si bien qu'il s'adapte facilement à toutes paroles
traitant d'un sujet nouveau et que les noms de villages,
d'hommes et de femmes s'y intègrent aisément. Ces
chants ont souvent un caractère très personnel et l'on
n'hésite pas à y glisser de bons mots aux dépens de
certains individus et de leur communauté.

La participation de l'assistance varie selon l'âge des
danseurs. S'il s'agit de petits enfants, c'est une suite
ininterrompue de recommandations : « Plus vite! » « Plus
bas, encore plus bas! » « Recommence!» « Rattache ton
lavalava!... » S'ils sont plus âgés, plus expérimentés, on
entend murmurer des : « Merci, merci » « Magnifique »
« Charmant » « Bravo! » qui deviennent enthousiastes

lorsque le danseur est une personne de qualité, pour qui se produire ainsi est une marque de condescendance.

Les petits enfants qui apparaissent en public pour la première fois ne sont pas sans avoir reçu quelque formation préalable. Bébés dans les bras de leur mère, ils ont assisté à des réunions de ce genre, et ont appris à battre des mains en mesure avant de marcher, si bien que le rythme est fixé d'une manière indélébile dans leur esprit. A deux ou trois ans, debout sur une natte à la maison, ils ont scandé de leurs mains les chants de leurs aînés. Maintenant on leur demande de se produire devant des spectateurs. Les yeux écarquillés, terrifiés, de tout petits prennent place à côté d'enfants un peu plus âgés, battent des mains avec l'énergie du désespoir, tentent de faire quelques nouveaux pas, sous l'inspiration du moment, en imitant leurs compagnons. Tout progrès est salué de bruyants applaudissements. L'enfant qui s'est le mieux comporté lors de la précédente réunion est mis de force en avant car le groupe veut avant tout s'amuser et se soucie peu que tous les enfants aient un entraînement régulier. Aussi certains arrivent-ils rapidement à distancer les autres, autant grâce à l'intérêt qu'on leur porte et aux occasions qui leur sont fournies de danser que parce qu'ils sont mieux doués. Mais chaque famille cherche à pousser sa progéniture sur le devant de la scène, ce qui compense, dans une certaine mesure, cette tendance à toujours favoriser les meilleurs.

Pendant que les enfants dansent, leurs aînés, garçons et filles, se parent de fleurs, de colliers et de coquillages, de bracelets de feuilles aux chevilles et aux poignets. Un ou deux font un saut jusque chez eux et reviennent vêtus de belles jupes de tapa. Du coffre familial on tire une bouteille d'huile de noix de coco pour en frotter le corp des danseurs les plus âgés. Si un personnage de haut rang se trouve assister à la fête et consent à danser, la famille qui reçoit sort ses plus beaux tapas et ses nattes fines pour le costumer. Parfois ces préparatifs vestimentaires prennent, au dernier moment, de telles proportions que la case d'à côté doit être réquisitionnée comme salon d'habillage. Mais parfois aussi tout se passe à la bonne franquette et l'on voit des villageois, venus en curieux enveloppés d'un drap, emprunter un vêtement ou un *lavalava* à quelque autre spectateur, avant de se joindre à la danse.

Les formes que revêt la danse elle-même sont éminemment individuelles. Rien n'est imposé, en fait de mouvements, à l'exception des quelques battements de mains pour lesquels doit s'ouvrir la danse, et de la finale, à choisir parmi un petit nombre de types rituels. Il existe vingt-cinq à trente figures, deux ou trois enchaînements consacrés, et au moins trois genres bien distincts : la danse de la *taupo*, la danse des garçons, et celle des bouffons. Il s'agit là de trois styles différents qui n'ont aucun rapport avec la position sociale du danseur. La danse de la *taupo* est belle, grave, distante. Par son visage immobile, son air rêveur, son maintien détaché, la fille doit exprimer au suprême degré la hauteur et l'indifférence. Il n'est permis de substituer à cette attitude qu'une série de grimaces, plus effrontées que comiques, dont le principal attrait réside dans le contraste qu'elles présentent avec la gravité coutumière. Le *manaia*, lorsqu'il danse dans son propre rôle, doit se plier aux mêmes exigences de réserve et de dignité. C'est le genre qu'adoptent la plupart des petites filles et quelques-uns parmi les petits garçons. C'est aussi celui que choisissent les chefs, les rares fois où ils daignent danser, ainsi que les femmes de rang élevé, à moins qu'ils ne préfèrent jouer un rôle comique comme ils en ont le privilège. La danse des garçons est beaucoup plus gaie que celle des filles. Elle autorise une plus grande liberté de mouvements, et l'on accorde beaucoup d'importance aux effets sonores produits par le claquement rapide et rythmé des mains sur les parties nues du corps. Elle n'a rien de lascif ni de langoureux comme l'est souvent la danse de la *taupo*. Elle est athlétique, un tant soit peu tapageuse et exubérante, et doit beaucoup de son intérêt à la rapidité et à la difficulté de coordination des claquements de mains sur le corps. La danse des bouffons est pratiquée par ceux qui entourent la *taupo* et le *manaia* et qui les honorent en se moquant d'eux. Ce sont, avant tout, les chefs-orateurs, et, en général, les hommes et les femmes d'âge respectable. Le principe en est, à l'origine, le contraste : le bouffon apporte un dérivatif comique à la majestueuse danse de la *taupo*; plus cette dernière est de haute noblesse, plus est élevé le rang de ceux qui daignent, par leurs pitreries, mettre en valeur ses talents. La danse bouffonne carica-ture le personnage conventionnel; elle tient du burlesque, de la mimique grossière; on y fait beaucoup de bruit en frappant la bouche ouverte avec la paume de la main, en sautant de tous côtés, en rebondissant lourdement sur le sol. Le bouffon, parfois, s'acquitte tellement bien de son rôle qu'il devient le personnage central de la danse.

La fillette qui débute peut choisir entre ces trois genres et dispose de vingt-cinq à trente figures pour composer sa danse; mais, ce qui est le plus important, elle observe les autres. J'ai cru tout d'abord que l'habileté des tout jeunes enfants était due au fait que chacun prenait modèle sur un de ses aînés et copiait la danse d'un bout à l'autre, avec application, servilement. Mais il m'a été impossible de trouver un seul enfant qui voulût bien l'admettre, ou qui parût même en être un tant soit peu conscient. M'étant davantage familiarisée avec le groupe, je n'ai découvert aucun enfant non plus dont la façon de danser pût être réellement définie comme une imitation. Le style de chaque danseur doué de quelque virtuosité est connu de tout le village. Lorsqu'on emprunte sa manière, on le fait franchement. Ainsi la petite Vaitogi qui pose les mains à plat sur le haut de la tête, garde les avant-bras à la même hauteur, et avance le dos courbé, en sifflant, danse, tout le monde le sait, « à la Siva ». Il n'y a aucune honte à imiter qui que ce soit de la sorte; le créateur ne s'en indigne pas, ni ne s'en fait une gloire. L'assistance non plus ne le reproche pas au danseur. Mais le besoin d'originalité est si fort que ce dernier introduit rarement plus d'une figure ou d'une attitude empruntée dans l'exhibition d'un soir; et lorsque deux filles dansent de la même façon, c'est souvent en dépit de leurs efforts respectifs et sans qu'elles aient essayé en quoi que ce soit de s'imiter mutuellement. Naturellement les danses des enfants se ressemblent beaucoup plus que celles des jeunes gens et jeunes filles, qui ont le temps et de fréquentes occasions pour se créer un style personnel.

Si l'enfant montre quelque précocité pour chanter, diriger un chant, ou danser, l'attitude des adultes à son égard est tout à fait différente de celle dont ils font preuve vis-à-vis de toutes les autres formes de précocité. Au cours d'une danse, on n'entend jamais prononcer l'accusation tant redoutée : « Tu présumes trop de ton âge. » A un petit garçon qui, en d'autres circonstances, serait sévèrement réprimandé et peut-être fouetté pour une telle attitude, on permet sans l'ombre d'un reproche de faire l'important, de prendre des airs avantageux, d'attirer sur lui l'attention. Les parents gloussent de plaisir devant une précocité qui leur ferait courber la tête de honte si elle s'exerçait dans tout autre domaine.

C'est au cours des petites réunions sans solennité que la danse joue réellement un rôle éducatif. Ni l'enfant ni l'amateur n'ont leur place dans les danses, si cérémonieuses, qu'exécutent la *taupo*, le *manaia* et leurs chefs-orateurs, à l'occasion des mariages ou des *malaga*, avec leurs costumes savants, la distribution obligatoire de nourriture, et l'observation vigilante des traditions et des prérogatives. Ils ne sont que spectateurs, perdus dans la foule des villageois attroupée autour de la maison d'hô-tes. Mais ce prototype du genre, stylisé et élaboré à l'extrême, non seulement est pour eux un exemple mais restera un stimulant lorsque, dans le cadre d'une réunion intime, ils chercheront à retrouver une part de sa majesté.

Dans l'éducation des enfants, et pour les aider à s'intégrer dans la société, la danse a une double influence. En premier lieu, elle tempère, de façon efficace, la rigueur de l'état de subordination dans lequel ils sont habituellement tenus. Les admonestations de leurs amis ne sont plus les mêmes : « Assieds-toi et reste tranquille » devient : « Lève-toi et danse ! » Ils sont le centre d'intérêt du groupe au lieu d'évoluer, à peine tolérés, en marge de lui. Parents et proches prodiguent généreusement les louanges pour souligner la supériorité de leurs propres enfants sur ceux de leurs voisins ou visiteurs. L'autorité que confère l'âge partout ailleurs s'assouplit quelque peu pour laisser se développer les jeunes talents. Chaque enfant joue un rôle personnel, quels que soient son âge et son sexe. L'importance donnée ici à l'individu est telle que la danse en souffre du point de vue esthétique. La danse cérémonielle des adultes est un véritable ballet : les exécutants sont disposés en ligne, la *taupo* est au centre, entourée, de chaque côté, d'un nombre égal de danseurs, qui convergent vers elle, et dont tous les mouvements sont accordés aux siens pour les mettre en valeur. On recherchera vainement cette unité et cette symétrie dans la même danse exécutée par les enfants. Chacun agit pour lui-même avec un souverain mépris de ce que font les autres; il n'y a aucun effort de coordination, on ne cherche en aucune façon à subordonner l'ensemble à la danse du personnage central. Il arrive même souvent qu'un des danseurs fasse si peu attention aux autres qu'il se heurte continuellement contre eux. C'est une véritable débauche d'exhibitionnisme et d'individualisme agressif. Cette tendance qui se manifeste de façon si criante au cours des petites réunions, ne se retrouve pas ailleurs. Dans les grandes danses cérémonielles, la solennité de la circonstance suffit à modérer l'agressivité des participants. L'intérêt individuel n'y existe que pour les gens de haut rang ou pour les virtuoses qui y trouvent une magnifique occasion pour faire parade de leurs talents.

Dans la formation du caractère, la danse joue également un autre rôle : elle permet d'abaisser le seuil de la timidité. En ce domaine, les enfants samoans sont aussi différents les uns des autres que le sont ceux du monde occidental. Mais alors que les plus timides des nôtres évitent à tout prix de se produire en public, le jeune Samoan, tout inquiet et malheureux qu'il paraisse, danse tout de même. Il sait qu'il ne peut y échapper, et il fait un minimum d'efforts pour satisfaire aux exigences sociales.

Il s'accoutume ainsi de bonne heure à évoluer sous les regards des autres et les mouvements de son corps y gagnent en harmonie, effet bénéfique de la danse dont semblent profiter les garçons plus que les filles. A quinze ou seize ans, ils dansent avec un tel charme, une telle spontanéité que c'est une joie de les regarder. L'adolescente dont la démarche gauche et dégingandée, l'absence de coordination dans les mouvements peuvent paraître ailleurs désespérants, devient, dès qu'elle danse, une jeune personne gracieuse et décidée. Mais il ne semble pas que, dans la vie quotidienne, elle retrouve cette aisance et cet équilibre des gestes, aussi facilement que les garçons.

En un sens, la danse familiale est plus proche de nos méthodes que n'importe quel autre aspect de l'éducation samoane. Car ici l'on applaudit l'enfant précoce, on lui offre des occasions de plus en plus nombreuses de montrer ses talents, alors que le maladroit est en butte aux reproches de tous, oublié, laissé à l'écart. Le sentiment d'infériorité sous sa forme classique, si fréquent chez nous, se rencontre rarement. Il semble qu'il y ait deux causes aux complexes d'infériorité : la maladresse dans les rapports sexuels, qui donne naissance au *moetotolo*, et d'autre part la maladresse dans la danse. J'ai déjà raconté l'histoire de cette petite fille, timide à l'extrême, et qui, promise à un rang élevé, et obligée de se produire en public, avait perdu toute assurance, et tout plaisir de vivre.

Parmi les filles les plus âgées, la plus malheureuse était Masina. Masina, pubère depuis environ trois ans, ne savait pas danser. Elle avait peu de charme, se plaignait toujours, était maladroite, timide, mal à son aise. Elle avait eu cinq liaisons éphémères, sans importance, au hasard de rencontres. Elle fréquentait des filles beaucoup plus jeunes, manquait totalement de confiance en elle-même. Personne n'avait demandé sa main, et elle ne se marierait pas tant que sa famille n'aurait pas besoin des biens avec lesquels on achète habituellement une épouse.

Il est intéressant de noter ici que la danse est la seule

activité où les aînés établissent une distinction marquée entre les enfants, aux dépens des moins doués, et que ceci semble bien être un facteur déterminant du complexe d'infériorité chez les enfants.

La grande importance accordée à la danse ne joue pas contre les enfants souffrant de quelque malformation physique. Au contraire, chaque défaut est utilisé dans la danse ou compensé par la perfection même de celle-ci. J'ai vu un jeune garçon, très bossu, qui avait imaginé d'imiter, fort ingénieusement d'ailleurs, une tortue. Le même enfant, dans une danse à deux, se faisait porter sur le dos de son partenaire. Ipu, le petit albinos, dansait avec aisance et dynamisme, et était fort applaudi. Laki, qui était fou et se prenait pour le grand chef de l'île, n'était que trop heureux de danser pour quiconque lui parlait en utilisant les savantes formules de courtoisie exigées par son rang. Le frère d'un chef de village, qui était sourd-muet, soutenait sa danse d'un accompagnement de gutturales, les seuls sons qu'il pût émettre. Les frères d'un simple d'esprit de quatorze ans avaient appris à lui couvrir la tête de branches, ce qui déclenchait en lui de furieux mouvements rythmiques, suggérant un cerf dont les andouillers seraient pris dans les branchages. La plus précoce des petites danseuses à Tau était presque aveugle. Ainsi aucune imperfection, aucune infirmité ne se trouvaient exclues de cette expression bien particulière de la personnalité de chacun.

L'enfant qui danse est presque toujours un être fort différent de ce qu'il se montre dans la vie courante. Lorsqu'on connaît une fille depuis longtemps, on peut parfois deviner quel est le genre de danse qu'elle préfère. Cela n'est pas difficile avec certaines, qui sont de vrais petits diables. Mais on constate à quel point il est facile de se tromper lorsqu'on observe avec quelle grâce nonchalante peut danser une gamine tapageuse, ou à quelles brillantes audaces peut se livrer une fille ailleurs rêveuse, et souvent même terne.

Les grandes danses officielles constituent l'une des distractions préférées des Samoans. Le plus grand témoignage de courtoisie qu'un chef puisse offrir à son hôte est de faire danser sa *taupo* en son honneur. Dans le même esprit, les garçons dansent après avoir été tatoués, le *manaia* danse quand il va courtiser sa fiancée, la jeune épouse danse le jour de son mariage. Dans la franche gaieté d'un *malaga*, tard dans la nuit, la danse prend souvent un caractère d'obscénité criante, et de provocation fort précise. Mais ce n'est là qu'un aspect secondaire. L'essentiel est le rôle que joue la danse familiale dans l'épanouissement de l'individu et la compensation qu'elle apporte aux contraintes de la vie quotidienne.

CHAPITRE IX

L'INDIVIDU ET LA COMMUNAUTÉ

La facilité avec laquelle les différends personnels peuvent se résoudre par un changement de résidence explique la relative aisance des rapports sociaux. Les Samoans observent à l'égard de l'individu une curieuse attitude faite à la fois de prudence et de fatalisme. Ils désignent par le mot *musu* le refus obstiné de faire quelque chose, que ce soit la maîtresse qui, soudain, ne veut plus revoir son amant, le chef qui ne consent pas à prêter sa coupe à kava, le bébé qui ne peut se résoudre à aller se coucher, l'orateur qui décide de ne pas accompagner un *malaga*. L'on traite un comportement *musu* avec une sorte de respect superstitieux. Les amants connaissent des formules pour empêcher leur maîtresse de « devenir *musu* », et règlent soigneusement leur conduite en tenant compte de cette éventualité redoutable. Il ne semble pas que l'on cherche à comprendre les préoccupations personnelles qui peuvent motiver une telle attitude, afin de lui faire échec et retrouver des rapports normaux en faisant appel à la vanité, à la crainte ou à l'ambition. L'on considère plutôt qu'il s'agit de prévenir, par de puissants moyens, variables d'ailleurs, l'apparition d'un phénomène psychologique mystérieux, et aussi très fréquent. Face au *musu*, le Samoan abandonne généralement la lutte, sans beaucoup protester, ni tenter d'en connaître les causes réelles. Cette résignation devant un comportement inexplicable autorise une étrange absence de curiosité à l'égard de ses mobiles. Les Samoans ne sont certes pas insensibles à ce qui oppose les individus. Mais leur jugement en la matière est faussé du fait que pour eux, l'obstination, la susceptibilité, l'irascibilité, l'esprit de contradiction, certains partis pris même sont autant de manifestations d'une seule attitude, le *musu*.

Si l'on se montre tellement indifférent à l'égard des motifs du comportement d'autrui, c'est aussi que l'on considère comme normal de recevoir une réponse parfaitement ambiguë à toute question d'ordre personnel. Interrogez quelqu'un sur les raisons qui l'ont poussé à agir de telle ou telle autre façon et il vous dira *Ta ilo* « je me le demande », qu'il précisera parfois en ajoutant « je n'en sais rien (1) ». Cette réponse est jugée suffisante dans une conversation ordinaire, bien que sa brièveté l'interdise dans les rapports cérémonieux. Mais l'habitude est tellement enracinée dans les mœurs que je dus la frapper d'interdit pour pouvoir obtenir des enfants une réponse directe aux questions les plus simples. Lorsqu'à cette réplique évasive on ajoute que l'on est *musu*, l'on obtient cette déclaration définitive et qui n'apprend rien : « Je me le demande... et puis je n'en ai pas envie, c'est tout. » Alors on renonce à ses projets, les enfants refusent de vivre chez leurs parents, les mariages sont rompus. Les commères du village relèvent le fait, mais haussent les épaules d'un air résigné lorsqu'on leur en demande les raisons.

Il est une curieuse exception à cette règle. Si quelqu'un tombe malade, on en recherche d'abord l'explication dans l'attitude des gens de sa famille. La colère au cœur d'un parent, surtout d'une sœur, est tenue comme particulièrement néfaste. Toute la famille est assemblée, on boit cérémonieusement le kava, et on enjoint solennellement à chacun d'avouer s'il nourrit quelque colère envers le malade. L'on répond soit par une dénégation catégorique, soit par des aveux circonstanciés : « La semaine dernière, mon frère est entré dans la maison et a mangé toute la nourriture, et j'ai été folle de colère toute la journée »; ou bien : « Mon frère et moi nous sommes

---

(1) Voir Appendice I, p. 565.

disputés; mon père a pris le parti de mon frère, et je lui en ai voulu pour ce favoritisme. » Mais ce rite singulier ne fait que souligner davantage combien, en toutes autres circonstances, l'on s'intéresse peu aux mobiles réels d'une action quelconque. J'ai vu une fois une jeune fille abandonner une expédition de pêche dès notre arrivée à destination et insister pour refaire, en pleine chaleur, les dix kilomètres qui nous séparaient du village. Personne ne cherche à expliquer ce caprice; pour tout le monde, elle était simplement *musu*.

L'on reconnaîtra qu'une telle attitude est pour l'individu un refuge d'autant plus précieux qu'il ne dispose, on s'en souvient, d'aucun moyen de s'isoler. Qu'il soit chef ou enfant, il vit sous le même toit qu'une demi-douzaine au moins de parents. Ses objets personnels sont simplement enroulés dans une natte rangée au-dessus d'une poutre, ou empilés pêle-mêle dans un panier ou dans un coffre. Un chef est à peu près sûr que ce qui lui appartient sera respecté, au moins par les femmes, mais personne d'autre ne peut être certain de retrouver d'heure en heure son bien propre. Une femme qui aura passé trois semaines à faire un tapa apprendra qu'il a été offert à un visiteur pendant qu'elle n'était pas là; on peut, à chaque instant lui réclamer les anneaux qui ornent ses mains. Il est pratiquement impossible d'avoir quelque chose bien à soi. De même les actes de chacun sont propriété publique. Il se peut que parfois une liaison éphémère échappe à la chronique scandaleuse ou qu'un *moetotolo* ne soit pas surpris, mais, en règle générale, le village entier est au courant des moindres faits et gestes de chacun. Je n'oublierai jamais l'indignation d'un de mes interlocuteurs m'avouant que personne, absolument personne, ne savait qui était le père de l'enfant de Fa'amoana. C'est l'atmosphère étouffante d'une petite ville de province; en moins d'une heure les enfants ont appris les secrets les mieux cachés, et en font une chanson à danser. En contrepartie chacun est d'une réserve inflexible, d'une discrétion à toute épreuve. Chez nous l'on avouera : « Oui, je l'aime, mais vous ne saurez jamais jusqu'où cela est allé »; une

Samoane dira : « Oui, bien sûr, j'ai vécu avec lui, mais vous ne saurez jamais si je l'aime ou si je le hais. »

La langue samoane ne possède pas de comparatif. Pour marquer une relativité, on emploie des formules, toujours assez lourdes, qui expriment un contraste : « Ceci est bon, et ceci est mauvais », ou des locutions telles que « et après lui vient... ». Mais on compare rarement les êtres les uns aux autres, bien que, dans cette société à structure très rigoureuse, l'on soit vivement conscient du rang de chacun. L'on n'a pas l'habitude de dire qu'un tel est meilleur qu'un autre, qu'il est plus beau, ou plus sage. Je me suis efforcée à plusieurs reprises d'obtenir qu'on me désignât l'homme le meilleur ou le plus sage de la communauté. La première réaction de mon interlocuteur était toujours de répondre : « Oh! ils sont tous bons »; ou bien encore : « Il y a tant d'hommes de bon sens. » Chose assez singulière d'ailleurs, il semble qu'on ait distingué plus facilement entre les vices qu'entre les vertus. Cela est probablement dû à l'influence des Missions; si elles n'ont pas réussi à inculquer aux indigènes la notion de péché, elles leur en ont du moins fourni une liste. Si l'on commençait souvent par me déclarer : « Il y a tant de mauvais garçons », on ne tardait pas à ajouter spontanément : « Mais un tel est le pire de tous, car... » La laideur et la méchanceté, parce que plus rares, étaient davantage remarquées; la beauté, la sagesse, la bonté étaient considérées comme normales.

Pour décrire une tierce personne, on mentionne objectivement, toujours dans le même ordre, le sexe, le rang, le degré de parenté, les défauts, les activités. L'on ajoute, rarement de soi-même, une remarque sur le caractère ou la personnalité. Voici le portrait que fait une fille de sa grand-mère : « Lauuli? Oh! c'est une vieille femme, très vieille; c'est la mère de mon père; elle est veuve et borgne; elle est trop vieille pour aller dans les terres; elle reste assise à la maison toute la journée; elle fait du tapa (1). » Pour obtenir des descriptions un peu moins

_____

(1) Pour d'autres esquisses de personnages, voir Appendice I, p. 565.

sommaires, il faudra s'adresser à des adultes d'intelligence exceptionnelle, et leur demander d'exprimer leur opinion.

Les Samoans classent les différents comportements en usant de quatre termes appariés : bon et mauvais, facile et difficile. D'un enfant qui a un bon naturel, on dira qu'il écoute facilement et se conduit bien, d'un enfant désagréable, qu'il écoute avec difficulté et agit mal. « Facile » et « avec difficulté » qualifient le caractère, « bon » et « mauvais », la conduite. Si bien que le comportement, bon ou mauvais, en vient, exprimé en termes de facilité et de difficulté, à être considéré comme une aptitude inhérente à l'individu. De même que nous disons d'une personne qu'elle chante ou nage sans effort, le Samoan constate que quelqu'un obéit sans difficulté, se conduit respectueusement, « facilement », et réserve les termes « bon » et « mauvais » pour un jugement objectif. Ainsi un chef, parlant de la mauvaise conduite de sa nièce, remarquait : « Il est vrai que les enfants de Tui ont toujours écouté avec beaucoup de difficulté », admettant ainsi tranquillement l'existence d'imperfections graves, comme s'il avait dit : « Oh ! d'ailleurs Jean n'a jamais eu de bons yeux. »

La description des émotions n'est pas moins curieuse. Elles sont ou « avec cause » ou « sans cause ». D'un individu émotif, sensible, d'humeur changeante, on dit qu'il rit sans raison, pleure sans raison, se met en colère ou veut se battre sans raison. L'expression « être très en colère sans raison » n'implique pas une vivacité particulière de caractère – que l'on suggère par la locution « se mettre en colère facilement » – ni une réaction disproportionnée par rapport à sa cause réelle, elle a son sens littéral, et s'applique à un état émotif qui n'est dû à aucune cause perceptible. C'est ce qui, chez les Samoans, se rapproche le plus d'un jugement du tempérament, en ce qu'il diffère du caractère. L'individu bien adapté, celui qui se conduit comme quelqu'un de son sexe doit le faire à son âge, n'est jamais accusé de rire, de pleurer ou de se mettre en colère sans motif plausible. On assure, sans autre examen, qu'il doit y avoir de bonnes raisons, des raisons tout à fait normales, pour qu'il en soit ainsi; mais le même comportement, chez un tempérament aberrant, se verrait analysé et finalement réprouvé. L'on blâme toujours l'excès émotif, les grands élans du cœur, une fidélité rigoureuse. Le Samoan préfère un juste milieu, des sentiments modérés, l'expression discrète d'une attitude raisonnable et équilibrée. On dit toujours du passionné qu'il l'est sans motif.

Ce qu'on discute le plus chez quelqu'un de son âge est ce qui s'exprime par le terme *fiasili*, littéralement « vouloir être le plus haut », ou si l'on préfère, « être prétentieux ». Cela correspond à la remontrance *tautala lai titi* (trop présumer de son âge) de la part d'un aîné. Ce mot amer, on le trouve essentiellement dans la bouche de celui qui passe inaperçu, qu'on néglige et qu'on distance. Terme de reproche, on le craint moins que le *tautala lai titi*, et l'on s'en offense moins aussi, parce qu'on sent bien qu'il est en partie inspiré par la jalousie.

Dans la conversation courante, au lieu d'avancer des hypothèses, plus ou moins fondées, sur les mobiles d'un comportement, on explique celui-ci en termes d'imperfections physiques ou d'infortunes caractérisées. Ainsi : « Sila pleure dans la case là-bas. Eh bien, Sila est sourde. » « Tulipa est fâchée contre son frère. La mère de Tulipa est partie à Tutuila la semaine dernière. » Bien que de telles paroles ressemblent à des tentatives d'explication, elles ne sont réellement que des habitudes de conversation. L'imperfection physique ou l'incident récent n'est pas évoqué spécifiquement, mais simplement mentionné, avec peut-être un peu plus d'insistance, et d'un ton un peu plus réprobateur. On ne se préoccupe vraiment que des faits et gestes de l'individu, et les raisons psychologiques de sa conduite restent un mystère impénétrable.

L'on juge toujours quelqu'un en termes de groupes d'âge : celui de la personne qui exprime son opinion et celui de l'individu dont on parle. Un jeune garçon n'est pas considéré comme intelligent ou sot, sympathique ou déplaisant, maladroit ou habile. C'est un petit garçon de neuf ans, fort éveillé, qui fait bien les commissions et qui a assez de bon sens pour savoir tenir sa langue en présence de ses aînés; ou bien c'est un jeune homme de dix-huit ans, plein de promesses, qui fait d'excellents discours à l'*Aumaga*, sait diriger avec discernement une expédition de pêche, et traiter les chefs avec le respect qui leur est dû; ou alors c'est un sage *matai* qui parle bien et qui est habile à tresser les nasses à anguilles. Les qualités de l'enfant ne sont pas celles de l'adulte. De même l'âge de celui qui juge influe sur la manière de voir, si bien que l'opinion relative qui peut être donnée d'un individu est essentiellement variable. L'enfant, garçon ou fille, qui sera le plus bas dans l'estime de ses camarades pré-adolescents sera le plus batailleur, le plus irascible, le plus chicaneur, le plus tapageur. Entre seize et vingt ans, les jeunes gens blâmeront moins la turbulence et la brutalité que le dévergondage : ils mépriseront les *moetotolo* comme la fille trop ouvertement facile. En revanche, les adultes attachent peu d'importance aux écarts sexuels, mais ils réprouvent, chez les plus jeunes, la sottise, l'impudence, et la désobéissance, tandis qu'ils condamnent, chez les gens de leur âge, les paresseux, les bornés, les mauvais coucheurs et ceux sur lesquels on ne peut compter. Voici quelles sont dans l'esprit d'un adulte, les règles de conduite : les petits enfants doivent ne pas faire de bruit, se lever tôt, obéir, travailler dur mais avec bonne humeur, jouer avec les autres enfants de leur propre sexe; les jeunes gens doivent travailler avec zèle et compétence, ne pas être présomptueux, se marier sans scandale, être loyaux envers leur famille, ne pas colporter de racontars ni semer la discorde; quant aux adultes, ils doivent être pondérés, pacifiques, calmes, généreux, soucieux du prestige de leur village; ils doivent vivre selon toutes les règles du bon ton et de la bienséance. L'intelligence ni le tempérament n'entrent en ligne de compte. L'on apprécie peu chez l'autre sexe l'arrogance, la désinvolture et le courage; on leur préfère le calme et la réserve de celui, ou de celle, dont « la voix est douce et le pas est léger ».

CHAPITRE X

EXPÉRIENCE ET PERSONNALITÉ
DE L'ADOLESCENTE SAMOANE (1)

Comment se déroule l'adolescence dans ce milieu samoan, dont nous connaissons maintenant les coutumes, le comportement à l'égard de l'enfant, et les mœurs sexuelles? Voici l'histoire des fillettes et jeunes filles de dix à vingt ans qui habitent les trois petits villages de la côte ouest de Tau, et avec lesquelles j'ai passé de longs mois. Leur vie de groupe, leurs réactions individuelles doivent nous permettre de discerner le véritable visage de l'adolescence aux Samoa.

La principale activité des fillettes consiste, on s'en souvient, à s'occuper des petits enfants. Elles savent aussi pêcher sur le récif, tresser une balle, confectionner une rosace, grimper dans un cocotier, se maintenir à la surface d'un bassin naturel dont le niveau change de cinq mètres à chaque vague, éplucher un fruit à pain ou un taro, balayer la cour sablée devant la porte, rapporter de l'eau de mer, faire une lessive simple, danser à leur manière une *siva*. Les aspects biologiques de la vie et de la mort leur sont beaucoup moins étrangers que la structure de la société où elles vivent et les finesses de comportement prescrites à leurs aînés. Imaginons, par exemple, que, chez nous, une fillette ait vu naître et mourir avant d'avoir appris à présenter correctement un couteau ou à faire la monnaie de cent francs. Aucune ne

(1) Voir Tableaux et résumés à l'Appendice V.

sait parler la langue de courtoisie, même sous ses formes les plus élémentaires, hormis quatre ou cinq mots pour demander et recevoir. Cette ignorance les exclut mieux que toute prohibition des conversations de leurs aînés, dans les occasions cérémonielles : quel plaisir y aurait-il alors à espionner une réunion de chefs ? De l'organisation du village, elles ne savent rien, tout au plus connaissent-elles les chefs des familles et les couples mariés. Elles emploient les appelations de parenté sans précision et sans les comprendre réellement, substituant souvent le terme qui signifie « frère de mon propre sexe » à celui qui désigne « frère du sexe opposé ». Quand elles appliquent le terme de « frère » à un jeune oncle, elles le font sans avoir conscience, comme leurs aînés – qui, eux, l'emploient dans son sens par rapport au groupe d'âge – que ce « frère » est, en réalité, celui de la mère ou du père. Leur inexpérience dans le domaine de la langue se manifeste surtout par leur ignorance du vocabulaire courtois, et les confusions incessantes qu'elles font dans l'emploi du duel et des cas inclusifs et exclusifs du pronom personnel – qui présente, pourtant, fort peu de difficulté. Elles ne sont pas encore habituées non plus à manier préfixes et suffixes avec aisance et à les combiner librement. Ainsi une enfant emploiera le terme *fa'a samoa*, « à la façon samoane », ou *fa'atama*, « garçon manqué », mais ne se servira pas du commode *fa'a* pour faire une comparaison nouvelle et moins stéréotypée : elle se contentera de circonlocutions linguistiques moins appropriées (1).

Toutes les fillettes que j'ai connues avaient vu naître et mourir. Elles avaient vu plus d'un cadavre. Elles avaient assisté à des fausses-couches et entrevu le fœtus avorté lavé par les vieilles femmes. Il n'est pas dans les usages d'écarter les enfants de la maison en de telles occasions. Sans doute ces essaims de petits curieux peuvent-ils être dispersés à coups de cailloux, si l'une des femmes en a le loisir ; mais c'est alors surtout pour se débarrasser d'en-

(1) Voir Appendice I, p. 565.

fants bruyants et énervants, et non point pour leur éviter
un spectable pénible ou les maintenir dans l'ignorance.
La moitié environ de ces filles avaient vu un fœtus
arraché au cadavre ouvert d'une femme dans la tombe
non encore recouverte. (Les Samoans craignent en effet
qu'il ne naisse et ne devienne un esprit vengeur.) Si un
choc affectif devait résulter d'une initiation prématurée à
la naissance, la mort ou la vie sexuelle, il devrait sûrement se produire devant cette césarienne funèbre, où la
douleur du deuil, la peur de la mort, la crainte d'être
contaminé par le contact du cadavre, l'opération au grand
jour, le fœtus répugnant et distordu, tout concourt à
laisser un souvenir indélébile. A peine moins impressionnant pour ces fillettes est le spectacle de « l'autopsie » à
laquelle on se livre fréquemment sur les cadavres pour
chercher les causes de la mort. Cette opération est
pratiquée dans la fosse ouverte, sous l'aveuglant soleil de
midi, devant une foule excitée de peur, horrifiée et
fascinée à la fois. Initiation combien brutale et troublante
aux mystères de la vie et de la mort, et qui ne semble pas,
cependant, avoir des effets nuisibles sur l'affectivité des
enfants. L'attitude des adultes à cet égard n'est pas sans y
contribuer. Pour eux, en effet, ce sont là des événements
horribles, certes, mais parfaitement naturels, nullement
exceptionnels, et qu'il est normal pour un enfant de
connaître. Les enfants s'intéressent beaucoup à la vie et à
la mort, et ils sont, toutes proportions gardées, davantage
obsédés par elles que les adultes. Car ceux-ci ne seront
pas plus révoltés par la mort en couches d'une jeune
voisine que par quelque manquement à l'étiquette dont le
grand chef aura été l'objet dans un village voisin. Les
complexités de la vie sociale sont lettre close pour
l'enfant, tandis que la vie et la mort sont, dès l'âge tendre,
dépouillées de tout mystère.

Les réalités de la vie sexuelle ne sont pas davantage
ignorées des enfants de dix ans. Sans doute n'est-ce que
subrepticement qu'ils peuvent assister aux activités de
cet ordre, puisque toute manifestation d'affection est
rigoureusement interdite devant qui que ce soit. Un

couple qui a peut-être passé sa nuit de noces dans une pièce où couchent dix autres personnes s'abstiendra de se toucher la main en public. On dit d'individus qui ont eu des rapports sexuels entre eux qu'ils sont « confus l'un devant l'autre ». Ils manifestent cette « confusion » d'une façon différente que frères et sœurs, mais avec autant de conviction. Deux époux ne vont jamais côte à côte dans le village, car le mari, en particulier, « aurait honte ». Aussi, aucun enfant samoan, n'est-il habitué à voir son père et sa mère échanger quelque caresse. Selon la coutume, on se frotte le nez pour se saluer, mais il n'y a rien là de moins conventionnel ni de moins impersonnel que dans notre poignée de main. On ne verra guère en public, dans cet ordre de manifestation, que des jeux de main quelque peu grossiers, entre jeunes dont les sentiments réciproques ne sont pas en cause, et aussi parmi des groupes de femmes.

Mais les enfants vivent dans des cases où les moustiquaires sont les seules cloisons; ils se promènent librement dans les bois de cocotier où se donnent rendez-vous les amants : il est inévitable qu'ils soient souvent témoins de rapports sexuels, et entre de nombreux couples. La plupart du temps, ils n'ont pas assisté aux tout premiers rapports, car ceux-ci sont habituellement entourés des plus grandes précautions pour assurer leur intimité. La défloration, ayant cessé d'être l'objet d'une cérémonie publique, reste bien l'un des rares mystères de la vie physique pour les jeunes Samoans. Mais on considère comme tout à fait normal que des enfants de dix ans s'amusent à dénicher les amoureux dans les bois de cocotiers.

Les enfants connaissent parfaitement le corps humain et ses fonctions. Les habitudes de vie les y portent : les petits vont tout nus, les adultes sont fort peu vêtus, tous se baignent à la mer, la plage est tout à la fois un lieu d'aisance et d'amour. Ils ont aussi une compréhension très vive de la nature du sexe. Tous – ou presque – se masturbent, dès six ou sept ans. Je n'ai connu que trois petites filles, dans le groupe que j'examinais, qui échappaient à cette règle. Théoriquement, la masturbation cesse avec le début de l'activité hétérosexuelle, pour n'être reprise qu'en période de continence obligée. Chez les garçons et filles plus âgés, elle fait place, jusqu'à un certain point, à des pratiques homosexuelles. Les garçons se livrent à la masturbation en groupes, mais, chez la fille, elle reste plus personnelle, plus secrète. Il ne semble pas que l'habitude soit spontanée, mais bien qu'elle se transmette d'un enfant à l'autre. Les adultes ne l'interdisent que pour dissimuler ce qu'il y aurait d'inconvenant à la tolérer ouvertement.

L'attitude de l'adulte à l'égard de toutes les manifestations de la vie sexuelle consiste précisément à les considérer comme malséantes, et non comme blâmables en soi. Un jeune homme, par exemple, ne se fera aucun scrupule de crier d'un bout à l'autre du village : « Eh! jolie! attends-moi dans ton lit ce soir! » Mais il est de mauvais goût de faire des remarques sur des sujets touchant la défécation ou la vie sexuelle.

Les enfants sont particulièrement friands de tous les mots qui sont ainsi bannis de la conversation de bon ton. A sept ou huit ans, ils tirent autant de satisfaction illicite des autres fonctions du corps que de celle du sexe. Ceci est d'autant plus curieux qu'à l'égard des fonctions naturelles, les Samoans n'éprouvent aucune exigence d'intimité, aucun sentiment d'impudeur. Mais ce qui, chez eux, est considéré comme de mauvais goût, présente autant d'attrait pour les enfants que ce qui, chez nous, est réprouvé comme indécent. Il n'est pas non plus sans intérêt de relever qu'en théorie et en pratique, hommes et garçons se plaisent davantage à l'obscénité que les femmes et les filles.

Il semble difficile d'expliquer ce goût de l'obscène chez un peuple où il y a si peu de mystère, si peu d'interdits. L'action des missionnaires a sans doute modifié l'état d'esprit plus que les habitudes. Mais le fait que les adultes considèrent les enfants comme « non-participants » est également un facteur important. En réalité cela semble bien être l'interprétation la plus correcte de tous les

interdits qui s'appliquent aux enfants. Le désir se manifeste peu de préserver leur innocence ou de les protéger
contre le spectacle de certains gestes adultes, alors que
les imiter constituerait pour eux une infraction grave,
tautala lai titi (« trop présumer de son âge »). Car tandis
que deux amants ne se laissent aller à aucune effusion
devant quiconque – enfant ou adulte – n'est que spectateur, il n'est pas rare que trois ou quatre couples choisissent un lieu commun de rendez-vous. (Sont, bien entendu, exclus de ces rencontres, les membres d'une
même famille de sexes opposés, relevant du complexe
frère-sœur, bien que frères et sœurs puissent vivre dans
une même maison après leurs mariages respectifs.) Des
danses nocturnes, qu'a fait cesser l'influence des missionnaires, et qui habituellement se terminaient en un débor-
dement de franche promiscuité, enfants et vieillards
étaient exclus, en tant que spectateurs non-participants,
dont la présence eût été jugée indécente. Cette attitude à
l'égard des « non-participants » caractérise toutes les activités ayant quelque retentissement affectif, que ce soit
une réunion de nattage ayant pour les femmes un caractère cérémoniel, la construction d'une maison ou la
cuisson de noix de bancoul.

Cependant, si avertis que puissent être les enfants, ils
ne se livrent, avant l'adolescence, à aucune activité hétérosexuelle, ni à aucune pratique homosexuelle qui soit
considérée par la morale autochtone comme imitant
l'activité hétérosexuelle ou s'y substituant. L'absence de
tentative sexuelle précoce est probablement due moins à
l'interdit jeté sur une telle précocité par les parents qu'au
très vif antagonisme institutionnel entre jeunes garçons
et fillettes et au tabou frappant tous rapports d'affection
entre eux. Cette rigoureuse dichotomie sexuelle joue
peut-être aussi un rôle dans l'absence de fixation de
l'affectivité sexuelle chez les adultes. Car le sentiment si
vif qui pousse les filles à s'écarter de leurs frères et
cousins, les amène à considérer tous les autres mâles,
dans leur ensemble, comme des ennemis qui seront
un jour leurs amants. Aussi n'y a-t-il, dans le groupe

d'âge d'une fille, aucun mâle qu'elle puisse regarder simplement comme un individu, sans connotation sexuelle.

Cette expérience commune à mes vingt-huit fillettes des trois villages ne les empêchait pas, cependant, d'être fort différentes les unes des autres, de tempérament et de caractère. Il y avait Tita, qui, à neuf ans, se conduisait comme un enfant de sept ans, et dont le principal souci était de manger. On ne pouvait lui confier ni message ni commission; elle se contentait de montrer orgueilleuse-ment, d'un doigt grassouillet, son père qui était le crieur public. Seulement d'un an son aînée, Pele était la petite sœur précoce de la femme la plus dévergondée du village. Pele passait le plus clair de son temps à s'occuper de son petit neveu, dont elle était enchantée de dire qu'il était de père incertain. Elle dansait, en imitant sa sœur, d'une façon osée et obscène. Et pourtant, en dépit du lourd bébé souffreteux qui ne quittait pas sa hanche, en dépit de l'atmosphère sordide de la maison, où sa mère, à cinquante ans, prenait encore d'occasionnels amants, et où son père, sans caractère, se laissait honteusement mener par sa femme, en dépit de tout cela, Pele était essentiellement gaie et bien équilibrée. Sans doute aimait-elle les danses suggestives, mais elle préférait rechercher les rares coquillages *samoana* sur la grève, ou plonger, les pieds en avant, dans la piscine naturelle, ou encore chasser les crabes de terre au clair de lune. Heureusement pour elle, elle faisait partie de la bande de fillettes de Lumá. Si elle avait été plus isolée, le milieu malsain où elle vivait et sa précocité naturelle auraient pu la faire évoluer tout autrement. En l'espèce, elle était beaucoup moins différente des autres enfants de son âge que sa famille, par sa notoriété, ne l'était de celles de ses compagnes. Dans un village samoan, l'influence du milieu familial sur les enfants est sans cesse contrebalancée, rectifiée par celle du groupe d'âge; ce sont finalement les normes du groupe qui l'emportent. Cela se vérifie, sans exception, chez les garçons, pour qui l'*Aumaga* est une excellente école où se disciplinent, pendant de nombreuses années, les particularités individuelles. Dans le cas des filles, ce rôle est joué en partie par l'*Aualuma;* mais, comme je l'ai indiqué en traitant de la fille et de son groupe d'âge, la fillette est beaucoup plus tributaire que le garçon du milieu avoisinant. Adulte, elle dépendra aussi davantage du groupe familial.

Tuna était une voisine immédiate de Pele. Son cas était différent : elle était l'innocente victime de cette grave infraction au code samoan, le *tautala lai titi.* Sa sœur Lila s'était laissé enlever, à quinze ans, par un garçon de dix-sept. Enfants impétueux et exaltés, ils n'avaient jamais complètement repris leur place dans la communauté, bien que les familles eussent pardonné, et solennisé le mariage par les échanges appropriés. Lila était encore très sensible à la désapprobation publique de sa précocité et choyait d'une façon extravagante son bébé, dont les pleurs incessants persécutaient les voisins. Lorsqu'elle l'avait gâté au-delà de toute mesure, elle le confiait à Tuna. Celle-ci était un petit être carré, avec une grosse tête et de grands yeux affectueux. Un peu moins ingénue que les autres enfants, elle avait tendance à être plus calculatrice, plus intéressée, moins portée à rendre gracieusement service. La faiblesse de sa sœur à l'égard du bébé rendait la tâche de Tuna beaucoup plus ingrate que celle de ses compagnes. Ces dernières s'en rendaient sans doute compte car elles la traitaient avec un peu plus de gentillesse que de coutume. Une fois encore, c'est le groupe qui, agissant en lénitif, permettait d'éviter une réaction brutale aux exigences de la vie familiale.

Un peu plus loin vivaient Fitu et sa sœur Ula, et Maliu et Pola, également sœurs. Fitu et Maliu, qui avaient environ treize ans, arrivaient à l'âge où l'on se retire du groupe, et commençaient à confier leurs jeunes frères et sœurs à Ula et Pola, pour jouer un rôle plus actif dans la vie de la maisonnée. Ula était vive, jolie, raffinée. Sa famille était tout à fait comparable à nos familles occidentales. Elle se composait de la mère, du père, de deux autres sœurs et de deux frères. Sans doute, son oncle, qui

habitait la case à côté, était-il *matai* du groupe familial,
mais cette famille restreinte, du type biologique, avait
une existence très indépendante, qui n'était pas sans
influence sur les enfants. Lalala, la mère, était une femme
intelligente et encore belle, bien qu'elle eût mis au monde
six enfants coup sur coup. Elle appartenait à une famille
de haut rang, et, n'ayant pas de frère, avait appris de son
père la plupart des notions généalogiques qui sont habituellement transmises au fils favori. Aussi bien que n'importe quel homme d'âge mûr, elle savait la structure
sociale de la communauté et les minutieux détails du
cérémonial autrefois en usage à la cour du roi des
Manu'a. Elle était habile de ses mains et imaginait sans
cesse de nouveaux motifs décoratifs, des utilisations
inattendues des matières textiles. Elle connaissait des
remèdes efficaces, et beaucoup venaient la consulter.
Mariée à quinze ans, encore vierge, elle n'avait eu d'autre
expérience sexuelle que sa vie conjugale, qui avait commencé par la cruelle cérémonie de défloration publique.
Elle adorait son mari, qui était pauvre non parce qu'il
était paresseux ou incapable, mais parce qu'il venait
d'une autre île. Lalala s'était organisée en pleine connaissance des réalités de son existence. Il y avait trop à faire
pour elle à la maison. Elle n'avait pas de sœur cadette
pour s'occuper des enfants. Il n'y avait pas non plus de
jeunes gens pour aider son mari aux plantations. Eh bien!
elle ne lutterait pas contre l'inévitable. Et c'est ainsi que
la maison de Lalala était mal tenue, ses enfants sales et
dépenaillés. Mais pour la savoir douce et bonne, il
suffisait de l'observer, par quelque brûlant après-midi
d'été, en train de tresser une natte fine, tandis que le
dernier-né jouait avec les lanières fragiles, compliquant
encore son travail. Tout cela n'allait pas sans réagir sur
Fitu. Ce petit laideron dégingandé était passionnément
dévouée à sa mère et pleine de sollicitude pour ses sœurs
et frères cadets. A l'égard d'Ula seule, ses sentiments
étaient mêlés. Ula, de quinze mois plus jeune qu'elle, était
jolie, souple, douce, indolente. Fitu était comme un garçon : sa mère la taquinait souvent là-dessus tandis que ses

compagnes le lui reprochaient. Ula, au contraire, était très féminine, ce qui ne l'empêchait pas de travailler aussi dur que les autres filles de son âge. Fitu, elle, sentait que sa mère et sa maison n'étaient pas comme les autres et exigeaient des soins et un dévouement inhabituels. Sa mère et elle étaient deux vrais camarades, se donnant des ordres, se plaisantant l'une l'autre, au grand scandale des Samoans. Si, le soir, Fitu n'était pas rentrée, sa mère partait elle-même à sa rencontre, au lieu d'envoyer un enfant. Fitu était l'aînée et d'une précocité qu'expliquait le rôle de responsabilité auquel le laisser-aller de sa mère l'avait promue dans la famille. Quant à Ula, elle agissait avec la pleine conscience d'être la jolie sœur cadette, se faisant pardonner par son charme un sens du devoir moins développé. Ces enfants, comme ceux des deux autres familles « biologiques » des trois villages, faisaient montre de plus de caractère, d'une personnalité plus affirmée, d'une plus grande précocité ainsi que d'une plus grande liberté à l'égard de leurs parents.

Il serait sans doute facile de souligner ce qui sépare les enfants de familles nombreuses de ceux de familles restreintes. Mais il y avait, naturellement, trop peu de ces dernières pour pouvoir aboutir à des conclusions définitives. Aux Samoa, les familles restreintes exigent en fait de l'enfant les qualités mêmes que désapprouve la société samoane, dont la norme et l'idéal sont ces grandes maisonnées, où les jeunes sont nombreux, travaillent et savent se tenir à leur place. Dans ces familles restreintes, en effet, où sont nécessaires l'esprit d'initiative et le sens des responsabilités, les enfants semblent acquérir ces qualités beaucoup plus tôt que dans le milieu habituel, où elles sont, à cet âge, sévèrement blâmées.

C'était le cas de Maliu et de Meta, d'Ipu et de Vi, de Mata, Tino et Lama, sept fillettes approchant tout juste de la puberté, qui vivaient dans de grandes familles hétérogènes. Au moment où je fis leur connaissance, elles commençaient à abandonner leur métier de bonnes d'enfants pour des travaux plus productifs. A contrecœur, elles se laissaient inculquer quelques rudiments d'étiquette, et, peu à peu, relâchaient avec leurs cadettes les liens des jeux d'enfance. Mais il s'agissait là d'un changement d'habitudeṡ imposé plutôt que d'un nouvel état d'esprit de leur part. Elles étaient conscientes de leur nouveau rôle de filles déjà grandes, à qui l'on pouvait demander d'aller à la pêche ou de travailler aux plantations. Sous leur robe courte, elles recommençaient à porter le *lavalava*, qu'elles avaient presque oublié comment attacher. Il pendait sur leurs jambes, gênait leurs mouvements et tombait si elles se mettaient à courir. La plupart d'entre elles regrettaient la vie de bande et ne regardaient pas sans nostalgie s'ébattre leurs cadettes. Dans leurs vastes familles, il n'y avait pas de place pour les élans personnels ni pour les responsabilités pleines d'intérêt. Elles n'étaient que des petites filles, assez robustes pour les dures besognes, assez âgées pour apprendre les travaux d'adresse. Ainsi leur restait-il moins de temps pour les jeux.

D'une façon générale, leur état d'esprit n'était en rien différent de celui de Tolo, de Tulipa, de Lua ou de Lata, dont la première menstruation ne datait que de quelques mois. Rien de cérémoniel n'était venu marquer la différence entre les deux groupes, et aucune attitude sociale n'attestait que ces dernières en eussent terminé avec leur enfance. On leur avait dit simplement qu'elles ne devaient pas faire le kava pendant leurs règles, – mais elles le savaient depuis toujours, – et cela ne les impressionnait nullement d'avoir à observer cette interdiction. Certaines avaient déjà fait le kava avant d'être pubères; d'autres pas. Tout dépendait s'il y avait ou non une fille ou un garçon à portée de la main lorsqu'un chef demandait du kava. En des temps plus sévères, une fille n'aurait pu faire le kava ni se marier avant sa première menstruation. Mais l'ancien interdit avait cédé devant la solution de facilité. La menstruation, d'autre part, ne faisait pas assez souffrir les filles pour leur faire prendre suffisamment conscience de la nouveauté de leur état. Toutes les filles que j'ai interrogées m'ont signalé des crampes abdominales ou dorsales, mais assez peu violentes pour n'entraver

en rien leur activité habituelle. Dans mes tableaux, j'ai
noté comme douleurs inhabituelles celles occasionnant
une incapacité de travail, mais même ces cas n'étaient en
rien comparables avec les cas de crampes menstruelles
sévères dans les conditions de notre civilisation. Les
vertiges, les évanouissements sont inconnus et l'on ne
voit aucune femme se plaindre ou se tordre de douleur.
La simple idée que de telles souffrances soient possibles
ne rencontre chez les Samoanes qu'un scepticisme amu-
sé. Ainsi ne témoigne-t-on d'aucune sollicitude particulière à l'égard de la santé, mentale ou physique, de la fille
au moment de ses règles. Des médecins étrangers, on a
appris qu'il est mauvais de se baigner pendant la menstruation, et, de temps à autre, une mère prévient sa fille
dans ce sens. La puberté ne s'accompagne d'aucun
embarras, d'aucun besoin de dissimulation. Les pré-
adolescents apprennent qu'une fille est devenue pubère
avec autant d'insouciance qu'ils accueillent les nouvelles
selon lesquelles une femme a accouché, un bateau est
arrivé d'Ofu, ou un porc s'est fait écraser par un rocher :
ce n'est qu'un petit potin de plus. Toute jeune Samoane,
d'autre part, est capable de donner des renseignements
exacts sur le développement physique de n'importe
quelle autre fille du voisinage ou de la famille. La puberté
n'est pas non plus l'avant-coureur immédiat de l'expérience sexuelle. Un, deux, ou peut-être même trois ans
passeront avant que la fille ne perde sa timidité ou que sa
silhouette n'accroche le regard quêteur d'un garçon plus
âgé. Etre le premier amant d'une vierge est considéré
comme le comble du plaisir et de la virtuosité amoureuse; mais cet office est rarement l'apanage d'un garçon du
même age, qui est aussi embarrassé, aussi inexpérimenté
qu'elle-même. Dans ce groupe, il y avait des petites filles
comme Lua, ou comme cette grande dégingandée de
Tolo, qui avouaient franchement ne pas vouloir sortir
avec les garçons, et d'autres, comme Pala, à qui leur
virginité commençait à peser et qui brûlaient de connaître l'amour. Qu'elles eussent à attendre si longtemps était
dû principalement aux conventions amoureuses : si un

garçon, en effet, aime à courtiser une vierge, il a peur en
même temps de se ridiculiser en ayant l'air de la « prendre au berceau », tandis que les filles, de leur côté,
redoutent d'être taxées de *tautala lai titi* (« trop présumer
de leur âge »). On voit d'un œil réprobateur les hommes
d'âge mûr en maraude au milieu de ces très jeunes filles,
et on laisse à ces dernières quelque temps – qui leur est
précieux – pour s'accoutumer à leurs nouveaux travaux, à
une existence plus personnelle, à une vie physique différente.

Le comportement des filles un peu plus âgées variait
selon qu'elles étaient pensionnaires ou non chez les
pasteurs. J'ai pu constater que les filles pubères depuis
deux ans étaient, à une exception près, d'autant moins
chastes qu'elles vivaient dans leur famille. L'exception
était Ela, qui avait été pardonnée et reprise chez un
pasteur où l'on manquait de personnel. La meilleure amie
d'Ela était sa cousine Talo, seule fille du groupe à avoir
eu quelque expérience sexuelle avant ses premières
menstruations. Mais il semble bien que celles-ci aient été
anormalement tardives, car elle présentait par ailleurs
tous les signes de la puberté. Sa tante haussait les épaules
devant ses airs avertis et charmeurs, et n'essayait pas de
la surveiller. L'amitié entre les deux filles était l'une des
plus éprouvées du groupe. Elles ne cachaient aucunement leur attachement mutuel; sans aucun doute, leurs
pratiques homosexuelles étaient-elles à l'origine de la
précocité de Talo et consolaient Ela de la discipline
rigoureuse imposée par le pasteur.

Ces relations homosexuelles entre filles ne revêtaient
jamais une grande importance ni ne duraient longtemps.
De la part de filles en pleine croissance ou de femmes
travaillant ensemble, elles étaient considérées comme
une diversion agréable et naturelle, teintée, juste ce qu'il
faut, de salacité. Dans une société où les relations hété-
rosexuelles sont aussi libres, suivent des voies si légèrement tracées, l'homosexualité ne trouve pas à s'intégrer
de façon normale. Le vocabulaire indigène reconnaît, en
théorie, l'existence de l'inverti authentique, mais les cas

de ce genre sont fort rares, pour la simple raison que le pays est très peu peuplé. Je n'en ai connu qu'un seul. C'était Sasi, garçon de vingt ans qui se destinait au pastorat. Il était habile aux travaux des femmes, et avait en lui quelque chose de féminin – sans que ce fût très prononcé. Son homosexualité était suffisamment impérieuse pour l'inciter à faire constamment des avances à d'autres garçons. Il passait plus de temps en compagnie des filles, entretenait avec elles une amitié plus facile qu'aucun autre garçon dans l'île. Il avait demandé en mariage une fille qui était pensionnaire chez un pasteur d'un village éloigné. Elle l'avait refusé. Mais, comme c'est la règle pour un étudiant en théologie de se marier avant l'ordination, on ne pouvait pas tirer de conclusion positive sur cette démarche. Je n'ai pu obtenir aucune indication qu'il ait jamais eu de rapports sexuels avec une femme, et d'ailleurs, la désinvolture des filles à son égard était significative. Elles le considéraient comme un phénomène amusant, tandis que les hommes dont il avait tenté de s'approcher le regardaient avec un mélange d'embarras et de mépris. Je n'ai jamais rien constaté d'aussi net chez les filles. Trois, cependant, des cas aberrants dont il sera traité au chapitre suivant, étaient ambivalents, sans toutefois montrer de signes convaincants de véritable inversion.

La place tenue dans l'esprit par la sexualité, la notion selon laquelle les activités sexuelles mineures, danses suggestives, conversations lubriques, corps à corps provocateurs, sont autant de divertissements attrayants et admissibles – tout cela explique l'attitude des indigènes à l'égard des pratiques homosexuelles. Pour eux, ce sont seulement des *jeux;* on ne saurait les réprouver ni leur accorder trop d'importance. Il est d'ailleurs facile de comprendre pourquoi il en est ainsi : l'intérêt des rapports sexuels normaux ne réside pas dans l'amour, dans l'intensité de la fixation des élans individuels – seules forces qui puissent rendre durables et prépondérantes les relations homosexuelles; il est dû aux enfants, et à la place que tient le mariage dans la structure économique et sociale du village. D'autre part, comme l'on admet et que l'on utilise dans les rapports normaux les formes secondaires d'activité sexuelle qui sont primordiales dans les rapports homosexuels, la portée de ces derniers s'en trouve diminuée d'autant. Les suites de perversions enfantines accidentelles, la fixation de l'intérêt sexuel sur des zones érogènes insolites, avec, pour résultat, un déplacement de la sensitivité, l'absence de spécialisation définie et affirmée de zones érogènes – tous les troubles de l'évolution de l'affectivité qui, dans les civilisations où est reconnue seulement une forme restreinte d'expression sexuelle, aboutissent à des mariages malheureux, une homosexualité intermittente et la prostitution – toutes ces anomalies deviennent ici inoffensives. Les Samoans estiment que c'est à l'homme qu'incombe toute responsabilité dans les jeux érotiques, et que la femme a besoin d'une plus longue initiation afin que ses sens se développent. Un homme qui ne satisfait pas une femme est regardé comme un maladroit, un lourdaud; il est la risée du village. Les femmes, de leur côté, savent que leurs amants emploient une technique précise, qu'elles considèrent avec une sorte de fatalisme – comme si les hommes connaissaient naturellement toutes sortes de tours quelque peu magiques, et, à tout prendre, irrésistibles. La science amoureuse se transmet d'un homme à l'autre. Les parents ne discutent guère des choses sexuelles avec leurs enfants au-delà de ce que permet la conversation courante (mais cela va, bien entendu, beaucoup plus loin que chez nous). Aussi un jeune homme de dix-huit ans recueillera-t-il les enseignements précis nécessaires non de la bouche de son père, mais de celle d'un homme de vingt-cinq ans. Les filles apprennent des garçons ce qu'il leur faut savoir; elles se font entre elles fort peu de confidences. Qu'un homme ait une aventure sexuelle quelque peu nouvelle, tous ses camarades en connaîtront bientôt les moindres détails, tandis que sa partenaire restera d'une grande discrétion. Elle n'a pas, en effet, de confidente en dehors de sa famille, et elle garde toujours à l'égard de celle-ci une certaine réserve :

j'ai vu un jour une fille frémir à l'idée de s'entremettre près de sa sœur dans une affaire galante.

Entre les garçons qui reçoivent une initiation minutieuse, et les filles qui se contentent d'être suffisamment averties pour être prémunies contre tout traumatisme psychologique, l'accord sexuel se fait normalement; il est facilité par la liberté d'expérimentation dont jouissent les uns et les autres et aussi par le fait que les partenaires sont très rarement novices tous les deux. Je n'ai connu qu'un cas de ce genre : c'étaient deux véritables enfants, le garçon avait seize ans, la fille quinze; ils étaient tous deux pensionnaires dans une autre île; un jour ils s'étaient enfuis ensemble. Tout fut gâché par leur inexpérience commune. Ils furent l'un et l'autre chassés de leur école. Le garçon a aujourd'hui vingt-quatre ans; c'est un jeune homme doué d'une rare intelligence et d'un charme certain, mais c'est un *moetotolo* notoire, détesté par toutes les filles du village. Ainsi l'amour sexuel est-il pour les Samoans un domaine familier, qui doit être traité comme un art, et, par conséquent exige une technique. De cette conception résultent des rapports personnels dont sont absentes névroses, frigidité et impuissance. Celle-ci ne peut être que l'effet passager d'une maladie grave, et l'on considère comme un signe de sénilité l'impossibilité d'avoir des rapports sexuels plus d'une fois par nuit.

Des vingt-cinq filles pubères que j'ai observées, onze avaient une expérience hétérosexuelle. Trois cousines, Fala, Tolu et Namu, étaient recherchées de tous les jeunes gens de leur village, et aussi des visiteurs venant de Fitiuta, à l'autre bout de l'île. Les femmes de la famille de Fala étaient de mœurs faciles; le père de Tolu était mort, et elle vivait près de sa mère aveugle chez les parents de Namu. Ceux-ci, avec leurs six enfants de moins de douze ans, n'allaient pas courir le risque de perdre, en les surveillant de trop près, deux filles efficaces et travailleuses. Les trois cousines donnaient ensemble rendez-vous à leurs amoureux et leurs liaisons étaient gaies et nombreuses. Tolu, l'aînée, commençait, après trois ans d'aventures de ce genre, à s'en lasser; elle voulait se marier. Plus tard

elle alla habiter chez un chef de quelque importance afin
d'avoir plus d'occasions de rencontrer de nouveaux jeunes gens désireux de prendre femme. Namu était sérieusement éprise d'un garçon de Fitiuta, qu'elle rencontrait
en cachette, tandis que ses parents en encourageaient un
autre, de son propre village, à lui faire ouvertement la
cour. Elle acceptait de temps en temps des rendez-vous
d'autres jeunes gens, pour rompre la monotonie de son
existence entre les visites de son amant préféré. La plus
jeune, Fala, prenait la vie comme elle venait. Ses amoureux étaient amis ou parents de ceux de ses cousines, et
elle était encore assez enfant et spontanée pour tirer
presque autant de plaisirs des amours de ses compagnes
que des siennes. Toutes les trois travaillaient dur, comme
des adultes. La journée entière, elles pêchaient, lavaient,
cultivaient les jardins, tissaient nattes et stores. A ces
dernières tâches, Tolu était exceptionnellement habile.
Elles constituaient un précieux atout économique pour
leur famille; elles le seraient aussi pour leur mari, que
l'on n'était évidemment pas très pressé de leur trouver.

Au village voisin habitait Luna, bonne nature, paresseuse, pubère depuis trois ans. Sa mère était morte. La
seconde femme de son père était retournée chez les siens.
Luna avait vécu plusieurs années chez le pasteur et était
revenue à la maison quand sa belle-mère l'avait quittée.
Son père était un très vieux chef, démesurément préoc-
cupé de son prestige et de sa réputation. Son titre était
important; il était maître-artisan, et c'était l'homme le
plus versé du village dans le savoir ancien et le détail des
céromonies. Sa fille le servait avec dévouement et efficacité. Cela lui suffisait. Luna finit par se lasser de la
compagnie des filles plus jeunes qu'elle avait connues
chez le pasteur et rechercha celle de deux jeunes parentes mariées. L'une d'elles, qui avait abandonné son mari
et lui avait trouvé un successeur provisoire, vint habiter
chez Luna. Elles ne se quittaient pas, et Luna, tout
naturellement, prit un amant, puis un deuxième, puis un
troisième – autant de passades. Elle s'habillait plus jeune

que son âge, pour montrer qu'elle n'était encore qu'une jeune fille. Un jour elle se marierait et irait à l'église, mais pour le moment : *Laititi a'u :* elle « était bien jeune encore ». Et allez donc ne plus danser à cet âge!

La cousine de Lotu était membre de la congrégation et avait été pensionnaire à la mission. Elle n'avait accepté qu'un amant, fils illégitime d'un chef, qui n'osait compromettre, en l'épousant, ses très faibles chances de succéder au titre de son père. Elle était l'aînée de neuf enfants et appartenait à une famille de type strictement biologique, la troisième que j'ai connue dans le village. Ses responsabilités lui donnaient une contenance calme, mûrie, décidée. Son séjour à la mission se retrouvait dans son apparence plus soignée et son souci du détail. Bien qu'elle fût en infraction avec les règles de la congrégation, les membres plus âgés de celle-ci fermaient charitablement les yeux, comprenant le dilemme familial de son amant. Sa seule autre aventure sexuelle avait été un *moetotolo*, membre de sa famille. Si, fidèle à son amant, elle se trouvait enceinte, il est probable qu'elle conserverait l'enfant. (Quand une Samoane veut avorter, elle a recours à des massages très violents et mâche du kava. Mais ceci ne se produit que dans des cas fort exceptionnels car les enfants, même illégitimes, sont toujours accueillis avec enthousiasme.) Elle était plus réfléchie, plus blasée aussi que les autres filles de son âge. Sans la précarité du statut social de son amant, elle se serait déjà probablement mariée. Aussi bien, elle s'occupait de ses jeunes frères et sœurs et subissait la routine des devoirs qui peuvent incomber à une jeune fille vivant dans la famille la plus nombreuse de l'île. Elle conciliait son appartenance à la congrégation avec ses entorses aux règles de la chasteté en pensant tranquillement qu'elle se serait déjà mariée si cela avait été possible. Sa faute ne lui pesait pas autrement.

Chez un chef de haut rang vivait une fille que l'on aurait pu comparer à l'une de ces braves tantes célibataires de chez nous. Elle était douce, compétente, efficace, et complètement éclipsée par plusieurs autres filles plus

séduisantes. C'est à elle que l'on confiait les nouveau-nés
et les missions exigeant quelque diplomatie. Elle ne
renâclait à aucun travail, si dur fût-il, et y consacrait tout
son temps, toute son énergie. Priée de danser, elle le
faisait, mais sans zèle particulier. Les autres dansaient
tellement mieux; à quoi bon faire un effort? Elle vouait
un même culte à la beauté de Tolu, aux conquêtes de
Fala, au dernier-né d'Alofi. Elle jouait de l'ukulele pour
faire danser les autres, cousait leurs colliers de fleurs,
arrangeait leurs rendez-vous, sans en ressentir aucune
humiliation, sans jouer au martyr. Elle admettait n'avoir
eu qu'un amant. Il était venu de loin, elle ne savait même
pas de quel village, et il n'était jamais revenu. Ouis, sans
doute, elle se marierait un jour, si tel était le désir du
chef... mais n'était-ce pas le bébé qui pleurait? Elle était
de la pâte dont sont faites les tantes toutes dévouées, sur
lesquelles compte chacun et qui sont aimées de tous. Un
malaga d'un autre village aurait pu changer sa vie, car les
garçons de Samoa aiment les étrangères parce qu'elles
sont nouvelles à leurs yeux. Mais on avait toujours besoin
d'elle à la maison, et des filles plus jeunes faisaient le
voyage à sa place.

L'histoire la plus dramatique est peut-être celle de
Moana. Elle n'avait pas non plus vécu chez le pasteur.
C'était une enfant vaniteuse, fort avertie, gâtée par des
années passées à exploiter le dévouement de sa demi-
sœur aînée. Ses amours avaient commencé à quinze ans.
Un an et demi plus tard, ses parents, craignant que
l'indiscrétion de sa conduite ne l'empêchât de faire un
beau mariage, avaient demandé à son oncle de l'adopter
et de tenter de l'assagir. Cet oncle, qui était veuf, était un
coureur de filles. Quand il se rendit compte à quel point
sa nièce était délurée, il sut profiter lui aussi de ses
complaisances. L'incident, peu commun aux Samoa, en
raison de l'absence d'isolement et d'intimité de la vie
quotidienne, aurait pu, dans ce cas, passer inaperçu, si
Sila, la sœur aînée de Moala, n'avait pas été amoureuse
du même oncle. C'est le seul exemple d'un amour sérieux
et durable que j'aie rencontré dans les trois villages. Les

Samoans évaluent la fidélité amoureuse en termes de jours, ou, au plus, de semaines. Ils sont enclins à rire de toute histoire de passion « éternelle ». (Celle de Roméo et Juliette se heurte, chez eux, à une incrédulité dédaigneuse.) Mais Sila était follement éprise de Mutu, frère cadet de son beau-père. Elle avait été sa maîtresse, et vivait encore chez lui, mais, plus inconstant, il s'était offusqué de la virulence malséante de ses sentiments. Quand elle découvrit qu'il avait couché avec sa sœur, sa fureur ne connut plus de bornes. Tout en affectant la plus profonde sollicitude à l'égard de sa cadette – qu'elle prétendait être une enfant innocente et pure – elle alla crier l'infamie de Mutu par les trois villages. Les parents de Moana, fous de rage, vinrent rechercher leur fille, et ce fut la guerre dans la famille. Au village, les esprits s'échauffèrent, mais les avis étaient partagés : Mutu était-il coupable, Moana ne mentait-elle pas pour couvrir quelque peccadille, et les commérages de Sila n'étaient-ils pas pur dépit ? Il s'agissait d'une violation flagrante du tabou « frère-sœur », car Mutu était assez jeune pour que Moana pût parler de lui comme d'un *tuagane* (frère). Quand deux mois plus tard, cependant, une autre sœur plus âgée mourut alors qu'elle était enceinte, il fallut trouver quelqu'un au cœur suffisamment solide pour pratiquer la nécessaire césarienne sur le cadavre. Après un violent débat familial, la solution de facilité triompha. On manda Mutu, qui était le plus habile des chirurgiens indigènes, et l'on oublia qu'il avait séduit la sœur de la morte. Quand, par la suite, il annonça son intention d'épouser une fille d'une autre île, ce fut chez Sila un nouveau déchaînement de douleur et de désespoir, bien qu'elle eût un autre amant à l'époque.

Les filles qui habitaient chez le pasteur ne menaient pas une vie très différente de celle de leurs sœurs et cousines moins surveillées; mais les aventures amoureuses leur étant interdites, leur existence était plus régulière et plus réglée. A l'excitation des rendez-vous au clair de lune, se substituaient des activités collectives qui meublaient leurs rares loisirs, dans une atmosphère d'amicale sympathie. Les conversations lubriques étaient un peu plus fréquentes que chez les filles libres de leur corps. Elles nouaient de réelles amitiés hors de leur groupe familial, étaient moins méfiantes les unes des autres, plus à l'aise entre elles, travaillaient mieux en groupe; elles étaient aussi moins conscientes de la place qu'elles occupaient dans leur famille.

A l'exception de quelques cas que nous discuterons au chapitre suivant, l'adolescence aux Samoa n'est donc en aucune façon une période de crise et de tension, mais bien au contraire une évolution calme vers la maturité. L'esprit des filles n'est pas troublé par des conflits, embarrassé d'interrogations philosophiques, obsédé d'ambitions lointaines. Vivre fille, avec de nombreux amants, aussi longtemps que possible, puis se marier dans son village près de sa famille et avoir beaucoup d'enfants, là se bornent les aspirations de chacune.

CHAPITRE XI

CONFLITS D'ADOLESCENTES

N'y a-t-il pas de conflits? N'existe-t-il pas des tempéraments qui s'écartent tellement de la normale que les heurts deviennent inévitables? Membre d'une de ces grandes maisonnées où les affections, comme l'autorité, sont partagées entre un grand nombre d'individus, pleinement avertie, souvent par une libre expérience, des réalités de la vie sexuelle, la jeune Samoane s'adapte-t-elle parfaitement à la société ambiante? Il semble que ce soit presque toujours le cas. Ce chapitre est cependant consacré aux quelques déviations – de tempérament ou de comportement – que j'ai pu rencontrer, bien que, le plus souvent, elles n'aient fait que recéler les germes de conflits, sans entraîner de conséquences dramatiques.

Entre quatorze et quinze ans, la jeune fille se trouve au centre même des influences familiales; si elle supporte mal le comportement de ses aînés à son égard, elle peut toujours passer ses nerfs sur ses cadets; rien ne l'empêche même de quitter la maison. Cette dernière possibilité semble d'ailleurs modérer aussi bien ses impatiences que la sévérité de ceux qui ont des droits sur elle. Les parents hésiteront à affirmer coûte que coûte leur autorité s'ils craignent de perdre une aide nécessaire à la famille, et pire encore, de voir leur fille s'enfuir avec un amant. Sans doute la colère se déchaîne-t-elle parfois, suivie de châtiments sommaires, mais on ne prend pas de mesures disciplinaires cohérentes et durables, et à tout mouvement d'humeur succèdent bientôt les gestes de réconciliation. Ceci, naturellement, ne s'applique qu'aux relations entre la fille et ses aînés. Il est rare en effet que les conflits personnels qui peuvent surgir entre filles du même âge au sein même de la maisonnée s'apaisent aussi facilement. Le dénouement le plus fréquent se trouve être, là aussi, le départ d'une des intéressées, d'ordinaire celle dont les liens avec la famille sont les moins étroits. D'une façon générale, il y a peu de conflits caractérisés parce que, d'une part, le groupe d'âge se disloque avant l'adolescence pour ne plus jamais se reformer, si ce n'est sur un plan très formel, et d'autre part la fille est, par goût, moins solidaire du groupe d'âge que du groupe familial. La fillette qui évite ses compagnes est davantage disponible pour les travaux domestiques et ne risque pas qu'on lui demande sans cesse pourquoi elle ne va pas jouer avec les autres. Enfin les enfants tolèrent facilement chez leurs camarades les imperfections physiques ou les légères étrangetés de caractère, ce qui élimine tout risque d'ostracisme immérité.

La fillette dont la case familiale est mal située dans le village est la seule qui puisse se sentir vraiment exilée. Si le groupe d'âge survivait au-delà de huit à dix ans, elle en souffrirait, ou, très probablement, s'enhardirait jusqu'à s'éloigner de la maison. Mais rien de semblable ne se produit puisque les bandes se dispersent au moment précis où les enfants, plus intrépides ou plus libres, seraient capables d'aller jouer à dix cases de chez eux.

L'absence de tout lien institutionnel important entre les filles et la communauté explique, mieux peut-être que toute autre circonstance, la rareté des conflits. La communauté, on le sait, n'exige rien des filles, si ce n'est, de temps à autre, quelque tâche cérémonielle lors des réunions de femmes adultes. Si elles manquent à ces devoirs, c'est surtout leur famille qui s'en inquiète, pour des raisons de prestige. Un garçon qui refuse d'assister aux réunions de l'*Aumaga*, ou de participer aux travaux collectifs, se heurte à une vive désapprobation, à l'hostilité même du groupe; mais une fille a envers la communauté une dette si minime qu'elle ne se préoccupe pas outre mesure de s'en acquitter.

La liberté dont elle jouit, la connaissance parfaite qu'elle a de la vie sexuelle, l'absence de passion dans ses attachements diminuent considérablement les risques de conflits, auxquels ses aventures sexuelles ne manqueraient pas de l'exposer dans notre société plus timide et plus sévère de mœurs. Certes, l'on n'ignore pas aux Samoa les orages du cœur, mais ils semblent inconvenables pour la plupart des gens. Pendant les neuf mois que j'ai passés dans ces îles, je n'ai eu connaissance que de quatre cas de jalousie dévorante : une fille qui accusa d'inceste un amant infidèle, une autre qui d'un coup de dent arracha à une rivale un bout de son oreille, une femme abandonnée de son mari, qui se battit avec sa remplaçante et la blessa grièvement, enfin une autre fille qui dénonça une rivale comme voleuse. La jalousie est un sentiment moins répandu que chez nous, et suscite moins de compassion, aussi n'y a-t-il pas de comportement type en ce domaine. Les Samoans tolèrent, il est vrai, que, par esprit de vengeance, l'on peste contre son rival et qu'on en dise du mal. Aucune règle de savoir-vivre ne prescrit qu'on doive feindre d'accepter la défaite, se montrer discret et beau joueur. Ainsi, bien des ressentiments superficiels peuvent-ils être rapidement dissipés. Les amitiés sont de nature si passagère, si changeante, qu'elles ne suscitent aucune jalousie, ne sont l'occasion d'aucun conflit. Si l'on en veut à quelqu'un, on le maudira entre ses dents et, dans les cas graves, l'on quittera la maison, peut-être même le village.

L'attitude des missionnaires est décisive dans la vie religieuse des filles. Ils exigent que les membres de l'Eglise mènent une vie chaste, mais ils évitent de recruter les filles avant leur mariage – sauf les jeunes pensionnaires des écoles missionnaires qui peuvent être constamment surveillées. Il semble donc bien que les autorités religieuses elles-mêmes aient passivement accepté les irrégularités prénuptiales, ce qui a beaucoup contribué à minimiser le sentiment de culpabilité chez les filles. La chasteté est devenue un passeport non pour le ciel mais seulement pour les écoles de la mission, qui sont d'ailleurs considérées sous un angle plus social que religieux. La fille qui prend des amants est exclue de l'école, mais il est à noter que presque toutes les filles nubiles de la communauté, y compris les pécheresses les plus notoires, avaient vécu un certain temps chez le pasteur. En général, la surveillance plus stricte exercée dans ces écoles semble avoir pour résultat de retarder la première expérience sexuelle de deux ou trois ans. Les sept filles qui habitaient chez l'un des pasteurs indigènes, les trois qui vivaient chez l'autre, menaient toutes, bien que pubères, une vie chaste, contrastant vivement avec les habitudes des autres filles de leur âge.

On pourrait croire qu'il y a là ample matière à conflits entre parents et enfants : entre parents qui désirent mettre leurs enfants chez le pasteur, et enfants qui se refusent à y aller, ou inversement (1). Mais ce n'est jamais très grave, parce que le fait d'être pensionnaire ne change pas grand-chose à la situation de la fille dans sa propre famille. Elle emporte simplement son rouleau de nattes, son oreiller et sa moustiquaire ; la nourriture qu'elle aurait prise chez elle est ajoutée à la contribution alimentaire fournie par sa famille. Elle prend son repas du soir et couche chez le pasteur, pour qui elle travaille, lave, tisse, sarcle, balaie un ou deux jours par semaine. Le reste du temps, elle le passe chez elle et s'y emploie comme les autres filles de son âge. Aussi est-il rare que les parents s'opposent à cette éducation. Cela n'entraîne aucune dépense supplémentaire ; la fille court moins le risque, sans doute, de se conduire de façon compromettante ; elle apprendra aussi de la femme du pasteur, plus habile et plus instruite, les rudiments de quelques techniques étrangères, couture, repassage, broderie : elle sera d'autant plus précieuse à la maison.

Force-t-on la fille à rester contre son gré chez le pasteur ? Le remède est simple. Il lui suffit d'enfreindre gravement les règles pour être renvoyée. Si elle craint de

(1) Voir Appendice I, p. 565.

retourner chez ses parents, elle trouvera toujours quelqu'un de la famille pour l'accueillir.

Le conflit est donc seulement en puissance, que pourraient susciter les exigences morales de l'Eglise. Il
n'éclate que rarement, tant cette dernière s'est adaptée
avec souplesse à l'inévitable, ou au presque inévitable.
C'est une perspective attrayante pour une fille d'entrer à
la grande pension. Mener, au milieu d'un groupe jeune et
nombreux, une vie plus facile, plus agréable que chez soi,
cela vaut bien la peine de se conduire convenablement,
ou au moins avec quelque discrétion. On se confesse peu
aux Samoa. Les missionnaires avaient établi en règle
générale qu'un garçon, pour tout manquement à la chasteté, serait arrêté dans ses études préparatoires et au
séminaire, pendant deux ans à compter de la date de son
infraction. Il se révéla nécessaire de changer le règlement
et de stipuler que *les deux ans partiraient du moment où
l'infraction serait découverte :* très souvent, en effet, le délit
était connu seulement lorsque l'étudiant était déjà au
séminaire depuis deux ans, et, aux termes de l'ancien
règlement, serait resté impuni. Si ces jeunes gens s'étaient
sentis responsables vis-à-vis d'une loi divine et non d'un
décret humain, s'ils avaient compris qu'ils devaient des
comptes non au voisin trop curieux, mais à l'ange qui
tient les registres de nos actes, la religion aurait certainement provoqué bien des conflits. Il en aurait été de même
si les pasteurs avaient insisté auprès des jeunes gens pour
qu'ils fissent partie de la congrégation et prissent au sérieux les préceptes religieux. Mais, en l'occurrence, la
religion reste un cadre surtout formel, qui est fait de
compromis et de demi-mesures. Les pasteurs indigènes,
fort nombreux, ont interprété à leur manière les enseignements du christianisme; aussi le protestantisme occidental n'a-t-il pu s'implanter dans toute sa rigueur, et le
délinquant sexuel n'a pas conscience d'avoir péché. Les
filles dont la religion n'exige rien, n'en attendent rien non
plus. Elles se contentent de suivre le conseil de leurs
aînés et de retarder jusqu'à ce qu'elles soient plus âgées,
leur entrée dans la congrégation. *Laititi a'u. Fia siva* (« car

je suis jeune et j'aime danser »). Il est interdit aux membres de la congrégation de danser et d'assister aux grandes danses nocturnes. L'un des trois villages se faisait gloire de ne compter aucune de ses filles dans la congrégation. Le second n'en avait qu'une, Lotu, mais elle manquait à ses vœux depuis longtemps. Cependant, comme son amant avait une situation familiale difficile et qu'elle ne pouvait l'épouser, les voisins avaient de la sympathie pour elle et s'abstenaient de jaser; aussi Lotu continuait-elle d'aller à l'église par accord tacite. Dans le troisième village, deux filles non mariées, Lita et Ana, faisaient partie de la congrégation.

Lita avait vécu pendant des années chez le pasteur, et il était clair qu'elle avait profondément subi l'influence de ce milieu quelque peu étranger. Intelligente et énergique, elle préférait la société des filles à celle des garçons. Elle avait tiré le meilleur parti possible des occasions qui lui avaient été offertes d'apprendre l'anglais : elle travaillait dur à l'école et voulait aller à Tutuila pour devenir infirmière ou professeur. N'importe quelle jeune étudiante américaine pourrait avoir de telles ambitions. Fait assez rare, elle adorait son père, lequel, fort pieux, avait facilement obtenu d'elle qu'elle fît partie de la congrégation. Après avoir quitté la maison du pasteur, elle continua d'aller à l'école et d'étudier avec énergie et application. Rien d'autre ne l'intéressait dans la vie, si ce n'est l'amitié qu'elle avait nouée avec une cousine plus âgée, qui parlait un peu l'anglais et avait reçu, dans une autre île, une éducation plus poussée. Sans doute cette amitié avait-elle toutes les apparences d'un « béguin » et s'accompagnait-elle, à l'occasion, de pratiques homosexuelles – manifestation habituelle de la plupart des attachements entre jeunes gens du même sexe. Mais dans le cœur de Lita, il y avait surtout de l'ambition, la volonté de connaître et d'assimiler le plus possible de cette culture étrangère dans laquelle elle voulait trouver place.

Le cas de Sona était fort semblable. De deux ans plus jeune que Lita, elle avait aussi habité plusieurs années chez le pasteur. Elle était arrogante, arbitraire et tyrannique avec ses cadets, d'une déférence sans pudeur envers ses aînés. Sans être d'une intelligence exceptionnelle, elle était douée d'une rare ténacité, et s'était hissée par son travail acharné à la tête de l'école. Lita, plus intelligente et plus sensible, était partie depuis un an parce que le professeur l'avait battue. Ainsi Sona était-elle passée au premier rang bien qu'elle fût nettement moins brillante. Sona venait d'une autre île. Son père et sa mère étaient morts tous les deux, et elle vivait dans une famille nombreuse et disparate, subissant la loi d'une quantité de parents. Tout entière à ses propres desseins, elle n'éprouvait aucun enthousiasme pour les travaux domestiques, ni d'affection pour la plupart des membres de sa famille. Mais une cousine plus âgée, très belle, avait frappé son imagination. Cette cousine, Manita, avait vingt-sept ans et n'était pas encore mariée. Elle avait eu de nombreux prétendants et presque autant d'amants, mais elle était d'une nature hautaine et agressive; les hommes qu'elle jugeait dignes de sa main se méfiaient de ses façons autoritaires. De l'avis unanime, c'était la plus belle fille du village. Ses magnifiques cheveux d'or avaient garni une demi-douzaine de coiffures cérémonielles. Son oncle l'avait faite *taupo*, bien que, héréditairement, il n'en possédât pas le droit. Mais il n'y avait pas d'autre *taupo* dans le village pour lui disputer le titre. Les protestations commençaient à s'apaiser; pour les enfants, cela ne faisait aucun doute qu'elle fût *taupo*. Grâce à sa beauté et à ses talents de danseuse on pouvait aisément la faire passer pour telle près des visiteurs. La famille ne la pressait pas de se marier, car plus longtemps elle resterait célibataire, mieux la légende s'accréditerait. Son dernier amant avait été un veuf, chef-orateur plein d'intelligence et de charme. Il avait aimé Manita, mais il ne voulut pas l'épouser. Elle manquait de la docilité qu'on attend d'une femme. Il quitta Manita et chercha dans les autres villages une très jeune fille qui eût de bonnes manières mais dont le caractère fût encore malléable.

Tout cela avait produit un effet considérable sur Sona, cette petite étrangère sans beauté, dont la cataracte commençait à ternir les yeux. « Sa sœur » n'avait que faire du mariage? Eh bien! elle non plus. Si peu féminine, dévorée d'ambitions, elle justifiait sa préférence pour la société des filles et son désir d'embrasser une carrière, en citant l'exemple de sa belle cousine. C'était pour elle un encouragement qui la soutenait dans son effort, car sa vue faiblissait déjà et ses aspirations apparaissaient bien compromises. Mais elle allait de l'avant, affichant des ambitions différentes de celles couramment admises dans son milieu. Sona et Lita n'étaient pas amies. Il y avait trop de différences entre elles, trop de rivalité, entretenue par leurs succès scolaires respectifs. Sona n'était pas membre de la congrégation. Cela n'aurait certes rien changé à sa vie; mais elle voulait rester écolière aussi longtemps que possible, et se soustraire ainsi à toute responsabilité. Si bien qu'elle-même répondait, aussi souvent que les autres : *Laititi a'u* (« je suis bien jeune encore »). Alors que Lita s'était attachée à sa cousine et essayait d'en apprendre tous les aspects d'une autre vie, Sona avait pris comme modèle la famille – un peu plus européanisée – du pasteur. Elle l'imaginait très proche de la nouvelle civilisation et ne cessait de le proclamer; elle appelait la femme de Ioane, Mme Johns, accumulait une misérable collection de maniérismes *papalagi* (étrangers), qui, dans son esprit, constituaient la base nécessaire à ses futurs activités.

Dans la congrégation de Siufaga, il y avait une autre fille, Ana, âgée de dix-neuf ans. De nature douce et calme, elle était aussi fort intelligente. Elle était la fille illégitime d'un chef. Sa mère s'était plus tard mariée, puis avait quitté son mari, en avait épousé un autre, avait divorcé, et finalement était partie vivre dans une autre île. Elle n'était rien pour Ana. Son père était veuf et habitait avec un de ses frères; Ana avait été élevée dans la famille d'un autre frère. Celle-ci, très proche du type biologique, comprenait deux filles mariées, plus vieilles qu'Ana, un fils à peu près de son âge, une fille de quatorze ans et une nuée de jeunes enfants. Le père était un homme doux et modeste, qui avait bâti sa case en dehors du village,

« pour fuir le bruit », disait-il. Les deux filles aînées, mariées jeunes, étaient parties avec leurs époux. Ana et son cousin demeuraient tous deux chez le pasteur, tandis que la cadette restait coucher à la maison. La mère se méfiait beaucoup des hommes, particulièrement des jeunes gens du village. Ana épouserait un pasteur. Elle n'était pas assez robuste pour supporter les durs travaux qui incombent à une épouse samoane. Voilà ce qu'Ana s'entendait rabâcher par sa tante, qui détestait la mère de sa nièce et craignait de voir celle-ci quitter la maison pour suivre ses traces. Aussi Ana était-elle persuadée qu'elle était beaucoup trop délicate pour mener une existence normale. Or il se trouva précisément qu'à l'examen médical des candidates à l'école d'infirmières, elle fut refusée pour murmure cardiaque. Ana, influencée par les sombres avertissements de sa tante, était maintenant convaincue qu'elle était trop fragile pour avoir des enfants; elle en aurait un peut-être, tout au plus, et cela dans un avenir lointain. Elle entra dans la congrégation, abandonna la danse, se rapprocha de sa famille d'adoption, et, chez le pasteur, des groupes de filles moins âgées. A dix-neuf ans elle était neurasthénique. Voilà à quoi aboutissait la conjonction d'un défaut physique, de son éducation chez le pasteur, de l'étroitesse et de l'isolement de son groupe familial.

Lita, Sona, Ana s'écartaient de la norme d'une façon identique : elles rejetaient les options traditionnelles, réclamaient une vie différente et meilleure. A tout instant elles risquaient d'entrer en conflit véritable avec le groupe. Seules les circonstances peuvent expliquer qu'il n'en ait rien été. Chez le pasteur, leurs compagnes plus jeunes ne semblaient pas avoir, autant qu'elles, subi l'influence de ce milieu quelque peu artificiel. Elles restaient chastes, sans doute, s'étaient fait des amies en dehors du groupe familial, s'appliquaient à leurs leçons. Mais elles n'en étaient pas encore à vouloir substituer une carrière professionnelle à celle, traditionnelle du mariage. Il est vrai que l'école du pasteur n'était qu'une influence parmi d'autres dans leur vie. Elles passaient encore la plus

grande partie de la journée à la maison, dans l'ambiance
coutumière. Sans l'intervention d'autres facteurs – tels
que des conditions familiales, ou un tempérament particulier – le passage de la fille par l'école n'entraînait
aucune modification fondamentale de sa conception de
l'existence. Elle se contentait d'y devenir plus respec-
tueuse de l'Église, un peu plus exigeante quant à la façon
de vivre, plus confiante à l'égard des autres filles. Mais
l'école offrait suffisamment de contraste avec la vie
traditionnelle du village pour être un terrain propice au
développement de comportements anormaux. Quant aux
filles qui quittaient le village pour aller au pensionnat, les
années qu'elles passaient ainsi sous la tutelle de leurs
professeurs de race blanche laissaient sur elles une
marque profonde. Beaucoup devenaient infirmières, la
plupart épousaient un pasteur – dénouements de caractère presque toujours aberrant puisqu'ils comportaient
l'acceptation d'un mode de vie inaccoutumé.

Ainsi, tandis que la religion elle-même ouvre peu le
champ aux conflits, les institutions religieuses peuvent,
dans certains cas, inciter à de nouvelles options et,
associées à d'autres facteurs, susciter chez les filles de
graves déviations du comportement. Dans leur grande
majorité cependant, les jeunes Samoanes restent réfrac-
taires à ces influences et s'en tiennent, sans regret, à leur
mode de vie traditionnel. Voilà qui témoigne de la grande
stabilité d'une civilisation indigène, qui, encore peu européanisée, connaît tant de façons de résoudre facilement ses conflits. Et il semble bien que ceux-ci ne sont
pas le fait des filles elles-mêmes, mais ne peuvent éclater que sous l'effet d'une puissante provocation extérieure.

Nous avons jusqu'ici traité des conflits suscités par des
déviations que l'on pourrait qualifier de « progressistes ».
On les rencontre chez les enfants qui veulent disposer
d'une latitude plus vaste que ne l'autorise la tradition et
qui sont amenés à faire un choix bizarre, non conformis-
te. Le système d'éducation instauré par les missionnaires
pousse ces enfants à s'instruire, à ambitionner une carrière professionnelle, à se marier en dehors du groupe

local (comme c'est le cas pour les infirmières, professeurs et pasteurs indigènes), à préférer la société des gens du même sexe, à envisager l'existence selon des valeurs personnelles. Ce qui a pour résultat une spécialisation accrue, une personnalité plus complexe, un individualisme plus prononcé. En ce qui concerne notre groupe de filles, il est évident que le simple fait de se trouver devant des possibilités contradictoires ne suffisait pas pour déclencher un conflit; il eût fallu que le choix fût nécessaire, et de plus, que le terrain culturel fût favorable.

Il nous faut aborder maintenant les déviations « décadentes », celles des délinquants. J'emploie le qualificatif de délinquant pour désigner la fille qui est mal adaptée aux exigences de sa civilisation, et qui entre nettement en conflit avec son groupe, non parce qu'elle se comporte selon des normes différentes, mais parce qu'elle viole les normes du groupe, qui se trouvent être aussi les siennes (1).

Une famille ou une communauté samoane pourrait facilement concevoir la conduite et la morale de Sona et de Lita, comme antisociales et blâmables. La voie qu'elle

(1) Une telle distinction devrait bien être observée à l'égard de la délinquance dans notre propre civilisation. On ne peut définir la délinquance seulement en termes de comportement : l'état d'esprit du délinquant doit aussi être pris en considération. Ainsi l'adolescente qui vide le sac de sa mère pour acheter de quoi apporter à manger dans une « surprise-party », ou une robe pour aller danser, qui, en même temps, croit fermement que c'est mal de voler, mais ne peut ou ne veut résister à la tentation, cette enfant est une délinquante, et sera considérée comme telle si elle est amenée devant un tribunal. La jeune communiste chrétienne qui distribue ses propres vêtements, et ceux de ses frères et sœurs, constitue peut-être un danger pour sa famille et pour une société fondée sur la propriété privée, mais elle n'est pas délinquante dans le même sens du mot. Elle a simplement adopté des valeurs morales différentes. Est, sans aucun doute, délinquante, la fille dévergondée qui sait très bien qu'elle se conduit mal, qui en éprouve un sentiment de honte et de culpabilité, mais est incapable de résister, et se laisse glisser jusqu'au moment où, fille-mère ou prostituée, elle pose un problème social. Au contraire, s'il est permis de condamner la jeune adepte de l'amour libre, qui a un idéal et apporte maintes justifications à son comportement, on ne peut la considérer, du point de vue qui nous occupe ici, comme une délinquante.

avaient choisie ne les conduisait pas au mariage et à la maternité. Toute orientation de ce genre, de la part d'une femme, est sans doute certaine de recueillir la désapprobation générale, dans quelque société que ce soit. Les filles qui obéissent à la même impulsion et suivent l'exemple de Sona et de Lita, courent infailliblement ce risque.

Mais y avait-il vraiment des délinquantes dans ce petit village primitif? Y avait-il des filles incapables à la fois de se créer des normes nouvelles et de se plier aux anciennes? Parmi les filles que je connaissais, il y en avait deux répondant à cette définition. L'une atteignait juste l'âge de la puberté, l'autre était pubère depuis deux ans. Aucune n'était délinquante de fraîche date. Depuis plusieurs années, leurs groupes respectifs n'hésitaient pas à les qualifier de « mauvaises filles ». Les jeunes les évitaient, les familles se lamentaient. Elles étaient fort comparables à nos « délinquantes » – si l'on veut bien admettre que, dans une communauté qui n'a aucune possibilité de régler légalement de tels cas, le conflit avec le groupe et son opinion inorganisée se substitue au conflit avec la loi, qui définit, dans notre société, la délinquance.

Lola avait dix-sept ans. C'était une grande fille intelligente, au corps magnifique. Elle était douée d'un tempérament passionné, s'enthousiasmait facilement; ses sympathies étaient aussi violentes que ses antipathies. Son père était mort alors qu'elle était encore enfant, et elle avait grandi dans une maison sans chef. Son *matai* était un oncle paternel. Il avait plusieurs maisons et avait disséminé ses dépendants par tout le village. Lola, deux sœurs aînées, deux sœurs cadettes et un frère plus vieux qu'elle d'un an, avaient été élevés par leur mère, femme bonne mais de peu de ressource. La sœur la plus âgée s'était mariée et avait quitté le village alors que Lola avait huit ans. La suivante, Sami, qui avait cinq ans de plus que Lola, était comme sa mère douce et patiente, bien qu'on pût percevoir dans toutes ses paroles un fond d'amertume. Elle n'aimait pas sa jeune sœur, mais n'était pas capable de lui tenir tête. Nito, son frère, était courageux et intelligent. Il aurait pu donner à sa sœur des leçons de sagesse sans le tabou « frère-sœur » qui leur imposait des rapports distants. Aso, de deux ans sa cadette, ressemblait à Sami, avec l'amertume en moins. Elle préférait éviter Lola. Enfin la plus jeune, Siva, était, comme Lola intelligente, exaltée, impulsive, mais elle n'avait que onze ans et tirait les leçons du comportement de sa sœur. Lola était querelleuse, indocile, insolente. Elle contestait tout, faisait objection à toute requête, renâclait au travail, se battait avec ses sœurs, se moquait de sa mère. A quatorze ans, elle devint tellement ingouvernable à la maison que son oncle l'envoya chez le pasteur. Elle y resta une année – une année de scènes orageuses – jusqu'au moment où elle fut finalement chassée après s'être battue avec Mala, l'autre délinquante. On ne l'avait pas fait plus tôt par déférence pour le rang de son oncle qui était un puissant chef. Celui-ci comprit que ce serait folie de la renvoyer chez sa mère. Elle avait presque seize ans et était bien développée pour son âge. On pouvait redouter à tout instant qu'à tous les tracas qu'elle causait déjà vinssent s'ajouter des infractions sexuelles. Son oncle la prit chez lui et la plaça sous la surveillance de Pusa son épouse, femme de tête et qui savait se faire obéir. Lola y resta près d'un an. C'était la famille la plus intéressante qu'elle eût connue jusque-là. Le rang de son oncle lui créait de multiples tâches. Elle apprit à bien faire le kava, à danser avec plus d'aisance. Elle fit un voyage à Tutuila, qui rompit quelque peu la monotonie de son existence; deux cousines d'une autre île vinrent en visite, et il y eut beaucoup de gaieté dans la maison. La poussée sexuelle commençant à se manifester de façon plus vive, elle perdit un peu de son effronterie et de son assurance. Pusa était une maîtresse femme, et, pendant quelque temps, Lola prit un plaisir nouveau à sentir une volonté appuyée par une autorité incontestée. Mais elle s'en lassa. Les cousines prolongèrent leur visite mois après mois. Elles continuaient de la traiter comme une enfant. Elle s'ennuya, devint morose et jalouse. Finalement elle s'en-

fuit au village le plus proche, chez d'autres parents.
C'était la famille d'un très grand chef, qui se trouvait pour
le moment à Tutuila. Il n'y avait dans la grande maison
d'hôtes que son épouse, sa mère et ses deux enfants. On
accueillit avec joie cette aide nouvelle. Lola chercha à
s'insinuer dans les bonnes grâces du chef. Au début, ce
fut très facile : elle s'était enfuie de chez un rival, et il y
trouvait quelque motif de satisfaction. Les filles de la
famille étaient ou beaucoup plus jeunes ou beaucoup
plus âgées. Elle eut droit aux égards auxquels elle aspirait
tellement. Les petites filles ne l'aimaient pas, mais admi-
raient secrètement son impétuosité et son intransigeance.
Mais elle n'était dans cette famille que depuis environ un
mois lorsque un autre chef vint en visite, accompagné
d'une jeune et belle *taupo*, qui avec sa suite, fut logée
dans la case même où elle couchait. Il fallut alors sans
arrêt s'acquitter des devoirs de l'hospitalité. Et le pire,
c'est que Lola dut servir la jolie étrangère, qui était plus
jeune qu'elle d'un an, mais qui, en tant que *taupo*, avait le
pas sur elle. Lola recommença à être insupportable. Elle
se querellait avec ses cadettes, était insolente avec ses
aînées, renâclait au travail, parlait méchamment de
l'étrangère. Tout cela aurait pu ne pas durer et n'avoir
d'autre conséquence qu'une disgrâce passagère dans la
famille, si n'était intervenu un événement beaucoup plus
fâcheux. Le don Juan du village était un quadragénaire
aux manières avenantes, onctueux, discret, circonspect,
veuf et *matai* de surcroît. Il cherchait à se remarier. La
visiteuse qui habitait la maison d'hôte du village voisin
éveilla son attention. Mais en amour, Fuativa savait le
prix de la réflexion et de la prudence. Il convenait
d'abord de savoir exactement à quoi s'en tenir sur la fille.
Sous un prétexte quelconque, il lui rendit visite, sans
déclarer ses intentions. C'est alors qu'il remarqua Lola et
il prit le temps de cueillir ce fruit au passage, en attendant d'arrêter des décisions plus sérieuses.

Toute violente qu'elle fût, Lola était capable de sentiments très ardents. Fuativa avait de l'expérience et une
grande délicatesse. Peu de filles avaient eu autant de

chance avec leur premier amant, et peu avaient éprouvé un regret sans mélange à la fin de leur première liaison. Fuativa n'eut pas beaucoup de difficulté à vaincre les scrupules de Lola. Mais après trois semaines qui furent pour lui banales, mais pour elle très importantes, il demanda la *taupo* en mariage. Lola fut cruellement blessée dans son amour-propre. Cependant un tel projet pouvait échouer, car il est difficile de conclure un mariage à de si grandes distances. La fille d'ailleurs montrait tellement d'hésitation que ses chefs-orateurs s'inquiétèrent sérieusement. Fuativa était riche et la cérémonie du mariage leur serait d'un bon rapport. S'ils laissaient la fille retourner chez ses parents pour s'expliquer, ou si elle s'enfuyait avec un autre soupirant, il n'y aurait peut-être pas de mariage, donc pas de récompense. La cérémonie de défloration publique est interdite par la loi. Comme le prétendant était fonctionnaire, il ne pourrait se permettre une infraction de ce genre. L'on se concerta, et les chefs-orateurs autorisèrent Fuativa à approcher sa future épouse. La rage de Lola fut sans bornes. Elle se vengea immédiatement : elle accusa sa rivale d'être une voleuse, sema la dissension dans tout le village. Les femmes de la maison la chassèrent en la maudissant, et elle retourna chez sa mère, qu'elle avait quittée quatre ans auparavant. Elle se trouvait dans la même situation que la délinquante dans notre société. Elle avait continuellement violé les normes du groupe, et elle avait épuisé toutes les solutions qui s'étaient offertes. Aucune autre famille n'accueillerait une fille qui était connue pour mentir, semer la discorde et voler – car entre autres méfaits, elle commettait à tout instant de menus larcins. Si elle s'était simplement querellée avec un père ou un beau-frère, elle eût facilement trouvé un refuge. Chez sa mère, elle rendit ses sœurs malheureuses, mais sans le prendre de haut avec elles, comme par le passé. Elle était maussade, amère, hargneuse. Les jeunes du village la dénoncèrent comme ayant un *lotu le aga* (« un cœur mauvais ») et elle n'eut pas d'amies. Sa jeune rivale quitta l'île pour veiller aux préparatifs du mariage.

Si elle était restée plus longtemps, Lola aurait bien pu se livrer sur elle à des voies de fait. Lorsque je partis, elle demeurait encore chez sa mère qui, toujours aussi patiente, supportait cette fille morose et ombrageuse, qui refusait de travailler.

Le cas de Mala était quelque peu différent. Si Lola était violente, Mala était perfide. Là où Lola se rebellait, Mala se montrait insidieuse. Mala était plus jeune; elle était pubère depuis janvier, au milieu de mon séjour dans l'île. C'était une petite fille maigre au visage ingrat, toujours négligée dans sa tenue. Ses parents étaient morts et elle habitait chez un oncle, homme revêche et acrimonieux, de petite condition. Sa femme était originaire d'une autre île et n'aimait pas le village. Ils n'avaient pas d'enfants et la seule personne qui vécût avec eux était une autre nièce, divorcée, elle aussi sans enfant. L'on n'avait pour Mala aucune tendresse, et on la tuait au travail. La vie est très dure en effet pour celui ou celle qui se trouve être le seul enfant dans une maison samoane. Pour Mala, elle l'était à double titre. Dans des circonstances normales, des parents du voisinage lui auraient donné leur bébé à garder, lui auraient permis de participer aux activités de familles plus nombreuses et aussi plus heureuses. Mais depuis son enfance, Mala avait la réputation d'être une voleuse, accusation très grave dans un pays où l'on ignore portes et serrures et où les maisons restent désertes pendant des journées entières. Son premier délit avait été de voler un jouet étranger qui appartenait au petit garçon du chef. La mère, furieuse, l'avait vertement réprimandée devant tout le village assemblé sur la plage, le jour de l'arrivée du bateau-courrier. Les épithètes de voleuse et de menteuse étaient désormais associées à son nom, sans plus de discussion que s'il se fût agi de constater qu'une autre louchait ou était sourde. Les enfants l'évitaient. Dans la case la plus proche, habitait Tino, fillette sage et terne, de quelques mois plus jeune que Mala. Normalement les deux enfants auraient dû frayer ensemble. Mala prétendait toujours que Tino était son amie, mais celle-ci se défendait avec indignation d'avoir aucune relation avec elle. Elle allait donc avec les garçons, préférait leurs jeux, nouait comme eux son *lavalava*. Le village cria au scandale : « C'était réellement une très mauvaise fille; elle volait, elle mentait, et elle jouait avec les garçons. » Comme partout ailleurs, c'était la fille qu'on réprouvait; aussi les garçons ne se détournaient-ils pas d'elle. Ils la faisaient enrager, la rudoyaient, s'en servaient comme d'une esclave. Parmi les plus précoces, certains méditaient déjà d'en user à d'autres fins. Elle finirait probablement par accorder ses faveurs à quiconque les solliciterait, à tomber de plus en plus bas dans l'estime du village et particulièrement aux yeux de son propre sexe, dont la considération et l'affection lui tenaient tant à cœur.

Lola et Mala semblaient bien toutes deux être victimes d'un manque d'affection. Elles étaient anormalement sensibles, et portées à la jalousie. Elles réagissaient avec une promptitude pathétique à toute manifestation d'amitié. Elles avaient un immense besoin de tendresse, et elles se trouvaient aussi mal placées que possible pour en recevoir la moindre parcelle. Contre Lola jouaient à la fois son caractère déplaisant, et l'aménité de ses sœurs. L'absence de toute autorité réelle dans son entourage immédiat aggravait encore ses défauts. A Sami, sœur docile, on avait confié les enfants; mais à Lola, plus difficile à manier, l'on n'avait laissé aucune responsabilité salutaire de ce genre. Cela n'était pas plus normal que son besoin et son désir d'affection. De même, peu d'enfants pouvaient se sentir plus délaissés que la petite Mala, abandonnée au milieu d'adultes indifférents. La délinquance de ces deux filles résultait, semble-t-il, du concours de facteurs accidentels de deux ordres : une affectivité exceptionnelle, et des conditions de vie familiale également exceptionnelles. Des enfants moins sensibles dans les mêmes circonstances, ou ces mêmes enfants dans un milieu plus favorable, n'auraient jamais été rejetés ainsi par la société.

Il n'y avait, dans l'ensemble des trois villages, qu'une seule autre fille qu'on pût qualifier de délinquante, dans le sens précis que nous avons donné à ce terme, et encore était-elle loin d'encourir, au même degré que les deux précédentes, la réprobation générale. Sala était son nom. Ils étaient six dans la famille en plus d'elle-même : sa mère qui était veuve, son jeune frère de dix ans, sa grand-mère, son oncle et son épouse, et leur fils âgé de deux ans. C'était donc un groupe familial assez bien équilibré; en outre de nombreux parents vivaient à proximité. On avait mis Sala chez le pasteur, mais elle s'était rapidement rendue coupable d'infractions d'ordre sexuel, et avait été renvoyée. Elle gardait d'ailleurs à l'endroit du pasteur une rancune non dissimulée. Elle était sotte, fourbe, sournoise, et ne savait rien faire de ses mains. Son incompétence était la fable de tout le village. Ses amants étaient aussi nombreux qu'insignifiants, pères d'enfants illégitimes, maris en liberté provisoire, petits jeunes gens en quête de plaisirs faciles. Les filles du village disaient que Sala ne savait rien faire, sauf l'amour et que, bien incapable de coudre le chaume ou de tresser des stores, elle ne trouverait jamais de mari. On la méprisait plus qu'on ne la condamnait. Elle en était d'ailleurs consciente au point d'être tombée bien bas dans sa propre estime. Elle avait un air renfermé et furtif, mentait d'une façon outrancière pour protester de ses talents et de son savoir, et ne manquait pas une occasion de se livrer à quelque propos blessant ou insinuation perfide. Entre elle et la communauté, il n'y avait pas de heurt grave. Son père la battait parfois, sans conviction. Ce qui la sauvait, c'était sa stupidité, car les Samoans sont plus indulgents pour la faiblesse que pour la force mal employée. Tôt ou tard, Sala se trouverait enceinte; elle devrait ralentir son activité, demander davantage à sa famille. Cette sujétion matérielle, qui dans son cas, sera aggravée par son impéritie, permettra à sa famille d'avoir barre sur elle et d'exiger, pour le moins, un peu plus de considération. Elle ne se mariera peut-être pas avant de nombreuses années, et il est possible qu'on la juge trop incapable pour affronter jamais une telle responsabilité.

   La seule délinquante en herbe, si l'on peut appeler ainsi

une enfant dont l'attitude permettait de craindre pour l'avenir des déportements sans cesse plus graves, était Siva, qui avait onze ans. C'était, elle aussi, une nature rebelle; elle se battait sans cesse avec les autres enfants, et lorsque vaincus, ils tournaient les talons, les criblait d'insultes assassines. Comme Lola, elle était affamée d'affection. Mais son oncle, instruit par le malheureux exemple de sa sœur, l'avait prise à l'âge de dix ans dans son entourage immédiat. Ainsi ses dernières années d'enfance étaient-elles soumises à une discipline beaucoup plus stricte que ne l'avait connue sa sœur. D'ailleurs, sur un autre point, son comportement était différent : c'est à cela peut-être qu'elle devrait un jour son salut. Contrairement à Lola, elle avait de la légèreté et le sens de l'humour. Elle était douée pour la mimique, elle dansait de la façon la plus cocasse qui fût, elle était née comédienne. On lui pardonnait sa violence, son humeur querelleuse tant on riait de bon cœur à ses bouffonneries. Si grâce à ses talents, elle conserve l'affection de ses tantes et de ses cousines, qui déjà tolèrent ses frasques et ses colères, elle ne suivra sans doute pas les traces de sa sœur. Un jour, à une danse, j'avais expressément demandé aux enfants d'être gentils et de ne pas perdre leur temps à se jalouser et à se chamailler sans cesse. J'avais choisi trois petites filles – le nombre traditionnel – et l'une d'elles, Meta, prétendit qu'elle avait mal au pied. Je demandai alors à Siva de la remplacer. Elle se préparait à le faire – sans trop de bonne grâce d'ailleurs parce que je ne l'avais pas choisie la première – quand Meta, qui voulait simplement se faire prier, fut sur pied d'un bond et prit la place vide. Siva serrait déjà les poings, prête à sauter sur Meta; elle rencontra mon regard, avala sa salive et, furieuse, arracha son collier de fleurs et le jeta autour du cou de Meta. Si elle a un peu plus de chance que sa sœur, elle n'entrera pas en conflit ouvert et durable avec sa société.

Tels sont les cas les plus significatifs qui se soient présentés, de conflits ou de graves déviations par rapport aux normes du groupe. Il y avait certes des différences entre les autres filles, selon qu'elles aient été ou non pensionnaires chez le pasteur, selon que leur famille fût humble ou de haut rang, et surtout selon que cette famille fût du type biologique ou au contraire nombreuse et hétérogène. Il y avait aussi tout autant de diversité dans les tempéraments que nous en trouvons chez nous, bien que, sur le plan intellectuel, le champ fût peut-être plus étroit. Mais dans l'ensemble, ces jeunes Samoanes témoignaient d'une surprenante uniformité de connaissances, de savoir-faire et de comportement. Elles s'épanouissaient régulièrement, calmement, dans un cadre aux limites bien définies, mais sans rigidité aucune.

CHAPITRE XII

MATURITÉ ET VIEILLESSE

Entre épouses d'hommes sans titre et filles non
mariées, la communauté ne fait aucune distinction : elle
n'exige ni plus ni moins des unes que des autres. Comme,
en outre, il y a peu de différences entre elles sur le plan
de l'expérience sexuelle, la ligne de démarcation intervient, non entre le groupe des femmes mariées et celui
des célibataires, mais, d'une part entre les jeunes et les
adultes en ce qui concerne les tâches quotidiennes, et
d'autre part entre les épouses de *matais* et leurs sœurs de
rang moins élevé dans le domaine cérémoniel. La fille de
vingt-deux ou vingt-trois ans qui n'est pas encore mariée
perd sa nonchalance et son insouciance, et ce changement est surtout dû à la pression qu'exerce sur elle la
famille. N'est-elle pas adulte, n'est-elle pas aussi capable
que ses sœurs mariées ou les jeunes épouses de ses
frères ? On s'attend qu'elle contribue comme elles, et dans
la même mesure, aux entreprises familiales. Elle vit au
milieu de gens de son âge qui doivent faire face aux
nouvelles exigences qu'imposent le mariage et ses responsabilités. Émulation et rivalité entrent en jeu. La fille
commence peut-être aussi à quelque peu s'inquiéter de
son avenir matrimonial. L'intérêt qu'elle avait naguère
pour les intrigues et les aventures sexuelles s'est affaibli;
elle se décide à cultiver désormais les qualités qui la
feront désirer comme épouse. Il est d'usage qu'une fille
sache coudre et assembler le chaume, mais elle ne le fait

réellement qu'une fois mariée. En pratique, les filles
célibataires accomplissent exactement les mêmes tâches
domestiques et agricoles que leurs sœurs mariées; les
femmes enceintes, cependant, et les jeunes mères qui
allaitent, sont astreintes à rester chez elles tandis que les
filles sont libres de participer à de longues expéditions de
pêche ou d'aller loin dans les terres ramasser les matières
végétales nécessaires au tressage.

Une fois marié, le couple peut aller habiter soit avec la
famille du garçon, soit avec celle de la fille. Le choix est
dicté par des considérations de rang social, mais peut
l'être aussi par les besoins en main-d'œuvre de l'une ou
l'autre maisonnée. Le changement de résidence importe
beaucoup moins à la fille qu'au garçon. La vie d'une
femme mariée est confinée dans un cercle si étroit que
ses seules compagnes sont les femmes de la maison.
Qu'elle habite le village de son mari plutôt que le sien
propre ne rétrécit en rien son horizon : elle ne participera
que fort peu à la vie communale, et il lui faudra attendre
que son mari se voie conférer un titre pour accéder, elle
aussi, à une certaine position sociale. Si la famille de son
époux et la sienne demeurent dans le même village, ses
responsabilités seront plus nombreuses, car elle sera
soumise aux exigences à la fois de ses propres parents et
de ceux de son mari.

On n'imagine pas que belle-mère et belle-fille puissent
entrer en conflit. Une belle-mère doit être respectée
parce que c'est l'une des personnes les plus âgées de la
famille, et une belle-fille insolente n'est pas plus tolérée
qu'une fille ou une nièce indocile. Quand on parle aux
Samoans de ce conflit dont souffrent traditionnellement
nos familles, ils ont une réaction amusée et quelque peu
méprisante. Les liens émotifs entre parents et enfants
étant chez eux très ténus, il leur est impossible d'imaginer
que des sentiments de jalousie puissent contribuer à une
mésentente entre la mère d'un homme et de son épouse.
Ils considèrent qu'il y a simplement, de la part de
l'insignifiante jeune femme, un manquement grave au
respect qui est dû à toute personne âgée; mais certains

vieillards, reconnaissent-ils, peuvent avoir mauvais caractère, et il vaut mieux, dans ce cas, ne pas se mettre en travers de leur chemin. Il en va de même pour le jeune homme lorsqu'il va vivre chez son beau-père. Si ce dernier est *matai*, il a pleine autorité sur le mari de sa fille; s'il n'est qu'un homme âgé sans titre, il doit néanmoins être traité avec égards.

Le mari est, du jeune couple, celui pour lequel le fait de s'installer dans un autre village tire le plus à conséquence. Membre d'une nouvelle *Aumaga*, il lui faut travailler avec des jeunes gens qu'il ne connaît pas et non plus avec les garçons dont il partageait depuis l'enfance les jeux et les fatigues. Il est fréquent qu'il ne parvienne pas à s'assimiler au nouveau groupe aussi complètement qu'il l'était à l'ancien, il se retranche davantage derrière sa dignité. Il travaille avec ses nouveaux compagnons, mais ne s'amuse pas avec eux. Toute l'activité sociale de l'*Aumaga* gravite autour des hommages et civilités que le groupe rend aux jeunes filles qui viennent en visite. Dans son village natal, un adulte, longtemps encore après son mariage, n'hésitera pas à se mêler aux jeunes gens dans de telles circonstances. Mais s'il habite le village de sa femme, cela prendrait un tour inconvenant. De même, les petites aventures amoureuses comporteront beaucoup plus de risques. S'il lui est plus facile de devenir *matai*, en revanche il vieillit plus vite; et s'il peut acquérir le respect de son village d'adoption, il lui est plus malaisé de s'en faire aimer.

Dans la plupart des cas, les jeunes mariés n'éprouvent pas le besoin de fonder un foyer indépendant. Leur nouvel état se traduit par le changement de résidence qui affecte l'un ou l'autre époux et par les rapports qui s'établissent entre les deux familles. Ils se joignent au reste de la grande maisonnée, et on leur donne simplement un oreiller de bambou, une moustiquaire, et, comme lit, une pile de nattes. On ne bâtit une nouvelle demeure que pour un chef ou un fils de chef. La jeune épouse travaille avec les autres femmes, et, comme elles, sert tous les hommes de la maison quels qu'ils soient.

Quant à son mari, il assume sa part des travaux masculins. A aucun moment, qu'il s'agisse des services personnels rendus ou reçus, le couple n'est considéré comme une unité distincte. Les règles qui s'appliquent aux rapports entre frère et sœur ne sont en rien modifiées par le mariage de l'un d'eux; elles s'étendent, au contraire, au nouveau venu, beau-frère ou belle-sœur. Les époux ne sont vraiment indépendants que dans leur vie sexuelle. Car même lorsqu'il s'agira d'élever leur progéniture ou de décider de son avenir, ils devront respecter l'avis des oncles, tantes, et grands-parents. Il ne suffit pas d'être père, il faut aussi être *matai* pour avoir autorité sur ses propres enfants. Mais là non plus le lien de parenté ne peut ressortir nettement puisque, en tant que *matai*, ce père doit exercer la même autorité sur beaucoup d'autres enfants, qui ne lui sont pas aussi proches.

La jeune femme enceinte est entourée d'une multitude de tabous, qui tendent, pour la plupart, à lui interdire toute occupation solitaire. Seule, ou en l'unique présence de son mari, elle n'a le droit ni de marcher, ni de rester assise, ni de danser, ni de manger. Tous ces tabous trouvent leur explication dans une aimable théorie : d'une part, seuls les actes répréhensibles sont accomplis sans témoin d'autre part, les fautes de la future mère porteront préjudice à l'enfant. Il semble plus facile d'interdire la solitude que les actions mauvaises. Les femmes enceintes doivent aussi redouter les fantômes, et éviter les endroits qu'ils fréquentent. On leur conseille enfin de s'abstenir de travaux trop pénibles, de ne pas prendre froid, de ne pas avoir trop chaud. Sans doute est-on loin de traiter la future mère avec les mêmes égards que chez nous, mais sa première grossesse met toujours une femme quelque peu en vedette. L'événement prend d'autant plus d'importance que son rang est plus élevé; la jeune femme dont l'enfant sera l'héritier présomptif d'un grand titre est l'objet de l'attention et des soins de tous. Au moment de l'accouchement, les parents viennent de fort loin assister à la célébration de la naissance, qui est décrite beaucoup plus comme une fête en l'honneur de la mère, qu'en celui du père ou de l'enfant.

Les naissances qui suivront, et qui pourront être fort nombreuses, ne retiendront guère l'attention. Les commères en tiendront le compte, et sauront énumérer les vivants, les morts et les fausses couches. On rôtira un porc pour fêter chaque événement mais l'on n'invitera que les parents les plus proches. Il est normal pour une femme d'avoir de nombreux enfants, et l'on ne saurait l'en féliciter particulièrement. L'on en veut, modérément, à la femme stérile : c'est son inconduite, estime-t-on, qui est cause de ses malheurs. Il y avait à Tau trois femmes stériles, toutes trois sages-femmes et réputées pour leur savoir. Elles avaient largement dépassé l'âge d'avoir des enfants et récoltaient maintenant les fruits d'une activité et d'une conscience professionnelle qui rachetaient en quelque sorte leur défaillance.

Les jeunes femmes mariées de vingt à trente ans forment un groupe affairé et plein d'entrain. Elles sont maintenant membres de la congrégation et portent chapeau à l'église. Si elles n'ont pas un bébé au sein, elles travaillent à la plantation, pêchent ou font du tapa. Il ne se passera plus rien de marquant dans leur vie. Si leur époux meurt, elles se remarieront sans doute, avec quelqu'un de rang moins élevé. Si leur époux devient *matai*, elles auront leur place au *Fono* des femmes. Mais pour tirer satisfaction réelle de la vie sociale du village, il n'y aura guère que celles qui ajoutent a un don instinctif pour l'intrigue politique, le privilège d'avoir des parents ou un époux influents.

Les jeunes hommes ne se résignent pas aussi vite à une vie routinière. Ce que son premier enfant est à une femme, son titre l'est à un homme. Si, pour une épouse, chaque nouvel enfant compte un peu moins que le précédent, dans la vie de son mari, au contraire, chaque nouveau titre est une étape importante de son ascension sociale. Le premier titre ne s'obtient guère avant trente ans, souvent même pas avant quarante. De l'instant qu'il entre à l'*Aumaga* à celui où il est admis au *Fono*, ce sont pour lui des années d'effort. Il ne lui suffit pas de se faire

une réputation, puis de se reposer sur elle, car un autre
prétendant au titre profiterait de son inaction pour le
rattraper et le dépasser dans la compétition. Ce n'est pas
parce qu'il a fait une bonne pêche qu'il est pêcheur, ni
parce qu'il a su bien aplanir une poutre qu'il est charpentier; il est essentiel qu'il continue à témoigner de talents
sans cesse en progrès, qui seront le gage de sa supériorité. Seuls les paresseux, les caractères mous, les hommes
sans ambition refusent la lutte. Il est une exception
cependant, celle du fils ou de l'héritier d'un grand chef,
qui peut devenir *manaia* à vingt ans. Mais, en raison de
son rang, il a déjà été soumis à une discipline plus
rigoureuse, à une formation plus attentive que la plupart
des autres jeunes gens : en tant que *manaia*, il est chef de
l'*Aumaga* et doit la diriger comme il faut, ou déchoir.

Voici donc l'homme nommé *matai* et membre du *Fono*.
C'est son tempérament qui va maintenant décider de
l'évolution de sa carrière sociale. Il se peut que le titre qui
lui a été conféré soit peu élevé, qu'il ne comporte pas le
droit de s'adosser à un poteau de la maison de conseil, ni
aucune autre prérogative. Ce titre peut être si humble
que, tout *matai* qu'il est, il n'essaie même pas de commander à sa famille, et préfère vivre dans l'ombre de quelque
parent plus important. Mais il est membre du *Fono* : pour
tous il est un des anciens du village, et est à jamais exclu
des franches et joyeuses activités des jeunes hommes. S'il
devient veuf et cherche à se remarier, il devra, pour aller
courtiser une fille chez elle, prétendre qu'il est encore
jeune, et abandonner sur le seuil son nom de *matai*. Ses
principales préoccupations, ce sont les affaires de village,
son délassement préféré, les réunions où des heures se
passent en discussion cérémonieuse. Il a toujours avec lui
un paquet de fibres de cocotier battues, et, sans cesser de
parler, il le roule en cordelette sur sa cuisse nue.

Les moins ambitieux en restent là. Les autres continuent, briguent des titres plus élevés, s'efforcent d'accroître leur prestige d'artisans ou d'orateurs, afin de tenir une
place toujours plus importante dans le jeu politique.
Enfin, après qu'on a donné la préférence aux meilleurs,

après que, dans cet esprit – et souvent au mépris des droits d'aînesse ou de descendance directe – l'on a accordé un titre à un homme, obéissant aux mêmes principes, on le lui retire. Passé la force de l'âge en effet, passé cinquante-cinq ou soixante ans, on le dépouille de son titre pour le donner à un autre, et il ne reçoit en échange qu'un « petit nom de *matai* », afin qu'il puisse encore s'asseoir parmi ses pairs et boire son kava. Ces vieillards restent à la maison, gardent la case pendant que les autres sont aux plantations, surveillent les enfants, tressent de la corde, donnent des conseils, ou bien, pour affirmer une dernière fois une forme perverse d'autorité, refusent méchamment d'en donner. Un jeune chef, à qui l'on avait donné le titre de son père du vivant de celui-ci, se plaignait en ces termes : « Je n'avais aucun vieillard pour m'aider. Mon père était vexé qu'on m'eût donné son titre et ne voulait rien me dire. Ma mère avait beaucoup de sagesse, mais elle venait d'une autre île et ne connaissait pas bien toutes les vieilles coutumes du village. Il n'y avait pas d'ancien dans la maison pour venir près de moi le soir me dire les choses du temps jadis. Un jeune *matai* devrait toujours avoir près de lui un vieil homme qui, même s'il est sourd et n'entend pas toujours ce qu'on lui demande, peut encore beaucoup instruire. »

La vie des femmes suit un cours plus tranquille. Les épouses de chef ou d'orateur doivent consacrer un certain temps à apprendre le cérémonial d'une manière approfondie. Les sages-femmes ou femmes-médecins renoncent souvent à leur métier en vieillissant, ou ne l'exercent alors qu'à titre privé et presque en cachette. A la ménopause, la femme se montre légèrement instable de tempérament, irritable, exigeante pour sa nourriture, sujette à de soudains caprices, à des lubies inexplicables. Passé la ménopause, elle n'est plus maintenant paralysée par les grossesses et peut se remettre à travailler dans les plantations. Les tâches les plus pénibles sont assurées par les femmes entre quarante-cinq et cinquante-cinq ans. Enfin, la vieillesse approchant, la femme se consacre aux besognes sédentaires, au nattage et à la fabrication du tapa.

L'homme que les rhumatismes, l'éléphantiasis ou une débilité générale empêchent de mener une vie active, se voit diminué dans son rôle d'instructeur. Il peut continuer à enseigner le science, mais non la pratique, de la pêche. La vieille femme, en revanche, est passée maîtresse dans les arts domestiques, et c'est à elle que doit s'adresser la fille qui ambitionne de devenir une ouvrière accomplie. Une autre peut ramasser les herbes nécessaires aux remèdes qu'elle confectionne, mais elle gardera pour elle le secret de leur préparation. C'est aussi à de très vieilles femmes qu'il revient de griller selon les rites la noix de bancoul pour en obtenir la teinture noire. Enfin, d'une façon générale, les vieilles femmes ont plus d'autorité dans la maison que les hommes âgés. Le pouvoir de ces derniers réside en partie dans les titres qu'ils possèdent, alors que celui de leur épouse ou de leur sœur tient à la force de leur personnalité et à leur connaissance de la nature humaine. Toute une vie meublée des soucis du petit groupe familial les a rendues omniscientes et tyranniques. Elles n'acceptent aucune diminution de prestige, à moins d'avoir perdu toutes leurs facultés.

Jusqu'à la mort, on reste attaché à sa propre génération. Les très vieilles gens ont oublié les tabous sexuels et l'on peut les voir, assis côte à côte au soleil, bavarder de leurs voix adoucies.

CHAPITRE XIII

L'ÉDUCATION OCCIDENTALE
ET L'EXEMPLE SAMOAN

Au cours des chapitres précédents nous avons pu
suivre pas à pas la vie des jeunes Samoanes. Nous les
avons vues se transformer de bébés en bonnes d'enfants,
apprendre à faire un four et à tisser des nattes fines,
renoncer à la vie de la bande pour participer de plus en
plus entièrement à celle de la maison, retarder leur
mariage d'année en année pour profiter aussi longtemps
que possible d'insouciantes amours, finalement se marier
et se mettre sagement à élever des enfants. Autant que
l'objet de notre observation le permettait, nous avons
tenté de découvrir et de préciser la nature de la croissance et de la maturation de l'individu dans une société
très différente de la nôtre. La longueur de la vie humaine
et la complexité de notre civilisation ne nous permet-
taient pas de procéder à une expérience de ce genre dans
notre propre pays, d'y constituer un groupe de petites
filles et d'en suivre l'évolution de leur naissance à l'âge
adulte : il a donc été nécessaire d'aller dans un pays où
l'histoire eût, en quelque sorte, préparé le terrain pour
nos recherches. Aux Samoa, nous avons vu des fillettes
passer par les mêmes étapes de développement physique
que les nôtres, percer leurs premières dents et les perdre,
faire leur dentition définitive, grandir gauches et dégin-
gandées, devenir pubères, puis peu à peu atteindre à la
maturité physique et se trouver prêtes à engendrer la
génération suivante. Nous avons pu dire : voici réunies les

conditions nécessaires à une expérience; une fille qui
grandit est un phénomène commun à l'Amérique et aux
Samoa; or, la civilisation américaine est différente de la
civilisation samoane. Les transformations physiques aussi
soudaines qu'évidentes, qui marquent la puberté, sont-
elles – ou non – toujours accompagnées de réactions
émotives spontanées, d'un éveil du sentiment religieux,
d'aspirations idéalistes, d'une vive propension à s'affirmer
contre toute autorité? L'adolescence est-elle, pour une
fille, une période de difficultés d'ordres mental et émotif,
aussi inéluctable que l'est la dentition pour un bébé?
L'adolescence est-elle une étape de la vie féminine qui se
manifeste par des conflits et des troubles, aussi fatale-
ment que par une transformation du corps?

A cette question, nous nous sommes efforcés de répondre en observant chaque aspect de la vie des jeunes
Samoanes, et, d'un bout à l'autre de notre enquête, cette
réponse s'est révélée négative. Les seules différences
réelles qu'il fût possible d'observer entre une adolescente
et sa sœur pré-pubère étaient d'ordre physique. Rien
d'autre ne permettait de distinguer vraiment le groupe
des adolescentes de celles qui le seraient dans deux ans
ou de celles qui l'étaient devenues deux ans plus tôt.

Si une fille déjà pubère est petite pour son âge alors
que sa cousine est grande et capable d'assumer des
travaux plus pénibles, l'inégalité de leurs capacités physiques établira entre elles une différence beaucoup plus
forte que celle entraînée par la puberté. La grande fille
vigoureuse, l'air emprunté dans ses nouveaux vêtements,
sera isolée de ses compagnes, obligée d'accomplir des
tâches plus ardues, plus proche de celles des adultes; sa
cousine, cependant, parce qu'elle n'aura pas grandi aussi
vite, continuera d'être traitée comme une enfant, n'aura
d'autres problèmes à résoudre que ceux, un peu moins
nombreux, qui sont propres aux fillettes. Les recommandations de l'éducateur américain préconisant l'adoption
d'une attitude particulière à l'égard des adolescentes
pourraient se traduire ainsi en samoan : les filles qui sont
grandes diffèrent de celles qui sont moins développées :

nous devons leur appliquer d'autres méthodes d'éducation.

Mais répondre à la question que nous nous étions posée, ne permet pas d'en terminer avec le problème. Car il en est une deuxième qui demande à être résolue. S'il est prouvé que l'adolescence n'est pas nécessairement une période difficile dans la vie d'une fille – et il suffit, pour ce faire, de trouver une société où il en soit ainsi – comment peut-on alors expliquer que l'adolescence américaine soit une période de trouble et d'agitation? Tout d'abord, pouvons-nous répondre simplement, il doit y avoir quelque chose, dans chacune des deux civilisations, qui justifie cette différence. Si un même processus revêt une forme distincte selon les milieux, il ne faut pas chercher la raison de ces variations dans le processus lui-même, qui est commun à tous les cas, mais évidemment dans le milieu social. Qu'y a-t-il donc aux Samoa qui n'existe pas en Amérique – et qu'y a-t-il donc en Amérique qui ne se rencontre pas aux Samoa – et qui puisse expliquer cette différence?

Une telle question soulève de graves problèmes, et l'on s'expose, en voulant y répondre, à commettre un nombre considérable d'erreurs. Mais nous pouvons tenter de lui trouver une solution si nous nous bornons à rechercher quels sont les aspects de la vie samoane qui ont une influence déterminante sur la vie des jeunes indigènes, et en quoi ils diffèrent des circonstances qui affectent le déroulement de l'adolescence américaine.

Le champ de ces divergences est vaste. Il convient de distinguer les facteurs qui sont propres aux Samoa, et ceux qui tiennent au milieu primitif.

Si l'adolescence des Samoanes est si facile, si simple, c'est grâce à l'atmosphère de détachement, de désinvolture qui règne dans la communauté tout entière. Aux Samoa, personne ne joue gros, personne ne paie jamais très cher, personne n'est prêt à souffrir pour défendre ses convictions, ni à mourir pour quoi que ce soit. Un conflit éclate-t-il entre un enfant et ses parents? l'enfant va se réfugier chez d'autres parents, qui habitent en face; entre un homme et son village? l'homme s'en va vivre au hameau voisin; entre un mari et l'amant de sa femme? ce dernier en sera quitte pour quelques nattes fines. Les Samoans ne se sentent pas suffisamment menacés par la pauvreté ou par de grandes calamités pour accorder un prix excessif à la vie et constamment trembler de la perdre. Le cours tranquille de leurs jours n'est troublé par aucun dieu implacable, irascible et cruel. Il n'est plus question, depuis longtemps, de guerres et de cannibalisme. Hormis la perte d'un être cher, l'on n'a rien de plus grave à pleurer que le départ d'un parent pour un voyage dans une autre île. L'on n'oblige personne à avancer plus vite qu'il ne veut dans la vie, et l'attardé n'encourt aucune sanction grave. Au contraire, le doué et le précoce sont freinés dans leur élan jusqu'à ce que les plus lents les aient rejoints. Les rapports personnels n'ont rien de profond. Amour ou haine, jalousie ou rancune, douleur ou deuil, ce n'est jamais qu'une affaire de semaines. L'enfant a quelques mois à peine que les femmes se le passent négligemment de main en main; il apprend déjà à ne pas s'attacher outre mesure à un être humain en particulier, à ne pas mettre tous ses espoirs en une seule personne.

De même que l'Occident pénalise le goût pour la méditation et la haine de l'action, de même les Samoa se montrent clémentes pour la tiédeur des sentiments, sévères pour toute véhémence. Lola et Mala, et la petite Siva, sœur de Lola, étaient douées d'une sensibilité exceptionnelle. Affamées d'affection, déçues de n'en point trouver, Lola et Mala s'en étaient prises à la communauté avec une telle violence qu'elles étaient toutes deux des délinquantes, pitoyables inadaptées dans une société qui accorde ses faveurs à ceux qui subissent la défaite avec légèreté et qui se tournent vers un autre but avec le sourire.

Par ce détachement, par cette façon d'éviter les conflits, les situations pénibles, les Samoa offrent un vif contraste non seulement avec l'Amérique, mais avec la plupart des civilisations primitives. Une société qui manque autant de

profondeur ne peut produire ni de puissantes personnalités ni de grands artistes; mais s'il est permis, à ce titre,
de regretter une telle attitude, nous devons reconnaître
néanmoins qu'elle contribue notablement à assurer une
transition facile entre l'état de fillette et celui de femme.
Car si personne ne réagit avec violence, jamais l'adolescente ne pourra être victime d'une situation critique.
Jamais elle ne se trouvera en face de cruels dilemmes,
tels les jeunes gens du Moyen Age qui, pour servir Dieu,
se croyaient obligés de renoncer au monde à jamais, tels
les Indiens des Plaines qui donnaient un de leurs doigts
en offrande religieuse. Ainsi est-ce bien cette absence de
profondeur dans les sentiments – entrée dans les mœurs
au point d'affecter toutes les démarches de la vie – qui
paraît, au premier chef, expliquer les différences qui
s'observent entre l'adolescence samoane et l'adolescence
occidentale.

Vient ensuite un trait essentiel par lequel se distinguent de la nôtre les civilisations primitives isolées et
plusieurs autres civilisations modernes : le nombre très
limité des options qui sont laissées à chaque individu. Nos
enfants, en grandissant, sont tout éblouis de la multitude
de possibilités qui s'offrent à eux. S'agit-il de religion? Ils
peuvent être catholiques, protestants, scientistes chrétiens, spiritualistes, agnostiques, athées, ou même se
désintéresser complètement des problèmes religieux.
Cela est inconcevable dans une société primitive non
soumise à une influence étrangère. Il n'y a qu'un seul
panthéon, un seul culte reconnu; qui n'est pas croyant
doit se contenter de croire moins que les autres; il ne
peut trouver refuge dans aucune foi nouvelle. C'est sensiblement ce qui se produit aujourd'hui aux Manu'a, où
tous les chrétiens appartiennent à la même secte. Il n'y a
pas de conflit en matière de dogme bien que la pratique
de la religion diffère selon qu'on est membre ou non de la
congrégation. On a pu remarquer, à ce propos, dans le cas
de plusieurs adolescentes, qu'un conflit pouvait naître
lorsqu'il devenait nécessaire de choisir entre deux attitudes. Mais l'Église fait maintenant si peu appel aux filles

avant leur mariage, que rien ne force l'adolescente à
prendre une décision prématurée.

Il en est de même dans le domaine des valeurs morales.
Notre société en propose bien une demi-douzaine. Il y a
une morale pour les hommes, et une morale pour les
femmes, ou bien encore une morale commune aux deux
sexes, mais qui s'identifie selon les uns avec une liberté
totale, selon les autres avec le respect absolu des lois de
la monogamie. Concubinage, union libre, mariage de
convenance, aucun des moyens qui permettent de résoudre des situations sociales apparemment sans issue, n'est
ignoré de l'adolescente. Le spectacle de sa propre communauté, le cinéma, les illustrés lui montrent quotidiennement comment se violent en série les différents codes,
sans que ces infractions se réclament d'une volonté
quelconque de réforme sociale.

La jeune Samoane n'a à faire à aucun dilemme de cette
sorte. L'activité sexuelle est chose naturelle et agréable.
On peut s'y adonner librement, dans les seules limites
qu'imposent le rang social : les filles de chefs et les
épouses de chefs ne doivent se permettre aucun écart en
dehors du mariage. Les adultes, chefs ou mères, qui
assument des responsabilités familiales sont trop occupés
pour pouvoir consacrer beaucoup de temps à des aventures amoureuses. Tout le monde est d'accord sur ces
conceptions, sauf les missionnaires : mais leurs protestations ont bien peu d'effet. Il est cependant à craindre que
si l'on se rapproche suffisamment de leur point de vue,
fondé sur la morale sexuelle européenne, l'impératif du
choix, avant-coureur de conflits, fera son apparition dans
la société samoane.

La jeune fille de chez nous ne saurait ignorer l'exis-
tance d'une multitude de groupes, fort différents les uns
des autres dans leurs croyances et leurs doctrines. A
chacun d'eux appartient peut-être un ami ou un parent.
Son père est, par exemple, un presbytérien, impérialiste,
végétarien, antialcoolique, admirateur, en littérature,
d'Edmund Burke, protectionniste et antisyndicaliste; il
pense que la place de la femme est au foyer, qu'une jeune

fille doit porter une gaine et non des jarretières, qu'elle ne doit ni fumer, ni sortir en voiture avec des jeunes gens le soir. Mais son grand-père maternel est peut-être un épiscopalien sans rigorisme, féru de vie mondaine, ardent défenseur des droits des États et de la doctrine de Monroe, lecteur de Rabelais, amateur de comédies musicales et de courses de chevaux. Sa tante est une agnostique et une féministe enragée, c'est une internationaliste qui fonde tous ses espoirs sur l'espéranto, adore Bernard Shaw et consacre ses loisirs à faire campagne contre la vivisection. Son frère aîné, pour lequel elle a une admiration sans bornes, vient de passer deux ans à Oxford; c'est un Anglo-catholique, médiéviste passionné; il écrit de la poésie mystique, lit Chesterton, et veut employer sa vie à retrouver le secret des vitraux du Moyen Age. Le frère cadet de sa mère est ingénieur, matérialiste convaincu, qui ne s'est jamais remis d'avoir lu Hæckel dans sa jeunesse; il dédaigne l'art, est persuadé que la science sauvera le monde, méprise tout ce qui a été dit ou pensé avant le dix-neuvième siècle, se ruine la santé en voulant expérimenter sur lui-même des procédés scientifiques d'élimination du sommeil. Sa mère serait plutôt quiétiste, fort curieuse de philosophie hindoue, pacifiste; elle ne prend aucune part active à la vie et, en dépit de l'affection que lui porte sa fille, ne fait aucun effort pour comprendre et diriger ses élans juvéniles. Toutes ces personnes peuvent fort bien se trouver vivre sous le même toit que notre jeune fille. Il faut leur adjoindre les groupes représentés, soutenus, recommandés par ses amis, ses professeurs et les livres qui lui tombent sous la main : au total la liste est impressionnante des enthousiasmes possibles, des partis, souvent contradictoires, qu'elle est poussée à prendre.

Il en va autrement pour la jeune Samoane. Son père est membre de la congrégation, de même que son oncle. Le premier habite un village où la pêche est bonne, le second un hameau où abondent les crabes de cocotiers. Son père est habile pêcheur, et chez lui, il y a toujours à manger en suffisance; son oncle est orateur et offre

fréquemment des étoffes d'écorce qui font de magnifiques robes de danse. Sa grand-mère paternelle, qui habite
avec son oncle, sait guérir et peut lui apprendre bien des
secrets; sa grand-mère maternelle, qui vit avec sa mère,
est experte dans l'art de tresser des éventails. Les garçons
du village de son oncle entrent tôt à L'*Aumaga*, et ne sont
guère amusants lorsqu'ils viennent en visite, mais il y en a
trois, dans son propre village, qu'elle aime beaucoup. Le
seul dilemme pour elle est de savoir où vivre : avec son
père ou avec son oncle; le problème est simple et net, il
ne soulève aucune question d'ordre moral, il fait appel à
une logique purement personnelle. Sa décision, d'ailleurs,
ne blessera aucune susceptibilité, comme ce serait le cas
si une jeune Américaine adhérait aux vues d'un des
membres de sa famille, au mépris de celles des autres.
Les Samoanes ne douteront pas un instant que la fille ait
eu des raisons parfaitement valables pour choisir son lieu
de résidence : la nourriture y est sans doute meilleure;
elle a peut-être une liaison dans un village, ou encore elle
a rompu avec un amant dans l'autre. De toute façon, il
s'agit d'un choix concret, dans le cadre d'un comportement classique. Elle n'a jamais été amenée à manifester
des goûts incompatibles avec les normes de son groupe
social, telle chez nous la fille de parents puritains, qui
accepte les caresses les plus osées.

Non seulement nos adolescentes sont en présence de
nombreux groupes proposant chacun des normes différentes, mais elles se trouvent confrontées à un problème
beaucoup plus troublant. Parce que notre civilisation est
tissue de fils si divers, les idées qui ont cours dans un
groupe quelconque sont souvent contradictoires. Une fille
peut très bien s'être sincèrement inféodée à un groupe,
proclamer en toute conscience, avec lui, que lui seul est
dans le vrai, et que les autres philosophies de la vie sont
maudites : ses difficultés n'en sont pas terminées pour
autant. La moins réfléchie aura vu le pire lorsqu'elle aura
découvert que ce que pense son père est bien, que ce que
pense son grand-père est mal, et que ce qu'on permet à la
maison est interdit à l'école; une autre, plus clairvoyante,

ne sera pas au bout de ses peines si elle a reconnu qu'il existe plusieurs ordres de valeurs entre lesquels il lui faut choisir, mais elle peut encore conserver une foi naïve dans la cohérence de la philosophie à laquelle elle s'est ralliée. Au-delà de la décision même, qui a été difficile, sans doute pénible, qui l'a peut-être amenée à blesser ses parents ou à se détacher de ses amies, elle s'attend à trouver la paix de l'esprit. Mais elle n'a pas tenu compte du fait que chacune de ces philosophies est le fruit encore vert, d'un compromis. Embrasse-t-elle le christianisme ? Elle se demandera pourquoi d'une part l'Évangile lui enseigne la paix et la valeur de la vie humaine et pourquoi, de l'autre, l'Église accepte la guerre de grand cœur. L'enfant d'aujourd'hui ne manque pas d'être déroutée par ce compromis, intervenu il y a dix-sept siècles, entre la philosophie belliqueuse et impérialiste de Rome et les doctrines de paix et d'humilité de l'Église primitive. Si elle adhère aux principes sur lesquels se fonde la Déclaration d'Indépendance des États-Unis, elle se trouve obligée de réconcilier la croyance en l'égalité des hommes, qui anime nos institutions, avec la façon dont sont traités sur notre sol les Noirs et les Orientaux. La diversité des valeurs qui ont cours dans la société d'aujourd'hui est telle que l'esprit le plus obtus, ou le plus indifférent, ne peut manquer d'en être frappé. Mais elle remonte si loin dans le passé, elle s'identifie tellement aux demi-solutions, aux compromis entre différentes philosophies, qui ont nom christianisme, démocratie ou humanitarisme, qu'elle défie l'analyse et confond l'intelligence la plus pénétrante, la réflexion la plus attentive.

Si donc l'adolescente samoane ignore les choix angoissés, c'est que sa société répugne à toute véhémence de sentiments. Mais si l'on veut expliquer pourquoi elle échappe aux conflits, l'on doit tenir compte principalement de la différence qui existe entre d'une part une civilisation primitive, simple et homogène, qui évolue si lentement qu'à chaque génération elle apparaît statique, et d'autre part une civilisation moderne, disparate, diverse, hétérogène

Dans cette comparaison intervient un troisième élément : les névroses, inconnues aux Samoa, très fréquentes
chez nous. Il convient d'examiner ce qui, dans la première
éducation de l'enfant samoane, la prépare à une maturation normale. Les behavioristes comme les psychana-
lystes ont mis l'accent sur l'importance du rôle joué par le
milieu ambiant pendant les toutes premières années. Les
enfants qui ont pris un « mauvais départ », réagissent mal
lorsque, plus tard, ils se trouvent devant des choix
essentiels. Et nous savons que plus la décision est pénible, plus le conflit est vif; que plus on exige de l'individu,
plus il est menacé de troubles névrotiques. Lors de la
Première Guerre mondiale, l'on a pu constater, dans le
cas des mutilés ou des soldats physiquement diminués,
combien les tares, jusque-là secrètes, pouvaient apparaître au grand jour sous la pression d'efforts et de souffrances exceptionnels. Il y a toutes raisons de croire que, sans
la guerre, beaucoup de ces hommes commotionnés
auraient pu passer pour des êtres parfaitement normaux;
le « mauvais départ », les craintes, les complexes, le
conditionnement défectueux de la première enfance n'auraient jamais eu d'effets assez marqués pour attirer
l'attention de la société.

Cette observation comporte une double conséquence.
Que les Samoans ignorent les situations difficiles, les
choix contradictoires, les conjonctures génératrices de
crainte, de douleur ou d'angoisse, voilà qui explique, dans
une large mesure, l'absence d'inadaptation psychologique. De même qu'un faible d'esprit n'est pas, chez eux, un
déchet social sans espoir, alors que dans une grande ville
américaine, il est à la charge de la collectivité, de même
celui qui souffre d'une légère instabilité nerveuse se
heurte à beaucoup moins de difficultés aux Samoa qu'en
Amérique. Les individualités y sont en outre beaucoup
moins diverses. Dans notre civilisation, où la gamme des
déviations est plus étendue, il est inévitable de rencontrer
des tempéraments fragiles et sans défense. Précisément
parce que les personnalités y sont plus accusées, il s'y
trouve une plus grande proportion d'individus pour suc-

comber aux exigences plus pressantes de la vie moderne.

Il est néanmoins possible que certaines circonstances de la première enfance prédisposent à une meilleure résistance nerveuse. Si l'on admet chez nous que l'enfant issu d'un bon milieu familial est mieux armé qu'un autre pour la vie, il est permis de supposer que le jeune Samoan, non seulement se heurte moins violemment à sa société, mais est aussi mieux préparé à affronter les difficultés qu'il ne manquera pas de rencontrer.

L'on est d'autant plus encouragé à formuler une telle hypothèse que les petits Samoans subissent, apparemment sans dommage, des épreuves qui, dans notre civilisation, ont souvent de graves répercussions sur l'évolution individuelle. Combien de crises, dans la vie d'un adolescent ou d'un homme, ont leur origine dans quelque lointaine initiation, – vécue intensément – à la sexualité, à la naissance ou à la mort! Pourtant, nous le savons, les enfants samoans ne sont pas bien grands qu'ils ignorent plus rien des unes et des autres : il n'en résulte rien de fâcheux. Il se peut donc qu'il y ait dans l'existence faite à l'enfant aux Samoa, certains aspects particuliers propres à immuniser contre une instabilité ultérieure.

Dans le cadre d'une telle hypothèse, il n'est pas inutile d'examiner plus en détail ce qui, dans l'environnement social de cet enfant samoan, offre le plus de contraste avec le nôtre. L'essentiel de ces différences doit évidemment être recherché dans le milieu familial, qui est le premier à s'imposer avec force à la conscience de l'enfant. La maisonnée samoane, par son organisation propre, exclut, dans la plupart des cas, les situations particulières que l'on croit être à l'origine de troubles émotionnels. Elle ignore l'aîné, le cadet, le fils ou la fille unique, parce qu'elle compte un grand nombre d'enfants et que tous y sont traités sur le même pied. L'on en voit peu qui soient surchargés de responsabilités ou deviennent autoritaires et tyranniques comme le sont souvent chez nous les aînés. Rares sont ceux qui, comme beaucoup de nos enfants uniques, restent isolés, condamnés à la seule

compagnie des adultes, et privés des bienfaisantes leçons
de sociabilité qu'offre la fréquentation des jeunes de leur
âge. L'on ne gâte ni ne choie suffisamment aucun enfant
pour que son opinion de ses propres mérites en soit
irrémédiablement déformée, comme cela arrive souvent
aux cadets de nos familles. Mais dans les rares cas où la
vie familiale se rapproche de la nôtre, l'on voit s'affirmer
peu à peu les attitudes particulières déterminées par
l'ordre de naissance, et l'affection plus vive qui lie parents
et enfants.

D'une façon générale, donc, il n'existe pas, entre
parents et enfants, de ces rapports étroits qui, dans notre
civilisation, ont une telle influence sur les individus, que
toute leur vie en est parfois affectée. L'enfant n'est pas
tenté d'accorder une place tellement prééminente à son
père et à sa mère dans une famille où il y a une
demi-douzaine de femmes adultes pour s'occuper de lui
et sécher ses larmes, et aussi une demi-douzaine d'hommes adultes, qui, à eux tous, représentent l'autorité constituée. L'image de la mère aimante et tendre, du père que
l'on admire – images qui détermineront peut-être des
choix affectifs ultérieurs – a, pour l'enfant samoan, un
caractère composite : il s'y mêle les visages de ses tantes,
de sœurs aînées, de cousines, de grand-mères; et pour son
père, du chef, d'oncles, de frères et de cousins. Pour
l'enfant occidental, il y a d'abord une mère bonne et
affectueuse qui est là spécialement pour veiller sur son
bien-être, et puis il y a un père, devant l'autorité duquel il
faut s'incliner. Pour le bébé samoan, le monde qui l'entoure apparaît comme une hiérarchie d'adultes masculins
et féminins; il peut compter sur tous pour prendre soin
de lui, et il doit obéissance à tous.

L'absence de sentiments particularisés, qui résulte de la
dispersion des affections au sein même de la famille, est
encore soulignée par l'interdit qui frappe les relations
entre les garçons et filles : les enfants du sexe opposé sont
considérés comme des parents « tabou », ou encore
comme des ennemis qui seront plus tard des amants ou
des maîtresses : leur caractère propre, leur individualité

n'entrent pas en ligne de compte. Enfin, toujours dans le même ordre d'idées, les préférences personnelles interviennent peu dans le choix des amitiés, qui se nouent, en règle générale, avec des membres de la famille. Lorsqu'elle atteint la puberté, la jeune Samoane sait qu'amis et amants appartiennent à des catégories bien distinctes. Sont amis des parents de même sexe; sont amants des non-parents. Il est ridicule de chercher à attirer l'intérêt ou la sympathie d'un parent de sexe opposé. Les rapports sexuels n'impliquent donc pas une obligation d'affection profonde, et le mariage de convenance dicté par des considérations économiques et sociales se supporte aisément, et est rompu sans difficulté ni grand choc émotionnel.

Le contraste est violent avec le foyer américain moyen, son petit nombre d'enfants, les liens étroits et, en principe, permanents qui unissent le père et la mère, le petit drame qu'est l'entrée en scène de chaque nouvel enfant et l'effacement devant lui de son aîné. Là, la fillette apprend à se reposer sur quelques individus, à associer les bienfaits de l'existence à certains êtres. Elle grandit en jouant avec les garçons aussi bien qu'avec les filles, en apprenant à bien connaître ses frères, ses cousins et ses camarades d'école. Les garçons ne sont pas pour elle une catégorie, mais des individus; il y en a qui sont gentils, comme le frère qu'elle aime bien, d'autres désagréables et tyranniques comme celui avec lequel elle se dispute toujours. Ses préférences pour un physique, un tempérament, un caractère, s'affirment et forment la base d'une attitude adulte très différente, où le choix personnel jouera un rôle actif. La Samoane ne goûte jamais aux joies de l'amour romanesque, tel que nous le connaissons; mais elle ne souffre pas de rester vieille fille si elle n'a su plaire à aucun amant ni en trouver un qui lui plût; elle n'éprouve aucun sentiment de frustration si son mariage ne répond pas à ses aspirations et ses exigences.

Nous qui savons, dans une certaine mesure, discipliner la sexualité et la contenir dans des voies qui ont notre approbation intime, nous inclinerons à estimer que notre

solution est préférable. Pour parvenir à ce que nous
considérons être une plus grande dignité dans les rapports personnels, nous acceptons la frigidité dans le
mariage, et l'innombrable tribut de femmes célibataires
et sans enfants, dont le cortège, mal résigné, défile sans
arrêt sur la scène britannique et américaine. Mais tout en
admettant qu'une réaction individualisée convient mieux
à un idéal de dignité humaine que l'obéissance passive et
uniforme aux sollicitations du sexe, nous avons le droit
d'estimer, à la lumière de l'exemple samoan, que nos
méthodes coûtent fort cher.

Sans doute ne saurions-nous avoir de sympathie pour
la rigueur avec laquelle on sépare, aux Samoa, filles et
garçons apparentés, ni pour l'hostilité qui est de règle
entre pré-adolescents de sexes opposés. S'il est vrai qu'il
existe encore chez nous un enseignement masculin et un
enseignement féminin distincts, la tendance n'en est pas
moins à une formation mixte; garçons et filles doivent
s'habituer suffisamment les uns aux autres pour oublier
qu'ils sont de sexe différent et prendre conscience de
l'individualité de chacun. On ne voit pas ce que le
système samoan peut apporter de positif dans ce domaine. Mais si l'on envisage un autre aspect de la question, la
conclusion n'apparaît plus aussi certaine. Où est la supériorité de la petite famille biologique refermée sur elle-
même, opposant aux menaces du monde le rempart de
ses affections mutuelles? Où est l'avantage de liens puissants entre parents et enfants, liens qui supposent des
rapports personnels actifs de la naissance jusqu'à la
mort? Dans l'existence de sentiments individualisés, particularisés? Oui sans doute, mais à quel prix? Au prix de
voir nombre d'êtres rester toute leur vie des enfants
dociles et respectueux, de voir les liens entre parents et
enfants déjouer toute tentative d'attachements nouveaux,
de voir les choix nécessaires inutilement chargés d'angoisse dans un contexte d'intense émotivité. Peut-être
est-ce payer trop cher une particularisation des sentiments qui aurait pu être obtenue par d'autres moyens,
notamment par une éducation mixte. Dans le même

ordre d'idées, il est intéressant de noter qu'au sein du vaste groupe familial, qui compte plusieurs hommes et femmes adultes, l'enfant semble être à l'abri des affections pathologiques, telles que complexe d'Œdipe, complexe d'Electre, etc...

L'exemple samoan montre qu'il n'est pas nécessaire de canaliser ainsi les sentiments de l'enfant à l'égard des parents. Nous rejetons ce qui, dans ce système, ne nous apporte rien, à savoir la séparation des sexes avant la puberté, mais nous avons peut-être quelque chose à apprendre d'une civilisation où le foyer familial n'est pas une influence dominante dans la vie de l'enfant, et n'en fausse pas le déroulement.

Le nombre même des conceptions de l'existence – aussi différentes les unes des autres qu'elles sont partisanes – et l'énorme influence des parents sur les enfants, concourent à provoquer des états émotifs générateurs de souffrances morales. Aux Samoa, au contraire, une fille peut avoir un père autoritaire et tyrannique, sa cousine, un père doux et compréhensif, une autre de ses cousines, un père brillant et excentrique, sans que la vie d'aucune d'entre elles en soit autrement affectée, si ce n'est sous le seul rapport du choix du domicile, si du moins l'un des « pères » est chef de famille. Mais l'attitude des trois filles à l'égard de la sexualité, et de la religion, ne subira en rien l'influence de leurs pères, car ceux-ci jouent un rôle trop peu important dans leur vie. Ce n'est pas un individu en particulier, mais une armée de parents, qui les discipline à un conformisme général, sur lequel la personnalité de leur père et de leur mère a bien peu de prise. Ainsi les variations possibles de l'ordre des valeurs reçues ne risquent-elles pas de passer des parents aux enfants, ni ceux-ci de se trouver forcés d'adopter un comportement bizarre et atypique. Dans une civilisation comme la nôtre où les options sont si nombreuses, il semblerait opportun d'atténuer, au moins dans une certaine mesure, l'importance du rôle joué par les parents dans la vie de leurs enfants, et d'éliminer ainsi l'un des facteurs accidentels les plus puissants qui agissent sur l'orientation individuelle.

Aux Samoa, le père ou la mère considèrent malséant d'inculquer quelque morale à leurs enfants en faisant appel à leurs sentiments. On ignore des recommandations telles que : « Sois sage pour faire plaisir à maman », « Va à l'église pour faire plaisir à ton père », « Ne sois pas désagréable avec ta sœur, ton père n'aime pas cela. » Comme l'on n'admet qu'une seule façon de se comporter, une telle confusion entre la morale et les sentiments paraîtrait alors un manquement à la dignité. Mais là où coexistent des valeurs différentes, et où chaque adulte s'efforce désespérément d'astreindre ses enfants à suivre la voie qu'il a lui-même choisie, l'on a recours à des procédés détournés, et, somme toute, peu honnêtes. C'est au nom de la piété filiale que l'on impose à l'enfant croyances, méthodes, lignes de conduite. Au regard de notre idéal de liberté individuelle et de dignité des rapports humains, il est peu agréable de découvrir que notre organisation familiale paralyse souvent toute vie émotionnelle, détourne de leur but les forces qui poussent de nombreux individus à rechercher consciemment leur voie propre.

Cette absence de rapports vraiment personnels, d'affections individualisées, se retrouve encore dans la façon dont se nouent les amitiés. Ce n'est pas la personne qui compte, c'est la catégorie à laquelle elle appartient : c'est une « parente », ou la « femme du chef orateur de mon mari », ou « le fils – ou la fille – du chef orateur de mon père ». Il n'est point question de communauté de caractères ou de goûts. Une telle attitude nous est, naturellement, complètement étrangère.

Le trait essentiel qui semble donc bien, au premier chef, distinguer la civilisation samoane de la nôtre, est ce défaut de sentiments personnalisés, particulièrement dans le domaine sexuel. Il explique en partie, sans aucun doute, la relative aisance de l'accord conjugal dans les mariages de convenance et l'absence de frigidité ou d'impuissance d'origine psychique. On doit l'attribuer à l'influence de la vaste famille hétérogène, à la séparation des sexes avant l'adolescence, aux limites assignées à la formation des amitiés (qui se choisissent surtout au sein de la famille). Et cependant, nous considérons, quant à nous, que la discrimination en matière sexuelle constitue un progrès humain, auquel nous ne voulons pas renoncer, même si désaccords physiques et frustrations en sont le prix. Il paraît néanmoins possible de parvenir à cette prise de conscience des individualités – par l'éducation mixte et le libre choix des amitiés – tout en éliminant les incompatibilités et désaccords, conséquences d'une organisation familiale trop étroite.

Il est un autre trait particulier à la civilisation samoane, qui, pouvons-nous penser, fait échec à bien des inadaptations, c'est l'attitude à l'égard de la sexualité et l'initiation des enfants à tout ce qui touche la naissance et la mort. Il n'y a pas, pour les enfants, de mystère du sexe et de la naissance. Nul n'a peur d'être puni s'il révèle qu'il a découvert quelque chose à ce sujet; nul ne se torture l'esprit pour interpréter un geste entrevu. Le mystère, l'ignorance, le savoir coupable, les spéculations vicieuses qui conduisent à des notions ridicules, lourdes de conséquences lointaines, l'initiation aux réalités physiques de la vie sexuelle, dépouillées de leur contexte affectif, au phénomène de la naissance, isolé des douleurs qui l'accompagnent, à celui de la mort enfin, dissocié de la putréfaction du corps – toutes ces tares de nos funestes théories qui visent à protéger l'enfant de la redoutable vérité sont inconnues au Samoa. L'enfant samoan, qui partage la vie intime d'une large maisonnée, peut rattacher ses réactions émotives à une expérience nombreuse et variée. Dans notre société, l'enfant ne s'évade guère hors de l'étroit cercle familial (ce qui devient de plus en plus fréquents dans notre civilisation urbaine où l'appartement et ses occupants de passage remplacent un voisinage stable de propriétaires); souvent ce qu'il sait de la naissance et de la mort se limite à la venue au monde d'un frère ou d'une sœur, au décès d'un grand-père ou d'une grand-mère. Dans le domaine sexuel, mises à part les confidences enfantines, il lui est peut-être arrivé de surprendre chez ses parents un geste précis. On devine les inconvénients d'une telle formation. En premier lieu, pour qu'il sache ce que sont la naissance et la mort, il faut que l'une ou l'autre pénètrent sous le toit qu'il habite; le dernier-né d'une famille où personne n'est décédé peut atteindre l'âge adulte sans avoir été témoin d'une grossesse, sans avoir observé le comportement d'un tout jeune enfant, sans avoir vu un mort.

Une foule de notions fragmentaires et mal assimilées travaille le jeune esprit ignorant, et prépare un terrain favorable à une détérioration ultérieure du comportement. En second lieu, une expérience de ce genre revêt toujours une teinte affective, exagérément prononcée; à vingt ans, un jeune homme peut fort bien ne rien connaître d'autre de la naissance que ce qu'un seul exemple a pu lui apprendre. Toute son attitude en dépendra désormais, quelles que soient les circonstances particulières. Est-ce un cadet qui prend la place d'un aîné, une mère qui meurt en couches, l'enfant qui naît difforme? La naissance est définitivement classée comme un des malheurs de ce monde. Le seul lit de mort qu'il ait approché est-il celui de sa mère? Un décès, quel qu'il soit, fera naître en lui l'émotion suscitée par ce premier deuil. S'il a pu entrevoir, ne serait-ce qu'une ou deux fois, des rapports sexuels, entre des membres de sa famille, l'enfant peut en tirer des conclusions parfaitement erronées. Nous connaissons nombre d'enfants inadaptés qui se sont mépris sur la nature de l'acte sexuel, l'ont interprété comme une lutte, comme une manifestation d'hostilité, ou comme un châtiment. Ils en ont gardé une impression de répugnance mêlée de terreur. Ainsi, dans notre société, est-ce le hasard qui décide de l'initiation à la vie et à la mort qui est consentie à l'enfant; il n'est pas de pire procédé pour l'instruire des grandes réalités de l'existence, vis-à-vis desquelles il est si important d'avoir une attitude franche et directe. Que connaît de ces réalités l'enfant américain appartenant à un milieu social moyen? Il y a eu une mort, deux naissances dans sa famille; peut-être a-t-il été une fois brièvement témoin d'un acte sexuel : le compte est généreux. Et pourtant qu'est-ce en regard du nombre d'exercices que l'on considère indispensables pour lui apprendre à faire l'analyse d'une phrase ou calculer la surface de tapisserie qu'exige une pièce de dimensions données? On peut répondre que la naissance, la mort, l'acte sexuel font suffisamment impression sur la sensibilité de l'enfant pour rendre l'accoutumance inutile. A quoi l'on peut rétorquer que, si la première fois qu'on lui enseigne comment calculer la surface des murs de sa chambre, on lui donne une sévère correction et qu'immédiatement après il voie son père frapper sa mère avec un tisonnier, il se souviendra à jamais de la leçon d'arithmétique. Mais il est douteux qu'il en comprenne alors vraiment les règles. Ce n'est pas un ou deux aperçus de la réalité qui permettent à l'enfant de prendre du recul et de juger à leur importance réelle certains aspects de la vie, nouveaux et choquants à ses yeux. Impressions fausses ou superficielles, répulsion, écœurement, horreur, telles peuvent être les conséquences d'un contact unique avec le réel, qui remue profondément la sensibilité de l'enfant et lui interdit donc de comprendre.

Il est d'autre part admis qu'on ne parle pas de tels sujets. L'enfant ne peut exprimer ses remarques; s'il demande : « Pourquoi les lèvres de grand-mère étaient-elles si bleues? », on le fera vite taire : aussi les premières impressions ne sont-elles pas corrigées. Aux Samoa, où la putréfaction des tissus n'attend guère, il n'est personne qui, à des funérailles, chercher à cacher sa répugnance à l'odeur du cadavre – attitude simple et franche qui ôte à l'aspect physique de la mort toute signification particulière. Ainsi donc, dans notre société, l'expérience que peut avoir l'enfant des réalités de la vie se résume à quelques faits isolés; il n'a pas le droit d'en parler, et ne peut, par conséquent, obtenir l'explication qui lui permettrait de corriger ses erreurs d'appréciation.

Il en va tout autrement pour l'enfant samoan. Rapports sexuels, grossesse, naissance, mort, sont pour lui des événements familiers. Et il n'est évidemment pas question qu'il y soit initié graduellement, comme nous jugerions indispensable de le faire si nous voulions donner à un enfant une éducation réaliste. Dans une civilisation où l'on ignore l'intimité, où l'on s'en méfie même, il arrivera que de petits voisins assistent impassibles à la mort du chef ou à une fausse couche. Ils connaissent de la vie les aspects pathologiques aussi bien que normaux. Les impressions successives se corrigent les unes les autres; ils peuvent, lorsqu'ils sont adolescents, avoir une idée de la vie, de la mort, des sentiments, sans être indûment préoccupés de leurs manifestations purement physiques.

Familiariser les enfants avec le spectacle de la naissance et de la mort ne saurait cependant suffire à leur éviter des réactions fâcheuses. Plus importante que l'expérience des faits, si fréquente soit-elle, est l'attitude psychologique de leurs aînés en ce domaine. Pour ceux-ci, en effet, la naissance, la sexualité, la mort, font naturellement, inévitablement partie de l'existence, existence à laquelle ils trouvent normal que participent les jeunes enfants. Chez nous l'on entend constamment dire qu'« il n'est pas naturel » pour un enfant de connaître la mort. Cela paraîtrait aux Samoans aussi absurde que si l'on disait qu'il n'est pas naturel qu'un enfant voie les autres manger ou dormir. Habitués à être acceptés ainsi, calmement et simplement, les enfants se sentent entourés d'une atmosphère protectrice, qui prévient tout choc émotif et les fait participer plus étroitement aux sentiments du groupe.

Comme pour le reste, il est ici impossible de séparer l'attitude psychologique de l'application pratique, et d'affirmer laquelle est primordiale. Quelques parents américains croient aux bienfaits de méthodes comparables à celles des Samoans. Ils font en sorte que leurs enfants n'ignorent rien de la conformation physique des adultes et soient plus au fait des fonctions du corps qu'il n'est habituel dans notre civilisation : il faut bien avouer qu'ils bâtissent sur du sable. Car, dès que l'enfant se trouve hors de l'atmosphère tutélaire du foyer, il se heurte à une sévère réprobation. L'appui de la société faisant défaut, il est fort possible que la tentative ait fait plus de mal que de bien à l'enfant. Ceci n'est qu'un nouvel exemple du genre d'inadaptation auquel sont exposés les individus dans une société dont les conceptions varient avec chaque famille; et, en l'occurrence, l'existence même de ces différences a beaucoup plus d'importance que leur nature même.

Instruits dès l'enfance à considérer tout ce qui est physique comme naturel, les Samoans n'auront pas d'autre attitude à l'égard de l'activité sexuelle. Ici encore, il est nécessaire de faire la distinction entre les habitudes que nous repoussons et celles dont les effets nous paraissent souhaitables. On peut analyser le comportement sexuel des Samoans en examinant d'une part comment il réagit sur l'évolution des rapports personnels, de l'autre, comment il prévient certaines difficultés particulières.

Nous avons vu que les Samoans sont peu sensibles aux différences entre les individualités et ont une conception assez pauvre des rapports personnels. La promiscuité des mœurs sexuelles favorise sans aucun doute de telles dispositions. Dans une société où l'on a volontiers plusieurs aventures à la fois, où les liaisons sont de courte durée, où l'on évite de s'attacher sur le plan des sentiments, où l'on profite sans arrière-pensée de toutes les occasions favorables (l'on ne s'attend pas qu'une femme dont le mari est absent depuis longtemps reste d'une fidélité farouche), tout tend à faire de l'activité sexuelle une fin beaucoup plus qu'un moyen, quelque chose qui a une valeur en soi, et que l'on réprouve seulement dans la mesure où les partenaires y perdent leur liberté individuelle. Les mœurs sexuelles, pourtant, ne peuvent pas seules expliquer cette indifférence à l'égard des rapports personnels. Il est probable que celle-ci reflète une conception culturelle plus générale de l'individualité, considérée en principe comme élément négligeable. D'un certain point de vue cependant, il semble que ces mœurs accordent à l'individu une liberté que notre civilisation refuse à beaucoup. Pleinement avertis de tout ce qui concerne la vie sexuelle, de ce qu'elle permet et de ce qu'elle apporte à chacun, les Samoans peuvent lui reconnaître une valeur propre. Si l'activité sexuelle n'est pas, à leurs yeux, réservée à l'expression de relations essentielles entre individus, ils n'accordent pas, en revanche, une importance particulière à des rapports quelconques, sous prétexte qu'ils ont pu être l'occasion de satisfactions d'ordre sexuel. La jeune Saomane qui se contente de sourire des talents érotiques du don Juan local est beaucoup plus près de reconnaître la sexualité comme une forme impersonnelle sans valeur intrinsèque, que la jeune fille américaine qui tombe amoureuse au premier baiser. Elle sait parfaitement tout ce qu'implique l'excitation sexuelle, elle a conscience aussi du caractère essentiellement impersonnel du désir. Cela, nous pouvons le lui envier, mais nous ne pouvons accepter cette superficialité, cette indifférence à l'égard de la personnalité de son partenaire.

Nous avons déjà vu que les mœurs sexuelles des Samoans ont pour conséquence de limiter le nombre des névroses. Ils n'accordent pas autrement d'importance aux gestes qui, pour nous, sont signes de perversion. Il en résulte que les névroses sont pratiquement inconnues. L'onanisme, l'homosexualité, les formes rares d'activité hétérosexuelle ne sont ni interdits, ni officiellement acceptés. Le champ laissé à l'expression sexuelle étant très large, il est difficile qu'apparaissent les complexes de culpabilité, qui sont, si fréquemment chez nous, causes d'inadaptation. Les rapports hétérosexuels admettent une variété de gestes telle qu'aucun individu ne risque d'avoir à supporter les conséquences de quelque singularité de goût. Le domaine du « normal » étant plus large, on ignore frigidité et impuissance psychique, et l'on atteint toujours à l'accord sexuel dans le mariage. Si nous admettions chez nous le bien-fondé d'une telle attitude – sans qu'il soit évidemment question d'aller jusqu'à la promiscuité sexuelle – nous serions bien près de résoudre maints problèmes conjugaux et de vider les bancs de nos places publiques et nos bordels.

L'organisation de la famille et l'attitude à l'égard de la vie sexuelle concourent donc, au premier chef, à former des tempéraments robustes, stables, bien adaptés. Mais il ne faut pas négliger à cet égard le rôle que jouent les conceptions générales en matière d'éducation, et notamment celles qui réprouvent toute précocité, et protègent le lent, l'attardé, l'inapte. Dans une société où le rythme de vie serait plus rapide, les satisfactions plus larges, l'énergie déployée plus grande, les plus brillants pourraient fort bien s'ennuyer. Mais ce risque est pallié par cette torpeur qu'impose le climat, par le paisible optimisme de la société, par ce contrepoids qu'est la danse qui permet à l'individu de s'extérioriser très tôt, et calme l'impatience des sujets les plus doués. Et l'on ne songe pas à talonner le lourdaud, à le pousser plus vite qu'il ne peut aller – jusqu'à ce que, écœuré de ses échecs, il renonce complètement. L'éducation samoane tend aussi à estomper les différences entre individus et par conséquent à presque éliminer jalousies, rivalités, émulation, en un mot tous les comportements psychologiques ou sociaux qui procèdent de l'inégalité des dons naturels et ont des répercussions d'une telle portée sur la personnalité adulte.

C'est là une façon de résoudre le problème que pose la dissimilitude entre les êtres, et c'est une méthode qui se prête parfaitement aux exigences du monde adulte. Plus l'enfant reste dans un état de sujétion, plus il se pénètre de la culture de son milieu, moins il a la possibilité de devenir un élément de perturbation. De plus, avec le temps, les esprits les plus lents peuvent apprendre suffisamment pour former dans la société un corps conservateur, fondement sûr du maintien des valeurs reçues. Accorder des titres aux jeunes gens reviendrait à encourager l'exceptionnel. Donner les titres aux hommes de quarante ans – qui à cet âge ont acquis assez d'expérience pour pouvoir les détenir – permet à l'habituel de se perpétuer. Mais une telle méthode décourage aussi les éléments brillants et les empêche d'apporter à la société tout ce qu'elle aurait pu en attendre.

En Occident, nous avançons lentement, et à tâtons, vers

la solution de ce problème, tout au moins en ce qui concerne l'éducation officielle. Jusqu'à une date fort récente, notre système n'offrait que deux solutions, très partielles toutes deux, aux difficultés inhérentes à l'inégalité entre enfants dans leurs aptitudes et leur degré de maturité. L'une d'elles consistait à accorder suffisamment de temps à chaque stade, de façon que tous, y compris les déficients mentaux, puissent le franchir; c'est une méthode qui s'apparente aux procédés samoans, sans le correctif de la danse. L'enfant doué, retenu dans son élan et astreint à des tâches qui l'ennuient, risque, s'il ne trouve d'autre façon de dépenser son énergie, de bouder l'école et de sombrer peu à peu dans la délinquance. L'autre méthode consistait au contraire à « faire sauter » rapidement l'enfant d'un stade au suivant, en faisant confiance à son intelligence pour combler les inévitables lacunes. Le procédé plaisait particulièrement aux Américains, toujours prêts à imaginer des carrières fulgurantes qui mènent du taudis à la Maison-Blanche. Les inconvénients ont été énumérés trop souvent pour qu'il soit nécessaire d'y revenir ici. Ils résident surtout dans le fait que l'enfant est arraché à son groupe d'âge et que sa formation de base reste souvent incomplète ou rudimentaire. Il convient de noter cependant que, malgré tout ce qui nous sépare des Samoans dans notre conception de la personnalité, nous avons appliqué pendant des années, dans le domaine de l'éducation, des méthodes très semblables aux leurs, bien que moins satisfaisantes.

La recherche pédagogique, pour sortir de l'impasse, a mis sur pied des systèmes tels que le plan Dalton, ou celui des classes à progression accélérée, où les enfants les plus doués peuvent aller de l'avant à un rythme rapide et continu, sans inconvénient pour eux-mêmes ni pour leurs camarades attardés – exemples frappants de ce que l'on peut obtenir en envisageant les institutions de notre société d'une façon rationnelle. Dans l'ancienne école de briques rouges, tout se passait au petit bonheur, comme dans les soirées de danse aux Samoa. L'institution répondait à des besoins ressentis de façon très vague, et que personne n'avait pris la peine d'analyser. Les méthodes étaient analogues à celles en usage chez les peuples primitifs, solutions non rationalisées de problèmes pressants. Mais ni aux Samoa, ni chez aucun peuple primitif, on ne trouve inscrites dans les institutions des méthodes d'éducation adaptées à la diversité des capacités naturelles des enfants. Il s'agit là d'une action consciente et intelligente sur les institutions pour répondre à des besoins reconnus.

Il est encore un autre aspect de l'éducation samoane qui est à l'origine de comportements différents des nôtres : c'est la place assignée au travail et au jeu dans la vie de l'enfant. Les petits Samoans n'apprennent pas à travailler en jouant, comme cela se passe chez de nombreux peuples primitifs. Ils ne jouissent pas, comme chez nous, de longues années d'irresponsabilité totale. Dès qu'ils atteignent quatre ou cinq ans, des tâches précises leur sont assignées; elles sont sans doute en rapport avec leur degré de développement physique et intellectuel, mais elles ont leur place dans la structure de la société. Cela ne signifie pas que les enfants aient, pour jouer, moins de temps que les jeunes Américains enfermés chaque jour de neuf à quinze heures dans leurs salles de classe. Aux Samoa, l'école est venue troubler l'ordonnance de la routine quotidienne; mais auparavant, l'enfant passait probablement moins de temps à faire des commissions, balayer la maison, apporter de l'eau et s'occuper d'un bébé que n'en consacre à ses études l'écolier américain.

La différence ne réside pas dans la proportion des heures de liberté et des heures de travail dirigé : elle est plutôt dans l'attitude mentale. L'éducation, et bien d'autres activités, étant devenues affaire de spécialistes, le foyer familial n'est plus, comme jadis, le cadre d'occupations aussi nombreuses que variées, et nos enfants n'ont pas le sentiment que le temps qu'ils consacrent en fait à des travaux surveillés a quelque rapport fonctionnel avec le monde adulte. Cette rupture est sans doute plus apparente que réelle, mais elle est suffisamment nette pour influer d'une façon déterminante sur l'attitude de l'enfant. C'est là une difficulté qu'ignore la jeune Samoane qui s'occupe de petits enfants, porte l'eau, balaie le sol de la case; ou son frère qui prépare des appâts ou récolte des noix de coco. L'utilité de leur travail est évidente. On ne leur demande rien qu'ils ne puissent accomplir convenablement; on leur interdit l'usage – qui ne peut être que puéril et incompétent – des instruments réservés aux adultes. (Combien d'enfants, chez nous, mettent ainsi à mal la machine à écrire de leur père en tapant dessus sans rime ni raison!) Il en résulte une conception du travail très différente. L'enfant américain passe des heures en classe à apprendre des choses dont il ne peut que difficilement percevoir le rapport avec les activités de son père et de sa mère. Le monde adulte s'exprime pour lui en termes de jouets, poupée et son service à thé, automobile mécanique, à moins qu'il ne se sente des talents d'électricien et détraque, sans but précis, toute l'installation. (Je précise qu'ici, comme ailleurs, lorsque je parle d'« Américains », je n'entends pas les immigrants européens de fraîche date, qui ont, en matière d'éducation, des idées et une tradition différentes. Ainsi les Américains originaires du sud de l'Italie exigent-ils de leurs enfants une activité productive.)

Pour nos enfants, donc, la vie se partage entre le travail, le jeu et l'école : le travail pour les adultes, le jeu pour le divertissement des enfants, l'école, tourment inexplicable qui comporte, malgré tout, quelques compensations. C'est là une conception erronée qui est souvent à l'origine d'attitudes mentales anormales, absence d'intérêt à l'égard des activités scolaires qui semblent n'avoir aucun rapport avec la vie, fausse dichotomie entre le travail et le jeu, qui entraîne soit une phobie du travail – en ce qu'il impose une responsabilité – soit, plus tard, un mépris du jeu, considéré comme puéril.

L'enfant samoan n'est pas amené à établir des distinctions de cette sorte. Le travail est fait de tâches nécessaires à la vie du corps social. Planter et récolter, préparer la nourriture, pêcher, construire des cases, faire des nattes, s'occuper des enfants, amasser les biens et les denrées qu'exigent les mariages, les naissances, la succession aux titres, et la réception d'étrangers, ce sont là des activités indispensables, auxquelles participe chaque membre de la communauté, jusqu'au plus jeune enfant. Le travail n'est pas un moyen d'obtenir des loisirs. Chaque famille produit elle-même sa nourriture, fabrique elle-même ses vêtements et son mobilier; aucune ne possède une réserve importante de capital; les riches ne se distinguent que par les obligations sociales qui leur incombent et les forcent à travailler davantage. L'on n'a donc aucune notion de ce que peuvent être des économies, des placements, en somme une jouissance à échéance. (Les récoltes n'ont même pas lieu à des époques précises de l'année, et l'on ignore par conséquent les périodes de surabondance et de festivités. Il y a toujours assez à manger, même s'il arrive parfois qu'un village connaisse quelques semaines de relative disette après une réception trop fastueuse.) Le travail est l'activité permanente de tous; personne ne peut s'y dérober; peu en sont surchargés. La société récompense le plus diligent, est indulgente pour celui qui se contente du moindre effort. Il y a toujours du temps libre, des loisirs – qui, notons-le bien, sont le corollaire nullement d'un travail acharné ou d'un capital amassé, mais simplement d'un climat facile, d'une population restreinte, d'un système social homogène, d'une communauté qui n'exige aucune dépense spectaculaire. Et c'est le jeu qui, naturellement, meuble ces heures inoccupées, ces longs entractes dans une existence de travail librement consenti.

Le jeu, c'est, pour eux, la danse, les chants, les colliers de fleurs que l'on tresse, le flirt, les reparties, et toutes les formes d'activité sexuelle. Certaines manifestations de la vie sociale, telles que les visites cérémonielles de village à village, participent à la fois du travail et du jeu. Mais il est clair que, pour les Samoans, le travail n'est pas quelque chose à quoi l'on est obligé et qu'en principe l'on n'aime pas, ni le jeu, la seule activité qui soit désirable; que le travail n'est pas, par définition, l'occupation essentielle des adultes, ni le jeu, le principal souci des seuls enfants. Pour les enfants et pour les adultes, le jeu a le même caractère, le même intérêt, les mêmes rapports avec le travail. Le jeune Samoan n'a nul désir d'imiter dans ses jeux l'activité adulte, de confondre les deux mondes. Je m'étais fait envoyer une boîte de pipes en terre blanche pour faire des bulles de savon, connues localement, mais faites selon une méthode très inférieure. Après avoir, un jour, fait admirer à de petites filles la taille et la beauté exceptionnelle des bulles ainsi obtenues, je me vis réclamer la pipe par plusieurs d'entre elles : ne pouvait-on l'apporter à maman ? Ces pipes étaient faites pour fumer et non pour jouer. Les poupées étrangères ne les intéressaient pas, et l'on n'en fabriquait pas sur place. (Dans d'autres îles, les fillettes en font elles-mêmes, avec ces mêmes feuilles de palmier dont les Samoanes tressent des balles.) Les enfants ne construisent jamais de case à leur taille pour jouer « à la maison », ni ne font naviguer de petits bateaux. Les garçonnets préfèrent grimper dans une authentique pirogue à balancier et s'exercer à pagayer sur le lagon, où ils se sentent en sécurité. Les enfants mènent donc, dans l'ensemble, une vie plus cohérente qu'il n'est de règle dans notre civilisation.

Chez nous les activités de tel ou tel enfant n'ont de sens que par rapport à celles des autres enfants. Si ceux-ci vont tous en classe, celui qui reste à la maison se sent mal à l'aise parmi eux. Si la petite voisine prend des leçons de musique, pourquoi Mary n'en prendrait-elle pas ? Et inversement, pourquoi en prendrait-elle si l'autre s'en dispense ? Nous établissons une distinction tellement marquée entre le monde des adultes et celui des enfants, que ces derniers n'apprennent pas à juger de leur propre comportement par rapport à celui des adultes. Il n'est pas rare qu'ils en arrivent à considérer le jeu comme une activité condamnable; et ce sont les mêmes qui, une fois adultes, gâcheront lamentablement leurs rares loisirs. Pour le jeune Samoan, au contraire, toute activité, qu'elle soit travail ou jeu, ne prend sa valeur que dans le cadre de la communauté tout entière, que par rapport aux seules normes qu'il connaisse, celles du village samoan. On ne peut s'attendre qu'une société de structure aussi complexe, aussi stratifiée que la nôtre, puisse spontanément mettre en œuvre un plan d'éducation aussi simple. Il faudra surmonter bien des difficultés pour trouver les moyens d'associer les enfants à l'existence commune, d'articuler leur vie scolaire avec le reste de la vie, et leur donner aussi cette dignité qui est celle de tous les jeunes Samoans.

Il est un dernier facteur de stabilité émotive chez l'enfant samoan : la liberté qui lui est laissée d'exprimer sa volonté en toute indépendance. On le pousse à apprendre, à bien se conduire, à travailler, mais non à précipiter ses options personnelles. C'est ce qui se passe à l'âge où s'établit le tabou « frère-sœur », manifestation capitale du sens de la pudeur. Le moment précis où ce tabou doit commencer à être observé est toujours laissé à la décision de l'enfant. Quand il atteint l'âge de discrétion, de compréhension, il éprouve lui-même ce sentiment de « confusion » et dresse la barrière formelle qui subsistera jusqu'à sa vieillesse. De même, l'on ne presse pas les jeunes gens de se livrer plus tôt qu'ils ne le désirent à une activité sexuelle; on ne les force pas non plus à se marier dès l'âge tendre. Les possibilités qui leur sont offertes de s'écarter des valeurs reçues étant très faibles, ce ne sont pas quelques années de retard qui compromettent l'équilibre social.

Cette attitude de tolérance se retrouve dans l'Eglise samoane. Les indigènes ne voient aucune raison pour que les jeunes gens encore célibataires soient obligés de prendre de graves décisions qui risquent de gâcher, dans une certaine mesure, leur joie de vivre. Il sera bien assez tôt pour s'occuper des choses sérieuses lorsqu'ils seront mariés ou, plus tard même, alors qu'ils auront pleinement conscience de leurs actes et risqueront moins de perdre la grâce à peu près chaque mois. Les inconvénients sont donc graves d'ouvrir l'accès de la congrégation à des jeunes gens non encore mariés, s'ils ne sont pas consignés dans les écoles religieuses. C'est ce qu'ont parfaitement saisi les autorités de la Mission, conscientes des avantages de la patience en même temps que soucieuses de concilier la morale sexuelle samoane avec le code de valeurs occidental. Elles concevaient fort bien combien il pouvait être dangereux d'accueillir dans la congrégation des célibataires qui ne soient pas enfermés dans les écoles missionnaires. Aussi, loin de pousser l'adolescente à penser au salut de son âme, le pasteur indigène lui conseille d'attendre quelques années – et elle n'est que trop heureuse d'y consentir.

Chez nous au contraire, et singulièrement dans l'Eglise protestante, l'action sur la jeunesse est un thème privilégié. L'appartenance à l'Église catholique, si elle est marquée par des sacrements particuliers, n'exige aucune conversion soudaine, aucun renouveau du sentiment religieux. Mais la Réforme, en soulignant l'importance primordiale du choix personnel, s'est refusée à ce procédé. L'Église protestante ne diffère pas l'âge de ce choix plus qu'il n'est nécessaire; dès l'instant que l'enfant atteint l'âge dit « de discernement », elle lui lance un appel aussi véhément que dramatique. A cet appel se joint la pression des parents et de la société : l'enfant est invité à prendre sa décision sur-le-champ. Sans doute était-il inévitable qu'il en fût ainsi à l'origine de l'Église réformée, mais il est regrettable qu'une telle convention ait duré aussi longtemps. Elle a même été adoptée par les groupes réformateurs non confessionnels qui tous considèrent l'adolescence comme le domaine le plus légitime de leur action.

Ces comparaisons entre les civilisations américaine et samoane nous ont souvent permis de jeter sur nos méthodes un jour nouveau; dans d'autres cas, elles ont pu suggérer des modifications positives. Que nous enviions ou non à d'autres peuples la façon dont ils ont résolu leurs problèmes, l'examen de leurs conclusions ne peut qu'élargir et approfondir nos propres idées sur ces mêmes questions. Si nous admettons qu'il n'y a rien de fatal, rien d'irrévocable dans nos conceptions, et qu'elles sont le fruit d'une évolution longue et complexe, rien ne nous empêche d'examiner nos solutions traditionnelles une à une et, à la lumière de celles qui ont été adoptées par les autres sociétés, d'en éclairer tous les traits, d'en apprécier la valeur et, au besoin, de les trouver en défaut.

CHAPITRE XIV

POUR UNE ÉDUCATION LIBÉRALE

Nous avons comparé, point par point, notre civilisation à celle, moins complexe, des Samoans, dans le dessein d'éclairer d'un jour nouveau nos propres méthodes d'éducation. Quittons maintenant les Samoa et n'en retenons que cette leçon essentielle pour nous : l'adolescence n'est pas nécessairement une période tendue et tourmentée; l'influence du milieu culturel et social est déterminante. Est-il possible, partant d'une telle donnée, de parvenir à d'utiles conclusions en ce qui concerne l'éducation de nos adolescents ?

La réponse, à première vue, paraît simple. Si c'est le milieu social qui est cause des difficultés, de la détresse même, de l'adolescence, alors n'hésitons pas, et apportons à ce milieu les modifications susceptibles de réduire cette tension, de mettre fin à cet effort angoissé d'adaptation. Malheureusement, ce qui déconcerte les adolescents dans notre société se trouve être précisément ce qui en constitue la substance même, et ce n'est pas d'un trait de plume qu'on peut l'amender. Il en va ainsi de la langue que nous parlons : il est possible de changer ici une syllabe, là une construction, mais les modifications profondes de la structure linguistique (comme de tout ce qui fait partie de la civilisation d'un peuple) ne peuvent être que l'œuvre du temps, œuvre à laquelle chaque individu apporte une contribution à la fois inconsciente et infime. Les adolescents de chez nous se trouvent en présence d'un certain nombre de valeurs distinctes, qui s'excluent mutuellement; ils sont convaincus qu'il est du devoir de chacun d'arrêter personnellement son choix sur l'une d'entre elles; ils ont le sentiment que cette décision revêt une grande importance. Si nous considérons l'adolescence non plus comme une période de transformation physiologique – car nous savons maintenant que la puberté physiologique n'est pas nécessairement génératrice de conflits – mais comme le début de la maturité mentale et affective, il n'est pas surprenant qu'elle soit, dans ces conditions, un âge tourmenté, une époque de crises. Une société qui exige de l'individu qu'il s'engage, alors qu'elle est composée d'un grand nombre de groupes distincts, dont chacun vante sa propre recette de salut, sa propre marque de philosophie économique – cette société ne donnera ni paix ni trêve aux membres des nouvelles générations, tant que chacun n'aura pas fixé son choix, à moins qu'il ne se soit effondré, trop faible pour affronter les difficultés de l'épreuve. La tension, la contrainte sont dans notre civilisation même; elles ne sont pas la conséquence des transformations physiques que subissent les enfants. Mais elles n'en sont pas moins réelles et inéluctables dans cette Amérique du vingtième siècle.

Si nous examinons les formes particulières que revêt ce choix nécessaire, les difficultés de l'adolescence se précisent davantage encore. Notre propos se bornant à l'adolescence chez les filles, je discuterai le problème sous l'angle féminin, mais, à beaucoup d'égards, le sort du garçon est très comparable. Le jeune Américain moyen, garçon ou fille, quitte l'école entre quatorze et dix-huit ans. Il lui faut alors prendre un métier, et, par conséquent, décider du genre de travail qu'il préfère. On peut prétendre, sans doute, que le choix est très limité. Son éducation, la région qu'il habite, son habileté manuelle lui dicteront la décision. La fille sera téléphoniste ou vendeuse dans un grand magasin, le garçon sera employé de bureau ou mineur. Mais si réduit que puisse être le nombre des options réelles qui se présentent, il n'en aura pas clairement conscience, tant l'Américain est persuadé que la vie lui offre des possibilités sans bornes. Le cinéma, le magazine, le journal, tout répète, sous une forme ou sous une autre, l'histoire de Cendrillon. Pourquoi la vendeuse nº 456 ne deviendrait-elle pas chef de rayon et n'épouserait-elle pas, à la suite de cette promotion, le propriétaire du magasin? Nos catégories professionnelles ne sont pas stables. Les enfants, pour la plupart, reçoivent une meilleure éducation, et peuvent embrasser un meilleur métier que leurs parents; il en résulte que même l'inégalité généralement constatée entre les sexes quant aux chances offertes, si elle se retrouve dans la rivalité entre frère et sœur, n'apparaît pas entre un père, ouvrier non qualifié, et sa fille. Il est inutile de prétendre que cette attitude optimiste est le fruit de conditions aujourd'hui dépassées, en particulier l'existence d'immenses territoires encore inexploités, ouverts à quiconque voulait changer de métier. Ce qui était vrai au temps des pionniers l'est encore aujourd'hui, mais en termes différents. Tant que l'Amérique accueillera des immigrants originaires de nations de langue non anglaise, les enfants qui, eux, parlent anglais, auront des perspectives d'avenir beaucoup plus brillantes que celles de leurs parents. Tant que le niveau d'éducation ne sera pas stabilisé, et que la scolarité obligatoire ne cessera pas d'être prolongée, il continuera de se creuser un fossé entre bien des parents et leurs enfants. Le même phénomène se produit aujourd'hui avec la migration des fermiers et travailleurs agricoles vers les métiers urbains. Le travailleur agricole considère qu'il s'est élevé dans l'échelle sociale s'il a pris un emploi à la ville. Comme, d'autre part, l'exploitation scientifique du sol réduit de façon considérable le nombre de bras nécessaires à l'agriculture, il est inévitable que ce mouvement vers les cités de jeunes gens nés à la ferme fasse rêver toute la prochaine génération d'habitants des États ruraux. Dans l'industrie, la main-d'œuvre non spécialisée est graduellement remplacée par les machines, elles-mêmes manœuvrées par un nombre croissant d'ouvriers, et d'enfants d'ouvriers : nouvel exemple du genre d'évolution qui entretient, chez chaque Américain, le mythe d'un avenir ouvert et riche de possibilités infinies. N'oublions pas enfin des cas particuliers, tels celui des Noirs abandonnant en masse les terres à maïs du Sud, ou celui des ouvriers de filature en Nouvelle-Angleterre : les enfants des uns et des autres n'ont pas eu la possibilité de marcher sur les traces de leurs parents et ont été forcés de rechercher des métiers nouveaux, sinon meilleurs.

Sans doute un observateur attentif nous dira-t-il que la ligne de démarcation entre les classes sociales a tendance à se fixer, que si les enfants des immigrants s'élèvent au-dessus de la condition de leurs parents, le mouvement ascensionnel est uniforme, qu'il y a moins, parmi eux, de réussites spectaculaires que par le passé; qu'il est beaucoup plus facile qu'autrefois de prédire la condition future d'un enfant à partir de la situation actuelle de ses parents. Mais l'opinion chiffrée à des statisticiens n'a pas transpiré dans notre littérature, ni sur nos écrans, et ne décourage en aucune façon les espoirs de progrès de chaque nouvelle génération. Or, dans les villes principalement, si l'on considère une certaine classe sociale ou un quartier donné, il n'est pas tellement évident que le progrès soit général pour les enfants d'une classe sociale ou d'un quartier. Cela ne prouve pas grand-chose que John Riley reçoive vingt dollars par semaine pour balayer les rues, alors que sa fille Mary, qui a suivi les cours d'une école commerciale, gagne vingt-cinq dollars en faisant des journées plus courtes. Le miroitement de la publicité des cours par correspondance s'ajoute, aux yeux des jeunes Américians, à la croyance aux raccourcis vers la richesse et la gloire. Aussi leur attitude devant le choix d'un métier est-elle différente de celles des jeunes Anglais : ceux-ci n'ont guère besoin de réfléchir pour savoir qu'ils vont affronter une société rigoureusement compartimentée, stratifiée de longue date. Pour le jeune Américain au contraire, qui est obligé de travailler, embrasser un métier est une véritable épreuve, soit qu'il doive abandonner une existence sans souci pour une vie étroite et ingrate, soit qu'il se rebelle avec amertume contre un choix imposé qui semble en contradiction avec les possibilités sur lesquelles il se sentait le droit de compter.

Prendre un emploi, c'est, pour l'adolescente, se compliquer encore davantage la vie à la maison. Ses parents ont toujours manifesté leur autorité en imposant des limites à sa spontanéité, dans tous les domaines, que ce soit sa façon de dépenser, de s'habiller, ou de se comporter. Notre société reposant essentiellement sur l'argent, l'importance de " l'argent de poche " est beaucoup plus grande qu'autrefois lorsqu'il s'agit de faire respecter une discipline quelconque. Alors, si une mère trouvait une mode trop osée, elle faisait tout simplement à sa fille des robes montantes, à manches longues. Aujourd'hui c'est par l'argent qu'elle arrive à ses fins : si Mary continue à mettre ces bas que sa mère désapprouve, eh bien! on ne lui donnera plus d'argent pour acheter des bas. De même, si elle aime les cigarettes et l'alcool, il lui faut de l'argent. Pour aller voir des films, lire des livres et des magazines que ses parents réprouvent, il lui faut encore de l'argent, même si elle échappe à des formes plus directes de contrôle. L'argent lui étant donc indispensable pour satisfaire ses goûts en matière de vêtements et de distractions, c'est lui qui représentera pour ses parents le moyen le plus facile d'exercer leur autorité – tellement facile que la simple menace de supprimer l'argent de poche, de refuser les subsides pour le cinéma hebdomadaire ou le foulard tant convoité, a remplacé les châtiments physiques et la réclusion au pain sec et à l'eau, qui constituaient l'essentiel des méthodes disciplinaires au siècle dernier. Les parents en sont venus à compter uniquement sur ce procédé, leurs filles à envisager toute condamnation de leur comportement moral, religieux ou social, sous l'aspect d'une menace de caractère financier.

Et voilà qu'à seize ou dix-sept ans, la fille prend un emploi. Si scrupuleusement qu'elle puisse acquitter sa part des dépenses de la maison, il est probable qu'elle ne remettra pas la totalité de son salaire à ses parents, si ce n'est dans les familles où s'attarde encore une tradition européenne. (Ceci exclut, naturellement, les cas où la fille subvient aux besoins de ses parents; le fait que la responsabilité matérielle du foyer se trouve entre ses mains donne un tout autre aspect à l'autorité que peuvent revendiquer ces derniers.) Pour la première fois de sa vie, donc, elle a des ressources qui lui appartiennent en propre, auxquelles ne s'attache aucune restriction d'ordre moral ou pratique. Ainsi se trouve anéanti le principal instrument de discipline que possédaient ses parents, mais non leur désir de continuer à régenter leur fille. Pour eux, l'autorité dont ils se sentent investis ne découle pas de leur rôle de nourriciers; ils la voient, en termes beaucoup plus traditionnels, comme le droit des parents de commander à leurs enfants.

La fille, quant à elle, se trouve dans la position de quelqu'un qui aurait, pendant des années, courbé l'échine devant un maître armé d'un fouet, et qui verrait soudain le fouet se briser. Sa répugnance à obéir, l'impatience que provoquent en elles les exigences paternelles et maternelles – qui apparaissent inévitables à des enfants de primitifs – sont bien caractéristiques d'une civilisation composite. Si tous les enfants d'une même communauté vont se coucher à une heure donnée, il n'y en aura, sans doute, aucun pour reprocher à ses parents d'imposer le respect de la règle. Mais si la petite voisine ne va pas au lit avant onze heures, pourquoi Mary devrait-elle se coucher à huit heures? Si toutes ses compagnes, au collège, ont le droit de fumer, pourquoi pas elle? Et réciproquement – car c'est une question d'absence de norme commune beaucoup plus que de la nature de cette norme, – si toutes les autres petites filles sont pomponnées, portent de jolies robes et des chapeaux fleuris et enrubannés, pourquoi doit-elle se contenter d'une robe raisonnable, toute droite, et d'un simple chapeau rond? Hormis le cas d'amour filial passionné – sentiment qui risque de susciter des difficultés plus graves d'un autre ordre – les enfants, dans une civilisation hétérogène, n'acceptent pas aveuglément le jugement de leurs parents, et les plus obéissants parmi eux mêlent à leur soumission du moment l'espoir d'une liberté future.

Dans une communauté primitive homogène, les mesures disciplinaires prises par les parents servent à obtenir de menues concessions, à corriger les légères déviations que pourraient présenter leurs enfants par rapport à la norme de comportement uniformément reconnue. Dans notre société, au contraire, la discipline familiale a pour but d'imposer un certain ordre de valeurs à l'exclusion des autres. Toute famille mène une bataille. Les unes combattent pour un parti moyen, les autres défendent contre vents et marées une cause déjà perdue dans l'ensemble de la communauté, d'autres encore, bien en avance sur leurs voisins, tentent courageusement d'implanter de nouvelles valeurs. Il y a là un esprit de prosélytisme qui augmente considérablement l'importance de la discipline familiale dans la formation et l'évolution de la personnalité d'une fille. Ainsi voyons-nous des parents, dépouillés de leurs pouvoirs " financiers ", essayer de contraindre leur fille, qui vit sous leur toit, à accepter un système de valeurs qui lui est insupportable. Ils y réussissent rarement, et leur autorité s'effondre, au moment même où la fille se trouve devant de nouveaux et graves problèmes à résoudre, et a précisément besoin de s'appuyer sur un milieu familial solide.

Car la sexualité commence à jouer un rôle important dans sa vie, et, là aussi, les solutions sont contradictoires. Si elle choisit la relative liberté de mœurs qui est celle de sa génération, elle entre en conflit avec ses parents et – ce qui est plus important peut-être – avec les idéaux qu'ils lui ont inculqués. Le problème actuel du comportement sexuel des jeunes gens serait grandement simplifié si ce qui n'est que découverte et expérimentation n'était pas interprété comme une révolte, si aucun remords ne venait tourmenter des consciences puritaines. Mais systématiser cette liberté serait, à l'heure actuelle, extrêmement dangereux, parce que la société n'a pas légiféré en la matière. Toute innovation dans le domaine des rapports entre individus consacre la faillite de ceux qui ne sont pas assez forts pour faire face à des situations sans précédent. Ce n'est que lentement que s'édifie des normes de l'honneur, de l'engagement, de la responsabilité personnels; et beaucoup succombent, qui s'aventurent les premiers sur des mers inconnues. Mais lorsque, aux dangers propres à l'entreprise, s'ajoute l'idée qu'elle est répréhensible, lorsqu'elle ne peut se poursuivre que dans la clandestinité, dans une atmosphère de mensonge et de crainte, la tension est si forte que l'échec est le résultat presque inévitable.

Si la fille choisit l'autre voie, si elle décide de rester fidèle aux principes de la génération précédente, elle gagne la sympathie et l'appui de ses parents, mais s'aliène la camaraderie des jeunes gens de son âge. Quel qu'il soit, le choix s'accompagne d'angoisse, et rares sont celles qui y échappent. Quelques-unes, sans doute, y parviennent, si elles font partie d'un groupe assez important pour leur permettre de résister victorieusement soit à leurs parents, soit à la majorité de leur génération; d'autres ont peut-être des aspirations auxquelles elles se consacrent tout entières. Mais, à l'exception des étudiantes, pour qui la solution du problème des rapports personnels est parfois, fort heureusement, remise à plus tard, celles qui préfèrent se laisser absorber par quelque activité plutôt que s'intéresser à l'autre sexe, se retrouvent souvent vieilles filles, alors qu'il est trop tard pour remédier à la situation. Dans les sociétés primitives, jamais la vie d'une femme n'est assombrie par la crainte du célibat, cet autre produit de notre civilisation.

Non seulement la fille doit décider de son comportement dans l'immédiat, mais elle ne peut manquer non plus d'hésiter devant les diverses théories du mariage qui s'affrontent : vaut-il mieux attendre que le futur ménage ait suffisamment de quoi vivre, ou bien se marier et partager les dépenses d'un foyer avec un jeune époux qui n'a pas encore percé? La possession de techniques anti-conceptionnelles a certes donné une nouvelle dignité à la vie humaine puisqu'elle fait intervenir la volonté en un domaine où l'homme avait été, jusque-là, esclave de la nature, mais elle complique encore le problème. L'alternative était, ou bien mariage, foyer et enfants, ou bien célibat et indépendance. Maintenant, grâce à la liberté de conception, la fille peut envisager tout aussi bien le mariage sans enfants, le mariage précoce, le mariage et une carrière professionnelle, les rapports sexuels sans mariage ni la responsabilité d'un foyer. Mais les filles, dans leur grande majorité, veulent encore se marier, et ne considèrent leur emploi que comme un pis-aller provisoire. Aussi ces problèmes influencent-ils leur attitude à l'égard non seulement des hommes, mais encore de leurs occupations, et les empêchent d'accorder un intérêt soutenu à un travail qu'elles font à contrecœur.

Aux difficultés que provoquent le changement de statut économique et la nécessité d'adopter un comportement sexuel déterminé, s'ajoute encore l'obligation de résoudre un certain nombre de problèmes moraux et religieux. Là encore le foyer familial joue un rôle important : les parents usent de tous les moyens de pression affective dont ils disposent pour embrigader leurs enfants dans l'une des quelque douze armées du salut existantes. Il faut subir aussi les instances du pasteur, les réunions d'évangélisation. Et comment concilier les enseignements de ceux qui détiennent l'autorité, avec la vie pratique en société, et les découvertes de la science ? Problème fondamental qui achève de dérouter de jeunes esprits déjà tourmentés au-delà de ce qu'ils peuvent sainement tolérer.

Si l'on admet, donc, que la société pose trop de problèmes aux adolescents et exige d'eux des décisions trop graves dans des délais trop courts, comment peut-on y remédier ? L'on a suggéré, entre autres panacées, de retarder le moment où certaines décisions doivent être prises, de maintenir l'adolescente dans sa sujétion économique, de la préserver de tout rapport avec l'autre sexe, de ne lui faire connaître qu'une seule doctrine en matière de religion, jusqu'à ce qu'elle soit plus âgée, plus équilibrée, mieux armée pour affronter les problèmes qui l'attendent. Sans qu'elle s'exprime de façon aussi précise, c'est là l'idée qui inspire différents projets visant à reculer le terme de la jeunesse proprement dite, en prolongeant la scolarité, en tenant les adolescents à l'écart de controverses telles que celles qui opposent l'évolution à l'orthodoxie, en refusant de les initier à l'hygiène sexuelle et aux méthodes de libre conception. De telles mesures, à supposer qu'elles puissent être édictées et atteindre le but qu'elles se proposent, apparaissent cependant peu souhaitables. Il n'est pas juste que l'enfance soit un champ de bataille où s'affrontent des principes rivaux, il n'est pas juste d'en entraver l'évolution par des tentatives intéressées tendant à la conditionner et à l'embrigader avant qu'elle ne puisse librement choisir sa voie. Mais il est probablement tout aussi injuste de trop retarder le moment où elle doit s'engager. Il est plus déchirant de perdre la foi à trente ans qu'à quinze, précisément parce qu'on l'a conservée plus longtemps. Il en est de même pour la vie sexuelle : on supporte d'autant plus difficilement d'en découvrir certains aspects insoupçonnés ou de voir s'effondrer toutes les conventions qui la régissaient, qu'on en avait une idée mieux établie. De plus, sur le plan pratique, des mesures de cet ordre risqueraient de conserver un caractère purement local, tel État légiférant contre l'évolutionnisme, tel autre contre la liberté de la conception, tel groupe religieux insistant pour séparer les filles non mariées du reste de la société. Ces mouvements isolés ne feraient que désavantager les jeunes gens qui y seraient soumis par rapport à ceux qui auraient pu fixer plus tôt leur choix. Un tel programme d'éducation, outre qu'il serait presque impossible à appliquer, ne constituerait en fait qu'un pas en arrière, et ce serait reculer pour mieux sauter.

Nous ferions mieux de consacrer tous nos efforts à préparer nos enfants aux décisions qu'ils devront prendre. L'éducation, à la maison bien plus encore qu'à l'école, ne doit pas être une plaidoirie pour un système, une tentative acharnée pour former une certaine tournure d'esprit qui résistera à toutes les influences extérieures; elle doit, au contraire, prendre les devants et être une préparation à ces influences mêmes. Elle doit accorder beaucoup plus d'importance à l'hygiène mentale et physique qu'elle ne l'a fait jusqu'ici. Pour fixer sagement son choix, l'enfant doit être sain de corps et d'esprit, il ne doit souffrir d'aucune infériorité qui eût pu normalement lui être épargnée. Mais surtout, il faut ouvrir son esprit. Le foyer doit cesser d'être un milieu où l'on plaide la cause d'une morale ou d'une croyance religieuse avec des sourires ou des froncements de sourcils, des caresses ou des menaces. On doit apprendre aux enfants *comment* penser et non *quoi* penser. Les vieilles erreurs sont vivaces : c'est pourquoi il faut enseigner la tolérance, au lieu du fanatisme. L'on doit montrer à l'adolescent que de nombreuses voies s'ouvrent devant lui, et ne pas imposer un choix qui dépend de lui, et de lui seul. Libre de tout préjugé, de toutes les contraintes qu'implique un conditionnement trop précoce à un ordre de valeurs quelconque, il doit arriver l'esprit lucide aux carrefours de la vie.

Car il faut bien se rendre compte que la rançon de notre civilisation hétérogène et mouvante est fort lourde : c'est le nombre anormal de criminels et de délinquants, ce sont les conflits de la jeunesse, c'est la quantité toujours croissante de névroses, c'est l'absence d'une tradition cohérente, qui se fait ressentir cruellement, dans le domaine de l'art. Mais, au regard de ces charges, il convient, pour ne pas se décourager, de relever les avantages positifs. Le plus important consiste précisément à pouvoir choisir entre plusieurs modes de vie, alors que d'autres civilisations n'en recommandent qu'un seul. Tandis que celles-ci ne permettent le plein épanouissement que d'un type unique de tempérament – mystique ou soldat, hommes d'affaires ou artistes, – une civilisation comme la nôtre, qui admet la coexistence de plusieurs ordres de valeurs, offre une possibilité d'adaptation satisfaisante à des individus d'aspirations, de dons et de tempéraments très divers.

Nous vivons actuellement une époque de transition. Sans doute les voies qui s'offrent à nous sont-elles nombreuses, mais nous persistons à penser qu'il n'y en a qu'une seule bonne parmi elles. Nous donnons à nos enfants le spectacle d'un champ de bataille, où chaque camp est convaincu de la légitimité de sa cause et cherche à enrôler la nouvelle génération à ses côtés. Mais il suffirait de prendre conscience de l'immense diversité des solutions apportées par l'homme, depuis des millénaires, aux problèmes de l'existence, pour que se dissipe cet exclusivisme. Lorsque les différents groupes de la communauté cesseront de proclamer la moralité de leurs causes respectives, lorsque chacun d'eux se contentera de recruter ceux qui, par tempérament, sont naturellement portés vers lui, alors se trouveront réalisées les conditions idéales de liberté et de tolérance auxquelles peut seule prétendre une civilisation hétérogène. Pour les Samoans il n'y a qu'une seule façon de vivre – et ils l'enseignent à leur progéniture. Est-ce que nous, qui connaissons tant de formules, laisserons nos enfants libres de choisir parmi elles ?

NOTE

Je dois l'expression de ma gratitude au Board of Fellowships des Sciences Biologiques du National Research Council, qui, en me faisant bénéficier d'une bourse, a rendu cette enquête possible. Mes remerciements vont aussi à mon père qui a pris à sa charge mes frais de voyage pour me rendre aux Samoa et en revenir. Au Professeur Franz Boas, je dois d'avoir suggéré et orienté mes recherches, de m'avoir donné la formation qui m'a préparée à cette entreprise et d'avoir fait la critique des résultats.

Pour leur concours, qui a considérablement facilité mon travail dans le Pacifique, j'exprime ma reconnaissance au Dr Herbert E. Gregory, Directeur du B. P. Bishop Museum et au Dr E. C. S. Handy et à Miss Stella Jones, du Bishop Museum.

Grâce à l'appui officiel que m'a apporté l'Amiral Stitt et à la bienveillance du Commander Owen Mink, de la Marine américaine, j'ai pu obtenir la coopération des autorités médicales aux Samoa, qui ont considérablement simplifié et facilité mes recherches. Je tiens à remercier Miss Ellen M. Hodgson, infirmière en chef, les infirmières américaines et samoanes, et particulièrement G. F. Pepe, qui ont guidé mes premiers pas en milieu samoan et dans l'étude de la langue. Je remercie de leur générosité, de leur hospitalité et de leurs sympathiques encouragements Mr. Edward R. Holt, Pharmacien en chef adjoint, et sa femme, chez qui j'ai résidé durant quatre mois, et qui m'ont ainsi fourni une base de travail absolument essentielle, un terrain neutre d'où j'ai pu observer tous les individus du village tout en restant à l'écart des querelles indigènes et au-dessus des démarcations sociales.

Cette enquête n'a pu être menée à bien que grâce à la coopération de plusieurs centaines de Samoans et à l'intérêt qu'ils y ont pris. Il serait impossible de les nommer tous ici. J'adresse plus particulièrement mes remerciements au Chef de comté Ufuti de Vaitogi et à tous les membres de sa maisonnée, et au chef orateur Lolo qui m'a enseigné les rudiments du charmant code de politesse qui est si caractéristique des Samoans. Je remercie tout spécialement LL. EE Tufele, Gouverneur des Manu'a, les chefs de comté Tui Olesega, Misa, Sotoa, Asoao et Laui, et les Chefs Pomele, Nua, Tialigo, Moa, Maualupe, Asi, et les Chefs orateurs Lapui et Muao; les pasteurs samoans Solomona et Iakopo; les professeurs samoans Sua, Napoleon et Eti; Toaga, épouse de Sotoa, Fa'apua'a, *taupo* de Fitiuta, Fofoa, Laula, Leaula et Felofiaiana, et les chefs et habitants de tous les villages des Manu'a ainsi que leurs enfants. Grâce à leur gentillesse, leur hospitalité, leur courtoisie, mon séjour parmi eux fut heureux; leur concours et leur sympathie m'ont permis de poursuivre mes recherches tranquillement et avec profit. Aucun individu n'est désigné par son nom dans le texte, afin de ménager les sentiments de ceux qui n'approuveraient pas une telle publicité.

Je remercie enfin les Drs R. F. Benedict, et L. S. Cressman, Miss M. E. Eichelberger et Mrs. M. L. Loeb de leurs corrections et de leur aide dans la préparation de cet ouvrage.

The American Museum of Natural History. Mars 1928.

M. M.

APPENDICE I

NOTES

CHAPITRE IV

Pages 399 à 402

Les différents membres de la famille sont classés aux Samoa selon les deux principes essentiels de l'âge et du sexe. Les termes de parenté ne sont jamais utilisés pour s'adresser à quelqu'un; on emploie le nom ou un surnom, même pour un père ou une mère. Sont considérés comme étant de la même génération que celui qui parle – du même sexe ou du sexe opposé – les membres de la famille qui ont entre eux un ou deux ans de moins que lui et cinq à dix ans de plus. Ainsi *uso* est le terme utilisé par une fille pour désigner sa sœur, sa tante, sa nièce et sa cousine qui sont à peu près du même âge qu'elle. Un garçon emploie le même terme dans les mêmes conditions pour son frère, un oncle, un neveu ou un cousin. Pour définir les rapports entre cousins de même lignée, et de sexes opposés, il y a deux termes : *tuafafine* et *tuagane*, respectivement parente de même groupe d'âge qu'un mâle et parent de même groupe d'âge qu'une fille. (Le terme *uso* ne comporte pas de telles distinctions.)

Le mot *tei*, très important aussi, s'applique aux membres plus jeunes de la famille, quel que soit leur sexe. Son emploi est déterminé moins par la différence d'âge qui sépare l'enfant du parent qui le désigne ainsi, que par l'importance des soins prodigués par ce dernier. Ainsi une fille appellera-t-elle *tei* une cousine de deux ans plus jeune qu'elle, si elles ont vécu proches l'une de l'autre; en revanche elle appellera *uso* une cousine du même âge, si celle-ci a été élevée loin d'elle dans un autre village. Les termes *uso*, *tuafafine* et *tuagane* suggèrent une idée de contemporanéité et doivent être précisés par un adjectif, si l'on veut spécifier l'âge relatif.

Tamà, qui signifie père, s'applique aussi au *matai* de la famille, à un oncle ou cousin plus âgé auquel l'enfant a souvent affaire, et également à un frère aîné, si la différence d'âge est telle qu'il donne le sentiment d'appartenir à la génération du père et de la mère. *Tinà* est employé d'une façon à peine moins abusive pour désigner la mère, les tantes qui habitent la même maison, l'épouse du *matai*, et parfois, bien que très rarement, une sœur aînée.

Un homme ne parle pas d'un enfant dans les mêmes termes qu'une femme. Une femme emploie le mot *tama* (modifié par l'adjonction du suffixe *tane*, masculin, ou *fafine*, féminin); un homme dit *atalii* (fils) et *afafine* (fille). Ainsi une femme dira : « Losa est mon (ou ma) *tama* », ne spécifiant le sexe que si c'est nécessaire. Mais le père de Losa dira qu'elle est son *afafine*. La même règle s'applique lorsqu'on parle d'un enfant *à* un homme ou *à* une femme. L'on ajoute à tous ces termes le mot *moni* (vrai) lorsqu'on veut préciser qu'il s'agit d'une sœur consanguine, d'un père ou d'une mère naturels et non adoptifs. Les personnes âgées de la maisonnée sont désignées par le terme général *matua*; un grand-père est habituellement le « vieil homme », le *toa'ina*, la grand-mère, la « vieille femme », l'*olamatua*; on ajoute, s'il le faut, une clause explicative. Pour tous les autres parents, on utilise une expression descriptive : « La sœur du mari de la sœur de ma mère », « le frère de la femme de mon frère », etc... Aucun terme particulier n'est réservé aux parents par alliance.

CHAPITRE V

CARTES DE VOISINAGE

Pages 412 à 417.

Pour plus de commodité, les familles ont été numérotées à la suite d'un bout du village à l'autre. Les cases ne formaient pas une ligne droite le long du rivage, mais étaient disposées de façon irrégulière si bien que l'une d'elles se trouvait parfois juste derrière une autre par rapport à la mer. Une représentation schématique linéaire suffira cependant pour montrer les conséquences du lieu de résidence sur la formation des groupes de voisinage.

Village I

Lumà

(Le nom de la fille est placé sous le numéro correspondant à la famille. Le nom des adolescentes est en capitales, celui des filles qui sont près d'être pubères est en minuscules et celui des préadolescentes en italiques.)

```
  1    2    3    4     5      6     7     8     9
      Vala     LITA  Maliu  Lusi  Fitu  Lia  Fiva
                     Pola         Ula        LUNA

 10   11   12   13    14     15    16    17    18
                     LOTA   PALA        Tuna
                      Vi
                     Pele

 19   20   21   22    23     24     25     26    27
           LOSA            TULIPA MASINA  Mina  Tina
                                          SONA

      28   29    30    31    32    33
      TITA Aso   Selu
      Sina Suna  Tolo
      Elisa
```

Village II

Siufaga

(La famille 38 à Siufaga est voisine de la famille 1 de Lumà. Les deux villages n'en font géographiquement qu'un seul, mais forment deux groupes sociaux distincts.)

```
  1    2    3     4    5      6    7       8    9    10
 Vina      NAMU       LITA (1)    Tulima
 TOLO      TOLU
           Lusina

 11   12   13   14    15     16    17     18   19    20
      Tatala          Lilina Tino  MALA        LOLA (1)

 21    22   23    24   25    26    27.    28   29   30
Palona Ipu  Tasi             Tua               Timu
                                               Meta

      31    32   33    34    35    36    37    38
      LUA  Simina                            FALA
                                             Solata
```

(1) Filles pour lesquelles le changement de résidence a eu une importance considérable. Voir Chap. XI.

Village III

Faleasao

(Les villages côtiers de Faleasao et de Lumà sont séparés par un haut promontoire abrupt, qui oblige les habitants à emprunter une piste à l'intérieur des terres pour aller de l'un à l'autre, séparés par vingt minutes de marche. Il y a beaucoup plus d'hostilité et de méfiance entre les enfants de Lumà et de Siufaga d'une part, et ceux de Faleasao d'autre part, qu'entre ceux des deux premiers villages. Les préadolescentes de Faleasao ne sont pas désignées par leur nom, mais simplement indiquées par un *x*.)

1	2	3	4	5	6	7	8	9	10
	x	*x*	*x*	Talo	ELA	LETA.			
		x	*x*						

11	12	13	14	15	16	17	18	19	20
x	*x*		MINA		MOANA	SALA		*x*	Mata
x								*x*	*x*
							LUINA		

21	22	23	24	25	26	27	28	29
x					*x*			*x*

CHAPITRE IX

Pages 464 à 465.

La première personne du singulier du verbe qui signifie « savoir » employé négativement a deux formes : *Ta ilo* (contraction de *Ta te lè iloa : Ta :* je, *Te* particule euphonique, *lè*, négation, *iloa*, savoir) et *Ua lè iloa a'u* (*Ua*, participe présent, *lè*, négation, *iloa*, savoir, *a'u*, je). Ces deux locutions ont des sens très différents, bien que, sur le plan linguistique, elles ne soient que des variantes syntaxiques, la seconde signifiant littéralement « je ne sais pas », tandis que la première peut se rendre en style de conversation par une expression comme « je me le demande ». Ce « je me le demande » n'implique pas une ignorance quelconque mais seulement l'absence d'intérêt ou la répugnance à expliquer. Les Samoans sentent très bien cette différence entre les deux formes et les utilisent fréquemment accolées dans la même phrase : *Ta ilo ua lè iloa a'u* « je me le demande, je ne sais pas ».

Page 466.

ESQUISSES DE MEMBRES DE LEUR FAMILLE
FAITES PAR DES ADOLESCENTES
(Traduction littérale des déclarations prises sous dictée.)

I

Il n'a pas de titre. Il travaille dur aux plantations. Il est grand, mince; il a la peau foncée. Il ne se met pas facilement en colère. Il va au travail, il revient le soir. C'est un agent de police. Il travaille pour le gouvernement. Il ne manque pas de bonne volonté. Il est séduisant. Il n'est pas marié.

II

C'est une vieille femme. Elle est très vieille. Elle n'a pas de force. Elle ne peut pas travailler. Elle peut seulement rester à la maison. Ses cheveux sont noirs. Elle est grosse. Elle a de l'éléphantiasis à une jambe. Elle n'a pas de dents. Elle ne se met pas en colère. Elle sait bien faire les nattes, les paniers à poisson et les plats nattés.

III

Elle est forte et peut travailler. Elle va dans les terres. Elle sarcle, prépare le four, récolte les fruits à pain et ramasse l'écorce du mûrier. Elle est gentille. Elle se conduit bien. Elle est habile à faire les paniers, les nattes, les nattes fines et les plats nattés, à peindre le tapa, à gratter, à battre et à coller l'écorce du mûrier. Elle est petite, elle a les cheveux noirs et la peau foncée. Si on la croise, elle est toujours polie et dit : « *Po'o fea'e te maliu i ai ?* » (façon très courtoise de demander « où vas-tu ? »)

IV

Elle est grosse. Ses cheveux sont longs. Sa peau est foncée. Elle est aveugle d'un œil. Elle se conduit bien. Elle sait sarcler le taro et tresser des nattes de sol et des nattes fines. Elle est petite. Elle a eu des enfants. Il y a un bébé. Certains jours, elle reste à la maison, d'autres jours, elle va dans les terres. Elle sait aussi tresser des paniers.

V

C'est un garçon. Sa peau est noire, ses cheveux aussi. Il va travailler dans la brousse. Il travaille aux champs de taro. Il est comme tout le monde. Il sait bien tresser les paniers. Il chante avec la chorale des jeunes hommes le dimanche. Il aime beaucoup fréquenter les filles. Il a été renvoyé de la maison du pasteur.

VI

Portrait d'elle-même.

Je suis une fille. Je ne suis pas grande. J'ai des cheveux longs. J'aime mes sœurs et tout le monde. Je sais tresser des paniers et préparer l'écorce de mûrier. J'habite chez le pasteur.

VII

C'est un homme. Il est fort. Il va dans les terres et travaille sur la plantation de sa famille. Il va à la pêche. Il récolte les noix de coco, les fruits à pain, les feuilles pour la cuisine, et il prépare le four. Il est grand. Il est assez gros. Ses cheveux sont courts. Il sait bien faire les paniers. Il tresse les nattes en feuille de palmier pour couvrir la maison (1). Il se conduit bien et il a l'air affectueux.

VIII

C'est une femme. Elle ne travaille jamais assez à son gré. Elle est habile à faire les paniers, les nattes fines et l'étoffe d'écorce. Elle prépare aussi le four, et nettoie autour de la maison. Elle tient bien sa maison. Elle allume le feu. Elle fume. Elle va à la pêche, attrape des *tu'itu'i* (oursins), elle revient et les mange sans les cuire. Elle a bon cœur et a l'air affectueux. Elle aime aussi ses enfants.

IX

C'est une femme. Elle a un fils, qui s'appelle – – – Elle est paresseuse. Elle est grande. Elle est maigre. Ses cheveux sont longs. Elle sait bien faire les paniers, l'étoffe d'écorce et les nattes fines. Elle reste à la maison certains jours, et d'autres fois, elle va dans les terres. Tout est bien propre chez elle. Elle se nourrit de bananes. Elle a un visage affectueux. Elle ne se met pas facilement en colère. Elle prépare le four.

(1) Travail de femmes.

X

C'est la fille de – – . C'est une petite fille de mon âge. Elle est aussi habile à faire des paniers, des nattes, des nattes fines, des stores et des nattes de sol. Elle est bonne à l'école. Elle va aussi chercher des feuilles et des fruits d'arbres à pain. Elle va aussi à la pêche quand la mer est basse. Elle attrape des crabes et des méduses. Elle est très affectueuse. Elle ne mange pas toute sa nourriture si on lui en demande. Elle présente un visage aimable à tous ceux qui viennent dans sa maison. Elle sert aussi la nourriture à tous les visiteurs.

XI

Portrait d'elle-même.

Je sais tresser des nattes, des nattes fines, des paniers, des stores, et des nattes de sol. Je vais chercher de l'eau pour boire pour toute la maison, et pour d'autres aussi. Je vais chercher des bananes, des fruits d'arbre à pain, et des feuilles, et je prépare le four avec mes sœurs. Alors nous (ses sœurs et elle-même) allons pêcher ensemble, et alors il fait nuit.

CHAPITRE X

Page 471.

J'ai observé chez les enfants de cet âge un phénomène extrêmement curieux d'affectation phonétique, qui révèle un sens discriminatoire presque aussi vif que celui de leurs aînés. Quand les missionnaires entreprirent d'écrire cette langue, uniquement parlée auparavant, le son *k* n'existait pas. Bien que connu par les autres langues polynésiennes, il était remplacé aux Samoa soit par un *t* soit par un coup de glotte. Peu après l'impression de la Bible et la normalisation de l'orthographe samoane, des relations plus fréquentes et plus étroites avec Tonga introduisirent le *k* dans la langue parlée à Savai'i et Upolu, remplaçant le *t* mais non le coup de glotte. Lentement cet usage gagna les Samoa, bien que les missionnaires à la tête des écoles aient mené un âpre combat, perdu d'avance, contre ce *k*, beaucoup moins musical. Aujourd'hui le *t* est utilisé par les gens instruits et à l'église; il subsiste conventionnellement dans l'orthographe et on l'entend dans les discours et occasions cérémonielles. Ceux des enfants des Manu'a qui n'avaient jamais été dans les pensionnats des missionnaires, employaient uniquement le *k*. Mais ils avaient entendu le *t* à l'église et à l'école, et avaient suffisamment conscience de la différence pour me reprendre immédiatement si je me laissais aller à utiliser le *k* du langage familier. C'était pourtant leur façon de parler habituelle, et ils prononçaient ce *t* pour la première fois de leur vie peut-être, afin de m'indiquer la prononciation correcte, dont moi, qui de toute évidence apprenait à parler correctement, je ne devais pas m'écarter. Une telle capacité à dissocier le son utilisé du son entendu est remarquable, chez de si jeunes enfants, et en fait chez toute personne qui n'a pas une certaine expérience linguistique.

CHAPITRE XI

Pages 493 à 496.

En six mois, j'ai vu six filles quitter la maison du pasteur. Les raisons variaient selon les cas. Pour Tasi, c'était parce que sa mère était malade, et que, phénomène assez rare, elle se trouvait être l'aînée d'une famille biologique : on avait besoin d'elle à la maison. Pour Tua, c'était parce qu'elle s'était classée dernière à l'examen annuel de la mission, et que sa mère accusait le pasteur de favoritisme. Pour Luna, c'était parce que sa belle-mère, qu'elle détestait, avait quitté son père, redonnant ainsi quelque charme à la maison familiale; ajoutons que sous l'influence d'une cousine plus âgée qu'elle, elle commençait à se lasser de la compagnie des fillettes et à s'intéresser aux affaires de cœur. Quant à Lita, c'était parce que son père l'avait rappelée à la maison pour la punir d'être allée en visite dans une autre île pendant trois semaines, avec la permission du pasteur certes, mais sans consulter sa famille. Revenir chez elle, cela signifiait, pour Lita, habiter à l'extrémité de l'autre village, et par conséquent, quitter ses amies. Mais l'intérêt de la nouveauté l'emportant, elle ne souffrit pas du changement. Enfin Sala, paresseuse, et inintelligente, s'était fait enlever.

APPENDICE II

MÉTHODOLOGIE DE CETTE ÉTUDE

Il est impossible de présenter une image unique, un prototype de l'adolescente samoane, et en même temps d'apporter des réponses satisfaisantes aux différentes questions que suggère une telle étude. A la recherche de données exactes sur les usages et les rites attachés à l'adolescence, l'ethnologue est obligé de faire état de coutumes qui sont tombées partiellement en désuétude sous l'influence de la propagande occidentale et de l'imitation de l'étranger. Les pratiques et attitudes traditionnelles sont également importantes dans l'étude de l'adolescente samoane d'aujourd'hui parce qu'elles constituent une partie non négligeable des modes de pensée de ses parents, même si elles ne se concrétisent pas dans la vie culturelle de la jeune fille. Mais cette double nécessité de décrire non seulement le milieu actuel et les réactions de l'adolescente à son égard, mais aussi d'interpoler parfois des descriptions du milieu culturel plus rigide qui fut celui de la jeunesse de sa mère, altère dans une certaine mesure l'unité de l'étude.

Les observations détaillées rapportées dans cet ouvrage portent sur un groupe de filles habitant trois villages pratiquement contigus, sur l'une des côtes de l'île de Taù. Les indications sur les usages cérémoniels relatifs à la naissance, l'adolescence et le mariage, ont été rassemblées dans les sept villages de l'archipel des Manu'a.

L'on a abordé les problèmes en admettant qu'une enquête détaillée et intensive aurait plus de valeur qu'une étude plus diffuse et plus générale, fondée sur une connaissance moins précise d'un plus grand nombre d'individus. L'ouvrage du Dr Van Waters, l'*Adolescence chez les peuples primitifs*, a épuisé les possibilités d'une enquête où l'ethnologue se contente de voir les choses du dehors et de donner une description-type d'une civilisation primitive. Nous possédons une énorme masse de matériaux descriptifs et généraux, mais ils ne comportent pas les observations détaillées et l'étude des cas individuels, à la lumière desquels il serait possible de les interpréter.

L'auteur a donc décidé de travailler sur une superficie restreinte, au milieu d'un groupe ne dépassant pas six cents personnes, et a passé six mois à acquérir une connaissance personnelle et précise de toutes les adolescentes de cette communauté. Comme il y avait seulement soixante-huit filles s'échelonnant de neuf à vingt ans, les tableaux chiffrés sont pratiquement sans valeur pour des raisons évidentes : l'erreur probable en ce qui concerne le groupe est trop grande, les catégories d'âge sont très limitées, etc. Le seul point sur lequel les données quantitatives peuvent avoir quelque pertinence concerne la variabilité à l'intérieur du groupe étant donné que plus la variabilité à l'intérieur du groupe examiné est faible, plus les résultats acquièrent une valeur générale.

En outre, le genre de renseignements dont nous avions besoin n'est pas de ceux qui se prêtent facilement à un traitement quantitatif. L'attitude d'une fille à l'égard de la seconde femme de son père, de ses parents adoptifs, de sa jeune sœur, ou de son frère aîné – de telles réactions ne peuvent s'exprimer en termes quantitatifs. De même que le médecin et le psychiatre ont jugé nécessaire de décrire chaque cas séparément et d'utiliser ces cas comme illustrations d'une thèse plutôt que comme preuves irréfutables, tel qu'il est possible d'en produire dans les sciences physiques, de même celui qui étudie la psychologie, les aspects les plus insaisissables du comportement humain, ne peut qu'éclairer une thèse, non en démontrer l'exactitude. L'arrière-plan sur lequel se profile l'adolescente peut se décrire en termes exacts ayant une valeur générale, mais ses réactions sont fonction de sa propre personnalité et ne peuvent être dépeintes que par rapport à celle-ci. Les généralisations sont fondées sur une observation attentive et détaillée d'un petit nombre de sujets. Les résultats seront éclairés et illustrés par la description de cas individuels.

Les conclusions sont également tributaires de l'équation personnelle de l'ethnologue. Ce sont les jugements d'un individu, d'une femme, sur une quantité d'observations dont beaucoup des aspects les plus significatifs ne peuvent, par leur nature même, être connus que d'elle-même. Ceci était inévitable, et l'on peut seulement affirmer, en revanche, que l'équation personnelle a été maintenue absolument constante, et que les différentes observations sont, par conséquent, rigoureusement commensurables entre elles. Les jugements sur l'attitude de Lola envers son oncle ou de Sona envers sa cousine, ont exactement les mêmes bases.

D'autre part, l'on a substitué au procédé de l'« étude linéaire » celui de l'étude « en coupe ». L'on a étudié attentivement et en détail vingt-huit fillettes manifestement pré-pubères, quatorze chez lesquelles la puberté devait faire son apparition dans les douze ou dix-huit mois à venir, et vingt-cinq filles devenues pubères au cours des quatre dernières années, mais qui n'étaient pas encore rangées parmi les adultes par la communauté. L'on a aussi observé, d'une façon moins intensive, les tout petits enfants et les jeunes femmes mariées. Cette méthode d'étude « en coupe », qui consiste à prendre des « échantillons », des individus à différentes périodes de leur développement physique, et à tenir pour probable qu'un groupe parvenu à un certain stade manifestera plus tard les caractéristiques qui apparaissent chez un groupe plus avancé en âge – cette méthode est naturellement inférieure à l'étude « linéaire » qui met en observation un même groupe pendant plusieurs années. Un tel procédé n'a, habituellement, pu se justifier que par le très grand nombre de cas individuels présentés. En ce qui nous concerne, le nombre de sujets observés, s'il paraît très faible par rapport à celui qu'examine tout enquêteur sur l'enfance américaine, n'en est pas moins suffisamment représentatif si l'on considère que la population totale des quatre Samoa américaines est de l'ordre de huit mille habitants, et que, s'il y a eu choix, celui-ci n'a été que géographique. L'on peut prétendre, en outre, que le caractère extrêmement net des conclusions et la rareté des exceptions, qu'il a fallu enregistrer, apportent une nouvelle justification aux proportions du groupe examiné. La méthode adoptée l'a été, sans doute, pour des raisons d'opportunité, mais les résultats obtenus, s'ils procèdent de prudentes déductions à partir d'un groupe valable, peuvent fort bien se comparer à ceux qu'obtient la méthode « linéaire », où les mêmes sujets restent en observation pendant plusieurs années. Cela est vrai lorsque les conclusions auxquelles on veut parvenir sont générales et non individuelles. Il suffit, pour le psychologue, de savoir que les enfants, dans une certaine société, savent marcher, en moyenne, à douze mois, et parlent, en moyenne encore, vers quinze mois. En vue de l'établissement d'un diagnostic, il est nécessaire de savoir que Jean a marché à dix-huit mois et n'a pas parlé avant vingt mois. Ainsi, si l'on n'envisage que des fins théoriques, il est suffisant de dire que les fillettes, dès l'apparition de la puberté, deviennent timides et se troublent en présence des garçons mais si l'on veut comprendre pourquoi Mala est une délinquante, il faut savoir qu'elle préfère la compagnie des garçons à celle des filles, et cela depuis plusieurs années.

Méthodes particulières

Les données sur l'arrière-plan culturel ont été obtenues de la façon habituelle, d'abord par des entretiens avec des informateurs soigneusement choisis, suivis de vérifications près d'autres informateurs, et par l'emploi de nombreux exemples et cas-types. Hormis quelques exceptions sans importance, l'on a, pour obtenir ces matériaux, utilisé la langue samoane, sans le secours d'interprètes. Tout le travail portant sur les individus a été fait en samoan, aucun des enfants ou jeunes gens ne parlant l'anglais.

Bien qu'il soit essentiel de connaître la culture samoane dans son ensemble pour juger avec exactitude tout comportement individuel, on ne donnera de description détaillée que pour les aspects culturels ayant un rapport direct avec le problème de l'adolescente. Par exemple, si j'observe que Pele refuse tout net d'aller porter un message chez un parent, il est important de savoir si elle agit par entêtement, ou par aversion pour ce parent, ou par peur de l'obscurité, ou par crainte du fantôme qui habite tout près et a l'habitude de sauter sur le dos des gens. Mais cela n'aiderait pas beaucoup le lecteur à mesurer le problème principal, de lui exposer en détail le nom et les mœurs de toute la population locale de fantômes. Si bien que toute évocation d'un aspect de la culture ou de la civilisation, qui ne touche pas directement au problème, a été omise de la discussion, bien que cet aspect ait été soumis, à l'origine, à un examen attentif, et qu'on se soit assuré qu'il était sans rapport avec le sujet.

A la connaissance de l'arrière-plan culturel a dû s'ajouter une étude détaillée de la structure sociale des trois villages considérés. Chaque famille a été analysée du point de vue du rang, de la fortune, de l'emplacement de son habitat, de ses relations de proximité vis-à-vis des autres familles, et de l'âge, du sexe, de la parenté, du statut matrimonial, du nombre d'enfants, de la résidence antérieure, etc., de chaque membre de la famille. Ces matériaux ont permis d'obtenir un tableau d'ensemble, qui a servi de base à une analyse plus détaillée des familles des sujets, et aussi un moyen de vérifier l'origine des inimitiés ou des alliances entre individus, l'emploi des termes de parenté, etc. Ainsi le milieu, l'environnement de chaque enfant étudié était-il connu dans tous ses détails.

L'on a aussi rassemblé une quantité d'autres renseignements concernant les sujets observés eux-mêmes : âge approximatif (l'on ne peut jamais connaître l'âge réel aux Samoa), rang de naissance, nombre de frères et sœurs, aînés et cadets du sujet, nombre de mariages du père et de la mère, résidence patri- ou matrilocale, années passées à l'école du pasteur ou à l'école gouvernementale et résultats obtenus, déplacements hors du village ou de l'île, expérience sexuelle, etc. Les enfants furent aussi soumis à des tests – tests de fortune sans doute : désignation de couleurs, mémoire immédiate des chiffres, opposés, substitutions, « Ball & Field » et interprétation d'images. Ces tests ont tous été présentés en samoan; l'étalonnage a, naturellement, été impossible, et les âges n'étaient connus que relativement. Ils m'ont aidée surtout à replacer l'enfant dans son groupe, et n'ont aucune valeur de comparaison. Les résultats de ces tests, cependant, ont révélé une très faible variabilité à l'intérieur du groupe. J'y ai ajouté un questionnaire que je n'ai pas cherché à remplir par un interrogatoire suivi, mais que j'ai complété lorsque l'occasion se présentait. Ce questionnaire donne la mesure des connaissances pratiques, de la participation au savoir traditionnel de la communauté, du degré d'assimilation de l'enseignement européen sur des sujets tels que « dire l'heure » ou « lire un calendrier », enfin de l'expérience visuelle ou active de la mort, de la naissance, de l'avortement, etc.

Mais ces données quantitatives ne constituent qu'un squelette par rapport à tous les matériaux qui ont été rassemblés au cours de mois entiers consacrés uniquement à l'obervation des individus et des groupes, dans leurs familles ou au jeu. La plupart des conclusions tirées de ces observations intéressent l'attitude des enfants à l'égard de leur famille, ou vis-à-vis les uns des autres, l'intérêt qu'ils portent à la religion, ou l'absence de cet intérêt, et le détail de leur vie sexuelle. Ces renseignements ne peuvent pas être réduits à des tableaux ou états statistiques. Naturellement, dans bien des cas, ils n'ont pas été aussi complets que dans d'autres. Il a été parfois nécessaire de pousser plus avant une enquête afin de comprendre tel aspect déconcertant d'un comportement. Toujours la recherche a été poursuivie jusqu'à ce que j'aie eu le sentiment de comprendre les motivations de l'enfant, et la mesure dans laquelle son groupe familial et son groupe d'âge pouvaient expliquer son attitude.

Le pensionnat pour jeunes filles, dirigé par le pasteur, m'a fourni une espèce de groupe de référence. Les jeunes filles, toutes pubères, étaient si étroitement surveillées que toute activité hétérosexuelle était impossible. Elles étaient groupées par âge, sans souci de parenté : elles menaient une vie plus ordonnée et plus régulière que celles qui restaient dans leur famille. Mais il est surprenant de constater combien elles différaient des autres jeunes Samoanes et ressemblaient davantage aux Européennes de leur âge dans la mesure précise suggérée par les différences de milieux. Cependant, comme elles vivaient une partie du temps à la maison, la coupure avec le milieu familial n'était pas complète, et leur intérêt en tant que groupe de référence reste très limité.

LES SAMOA D'AUJOURD'HUI

Le théâtre de cette étude est la petite île de Taù. Sur l'une des côtes de l'île, qui s'élève rapidement jusqu'à un pic montagneux au centre, sont groupés trois petits villages : Lumà et Siufaga, contigus, et Faleasao, à peine un kilomètre plus loin. Isolé à l'autre bout de l'île, le village de Fitiuta n'est relié aux trois autres que par une piste longue et difficile. La plupart des habitants des autres villages n'ont jamais parcouru les quelque treize kilomètres qui les séparent de Fitiuta. A une vingtaine de kilomètres au large se trouvent les deux îles d'Ofu et d'Olesega, qui, avec Taù, forment l'archipel Manu'a, le plus primitif des Samao. L'on passe fréquemment, dans les minces pirogues à balanciers, de l'une à l'autre des trois petites îles, et les habitants de l'archipel Manu'a se considèrent comme un groupe distinct par rapport à ceux de Tutuila, la grande île où se trouve la base navale. La population des Manu'a dépasse deux mille habitants, et, entre les sept villages de l'archipel, ce sont constamment visites, mariages et adoptions.

Les autochtones vivent encore dans leurs cases en forme de ruche, au sol couvert de galets de corail, sans murs, si ce n'est les fragiles stores tressés que l'on baisse par mauvais temps. Le toit, en paille de canne à sucre, doit être retenu, à chaque tempête, par des branches de palmier. Pour les vêtements de tous les jours, les cotonnades ont remplacé le tissu d'écorce laborieusement confectionné, et le costume traditionnel est réservé aux occasions cérémonielles. Les hommes se contentent d'un large pagne, le *lavalava*, qui se fixe à la taille par une habile torsion de l'étoffe. Par-dessus et au-dessous de ce pagne on aperçoit une partie du tatouage qui couvre le corps, des reins aux genoux. Depuis deux générations, le tatouage est tabou aux Manu'a, si bien qu'une partie seulement de la population est allée se faire tatouer dans une autre île. Les femmes portent un *lavalava* plus long et une courte robe de coton qui leur vient au genou. Hommes et femmes vont nu-pieds et ne portent chapeau que pour se rendre à l'église. Pour l'occasion, les hommes revêtent des chemises blanches, et des vestes également blanches, ingénieusement taillées par les femmes sur le modèle de quelques vestes ' Palm Beach ' qui sont venues entre leurs mains. Le tatouage des femmes est beaucoup plus clairsemé que celui des hommes, et se limite à quelques points et croix sur les bras, les mains et les cuisses. Des guirlandes de fleurs, des fleurs dans les cheveux et autour des chevilles, servent à égayer les cotonnades délavées; les jours de grande fête, les tissus d'écorce aux motifs magnifiques, les nattes fines, gaiement festonnées de plumes rouges de perroquets, les coiffures en cheveux naturels décorés de plumes, rappellent le costume pittoresque des jours d'avant le christianisme.

On emploie la machine à coudre depuis de nombreuses années, bien que, pour les réparations, on doive encore s'adresser à quelque marin habile de ses mains. Les ciseaux sont venus s'ajouter aux instuments ménagers, mais chaque fois qu'elle le peut, la Samoane se sert de ses dents ou d'un morceau de bambou. Aux écoles de la Mission, quelques-unes ont appris le crochet et la broderie, qu'elles utilisent particulièrement pour orner les oreillers durs, bien bourrés, qui sont en voie de remplacer rapidement les petits appuis-têtes en bambou, d'autrefois. Les draps blancs de coton se sont substitués à ceux de natte serrée ou d'étoffe d'écorce. Les moustiquaires en coton rendent la case indigène beaucoup plus supportable qu'elle ne devait l'être lorsque des ' tentes ' en tissu d'écorce constituaient la seule protection contre les insectes. La moustiquaire est accrochée le soir à des cordes tendues à travers la case, et les bords sont retenus par des pierres, si bien que chiens, cochons et poulets peuvent rôder par toute la maison sans troubler le sommeil de ses habitants.

On se sert de seaux aussi bien que de coquilles de noix de coco pour aller chercher l'eau à la source ou à la mer, et les verres et tasses en porcelaine voisinent avec les coupes en noix de coco. Pour faire bouillir les liquides, de nombreuses familles ont un chaudron de fer, qui remplace avantageusement le récipient de bois d'autrefois où l'on jetait des pierres chauffées au rouge pour élever la température du liquide. On fait un usage considérable de lampes et lanternes à pétrole, et l'on ne rallume les grappes de noix de bancoul ou les anciennes lampes à huile de coco qu'en période de grande pénurie, quand les moyens manquent pour acheter du pétrole. Le tabac est un luxe hautement apprécié. Les Samoans ont appris à le cultiver mais leur préférence va aux variétés importées.

En dehors de la maison, les changements apportés par l'introduction des produits européens sont peu importants. L'autochtone emploie un couteau de fer pour préparer le coprah, et une lame d'herminette de fer remplace celle en pierre. Mais il fixe toujours les chevrons de son toit avec de la fibre de coco et coud ensemble les différentes parties de ses pirogues de pêche. La constuction des grandes pirogues a été abandonnée. On ne fait plus que de petits canots pour la pêche, et, pour faire passer le récif aux marchandises, les indigènes bâtissent des embarcations à quille et à rames. On ne fait plus que de courtes traversées en pirogue ou canot à rames et les indigènes attendent le passage du bateau de la base navale pour voyager. Le gouvernement achète le coprah et, avec l'argent qu'ils en obtiennent, les Samoans achètent du tissu, du fil, du pétrole, du savon, des allumettes, des couteaux, des ceintures et du tabac, paient leurs impôts (levés sur chaque homme au-dessus d'une certaine taille, l'âge étant une notion trop vague); et subviennent aux besoins de l'Eglise.

Et cependant, bien qu'ils utilisent les produits d'une civilisation plus complexe que la leur, les Samoans n'en sont pas devenus exclaves. Si l'on excepte la fabrication et l'usage des outils de pierre, on peut dire presque à coup sûr qu'aucun des arts anciens ne s'est perdu. Toutes les femmes savent faire l'étoffe d'écorce et tisser les nattes fines. Elles accouchent encore toutes sur une pièce de drap d'écorce, le cordon ombilical est coupé avec un morceau de bambou, et le nouveau-né, est enveloppé dans une étoffe blanche d'écorce, spécialement préparée. Si l'on ne peut se procurer du savon, on y substitue l'orange sauvage qui mousse. Les hommes fabriquent toujours leurs filets, leurs hameçons, leurs nasses à anguilles.

Plus important, peut-être, que tout le reste est le fait qu'ils sont toujours tributaires des seuls produits alimentaires qu'ils plantent eux-mêmes dans leurs propres champs avec un bâton pointu. Les fruits de l'arbre à pain, les bananes, le taro, les ignames et les noix de coco forment un accompagnement substantiel et monotone au poisson, aux crustacés, aux crabes de terre, et parfois au porc et au poulet. Ces produits sont descendus des terres au village dans des paniers faits de feuilles de palmier fraîchement cueillies. Les noix de coco sont grattées sur un « chevalet » de bois garni de pointes en coquillage ou en fer. Le fruit de l'arbre à pain et le taro sont placés sur un piquet, garni de fibre de coco, et la peau est grattée avec un morceau de coquille de noix de coco. Les bananes vertes sont épluchées avec un couteau de bambou. Toute la nourriture d'une famille de quinze à vingt personnes pendant deux ou trois jours est cuite en une seule fois dans de grandes cuvettes circulaires tapissées de pierres. Celles-ci sont d'abord chauffées à blanc, puis les cendres sont enlevées, les aliments placés sur les pierres et le four couvert de feuilles vertes sous lesquelles la nourriture cuit complètement. La cuisine une fois terminée, les mets sont conservés dans des paniers que l'on suspend à l'intérieur de la case principale. Ils sont servis sur des plats en feuilles de palmier, garnis d'une feuille de bananier fraîchement cueillie. Les doigts sont les seuls couteaux et fourchettes et, à la fin du repas, on passe cérémonieusement un rince-doigts en bois.

Le mobilier, à l'exception de quelques coffres et buffets, n'a pas envahi la maison. Tout se passe sur le sol. Parler debout à l'intérieur d'une case est toujours considéré comme un manquement impardonnable au savoir-vivre, et le visiteur doit apprendre à rester assis les jambes croisées pendant des heures sans se plaindre.

Les Samoans sont chrétiens depuis presque un siècle. A l'exception d'un petit nombre de catholiques et de Mormons, tous les autochtones habitant les Samoa américaines sont des adeptes de la Société missionnaire de Londres, connue aux Samoa sous le nom d'« Eglise de Tahiti », en raison de son lieu d'origine. Les missionnaires ont remarquablement réussi à adapter la sévère doctrine et la morale, plus sévère encore, d'une secte protestante britannique aux dispositions d'esprit extrêmement différentes d'un groupe d'insulaires des mers du Sud. Dans les pensionnats et les écoles de la Mission, ils ont formé de nombreux pasteurs et même des missionnaires indigènes tandis qu'il éduquaient de nombreuses filles à devenir femmes de pasteurs. La maison du pasteur est le centre scolaire aussi bien que religieux du village. A l'école du pasteur, les enfants apprennent à lire et à écrire leur propre langue, à laquelle les premiers missionnaires ont adapté notre écriture, à faire des additions élémentaires et chanter des hymnes. Les missionnaires se sont refusés à enseigner l'anglais aux autochtones, et à les détourner en quoi que ce soit de la simplicité de leur existence primitive – tout au moins de ce qu'ils n'avaient pas jugé nuisible en elle. Aussi, bien que les " anciens " de l'Eglise fassent d'excellents sermons, et aient souvent une connaissance étendue de la Bible (qui a été traduite en samoan), bien qu'ils tiennent une comptabilité, et qu'ils traitent de longues affaires, ils ne parlent pas anglais, ou très peu. Au Taù, il n'y avait pas plus d'une demi-douzaine d'individus à savoir quelque peu d'anglais. Les autorités navales ont adopté une politique, en tous points remarquable, de bienveillante non-interférence dans les affaires indigènes. Elles fondent des dispensaires et gèrent un hôpital où sont formées des infirmières indigènes. Ces infirmières sont envoyées dans les villages où elles réussissent d'une façon surprenante à administrer les remèdes très simples dont elles disposent, huile de ricin, teinture d'iode, argyrol, frictions d'alcool, etc. Grâce à l'administration périodique de salvarsan, les symptômes les plus apparents de pian sont en voie de rapide disparition. Les autochtones apprennent à venir chercher les médicaments aux dispensaires plutôt, par exemple, que de passer d'une conjonctivite à la perte de la vue par des applications irritantes de cataplasmes de feuilles.

Des citernes ont été construites dans la plupart des villages, et alimentent en eau pure une fontaine centrale où tout le monde lave et se baigne. Dans chaque hameau, on abrite le coprah sous des hangars jusqu'à ce que le bateau vienne le chercher. Pour différents travaux – tels que la construction des hangars à coprah, des embarcations destinées à faire passer le récif aux chargements de coprah, des routes entre les villages, pour la réparation aussi des canalisations – on fait appel au village tout entier, ce qui correspond parfaitement au système indigène de travail communal. Les autorités sont représentées par des gouverneurs dans les districts, des chefs dans les comtés et un « maire » élu dans chaque village. Ces différents personnages ont d'autant plus d'autorité que leur rang est plus élevé dans la hiérarchie autochtone. Chaque village dispose de deux agents de police qui sont aussi crieurs publics, et estafettes lors des inspections officielles; en outre ils transportent d'un village à l'autre le matériel des infirmières. Il y a aussi des juges de comtés. Un tribunal principal est présidé par un juge civil américain et un juge autochtone. Le code pénal est fait d'un amalgame de décrets gouvernementaux, qui tiennent largement compte de la coutume locale. Lorsque ce code ne permet pas à la justice de se prononcer, on utilise celui de l'Etat de Californie, interprété et révisé dans un esprit large, comme base légale des décisions de la cour. Ces tribunaux ont pris en charge le règlement des litiges concernant les titres importants et les droits de propriété. Et les principales causes soumises au tribunal de Pago-Pago sont du même ordre que celles qui mettaient en émoi les *Fonos* indigènes, il y a quelques centaines d'années.

De nombreux villages ont une école. C'est en général une grande case indigène où les enfants sont assis par terre les jambes croisées et apprennent un anglais des plus nébuleux de la bouche de jeunes gens qui n'en savent guère plus qu'eux. Ils apprennent aussi à chanter à plusieurs voix, ce à quoi ils montrent des aptitudes remarquables, ainsi que le cricket et de nombreux autres jeux collectifs. Ces écoles permettent d'inculquer des notions élémentaires d'hygiène et d'abattre les barrières entre les groupes d'âge, de sexe et de résidence. Parmi les élèves de ces écoles de village, les meilleurs sujets sont orientés vers les emplois d'infirmiers et de professeurs, ou vers le corps d'infanterie de marine indigène, les *Fitafitas*, qui fournit en personnel la police, les hôpitaux et la section d'interprétariat de la base navale. Férus de distinction sociale comme ils le sont, les Samoans se révèlent particulièrement aptes à coopérer avec une administration qui comporte une hiérarchie officielle; étoiles et galons s'intègrent sans difficulté dans leur propre système hiérarchique. Quand le Gouverneur, accompagné d'un groupe d'officiers, est reçu en visite officielle, l'orateur local offre le kava d'abord au Gouverneur, puis au chef du rang le plus élevé parmi les hôtes, puis au commandant de l'arsenal, puis au chef qui vient ensuite dans l'ordre protocolaire, tout cela sans aucune difficulté.

En lisant les descriptions de la vie samoane qui ont été données au cours des chapitres précédents, le lecteur n'a pu manquer d'être frappé de l'extrême élasticité de cette culture, telle qu'elle se présente aujourd'hui. Elle est due à la fusion des diverses idées, croyances et procédés de l'Europe avec la vieille culture primitive. Il est impossible de dire si c'est grâce à quelque vertu particulière de cette culture samoane, ou à quelque heureux hasard, que les éléments étrangers ont été assimilés de façon si complète et si harmonieuse. En bien des points des Mers du Sud, le contact avec la civilisation blanche a entraîné une complète dégénérescence de la vie autochtone, la fin des techniques indigènes, l'abandon des traditions, et l'anéantissement du passé. Rien de tel aux Samoa. L'adolescent ne s'y trouve pas en présence d'un dilemme aussi grave que celui qu'affronte le jeune Américain d'extraction européenne. Entre ses parents et lui, le fossé reste étroit et l'on observe bien peu de ces réactions désastreuses qui accompagnent ailleurs les périodes de transition. La civilisation occidentale, en offrant de nouveaux débouchés aux enfants, a quelque peu allégé le poids du joug familial. Mais surtout les enfants continuent à grandir au sein d'une communauté homogène dans son idéal et ses aspirations. La facilité avec laquelle se déroule l'adolescence des jeunes Samoans ne saurait être attribuée au seul fait que la société traverse une époque de transition. Il est au moins aussi légitime de conclure que l'adolescence peut parfaitement ne pas être une période pénible de la vie. Sans autre impulsion ou tentative de transformation venant de l'extérieur, la civilisation samoane peut très bien rester telle que nous la connaissons pendant deux siècles encore.

Mais, en toute justice, il convient de souligner que cette civilisation samoane, avant de subir l'influence des Blancs, était moins souple, et n'était pas aussi tolérante à l'égard de ceux qui s'écartaient de ses normes. La délinquance, par exemple, y était traitée beaucoup plus durement, et ce qui a été dit à ce sujet dans les chapitres qui précèdent n'est nullement caractéristique des Samoans aborigènes, ni même de conditions typiquement primitives. La civilisation samoane d'aujourd'hui est simplement le résultat de l'impact fortuit mais, à tout prendre, heureux, d'une civilisation complexe sur une civilisation indigène plus simple et particulièrement hospitalière.

Autrefois, le chef de famille avait droit de vie et de mort sur tous ceux qui habitaient sous son toit. Le système juridique américain et les enseignements des missionnaires ont mis fin à cet état de choses. La propriété collective existe encore, et l'individu peut toujours faire valoir ses droits sur l'ensemble des terres familiales. Mais il n'est plus soumis à une tyrannie tracassière qui s'imposait parfois par la violence et même la mort. Les écarts sexuels chez les filles étaient autrefois punis d'une sévère correction, et l'on rasait la tête aux coupables. Les missionnaires ont fait cesser ces pratiques, mais n'ont rien trouvé d'aussi efficace comme encouragement à la chasteté. La fille dont la famille blâme le comportement sexuel a beaucoup moins à craindre que son arrière-grand-mère. Les autorités navales et l'Eglise ont interdit la cérémonie de défloration publique, qui autrefois faisait obligatoirement partie du mariage des filles de haut rang. Ainsi a disparu le motif le plus puissant que pouvait avoir une fille de demeurer vierge jusqu'à son mariage. Si à ces méthodes cruelles et primitives s'était substitué un système religieux qui eût sévèrement stigmatisé la délinquance sexuelle ou un système juridique qui l'eût poursuivie et punie, alors peut-être cette nouvelle civilisation hybride aurait-elle risqué de provoquer autant de confits que l'ancienne.

Il en est de même pour la facilité avec laquelle les jeunes gens changent de domicile. Autrefois, il aurait fallu s'enfuir très loin, pour ne pas courir le danger d'être battu jusqu'à ce que mort s'ensuivit. On désapprouve aujourd'hui les châtiments physiques trop sévères; mais la fuite institutionnelle a subsisté. Le vieux système de successions devait exciter bien des rancunes chez ceux des frères qui n'héritaient pas de meilleurs titres; aujourd'hui deux nouvelles carrières s'offrent aux ambitions, l'Eglise et les *Fitafitas*. Les tabous, bien que moins rigoureux aux Samoas qu'en d'autres parties de la Polynésie, obligeaient sans aucun doute les gens à plus de retenue, tandis qu'ils soulignaient davantage les différences dans la hiérarchie sociale. Les quelques transformations économiques qui sont intervenues ont suffi pour renverser en partie les notions de prestige fondées sur le déploiement des biens et la prodigalité. Il est plus facile de s'enrichir; on produit du coprah, on devient fonctionnaire, ou l'on fabrique des souvenirs pour les touristes qui abordent la grande île. Nombreux sont les grands chefs qui trouvent inutile de mener le train auquel ils ont droit, tandis que beaucoup de nouveaux riches peuvent acquérir un prestige qui leur était refusé lorsqu'il fallait plus de temps pour amasser une fortune. L'esprit de clocher – avec ce qu'il entraîne d'inimitiés, de luttes, de jalousies, et de conflits (dans les mariages entre villages) – a perdu de sa virulence en raison des facilités de communication et du fait que les villages collaborent dans le domaine de la religion et de l'enseignement.

Grâce à la qualité supérieure des outils, le maître-artisan ne peut plus exercer sa tyrannie. L'homme pauvre, mais ambitieux éprouve moins de difficulté pour avoir une maison d'hôtes que par le passé, alors qu'on disposait seulement d'outils de pierre et que la construction des cases était un travail de spécialistes. Les femmes ont un peu d'argent et achètent des étoffes, ce qui leur permet d'échapper en partie à cet esclavage qu'était la fabrication des nattes et du tapa, destinés au vêtement ou à être des unités d'échange. D'un autre côté, des quantités d'enfants, drainés vers les écoles, n'aident plus à la maison : les petites filles ne s'occupent donc plus des bébés et les femmes sont plus étroitement astreintes aux tâches domestiques.

On marquait la puberté de façon beaucoup plus nette. On respectait les tabous menstruels qui interdisent de participer à la cérémonie du kava ou à la préparation des mets. L'entrée de la fille à l'*Aualama* était toujours marquée par un festin, ce qui ne se produit aujourd'hui qu'occasionnellement. Les filles non mariées et les veuves devaient, une partie du temps du moins, passer la nuit dans la maison de la *taupo*. La *taupo* elle-même menait une vie beaucoup plus dure. Aujourd'hui elle pile la racine de kava, mais du temps de sa mère, il lui fallait la mâcher sans fin. Autrefois si elle se révélait n'être pas vierge au moment de son mariage, elle risquait d'être battue à mort. L'adolescent, quant à lui, devait affronter le tatouage, épreuve à la fois douloureuse et fastidieuse, occasion de cérémonies et prétexte à nouveaux tabous. Aujourd'hui, il y a à peine un jeune homme sur deux pour être tatoué. L'opération se pratique beaucoup plus tard et n'a aucun rapport avec la puberté. Les cérémonies qui l'accompagnaient ont disparu et ce n'est plus qu'une question d'argent – le salaire du tatoueur.

L'interdiction des actes de violence et des représailles sanglantes a joué un rôle de levain au bénéfice d'une plus grande liberté individuelle. Beaucoup, en effet, des délits qu'ils frappaient ne sont plus reconnus comme tels par les nouvelles autorités, et l'on ne sait plus comment châtier celui qui épouse la femme divorcée d'un homme de rang supérieur, le renégat qui va colporter des racontars et jette ainsi le discrédit sur son village, le garnement qui réussit à faire un affront inqualifiable à des visiteurs, en enlevant les pailles des noix de coco percées et préparées à leur intention. Le Samoan, d'autre part, se rend rarement coupable des délits retenus par notre code. S'il vole, il doit payer une amende à l'administration comme il l'aurait fait autrefois à son village. Mais il ne se heurte que peu à l'autorité centrale. Il a trop l'habitude des tabous pour protester contre une quarantaine qui en a tous les dehors; il est trop accoutumé aux exigences de sa famille pour s'irriter des légers impôts demandés par le gouvernement. Il n'est pas jusqu'à la sévérité avec laquelle les adultes jugeaient toute précocité, qui ne se soit adoucie, car ce qui est faute à la maison est devenu qualité à l'école.

La dureté des mœurs anciennes s'est émoussée sous l'action des influences modernes. Il n'y a plus de cannibalisme, de guerre ou de représailles sanglantes; le *matai* ne jouit plus sur tous les siens d'un droit de vie et de mort; celui qui enfreint la loi du village ne voit pas sa maison incendiée, ses arbres coupés, ses porcs tués; on ne dévaste plus les plantations le long du chemin en se rendant à des funérailles; des quantités de vies humaines ne sont pas perdues chaque année au cours de longs voyages en pirogues de petites dimensions; les épidémies sont jugulées. Et

586 MŒURS ET SEXUALITÉ EN OCÉANIE

jusqu'ici, la civilisation occidentale n'a pas apporté en échange ses propres maux.

L'instabilité économique, la pauvreté, le système du salaire, l'éloignement du travailleur de sa terre et de ses outils, la guerre moderne, les maladies professionnelles, l'absence de loisirs, la bureaucratie tatillonne – de tout cela, ces îles sans ressources exploitables ont été jusqu'ici protégées. Et les indigènes n'ont pas encore été atteints par les vengeances plus subtiles de la civilisation, névroses, doutes philosophiques, tragédies personnelles dues à un individualisme plus conscient, à une plus grande discrimination dans l'expression de la sexualité, ou à des conflits entre la religion et certains idéaux. Les Samoans n'ont pris de notre culture que ce qui pouvait rendre leur vie plus agréable, leur civilisation moins exigeante; ils ont accepté la conception du dieu miséricordieux, tout en refusant la doctrine du péché originel.

APPENDICE IV

DÉFICIENTS ET MALADES MENTAUX

Ne possédant pas la formation particulière et n'ayant pas disposé du matériel nécessaire pour le diagnostic exact des maladies mentales, je ne peux donner ici que le point de vue du non-spécialiste. Les observations qui suivent peuvent cependant intéresser le spécialiste curieux de la pathologie des peuples primitifs. Dans l'archipel des Manu'a, dont la population dépasse deux mille habitants, j'ai enregistré un cas d'idiotie et un autre d'imbécillité; un garçon de quatorze ans présentait les signes à la fois de débilité et d'aliénation mentales; un homme de trente ans était atteint d'un délire des grandeurs systématisé; enfin un inverti sexuel se rapprochait de la norme du sexe opposé par une hypertrophie des seins, des maniérismes et des attitudes efféminées, et une préférence marquée pour les activités féminines.

L'idiot appartenait à une famille de sept enfants. Son frère cadet marchait depuis plus d'un an, et la mère prétendait qu'ils avaient deux ans de différence. Ses jambes étaient atrophiées, son ventre énorme, sa grosse tête rentrée dans les épaules. Il ne savait ni marcher ni parler, bavait sans arrêt et était incapable de contrôler ses fonctions excrétoires. L'imbécile, une fille, vivait dans une autre île, et je n'ai pu l'observer à loisir. Pubère depuis un ou deux ans, elle était enceinte quand je la rencontrai. Elle parlait, et pouvait accomplir les tâches simples d'un enfant de cinq ou six ans. Elle ne paraissait guère se rendre compte de son état, riait sottement ou avait un regard hébété lorsqu'on en parlait devant elle. Le garçon de quatorze ans, lorsque je le vis, présentait tous les signes d'une démence précoce avec catatonie. Il faisait ce qu'on lui demandait, mais parfois devenait violent et parfaitement incontrôlable. Sa famille prétendait qu'il avait toujours été stupide, mais n'était fou que depuis peu. Je suis obligée de m'en remettre à leurs dires, n'ayant pu observer l'enfant que pendant quelques jours. Dans aucun de ces trois cas de déficience mentale caractérisée, il n'y avait d'antécédents familiaux qui pussent apporter quelque clarté. Parmi les filles qui ont fait ci-dessus l'objet d'un examen détaillé, une seule, Sala (1), était d'une intelligence suffisamment inférieure à la normale pour être définie comme une simple d'esprit.

L'homme atteint de délire des grandeurs systématisé avait, disait-on, une trentaine d'années; grand, émacié, il paraissait beaucoup plus. Il se prenait pour Tufele, le grand chef d'une autre île, et gouverneur de tout l'archipel. Les indigènes auraient conspiré contre lui pour le dépouiller de son titre et mettre à sa place un usurpateur. Il appartenait vraiment à la famille de Tufele, mais de façon si lointaine qu'il n'y avait aucune possibilité qu'il accédât jamais au titre. On refusait, disait-il, de lui donner la nourriture due à un chef, on se moquait de lui, on niait ses droits, on faisait tout pour le détruire. Seuls quelques Blancs reconnaissaient son rang. (Les indigènes conseillaient aux visiteurs d'utiliser à son adresse le langage cérémoniel des chefs, parce que alors il consentait à danser – spectacle étrange et pathétique). Il n'avait pas de crises, restait d'humeur chagrine et renfermée, ne travaillait que de façon sporadique, jamais à de lourdes tâches, et sans qu'on pût lui confier quoi que ce soit d'un peu difficile. Ses parents et voisins le traitaient avec beaucoup de douceur et de ménagement.

On m'a aussi parlé de quatre individus de Tutuila, apparemment des cyclothymiques. Tous les quatre s'étaient montrés, pendant un certain temps, d'une destructivité violente, impossible à maîtriser, et étaient revenus à ce que les indigènes considèrent comme un état normal. Un jeune garçon de Taù était épileptique, seul anormal d'une famille de huit enfants. Il tomba d'un arbre pendant une crise et mourut d'une fracture du crâne peu de temps après mon arrivée aux Manu'a. Une fillette de dix ans souffrait d'une paraplégie, qu'on attribuait à l'absorption de doses excessives de salvarsan. On disait qu'elle était normale jusqu'à l'âge de six ans.

Deux Samoanes seulement, une femme mariée d'environ trente ans et une fille de dix-neuf ans (2) présentaient les symptômes d'une constitution neurasthénique. La première était stérile et passait son temps à expliquer qu'elle avait besoin d'une opération. Un excellent chirurgien pratiquait depuis deux ans à l'hôpital des Samoa, et le prestige de son art s'en trouvait particulièrement rehaussé. A Tutuila, près de la Station Navale, j'ai rencontré plusieurs femmes d'âge mûr, littéralement obsédées par une opération qu'elles venaient de subir ou à laquelle elles se préparaient. Il est impossible de dire si cette vogue de la chirurgie moderne a contribué ou non à l'augmentation des cas apparents de neurasthénie.

En fait de cas d'hystérie, je n'en ai rencontré qu'un seul, celui

(1) Voir chap. IX.
(2) *Ibid.*

d'une fille de quatorze ou quinze ans, qui avait un vilain tic sur le côté droit du visage. Je n'ai pu l'observer que quelques minutes au cours d'un voyage sans avoir l'occasion de faire une enquête à son sujet. Je n'ai jamais vu ni entendu parler des cas de cécité, de surdité, d'anesthésie ou de paralysie hystériques.

Je n'ai pas non plus eu connaissance de cas de crétinisme. Quelques enfants étaient aveugles de naissance. Les praticiens indigènes traitent la « conjonctivite samoane » par des méthodes si brutales que les patients deviennent souvent aveugles.

Les affections qui frappent immédiatement le visiteur d'un village samoan sont les maladies des yeux, l'éléphantiasis, les abcès et les plaies de toutes sortes; mais les stigmates de dégénérescence sont presque entièrement absents.

Une fillette de dix ans était albinos. Il n'y avait pas d'antécédents connus d'albinisme dans sa famille; mais comme l'un de ses parents, décédé, était originaire d'une autre île, on ne pouvait en tirer aucune conclusion probante.

APPENDICE V

MATÉRIAUX
SUR LESQUELS S'APPUIE CETTE ANALYSE

Cette étude porte sur soixante-huit fillettes et jeunes filles de huit à vingt ans – la totalité de la population féminine de cet âge des villages de Faleasao, Lumà, et Siufaga, situés sur la côte ouest de l'île de Taù, cette île faisant partie de l'archipel des Manu'a dans les îles Samoa.

Les âges indiqués doivent tous être considérés comme approximatifs, les dates exactes de naissance étant impossibles à obtenir sauf dans quelques cas, très rares. L'on s'est referé, pour les déterminer, aux âges connus et aux témoignages familiaux quant à l'âge relatif des autres. Aux fins de description et d'analyse, j'ai divisé les sujets en trois groupes : ceux qui ne présentaient encore aucune signe de développement mammaire, vingt-huit au total, s'échelonnant de huit ou neuf ans à douze ou treize ans; ceux chez qui la puberté apparaîtrait probablement au cours des douze ou dix-huit mois à venir, quatorze en tout, de douze ou treize ans à quatorze ou quinze; enfin les filles pubères, mais qui n'étaient pas encore considérées comme adultes par la communauté – elles étaient vingt-cinq, entre quatorze ou quinze ans et dix-huit ou vingt. On a étudié en détail ces deux derniers groupes et onze des plus jeunes fillettes, soit un ensemble de cinquante sujets. Les quatorze autres du premier groupe n'ont pas donné lieu individuellement à une investigation aussi poussée, mais elles ont formé un important groupe-témoin pour l'étude du jeu, de la vie en bande, de la formation du complexe frère-sœur, des relations entre les sexes, des différences entre les sujets d'intérêt et les activités de cet âge, et ceux des fillettes proches de la puberté. Ce groupe a aussi fourni d'abondants matériaux pour l'étude de l'éducation et de la discipline de l'enfant au sein de la famille. Les deux tableaux ci-dessous indiquent, sous une forme sommaire, les principales données statistiques rassemblées en ce qui concerne les sujets étudiés en détail : rang d'âge, nombre de frères et sœurs, décès, remariage ou divorce des parents, résidence de l'enfant, type de famille dans laquelle elle vivait, enfin était-elle ou non la fille du chef de famille. Le deuxième tableau n'a trait qu'aux vingt-cinq filles pubères, et indique : durée écoulée depuis les premières règles, période menstruelle, degré et localisation des douleurs mens- truelles, existence ou absence de masturbation, expérience homosexuelle et hétérosexuelle, enfin, importante indication : résidence ou non chez le pasteur. Les analyses sommaires annexées à ces tableaux montreront que ces cinquante filles présentent une assez large diversité en ce qui concerne l'organi- sation familiale, le rang d'âge et les rapports avec les parents. Le groupe peut être assez bien considéré comme représentatif des différents types de milieu, personnel et social, que l'on rencontre dans la civilisation samoane d'aujourd'hui.

Répartition des adolescentes
selon l'apparition des premières menstrues

Au cours des six derniers mois.   6
Au cours des douze derniers mois   3
Au cours des deux dernières années.   5
Au cours des trois dernières années.   7
Au cours des quatre dernières années   3
Au cours des cinq dernières années   1

Total.   25

SPÉCIMEN DE FICHE INDIVIDUELLE

Numéro de la famille... Numéro de la fille... Nom... Age... (Base de l'estimation) Matai... rang... Père... rang... Résidence du père... Mère... Résidence de la mère... Le père ou la mère ont-il été déjà mariés?... Si- tuation matérielle de la famille... Le père, la mère, le tuteur sont-ils membres d'une Eglise? Pubère... Première ap- parition des règles?... Douleur... Régularité... Appré- ciation du développement physique... Classe suivie à l'école publique?... à l'école du pasteur?... Connaissance de l'anglais?... Voyages hors de Taù... Défauts physiques... Rang d'âge?... Meilleures amies, dans l'ordre...

Résultats des tests
Désignation de couleurs   Attitudes religieuses...
Mémoire immédiate des chiffres.
Substitution de symboles aux chiffres.
Opposés.
Interprétation d'images.
« Ball & Field ».

Jugements portés sur des habitants du village :
La plus belle fille...
Le plus beau garçon...   Personnalité...
L'homme le plus sage...
La femme la plus adroite...   Attitude envers la famille...
Le plus mauvais garçon...
La plus mauvaise fille...
Le meilleur garçon...   Attitude envers les enfants
La meilleure fille...   de son âge...

TABLEAU 1

Tableau indiquant : durée écoulée depuis l'apparition de la puberté – périodicité menstruelle – degré et localisation des douleurs menstruelles – masturbation – expérience homosexuelle – expérience hétérosexuelle – résidence ou non chez le pasteur.

No	Nom	Durée écoulée depuis puberté	Périodicité	Douleurs *	Masturbation	Expérience homosexuelle	Expérience hétérosexuelle	Résidence chez le pasteur
1	Luna	3 ans	mensuelle	abdomen	oui	oui	oui	non
2	Masina	3 -	-	-	-	-	-	-
3	Losa	2 -	bimensuelle	abd. dos	non	-	non	oui
4	Sona	3 -	bimensuelle	-	oui	-	-	-
5	Loto	2 mois	mensuelle	dos	-	-	-	non
6	Pala	6 mois	-	aucune	-	-	-	-
7	Aso	18 mois	bimensuelle	dos	-	non	-	-
8	Tolo	3 mois	-	violentes	-	-	-	-
9	Lotu	3 ans	mensuelle	-	-	oui	oui	oui
10	Tulipa	2 mois	-	abd. dos	-	-	non	non
14	Lita	2 ans	-	dos	-	-	-	-
16	Nainu	3 -	-	-	-	-	oui	oui
17	Ana	2 -	tous les trois mois	-	-	-	non	non
18	Luna	3 mois	mensuelle	-	non	non	-	-
19	Tolu	4 ans	bimensuelle	-	oui	oui	oui	-
21	Mala	2 mois	mensuelle	-	-	non	non	-
22	Fala	1 an	-	-	-	oui	oui	-
23	Lola	1 -	bimensuelle	abdomen	-	-	-	-
23a	Tulipa	3 ans	mensuelle	dos	-	-	-	oui
24	Leta	2 mois	-	aucune	-	-	-	-
25	Ela	2 ans	-	violentes	-	-	-	-
27	Mina	5 -	-	-	non	non	non	-
28	Moana	4 -	bimensuelle	abd. dos	-	-	oui	non
29	Luna	4 -	mensuelle	violentes	non	-	oui	oui
30	Sala	3 -	bimensuelle	-	oui	-	oui	non

* Douleurs localisées uniquement comme il est indiqué. « Violentes » : ainsi caractérisées par la fille, mais jamais suffisamment pour l'empêcher de travailler.

TABLEAU II. — STRUCTURE FAMILIALE

No	Noms	1	2	3	4	5	6	7	8	9	10	11	12	13	14	15	16	17	18	19	20	21
	Pré-adolescentes																					
1	Tuna	1	3																		×	
2	Vala	3				1	3-													×	×	
3	Pele	3	4																		×	×
4	Timu							×	×													
5	Suna	3	2	1					×											×	×	
6	Pola		4	1	1																	
7	Tua	1	1	2											×							
8	Sina	1	1	2	3														×	×		
9	Fiva	1	1	1	3															×	×	
10	Ula	1	1	1	2																	
11	Siva	1	4						×													×
	Âge intermédiaire																					
1	Tasi	1	4	4						×												
2	Fitu	1	1	2	2								×								×	×
3	Mata	1	3	3									×									×
4	Vi	3	1	1								×										
6	Ipu	2																		×		
7	Selu	3							×										×			×
8	Pula	2	1	1								×			×							×
9	Meta	3	2	2									×									
10	Maiiu		2									×	×	×								
11	Fiatia				3	2-			×												×	
12	Lamà	3													×	½	½	×	×			×
13	Tino	1	2	2	1												×				×	
14	Vina	1	2	2																		×
15	Talo	1		4															×			×

TABLEAU II *(suite)*

No	Noms Adolescents	1	2	3	4	5	6	7	8	9	10	11	12	13	14	15	16	17	18	19	20	21
1	Luna	2	5	2	1									×							×	
2	Masina	3		2	2				×									×			×	×
3	Losa			2	1			×											×			
4	Sona	2	1					×	×										×		×	
5	Loto	4	3		1				×	×												×
6	Pala	3	3		1				×	×												
7	Iso	1	2																			
8	Tolo			8													×					×
9	Lotu	5	3		5																	
10	Tulipa	4		2	1								×					×	×		×	×
14	Lita			4	2														×			
16	Namu					3–																
17	Ana			7	1																	
18	Lua							×	×								×		×			
19	Tolu	3	1	3	1				×		×					×			×			×
21	Mala	1	3		2			×		×		×			×	×						
22	Fala	2	2													×	×	×				
23	Lola	1	2																			
23▲	Tulipa	2	4	1									×				×		×	19		
24	Leta	2	1	1				×				×										×
25	Ela																					
27	Mina	1	1	1		1+1+											×	×				×
28	Moana		4			1			×	×											×	
29	Luina	1	4	1						×		×										
30	Sala	3	1					×									×					

Colonne   *Objet*

1 Nombre de frères aînés.
2 Nombre de sœurs aînées.
3 Nombre de frères cadets.
4 Nombre de sœurs cadettes.
5 Demi-frères; *plus :* nombre de demi-frères aînés; *moins :* nombre de demi-frères cadets.
6 Demi-sœurs; *plus :* nombre de demi-sœurs aînées; *moins :* nombre de demi-sœurs cadettes.
7 Mère décédée.
8 Père décédé.
9 Enfant d'un second mariage maternel.
10 Enfant d'un second mariage paternel.
11 Mère remariée.
12 Père remarié.
13 Habite chez ses parents – résidence patrilocale.
14 Habite chez ses parents – résidence matrilocale.
15 Habite avec sa mère seulement.
16 Habite avec son père seulement.
17 Parents divorcés.
18 Habite chez des parents de son père.
19 Habite chez des parents de sa mère.
20 Son père est *matai* de la famille.
21 Vit dans une famille biologique naturelle, c'est-à-dire une famille composée du père, de la mère, des enfants et de deux autres membres, au plus.

x dans le tableau signifie l'existence de cette caractéristique. Ainsi x dans la colonne 7 indique que la mère est décédée.

Sur les 68 filles, il y avait :

7 filles uniques,
15 cadettes,
5 aînées,
5 avec un demi-frère ou une demie-sœur vivant dans la même famille,
5 dont la mère était morte,
14 dont le père était mort,
3 issues d'un second mariage maternel,
2 issues d'un second mariage paternel,
7 dont la mère s'était remariée,
5 dont le père s'était remarié,
4 habitant chez leurs deux parents – résidence patrilocale,
8 habitant chez leurs deux parents – résidence matrilocale,
9 habitant chez leur mère seulement,
1 habitant avec son père seulement,
7 dont les parents étaient divorcés,
12 habitant chez des parents de leur père (sans leur père ni leur mère),
6 habitant chez des parents de leur mère (sans leur père ni leur mère),
15, ou 30 %. dont le père était chef de famille,
12 qui appartenaient à une authentique famille biologique. (C'est-à-dire une famille qui, pendant mon séjour dans l'île, ne comprenait, en dehors du père, de la mère et des enfants, pas plus de deux autres membres.)

TESTS D'INTELLIGENCE UTILISÉS

Il était impossible d'étalonner des tests d'intelligence, et, par conséquent, les conclusions auxquelles je suis parvenue n'ont pas de valeur quantitative. Mais, comme je possédais déjà une certaine expérience dans l'interprétation des tests, ils se sont révélés utiles pour fournir une appréciation préliminaire de l'intelligence des filles. Les indigènes, d'autre part, sont depuis longtemps habitués à subir des examens, auxquels les soumettent chaque année les missionnaires, et, lorsqu'ils savent qu'un examen est en cours, ils se tiennent à l'écart de l'examinateur et du sujet examiné. J'ai pu ainsi m'entretenir seule avec les enfants sans indisposer leurs parents. De plus, la nouveauté des tests, particulièrement la désignation de couleurs et l'interprétation d'images, a permis de détourner leur attention de certaines autres questions que je désirais leur poser. Les résultats de ces tests indiquent une variation beaucoup moins grande que celle à laquelle on pourrait s'attendre de la part d'un groupe de filles échelonnées entre les âges de dix et vingt ans. En l'absence d'étalonnage, il s'est révélé impossible de parvenir à des conclusions plus détaillées et plus précises. J'ajouterai cependant quelques mots en ce qui concerne les réactions enregistrées à l'égard de certains tests, car je crois ces remarques utiles pour apprécier les méthodes de mesure par tests de l'intelligence chez les peuples primitifs, et aussi les possibilités qu'offrent ces méthodes.

Tests utilisés :

- Désignation de couleurs. 100 carrés de 2,5 cm de côté, rouges, jaunes, noirs et bleus.
- Mémoire immédiate des chiffres. La méthode habituelle de Stanford-Binet a été utilisée.
- Substitution de symboles à des chiffres. 72 symboles de 2,5 cm : carrés, cercle, croix, triangles et losanges.
- Opposés. 23 mots, Stimuli : gros, blanc, long, vieux, grand, sage, beau, tard, nuit, près, chaud, gagner, épais, doux, fatigué, lent, riche, heureux, obscurité, debout, à l'intérieur des terres, à l'intérieur de la maison, malade.
- Interprétation d'images. Trois reproductions du film *Moana*, montrant : *a)* deux enfants qui ont attrapé un crabe de cocotier, en l'enfumant dans un trou de rocher situé au-dessus d'eux, *b)* une pirogue prenant la mer pour la pêche à la bonite, ce qui indiquait la forme de l'embarcation et la position des hommes, *c)* une jeune Samoane assise sur un tronc d'arbre, en train de manger un petit poisson vivant, qu'un garçon, paré de guirlandes, et couché à ses pieds, vient de lui donner.
- « Ball & Field. » Cercle de taille normale.

Les instructions ont été données dans tous les cas entièrement en samoan. Il a souvent fallu encourager ces jeunes sujets au début de chaque test, car, bien qu'ils fussent familiarisés avec l'emploi de l'ardoise, du crayon et du papier, ils n'étaient pas accoutumés à des tâches aussi précises. Le test « Ball & Field » a été le moins satisfaisant car, dans plus de cinquante pour cent des cas, les enfants prenaient une première direction tout à fait au hasard, et se contentaient de faire un dessin compliqué à l'intérieur du cercle. Lorsque ce dessin se trouvait, fortuitement, coïncider avec la solution soit inférieure, soit supérieure, le commentaire de l'enfant indiquait que l'idée directrice avait été esthétique et non orientée en vue de la solution du problème. Les enfants que j'ai été conduite à croire les plus intelligents subordonnaient leurs considérations esthétiques à la solution du problème, tandis que les moins intelligents en étaient détournés par l'intérêt qu'ils portaient au dessin qu'ils pouvaient faire, beaucoup plus aisément que le font les enfants du même âge chez nous. Dans les épreuves de mémoire immédiate des chiffres, deux filles seulement sont parvenues à répéter sept chiffres exactement, les autres ne dépassant jamais six. Les Samoans n'ont que peu d'estime pour la mémoire mécanique. Dans l'épreuve de substitution de symboles aux chiffres, les fillettes ne comprirent que lentement ce qui leur était demandé, et rares furent celles qui avaient retenu les correspondances avant d'arriver à la fin du test. Quant au test d'interprétation d'images, il fut faussé, plus que les autres, par un facteur culturel; presque tous les enfants donnaient à leurs remarques un tour très stylisé, les phrases se succédant avec beaucoup de symétrie. « Beau est le garçon et belle est la fille. Belle est la guirlande du garçon, et belle la guirlande de la fille », etc. Pour les deux images représentant surtout des êtres humains, aucune discussion ne put commencer avant que la parenté entre les personnages n'ait été précisée. Le test des « opposés » fut le seul dont les fillettes soient venues à bout facilement, ce qui n'étonne nullement lorsque l'on sait combien les mots les intéressent, au point que leur spéculation mythologique se borne le plus souvent à des explications – véritables jeux de mots – sur des noms.

LISTE DE CONTRÔLE UTILISÉE POUR DÉTERMINER LE DEGRÉ D'APTITUDES ET DE CONNAISSANCES DE CHAQUE FILLE

Dans un but d'uniformité, j'avais établi pour cette enquête un questionnaire que je remplissais pour chaque fille. Je ne posais pas les questions les unes à la suite des autres, mais, de temps en temps, j'ajoutais une nouvelle indication sur les fiches. Les différents points de ce questionnaire peuvent être groupés sous les rubriques générales ci-dessous.

Agriculture. Sarcler, choisir des feuilles pour la cuisine, cueillir des bananes, le fruit de l'arbre à pain, récolter le taro, débiter les noix de coco pour le coprah.

Cuisine. Peler les bananes, râper les noix de coco, apprêter le fruit de l'arbre à pain, préparer le *palusami* (1), l'envelop-

---

(1) *Palusami* : sorte de gâteau fait avec de l'amande de coco râpée, au goût de pierre chauffée au rouge, mouillée d'eau de mer, enveloppée de feuilles de taro (dont on a au préalable brûlé la queue âcre), puis dans une feuille de bananier, enfin dans une feuille d'arbre à pain.

per, faire le *tafolo* (1), le *poi* de bananes, le gâteau d'*arrow-root*.

Pêche. Pêcher de jour sur le récif, pêcher de nuit sur le récif, prendre des *lole*, attraper de petits poissons sur le récif, employer le « bâton à aguicher » pour pêcher les pieuvres, attraper de gros crabes.

Tressage et tissage. Balles, rosaces, paniers pour cadeaux de nourriture, paniers de portage, stores tressés, nattes de sol, paniers de pêche, plateaux à nourriture, nattes de toit, éventails simples, nattes de sol en pandanus, nattes de couchage (nombre de motifs connus et nombre de nattes déjà fabriquées), nattes fines, jupes de danse, chaume en canne à sucre.

Tissu d'écorce. Récolter les baguettes de mûrier à papier, peler l'écorce, battre l'écorce, utiliser la matrice à impressions, tracer les motifs à main levée.

Soin des vêtements. Laver, repasser, repasser des étoffes empesées, coudre, coudre à la machine, broder.

Sports. Grimper aux palmiers, nager, nager dans le bassin à l'intérieur du récif (2), jouer au cricket.

Kava. Piler la racine de kava, offrir le kava, secouer le tamis en écorce d'hibiscus.

Connaissances d'origine étrangère. Ecrire une lettre, dire l'heure, lire un calendrier, remplir un stylo.

Danse.

Réciter la généalogie familiale.

Connaissance du langage de courtoisie. Connaître les termes employés par le chef pour : bras, jambe, nourriture, maison, danse, épouse, maladie, parler, s'asseoir. Indiquer les expressions en langage de courtoisie utilisées lorsqu'on accueille quelqu'un, lorsqu'on passe devant quelqu'un.

Expérience de la vie et de la mort. Avoir assisté à une naissance, une fausse couche, des rapports sexuels, une mort, une césarienne pratiquée sur un cadavre.

Idées sur le mariage. Rang du mari, résidence, âge du mariage, nombre d'enfants.

Connaissance de l'organisation sociale. Motifs de la césarienne *post mortem*, conduite à l'égard de la couche d'un chef, exigences du tabou « frère-sœur », conséquences de la violation du *tapui* (3) sur les noix de coco, usage convenable de la coupe de

---

(1) *Tafolo* : sorte de gâteau fait de fruit d'arbre à pain avec une sauce de noix de coco râpée.

(2) Ceci est plus difficile qu'en eau calme. Il faut savoir plonger et aussi s'accommoder d'un changement du niveau de l'eau, qui est considérable chaque fois que déferle une grosse vague.

(3) *Tapui* : caractères hiéroglyphiques utilisés par les Samoans pour protéger leurs biens des voleurs. Le *tapui* appelle automatiquement un châtiment magique sur la tête du voleur. Celui qui vole des noix de coco protégées par le *tapui* sera puni d'une crise de furonculose.

kava, titres et tenants des titres des *Manaia* de Luma, Siufaga et Faleasao, la *taupo* de Fituata, la signification de la *Fale Ula* (4), du *Umu Sa* (5), du *Mua o le taule'ale'a* (6), les biens qu'il convient d'échanger lors d'un mariage, le nom des grands chefs de Luma, Siufaga, Faleasao et Fitiuta, la composition du *lafo* (7) du chef-orateur.

(4) Nom cérémoniel de la maison du conseil du Tui Manu'a.
(5) Le four sacré plein de nourritures et la cérémonie de présentation de cette nourriture et de nattes fines aux charpentiers qui viennent de terminer une case.
(6) Visite cérémonielle des jeunes gens du village à une jeune fille en visite.
(7) Attribut cérémoniel du chef-orateur, habituellement une pièce de tapa, parfois une natte fine.

TABLE DES ILLUSTRATIONS
DANS LE TEXTE

Les figures 2, 5, et 11 ont été dessinées d'après « Transformation Scene, the changing culture of a New-Guinea Village » par Ian Hogbin, ed. Routledge and Kegan Paul Limited, Londres, 1951. Les figures 3, 4, 7, 10, 13 d'après « Tambaran, Begegnung mit ingestrebenden Kulturen auf Neuguinea » par René Gardi, ed. Orell Fussli, Zurich, 1956. Les figures 1, 12 d'après « Acta Tropica » Revue des Sciences tropicales et de Médecine tropicale; Separatum vol. 14, n° 1, Verlag für, Recht und Gesellschaft AG, Bâle, 1957. Les figures 8, 14 d'après « Die Sepik-Expedition 1959 des Museums für Völkerunde zu Basel » Separatabdrück aus Regio Basiliensis II, 2, pp. 79-97, Bâle, 1961. La figure 6 d'après « Adam in Plumes » par Colin Simpson, ed. Angus and Robertson, Sidney, Londres, Melbourne, Wellington, 1954. Les figures 15, 16, 17, 18 d'après « Samoa under the sailing Gods » par N. A. Rowe, ed. Putnam, Londres et New York, 1930.

Nous tenons à remercier les éditeurs de ces différents ouvrages qui ont bien voulu nous autoriser à nous servir des photographies illustrant ces livres pour faire nos dessins.

Sur la carte de la Nouvelle-Guinée (p. 8-9), *on lira :* île MATTHIAS, cap KONIG WILHELM, île LONG, île TREASURERY, golfe de PAPOUASIE, Riv. TURAMA, MARIENBERG.

TABLE DES MATIÈRES

LIVRE II
ADOLESCENCE À SAMOA

IMPRIMÉ EN FRANCE PAR BRODARD ET TAUPIN
58, rue Jean Bleuzen - Vanves.
Usine de La Flèche, le 24-05-1985.
6314-5 - N° d'Éditeur 1914, novembre 1982.

PRESSES POCKET - 8, rue Garancière - 75006 Paris
Tél. 634.12.80